동양상가의
www.pmg.co.kr

한국산업인력공단 시행 국가공인자격증

KB084652

박문각
손해평가사

2차 한권으로 합격하기

2과목 농작물재해보험 및 가축재해보험 손해평가의 이론과 실무

· 농업정책보험금융원의 2023년 「농업재해보험·손해평가의 이론과 실무」 이론서 최종본(2023.4.28.) 완벽 반영

김봉호, 손송운 편저

브랜드만족
1위
박문각

수상내역
후면표기

제 2 판

50년 시간이 만든 **합격비결**
합격 노하우가 다르다!

QMG 박문각

PREFACE

이 책의
머리말

손해평가사란 농업재해보험의 손해평가를 전문적으로 수행하는 자로 농어업재해보험법에 따라 신설되는 국가자격인 국가전문자격을 취득한 자를 의미합니다. 즉 공정하고 객관적인 손해액 산정과 보험금 지급을 위하여 농작물의 농업재해로 인한 손해에 대해 보험관련 법규와 약관을 근거로 전문적인 능력과 지식을 활용하여 보험사고를 조사·평가하는 일을 수행하는 국가자격시험에 합격한 자를 말하는 것입니다. 농림축산식품부는 농어민들의 재해로 인한 피해를 전문자격증을 보유한 손해평가사가 신속하고 공정하게 평가하여, 원활한 농어업 발전을 도모하고 농어업인의 안정된 생활이 가능하도록 손해평가사 자격제도를 도입·운영하고 있습니다.

최근 농업재해보험 선택대상품목의 수가 늘어남에 따라 농업 관련 재해 피해보상의 범위도 확대되었습니다. 그에 따라 보험의 필요성에 대한 인식이 개선되면서 가입 농가수가 증가하고 있으며 정부의 지원 규모도 커질 것으로 예측되고 있습니다. 농업재해로 인한 피해평가는 전문적인 견해에 따른 공정하고 전문적인 지식을 요하므로 장기적으로 전문성을 갖춘 손해평가사의 수요도 증가할 것으로 예상되어 직업적 전망도 밝아지고 있습니다.

물론 손해평가사는 전문자격증으로 시험 난이도가 평이하지 않기 때문에 어렵고 생소한 전문이론을 이해하고 시험을 철저하게 준비하기 위해서는 무엇보다 교재의 선택이 중요합니다. 손해평가사 1차와 2차 시험을 전략적으로 대비하기 위해 박문각은 전문강사진이 직접 집필한 교재를 시리즈로 기획하여 출간하게 되었습니다. 본서는 반드시 숙지해야 할 핵심 주요이론을 정리하였을 뿐만 아니라 2015년부터 2022년까지의 기출문제를 철저하게 분석하였으며, 2023년 최신 개정법령과 농업정책보험금융원의 업무방법서 최종본(2023.4.28.)을 완벽하게 반영하여 수험생들의 합격을 위한 최적화된 교재로 구성하였습니다.

50년 역사의 대한민국 대표 교육브랜드 박문각이 손해평가사를 준비하는 수험생 여러분들의 합격을 진심으로 기원합니다.

저자 및 박문각 출판팀 일동

📺 손해평가사 자격시험 소개

❶ 손해평가사란?

농업재해보험의 손해평가를 전문적으로 수행하는 자로서 농어업재해보험법에 따라 신설되는 국가자격인 국가전문자격을 취득한 자를 말한다.

❷ 손해평가사의 직무분야

농업재해보험의 손해평가사는 공정하고 객관적인 농업재해보험의 손해평가를 하기 위해 피해사실의 확인, 보험가액 및 손해액의 평가, 그 밖의 손해평가에 필요한 사항에 대한 업무를 수행한다.

❸ 시험과목 및 배점

구분	시험과목	문항수	시험시간	시험방법
제1차 시험	1. 「상법」보험편 2. 농어업재해보험법령(「농어업 재해보험법」, 「농어업재해보험 법 시행령」 및 농림축산식품부 장관이 고시하는 손해평가 요 령을 말한다.) 3. 농학개론 중 재배학 및 원예작 물학	과목별 25문항 (총 75문항)	90분	객관식 4지 택일형
제2차 시험	1. 농작물재해보험 및 가축재해보 험의 이론과 실무 2. 농작물재해보험 및 가축재해보 험 손해평가의 이론과 실무	과목별 10문항	120분	주관식

❹ 시험일정

구분	원서접수[5일간]	시험 일자	합격자 발표
제1차 시험	2023. 5. 8.(월) 09:00 ~ 2023. 5. 12.(금) 18:00	2023. 6. 10.(토)	2023. 7. 12.(수)
제2차 시험	2023. 7. 24.(월) 09:00 ~ 2023. 7. 28.(금) 18:00	2023. 9. 2.(토)	2023. 11. 22.(수)

❺ 응시자격 및 결격사유

응시자격	• 제한 없음 • 단, 다음에 해당하는 사람은 그 처분이 있은 날부터 2년이 지나지 아니한 경우 손해평가사 자격시험에 응시하지 못한다(「농어업재해보험법」 제11조의4 제4항). 　　(1) 다음에 따라 정지ㆍ무효 처분을 받은 사람 　　　① 부정한 방법으로 시험에 응시한 사람 　　　② 시험에서 부정한 행위를 한 사람 　　(2) 농어업재해보험법 제11조의5에 따라 손해평가사 자격이 취소된 사람
결격사유	해당 없음

※ 「농어업재해보험법」 제11조의5(손해평가사의 자격 취소)

① 농림축산식품부장관은 다음 각 호의 어느 하나에 해당하는 사람에 대하여 손해평가사 자격을 취소할 수 있다. 다만, 제1호 및 제5호에 해당하는 경우에는 자격을 취소하여야 한다. 〈개정 2020. 2. 11.〉
　　1. 손해평가사의 자격을 거짓 또는 부정한 방법으로 취득한 사람
　　2. 거짓으로 손해평가를 한 사람
　　3. 제11조의4 제6항을 위반하여 다른 사람에게 손해평가사의 명의를 사용하게 하거나 그 자격증을 대여한 사람
　　4. 제11조의4 제7항을 위반하여 손해평가사 명의의 사용이나 자격증의 대여를 알선한 사람
　　5. 업무정지 기간 중에 손해평가 업무를 수행한 사람
② 제1항에 따른 자격 취소 처분의 세부기준은 대통령령으로 정한다. 〈신설 2020. 2. 11.〉

❻ 합격기준 및 합격자 발표

1. 합격기준

구분	합격결정기준
제1차 시험	매 과목 100점을 만점으로 하여 매 과목 40점 이상과 전 과목 평균 60점 이
제2차 시험	상을 득점한 사람을 합격자로 결정

2. 합격자 발표

구분	발표일시	발표방법
제1차 시험	2023. 7. 12.(수)	• 큐넷 손해평가사 홈페이지 : 60일간 (http://www.q-net.or.kr/site/loss)
제2차 시험	2023. 11. 22.(수)	• ARS (☎1666-0100) : 4일간

❼ 시험실시기관 및 소관부처

- 시험실시기관 : 한국산업인력공단(https://www.q-net.or.kr/site/loss)

- 소관부처 : 농림축산식품부(재해보험정책과)

- 운용기관 : 농업정책보험금융원

❽ 손해평가사 시험 통계자료(최근 5년)

구분		2018	2019	2020	2021	2022
1차	대상	3,716명	6,614명	9,752명	15,385명	15,796명
	응시	2,594명	3,901명	8,193명	13,230명	13,361명
	응시율	69.8%	59.0%	84.0%	85.9%	84.5%
	합격	1,949명	2,486명	5,748명	9,508명	9,067명
	합격률	75.1%	63.7%	70.2%	71.8%	67.8%
2차	대상	2,372명	3,254명	5,855명	10,136명	10,686명
	응시	1,934명	2,712명	4,937명	8,699명	9,016명
	응시율	81.5%	83.3%	84.3%	85.8%	84.3%
	합격	129명	153명	566명	2,233명	1,017명
	합격률	6.7%	5.6%	11.5%	25.6%	11.2%

【 제2차 시험 수험자 유의사항 】

1. 국가전문자격 주관식 답안지 표지에 기재된 '답안지 작성 시 유의사항'을 준수하시기 바랍니다.

2. 수험자 인적사항·답안지 등 작성은 반드시 검은색 필기구만 사용하여야 합니다.
   (그 외 연필류, 유색필기구 등으로 작성한 답항은 채점하지 않으며 0점 처리)
   ※ 필기구는 본인 지참으로 별도 지급하지 않음
   ※ 지워지는 펜 사용 불가

3. 답안지의 인적사항 기재란 외의 부분에 특정인임을 암시하거나 답안과 관련 없는 특수한 표시를 하는 경우, 답안지 전체를 채점하지 않으며 0점 처리합니다.

4. 답안 정정 시에는 반드시 정정부분을 두 줄(=)로 긋고 다시 기재하여야 하며, 수정액 등을 사용했을 경우 채점상의 불이익을 받을 수 있으므로 사용하지 마시기 바랍니다.

CONTENTS

이 책의
차례

PART

01

농업재해보험 손해평가의 개관

CHAPTER 01

손해평가의 개요

1. 손해평가의 의의 및 기능

(1) 손해평가는 보험 대상 목적물에 피해가 발생한 경우 그 피해 사실을 확인하고 평가하는 일련의 과정을 의미한다. 즉, 손해평가는 보험에서 보장하는 재해로 인한 손해가 어느 정도인지를 파악하여 보험금을 결정하는 일련의 과정이라고 할 수 있다.

(2) 손해평가는 재해로 인한 수확감소량을 파악하여 피해율을 계산함으로써 지급될 보험금액을 산정하게 된다. 손해평가 결과는 지급보험금액을 확정하는데 결정적인 근거가 되기 때문에 손해평가(특히 현지조사)는 농업재해보험에서 가장 중요한 부분 중의 하나이다.

(3) 손해평가가 농업재해보험에서 갖는 중요한 의미를 생각해 보면 아래와 같다(최경환 외 2013; 39~40).

　1) 손해평가 결과는 피해 입은 계약자 또는 피보험자(이하 보험가입자로 함)가 받을 보험금을 결정하는 가장 중요한 기초자료가 된다. 손해평가 결과는 몇 단계의 검토과정을 거쳐 최종적으로 보험가입자가 받을 보험금이 확정되지만 이 과정에서 검토 대상이 되는 것은 손해평가 결과물이다.

　2) 손해평가 결과에 대하여 보험가입자는 물론 제3자도 납득할 수 있어야 한다.
　　① 손해평가 결과가 지역마다, 개개인마다 달라 보험가입자들이 인정하기 어렵다면 손해평가 자체의 문제는 물론이고, 농업재해보험제도 자체에 대한 신뢰를 상실하게 된다.
　　② 재해보험사업자는 조사자의 관점을 통일하고 공정한 손해평가를 위해 업무방법서를 작성하여 활용한다.
　　③ 조사자들이 손해평가요령, 업무방법서 등을 토대로 지속적으로 전문지식과 경험을 축적하고 손해평가 기술을 연마하면 손해평가의 공정성과 객관성은 더욱 높아질 것이다.

　3) 보험료율은 해당 지역 및 개개인의 보험금 수급 실적에 따라 조정된다. 보험금을 많이 받은 지역·보험가입자의 보험료율은 인상되고, 재해가 발생하지 않아 보험금을 지급받지 않은 지역·보험가입자의 보험료율은 인하되는 것이 보험의 기본이다.

　4) 손해평가가 피해 상황보다 과대평가 되면 피해를 입은 보험가입자는 그만큼 보험금을 많이 받게 되어 당장은 이익이라고 할 수 있다.
　　① 이러한 상황이 계속적으로 광범위하게 발생하면 보험수지에 영향을 미치며, 보험료율도 전반적으로 지나치게 높아지게 된다.

② 결국은 보험가입자의 보험가입 기피를 초래하고 보험사업의 운영이 곤란하게 되어 농업재해 보험제도 자체의 존립에도 영향을 미칠 수 있다.

③ 따라서 손해평가의 객관성과 정확성을 유지하는 것은 매우 중요하다.

5) 손해평가 결과가 계속 축적되면 보험료율 조정의 기초자료로 활용되는 이외에도 농업재해 통계나 재해대책 수립의 기초자료로 이용될 수 있다.

2. 손해평가 업무의 중요성

손해평가는 보험금 산정의 기초가 되므로 농업재해보험사업의 운영에 있어 그 어떤 업무보다 공정하고 정확하게 이루어져야 한다(최경환 외 2013: 40).

(1) 보험가입자에 대한 정당한 보상

1) 공정한 손해평가를 통해 보험가입자의 피해 상황에 따른 정확한 보상을 함으로써 보험 가입자와의 마찰을 줄일 수 있다.

2) 공정한 손해평가에 따른 지역별 피해 자료의 축적을 통해 보험료율의 현실화에 기여할 수 있다.

3) 결과적으로 과거 피해의 정도에 따라 적정한 보험료율을 책정함으로써 보험가입자에게 공평한 보험료 분담을 이룰 수 있다.

(2) 선의의 계약자 보호

1) 보험의 원칙은 공통의 위험을 안고 있는 다수의 사람이 각자 일정 금액의 보험료를 부담하여 피해를 입은 사람에게 그 피해를 보상하여 주는 것이다.

2) 어느 특정인이 부당하게 보험금을 수취하였을 경우 그로 인해 다수의 선의의 보험가입자가 그 부담을 안아야 한다.

3) 다수의 선의의 보험가입자를 보호한다는 관점에서도 정확한 손해평가는 중요하다.

(3) 보험사업의 건전화

1) 부당 보험금의 증가는 보험료의 상승을 가져와 다수의 선량한 보험가입자가 보험 가입을 할 수 없게 된다.

2) 선량한 보험가입자의 보험 가입이 감소하면, 상대적으로 보험료가 인상되고 그에 따라 보험 여건은 더 악화되어 결국에는 보험사업을 영위할 수 없게 되어 제도 자체의 존립도 위험하게 된다.

3) 공정하고 정확한 손해평가는 장기적으로 보험가입자와 재해보험사업자 모두에게 이익을 가져다줄 뿐만 아니라 농업재해보험 제도의 지속 가능성을 높여줄 수 있다.

CHAPTER 02

손해평가 체계

1. 관련 법령

(1) 손해평가는 농어업재해보험법, 동 시행령 및 농업재해보험 손해평가요령 등의 관련 법령에 근거하여 실시된다.

(2) 농어업재해보험법 제11조(손해평가 등)에서 손해평가 전반에 대해 규정하고 있다.

① 손해평가 인력

② 손해평가요령에 따른 공정하고 객관적인 손해평가

③ 교차손해평가

④ 손해평가요령 고시

⑤ 손해평가인 교육

⑥ 손해평가인의 자격 등

[농어업재해보험법]

제11조(손해평가 등)
① 재해보험사업자는 보험목적물에 관한 지식과 경험을 갖춘 사람 또는 그 밖의 관계 전문가를 손해평가인으로 위촉하여 손해평가를 담당하게 하거나 제11조의2에 따른 손해평가사(이하 "손해평가사"라 한다) 또는 「보험업법」 제186조에 따른 손해사정사에게 손해평가를 담당하게 할 수 있다.
② 제1항에 따른 손해평가인과 손해평가사 및 「보험업법」 제186조에 따른 손해사정사는 농림축산식품부장관 또는 해양수산부장관이 정하여 고시하는 손해평가 요령에 따라 손해평가를 하여야 한다. 이 경우 공정하고 객관적으로 손해평가를 하여야 하며, 고의로 진실을 숨기거나 거짓으로 손해평가를 하여서는 아니 된다.
③ 재해보험사업자는 공정하고 객관적인 손해평가를 위하여 동일 시·군·구(자치구를 말한다) 내에서 교차손해평가(손해평가인 상호간에 담당지역을 교차하여 평가하는 것을 말한다. 이하 같다)를 수행할 수 있다. 이 경우 교차손해평가의 절차·방법 등에 필요한 사항은 농림축산식품부장관 또는 해양수산부장관이 정한다.
④ 농림축산식품부장관 또는 해양수산부장관은 제2항에 따른 손해평가 요령을 고시하려면 미리 금융위원회와 협의하여야 한다.
⑤ 농림축산식품부장관 또는 해양수산부장관은 제1항에 따른 손해평가인이 공정하고 객관적인 손해평가를 수행할 수 있도록 연 1회 이상 정기교육을 실시하여야 한다.
⑥ 농림축산식품부장관 또는 해양수산부장관은 손해평가인 간의 손해평가에 관한 기술·정보의 교환을 지원할 수 있다.
⑦ 제1항에 따라 손해평가인으로 위촉될 수 있는 사람의 자격 요건, 제5항에 따른 정기교육, 제6항에 따른 기술·정보의 교환 지원 및 손해평가 실무교육 등에 필요한 사항은 대통령령으로 정한다. [제목개정 2016. 12. 2.]

---

2. 손해평가의 주체

(1) 손해평가의 주체의 정의

손해평가의 주체는 농림축산식품부장관과 사업 약정을 체결한 재해보험사업자이다(법 제8조).

(2) 재해보험사업자

1) 재해보험사업자는 보험목적물에 관한 지식과 경험을 갖춘 자 또는 그 밖의 관계 전문가를 손해평가인으로 위촉하여 손해평가를 담당하게 하거나 손해평가사 또는 손해사정사에게 손해평가를 담당하게 할 수 있다(법 제11조).

2) 재해보험사업자는 재해보험사업의 원활한 수행을 위하여 보험 모집 및 손해평가 등 재해보험 업무의 일부를 대통령령으로 정하는 자에게 위탁할 수 있다(법 제14조).

3) 대통령령에서 정한 보험사업자는 다음과 같다.

> **[농어업재해보험법]**
>
> 제14조(업무 위탁)
> 재해보험사업자는 재해보험사업을 원활히 수행하기 위하여 필요한 경우에는 보험모집 및 손해평가 등 재해보험 업무의 일부를 대통령령으로 정하는 자에게 위탁할 수 있다.
>
> **[농어업재해보험법 시행령]**
>
> 제13조(업무 위탁)
> 법 제14조에서 "대통령령으로 정하는 자"란 다음 각 호의 자를 말한다.
> 1. 「농업협동조합법」에 따라 설립된 지역농업협동조합·지역축산업협동조합 및 품목별·업종별 협동조합
> 1의2. 「산림조합법」에 따라 설립된 지역산림조합 및 품목별·업종별 산림조합
> 2. 「수산업협동조합법」에 따라 설립된 지구별 수산업협동조합·업종별 수산업협동조합 및 수산물가공 수산업협동조합 및 수협은행
> 3. 「보험업법」 제187조에 따라 손해사정을 업으로 하는 자
> 4. 농어업재해보험 관련 업무를 수행할 목적으로 「민법」 제32조에 따라 농림축산식품부장관 또는 해양수산부장관의 허가를 받아 설립된 비영리법인(손해평가 관련 업무를 위탁하는 경우만 해당)

3. 조사자의 유형

농업재해보험 조사자는 법 제11조에서 규정하고 있는 대로 손해평가인, 손해평가사 및 손해사정사이다.

(1) 손해평가인

농어업재해보험법 시행령 제12조에 따른 자격요건을 충족하는 자로 재해보험사업자가 위촉한 자이다.

(2) 손해평가사

농림축산식품부장관이 한국산업인력공단에 위탁하여 시행하는 손해평가사 자격시험에 합격한 자이다.

(3) 손해사정사

보험개발원에서 실시하는 손해사정사 자격시험에 합격하고 일정기간의 실무수습을 마쳐 금융감독원에 등록한 자이다.

(4) 손해평가보조인

이 밖에 재해보험사업자 및 재해보험사업자로부터 손해평가 업무를 위탁받은 자는 손해평가 업무를 원활히 수행하기 위하여 손해평가보조인을 운용할 수 있다.

4. 손해평가 과정

손해평가는 보험가입자인 농업인이 사고 발생 통지를 하는 것으로 시작하여 현지조사 및 검증조사(필요시)를 실시하는 일련의 과정이다.

> **Tip** 손해평가 과정
>
> 사고 발생 통지 → 사고 발생 보고 전산입력 → 손해평가반 구성 → 현지조사 및 검증조사(필요시)

(1) 사고 발생 통지

보험가입자는 보험 대상 목적물에 보험사고가 발생할 때마다 가입한 대리점 또는 재해보험사업자에게 사고 발생 사실을 지체 없이 통보하여야 한다.

(2) 사고 발생 보고 전산입력

기상청 자료 및 현지 방문 등을 통하여 보험사고 여부를 판단하고, 보험대리점 등은 계약자의 사고접수내용이 보험사고에 해당하는 경우 사고접수대장에 기록하며, 이를 지체없이 전산입력한다.

(3) 손해평가반 구성

재해보험사업자 등은 보험가입자로부터 보험사고가 접수되면 생육시기·품목·재해종류 등에 따라 조사 내용을 결정하고 지체없이 손해평가반을 구성한다.

1) 손해평가반은 손해평가요령 제8조에서와 같이 조사자 1인(손해평가사·손해평가인·손해사정사)을 포함하여 5인 이내로 구성하되 손해평가반에는 손해평가인, 손해평가사 및 손해사정사 중 1인 이상을 반드시 포함하여야 한다.

2) 조사자가 부족할 경우에는 손해평가 보조인을 위촉하여 손해평가반을 구성할 수 있다.

[농업재해보험 손해평가요령]

제8조(손해평가반 구성 등)
① 재해보험사업자는 제2조 제1호의 손해평가를 하는 경우에는 손해평가반을 구성하고 손해평가반별로 평가일정계획을 수립하여야 한다.
② 제1항에 따른 손해평가반은 다음 각 호의 어느 하나에 해당하는 자를 1인 이상 포함하여 5인 이내로 구성한다.
  1. 제2조 제2호에 따른 손해평가인
  2. 제2조 제3호에 따른 손해평가사
  3. 「보험업법」 제186조에 따른 손해사정사
③ 제2항의 규정에도 불구하고 다음 각 호의 어느 하나에 해당하는 손해평가에 대하여는 해당 자를 손해평가반 구성에서 배제하여야 한다.
  1. 자기 또는 자기와 생계를 같이 하는 친족(이하 "이해관계자"라 한다)이 가입한 보험계약에 관한 손해평가
  2. 자기 또는 이해관계자가 모집한 보험계약에 관한 손해평가
  3. 직전 손해평가일로부터 30일 이내의 보험가입자 간 상호 손해평가
  4. 자기가 실시한 손해평가에 대한 검증조사 및 재조사

---

(4) 현지조사 실시

손해평가반은 배정된 농지(과수원)에 대해 손해평가요령 제12조의 손해평가 단위별로 현지조사를 실시한다. 현지조사 내용은 아래와 같이 품목과 보장방식, 재해종류에 따라 다르다.

[농업재해보험 손해평가요령]

제12조(손해평가 단위)
① 보험목적물별 손해평가 단위는 다음 각 호와 같다.
  1. 농작물 : 농지별
  2. 가축 : 개별가축별(단, 벌은 벌통 단위)
  3. 농업시설물 : 보험가입 목적물별
② 제1항 제1호에서 정한 농지라 함은 하나의 보험가입금액에 해당하는 토지로 필지(지번) 등과 관계없이 농작물을 재배하는 하나의 경작지를 말하며, 방풍림, 돌담, 도로(농로 제외) 등에 의해 구획된 것 또는 동일한 울타리, 시설 등에 의해 구획된 것을 하나의 농지로 한다. 다만, 경사지에서 보이는 돌담 등으로 구획되어 있는 면적이 극히 작은 것은 동일 작업 단위 등으로 정리하여 하나의 농지에 포함할 수 있다.

---

(5) 현지조사 결과 전산입력

대리점 또는 손해평가반은 현지조사 결과를 전산 또는 모바일 기기를 이용하여 입력한다.

(6) 현지조사 및 검증조사

손해평가의 신속성 및 공정성 확보를 위하여 재해보험사업자 등은 현지조사를 직접 실시하거나 손해평가반의 현지조사 내용을 검증조사할 수 있다.

1) 조사 주체는 재해보험사업자(NH농협손해보험), 재보험사 및 정부로 한다.

2) 조사 방법은 지역별, 대리점별, 손해평가반별로 손해평가를 실시한 농지를 임의 추출하여 현지 농지를 검증조사한다.

3) 검증조사 결과 차이가 발생할 경우에는 해당 조사 결과를 정정한다.

[농업재해보험 손해평가요령]

제11조(손해평가결과 검증)
① 재해보험사업자 및 재해보험사업의 재보험사업자는 손해평가반이 실시한 손해평가결과를 확인하기 위하여 손해평가를 실시한 보험목적물 중에서 일정수를 임의 추출하여 검증조사를 할 수 있다.
② 농림축산식품부장관은 재해보험사업자로 하여금 제1항의 검증조사를 하게 할 수 있으며, 재해보험사업자는 특별한 사유가 없는 한 이에 응하여야 한다.
③ 제1항 및 제2항에 따른 검증조사결과 현저한 차이가 발생되어 재조사가 불가피하다고 판단될 경우에는 해당 손해평가반이 조사한 전체 보험목적물에 대하여 재조사를 할 수 있다.
④ 보험가입자가 정당한 사유없이 검증조사를 거부하는 경우 검증조사반은 검증조사가 불가능하여 손해평가 결과를 확인할 수 없다는 사실을 보험가입자에게 통지한 후 검증조사결과를 작성하여 재해보험사업자에게 제출하여야 한다.

CHAPTER 03

현지조사 내용

■ 손해평가는 보험사고 즉, 보험 목적물에 발생한 손해를 있는 그대로 확인하고 정해진 평가 절차를 거쳐 손해 규모를 판단하는 것이다. 따라서 보험사고 현장에서의 현지조사가 중요하다.

■ 실제로는 품목(상품)별로 정해진 손해평가요령에 의해 손해평가가 이루어진다. 농업재해보험의 경우 품목마다 특성이 다르기 때문에 손해평가 방법이 달라져야 한다. 같은 품목이라도 보험상품 (보장)의 내용에 따라 손해평가 방법은 달라진다.

■ 구체적인 손해평가 절차와 내용은 이후의 각 부문에서 설명되므로 여기에서는 개괄적으로 손해평가 현지조사에 대해 살펴보기로 한다.

1. 조사의 구분

손해평가를 위한 현지조사는 다양하며, 조사의 단계에 따라 본조사와 재조사 및 검증조사로 구분할 수 있다. 조사는 다시 조사 범위를 전체로 하느냐 일부를 하느냐에 따라 전수조사와 표본조사로 구분할 수 있다.

(1) 본조사

본조사는 보험사고가 발생했다고 신고된 보험목적물에 대해 손해정도를 평가하기 위해 곧바로 실시하는 조사이다.

(2) 재조사

1) 기 실시된 조사에 대하여 이의가 있는 경우에 다시 한번 실시하는 조사를 말한다.

2) 계약자가 손해평가반의 손해평가 결과에 대해 설명 또는 통지를 받은 날로부터 7일 이내에 손해평가가 잘못되었음을 증빙하는 서류 또는 사진 등을 제출하는 경우 재해보험사업자가 다른 손해평가반으로 하여 다시 손해평가를 하게 할 수 있다.

(3) 검증조사

재해보험사업자 및 재보험사업자는 손해평가반이 실시한 손해평가 결과를 확인하기 위하여 손해평가를 실시한 보험 목적물 중에서 일정 수를 임의 추출하여 확인하는 조사를 실시할 수 있으며, 이것이 검증조사이다.

2. 품목별 현지조사의 종류

손해평가는 동일한 품목이라도 보장 내용 즉, 보험상품의 유형에 따라 상이하다.

(1) 상품(보장 내용)의 유형에 따라 작물의 생육 전체 기간의 각 단계별로 조사해야 하는 것이 있는가 하면(과수 4종), 손해 발생 시에만 조사하는 것이 있다(과수 4종 이외의 품목).

(2) 특히 이러한 구분은 작물 유형(논작물, 밭작물, 원예시설 등) 및 보장대상위험의 범위가 종합적이냐 특정위험에 한정하느냐에 따라 달라진다.

▼ 품목별 현지조사 종류

구분	상품군	해당 품목	조사 종류
		공통조사	피해사실 확인조사
과수	적과전 종합 위험	사과, 배, 단감, 떫은감	〈적과전 손해조사〉 피해사실 확인조사 (확인사항 : 유과타박률, 낙엽률, 나무피해, 미보상비율) ※ 재해에 따라 확인사항은 다름 고사나무조사(나무손해특약 가입건)
			적과후착과수조사 고사나무조사(나무손해특약 가입건)
			〈적과후 손해조사〉 낙과피해조사(단감, 떫은감은 낙엽률 포함), 착과피해조사 ※ 재해에 따라 조사종류는 다름 고사나무조사(나무손해특약 가입건)
	종합 위험	포도(수입보장 포함), 복숭아, 자두, 유자	착과수조사, 과중조사, 착과피해조사, 낙과피해조사
		밤, 참다래, 대추, 매실, 오미자, 유자, 살구, 호두	수확 개시 전·후 수확량조사
		복분자, 무화과	종합위험 과실손해조사, 특정위험 과실손해조사
		복분자	경작불능조사
		오디, 감귤	과실손해조사
		감귤, 살구	고사나무조사(나무손해보장 가입건)
		포도(수입보장 포함), 복숭아, 자두, 참다래, 매실, 무화과, 유자, 감귤	고사나무조사(나무손해보장 가입건)
논/밭 작물	특정 위험	인삼(작물)	수확량조사
	종합 위험	벼	이앙·직파 불능조사, 재이앙·재직파조사, 경작불능조사, 수확량(수량요소)조사, 수확량(표본)조사, 수확량(전수)조사, 수확불능확인조사
		마늘(수입보장 포함)	재파종조사, 경작불능조사, 수확량(표본)조사

		양파, 감자, 고구마, 양배추(이상 수입보장 포함), 옥수수	경작불능조사, 수확량(표본)조사
		차(茶)	수확량(표본)조사
		밀, 콩(수입보장 포함)	경작불능조사, 수확량(표본, 전수)조사
		고추, 브로콜리, 메밀, 배추, 무, 단호박, 파, 당근, 시금치(노지)	생산비보장 손해조사
		인삼(해가림시설)	해가림시설 손해조사
원예시설	종합위험	〈시설하우스〉 단동하우스, 연동하우스, 유리온실, 버섯재배사	시설하우스 손해조사
		〈시설작물〉 수박, 딸기, 오이, 토마토, 참외, 풋고추, 호박, 국화, 장미, 멜론, 파프리카, 상추, 부추, 시금치, 배추, 가지, 파, 무, 백합, 카네이션, 미나리, 쑥갓, 느타리, 표고버섯, 양송이, 새송이	시설작물 손해조사

※ 자료: NH농협손해보험·농림축산식품부. 2022.

01 손해평가 업무의 중요성 3가지를 간략하게 기술하시오.

> **답** ① 보험가입자에 대한 정당한 보상, ② 선의의 계약자 보호, ③ 보험사업의 건전화

02 농어업재해보험법 제11조(손해평가 등)에서 손해평가 전반에 대해 규정 사항을 5가지 이상 간략하게 기술하시오.

> **답** ① 손해평가 인력, ② 손해평가요령에 따른 공정하고 객관적인 손해평가, ③ 교차손해평가, ④ 손해평가요령 고시, ⑤ 손해평가인 교육, ⑥ 손해평가인의 자격 등

03 대통령령에서 정한 보험사업자 5가지를 기술하시오.

> **답** ① 「농업협동조합법」에 따라 설립된 지역농업협동조합·지역축산업협동조합 및 품목별·업종별 협동조합
> ② 「산림조합법」에 따라 설립된 지역산림조합 및 품목별·업종별 산림조합
> ③ 「수산업협동조합법」에 따라 설립된 지구별 수산업협동조합·업종별 수산업협동조합 및 수산물가공수산업협동조합 및 수협은행
> ④ 「보험업법」 제187조에 따라 손해사정을 업으로 하는 자
> ⑤ 농어업재해보험 관련 업무를 수행할 목적으로 「민법」 제32조에 따라 농림축산식품부장관 또는 해양수산부장관의 허가를 받아 설립된 비영리법인(손해평가 관련 업무를 위탁하는 경우만 해당한다)

04 농업재해보험 조사자는 법 제11조에서 규정하고 있다. 조사자 유형을 쓰시오.

> **답** ① 손해평가인, ② 손해평가사, ③ 손해사정사

05 손해평가를 실시하는 일련의 과정이다. (   )에 알맞은 말을 쓰시오.

> (①) → 사고 발생 보고 전산입력 → 손해평가반 구성 → (②)

답 ① 사고 발생 통지, ② 현지조사 및 검증조사(필요시)

06 손해평가를 위한 현지조사 구분에서 (   )에 알맞은 말을 쓰시오.

- (①)는 보험사고가 발생했다고 신고된 보험목적물에 대해 손해정도를 평가하기 위해 곧바로 실시하는 조사이다.
- (②)는 기 실시된 조사에 대하여 이의가 있는 경우에 다시 한번 실시하는 조사를 말한다. 계약자가 손해평가반의 손해평가 결과에 대해 설명 또는 통지를 받은 날로부터 7일 이내에 손해평가가 잘못되었음을 증빙하는 서류 또는 사진 등을 제출하는 경우 재해보험사업자가 다른 손해평가반으로 하여 다시 손해평가를 하게 할 수 있다.
- (③)는 재해보험사업자 및 재보험사업자가 손해평가반이 실시한 손해평가 결과를 확인하기 위하여 손해평가를 실시한 보험 목적물 중에서 일정 수를 임의 추출하여 확인하는 조사를 실시할 수 있다.

답 ① 본조사, ② 재조사, ③ 검증조사

손해평가사 _ 2차 제2과목
농작물재해보험 및 가축재해보험
손해평가의 이론과 실무

PART

02

농작물재해보험 손해평가

재해보험에 가입한 보험가입자가 해당 농지에 자연재해 등 피해가 발생하면 보험에 가입했던 대리점(지역농협 등) 등 영업점에 사고 접수를 한다. 영업점은 재해보험사업자에게 사고접수 사실을 알리고 재해보험사업자는 조사기관을 배정한다. 조사기관은 소속된 조사자를 빠르게 배정하여 손해평가반을 구성하고 해당 손해평가반은 신속하게 손해평가업무를 수행한다.

▼ 그림 2-1 손해평가 업무흐름

손해평가반은 영업점에 도착하여 계약 및 기본사항 등 서류를 검토하고 현지조사서를 받아 피해현장에 방문하여 보상하는 재해여부를 심사한다. 그리고 상황에 맞는 관련조사를 선택하여 실시한 후 조사결과를 보험가입자에게 안내하고 서명확인을 받아 전산입력 또는 대리점에게 현지조사서를 제출한다.

▼ 그림 2-2 현지조사 절차(5단계)

손해평가는 조사품목, 재해의 종류, 조사 시기 등에 따라 조사 방법 등이 달라지기에 상황에 맞는 손해평가를 하는 것이 중요하다.

CHAPTER 02 과수작물 손해평가 및 보험금 산정

1. 적과전종합위험방식(사과, 배, 단감, 떫은감)

(1) 시기별 조사 종류

생육 시기	재해	조사내용	조사시기	조사 방법	비고
보험계약 체결일 ~ 적과전	보상하는 재해 전부	피해사실 확인조사	사고접수 후 지체 없이	보상하는 재해로 인한 피해발생 여부 조사	피해사실이 명백한 경우 생략 가능
	우박		사고접수 후 지체 없이	우박으로 인한 유과(어린과실) 및 꽃(눈) 등의 타박비율 조사 • 조사 방법 : 표본조사	적과종료 이전 특정위험 5종 한정 보장 특약 가입건에 한함
6월 1일 ~ 적과전	태풍(강풍), 집중호우, 화재, 지진		사고접수 후 지체 없이	보상하는 재해로 발생한 낙엽피해 정도 조사 - 단감·떫은감에 대해서만 실시 • 조사 방법 : 표본조사	
적과후	–	적과후 착과수 조사	적과종료 후	보험가입금액의 결정 등을 위하여 해당 농지의 적과종료 후 총 착과 수를 조사 • 조사 방법 : 표본조사	피해와 관계없이 전 과수원 조사

적과후
~
수확기
종료
	보상하는
	재해
		낙과피해
		조사
			사고접수 후
			지체 없이
				재해로 인하여 떨어진 피해과실수
				조사
				- 낙과피해조사는 보험약관에서
				  정한 과실피해분류기준에 따라
				  구분하여 조사
				• 조사 방법 : 전수조사 또는 표
				  본조사	

				낙엽률 조사(우박 및 일소 제외) - 낙엽피해정도 조사 • 조사 방법 : 표본조사	단감·떫은 감

	우박,
	일소,
	가을동상해
		착과피해
		조사
			착과피해
			확인이
			가능한 시기
				재해로 인하여 달려있는 과실의
				피해과실수 조사
				- 착과피해조사는 보험약관에서
				  정한 과실피해분류기준에 따라
				  구분하여 조사
				• 조사 방법 : 표본조사	

수확 완료 후 ~ 보험종기	보상하는 재해 전부	고사나무 조사	수확완료 후 보험종기 전	보상하는 재해로 고사되거나 또는 회생이 불가능한 나무수를 조사 - 특약 가입 농지만 해당 • 조사 방법 : 전수조사	수확완료 후 추가 고사나무가 없는 경우 생략 가능

※ 전수조사는 조사대상 목적물을 전부 조사하는 것을 말하며, 표본조사는 손해평가의 효율성 제고를 위해 재해보험사업자가 통계이론을 기초로 산정한 조사표본에 대해 조사를 실시하는 것을 말함

(2) 손해평가 현지조사 방법

과수 4종(사과, 배, 단감, 떫은감) 현지조사에는 생육시기별 피해사실 확인조사, 적과후착과수 조사, 낙과피해조사, 착과피해조사, 낙엽률조사, 고사나무조사가 있으며 낙엽률조사는 감(단감, 떫은감) 품목에 한하여 보상하는 손해로 잎에 피해가 있을 경우 조사하며, 적과전 5종한정보장 특약 가입 시 적과전의 우박피해는 유과타박률조사를 진행한다.

1) 피해사실 확인조사

① **조사 대상** : 적과종료 이전 대상 재해로 사고 접수 과수원 및 조사 필요 과수원

② **대상 재해** : 자연재해, 조수해, 화재

③ **조사 시기** : 사고 접수 직후 실시

④ **조사 방법** : 다음에 해당하는 사항을 확인한다.

　㉠ **보상하는 재해로 인한 피해 여부 확인** : 기상청 자료 확인 및 현지 방문 등을 통하여 보상하는 재해로 인한 피해가 맞는지 확인하며, 이에 대한 근거로 다음의 자료를 확보할 수 있다.

　　ⓐ 기상청 자료, 농업기술센터 의견서 등 재해 입증 자료

　　ⓑ **피해과수원 사진** : 과수원의 전반적인 피해 상황 및 세부 피해내용이 확인 가능하도록 촬영

　　ⓒ 단, 태풍 등과 같이 재해 내용이 명확하거나 사고 접수 후 바로 추가조사가 필요한 경우 등에는 피해사실 확인조사를 생략할 수 있다.

　㉡ **나무피해 확인**

　　ⓐ 고사나무를 확인한다.

　　　㉮ 품종・재배방식・수령별 고사주수를 조사한다.

　　　㉯ 고사나무 중 과실손해를 보상하지 않는 경우가 있음에 유의한다.

　　　㉰ 보상하지 않는 손해로 고사한 나무가 있는 경우 미보상주수로 조사한다.

　　ⓑ 수확불능나무를 확인한다.

　　　㉮ 품종・재배방식・수령별 수확불능주수를 조사한다.

　　　㉯ 보상하지 않는 손해로 수확불능 상태인 나무가 있는 경우 미보상주수로 조사한다.

ⓒ 유실·매몰·도복·절단(1/2)·소실(1/2)·침수로 인한 피해나무를 확인한다
(5종 한정 특약 가입건만 해당).

㉮ 해당 나무는 고사주수 및 수확불능주수에 포함 여부와 상관없이 나무의 상
태(유실·매몰·도복·절단(1/2)·소실(1/2)·침수)를 기준으로 별도로 조
사한다.

㉯ 단, 침수의 경우에는 나무별로 과실침수율을 곱하여 계산한다.

> **Tip 침수주수 산정방법**
>
> • 표본주는 품종·재배방식·수령별 침수피해를 입은 나무 중 가장 평균적인 나
> 무로 1주 이상 선정한다.
> • 표본주의 침수된 착과(화)수와 전체 착과(화)수를 조사한다.
> • 과실침수율 $= \dfrac{\text{침수된 착과(화)수}}{\text{전체 착과(화)수}}$
> • 전체 착과수 = 침수된 착과(화)수 + 침수되지 않은 착과(화)수
> • 침수주수 = 침수피해를 입은 나무수 × 과실침수율

ⓓ 피해규모 확인

㉮ 조수해 및 화재 등으로 전체 나무 중 일부 나무에만 피해가 발생된 경우 실
시한다.

㉯ 피해대상주수(고사주수, 수확불능주수, 일부피해주수)를 확인한다.

㉰ 일부피해주수는 대상 재해로 피해를 입은 나무수 중에서 고사주수 및 수확
불능주수를 제외한 나무수를 의미한다.

ⓒ 유과타박률 확인(5종 한정 특약 가입 건의 우박피해 시 및 필요시)

ⓐ 적과종료 전의 착과된 유과 및 꽃눈 등에서 우박으로 피해를 입은 유과(꽃
눈)의 비율을 표본조사한다.

ⓑ 표본주수는 조사대상주수를 기준으로 '품목별 표본주수표'〈별표 1〉에 따라
표본주수를 선정한 후 조사용 리본을 부착한다. 표본주는 수령이나 크기, 착과
과실수를 감안하여 대표성이 있는 표본주를 선택하고 과수원 내 골고루 분포되
도록 한다〈그림 2-4 참고〉. 선택된 표본주가 대표성이 없는 경우 그 주변의
나무를 표본주로 대체할 수 있으며 표본주의 수가 더 필요하다고 판단되는 경
우 품목별 표본주수표의 표본주수 이상을 선정할 수 있다.

ⓒ 선정된 표본주마다 동서남북 4곳의 가지에 각 가지별로 5개 이상의 유과(꽃눈
등)를 표본으로 추출하여 피해유과(꽃눈 등)와 정상유과(꽃눈 등)의 개수를 조
사한다. 단, 사과, 배는 선택된 과(화)총당 동일한 위치(번호)의 유과(꽃)에
대하여 우박피해 여부를 조사한다.

▼ 그림 2-3 유과타박률 조사요령(품목별 유과타박률 조사요령)

사과, 배
선택된 과(화)총당 동일한 위치
(번호)의 유과(꽃)에 대하여
우박피해 여부를 조사

(1번 과총)　(2번 과총)　(3번 과총)

샘플유과를 2번 유과로 선택 시 과총별로 2번 유과만
선택하여 조사

단감, 떫은감
선택된 유과(꽃)에 대하여
우박피해 여부를 조사

$$유과타박률 = \frac{표본주의\ 피해유과수\ 합계}{표본주의\ 피해유과수\ 합계 + 표본주의\ 정상유과수\ 합계}$$

ⓔ 낙엽률 확인(단감 또는 떫은감, 수확연도 6월 1일 이후 낙엽피해 시, 적과종료 이전 특
정 5종 한정 특약 가입건)

ⓐ 조사대상주수 기준으로 '품목별 표본주수표'〈별표 1〉의 표본주수에 따라 주수
를 산정한다.

ⓑ 표본주 간격에 따라 표본주를 정하고, 선정된 표본주에 조사용 리본을 묶고
동서남북 4곳의 결과지(신초, 1년생 가지)를 무작위로 정하여 각 가지별로
낙엽수와 착엽수를 조사하여 리본에 기재한 후 낙엽률을 산정한다(낙엽수는 잎이
떨어진 자리를 세는 것이다).

ⓒ ⓑ에서 선정된 표본주의 낙엽수가 보상하지 않는 손해(병해충 등)에 해당하는 경
우 착엽수로 구분한다.

$$낙엽률 = \frac{표본주의\ 낙엽수\ 합계}{표본주의\ 낙엽수\ 합계 + 표본주의\ 착엽수\ 합계}$$

　　　　ⓜ 추가조사 필요 여부 판단

　　　　　　ⓐ 재해 종류 및 특별약관 가입 여부에 따라 추가 확인 사항의 조사

　　　　　　ⓑ 적과종료 여부 확인(적과후착과수조사 이전 시)

　　　　　　ⓒ 착과피해조사 필요 여부 확인(우박피해 발생 시)

　　　　ⓗ 미보상비율 확인

　　　　　보상하는 손해 이외의 원인으로 인해 착과가 감소한 과실의 비율을 조사한다.

2) 적과후착과수조사

　① 조사 대상 : 사고 여부와 관계없이 농작물재해보험에 가입한 사과, 배, 단감, 떫은감 품목을 재배하는 과수원 전체

　② 조사 시기 : 통상적인 적과 및 자연낙과(떫은감은 1차 생리적 낙과) 종료 시점(통상적인 적과 및 자연낙과 종료라 함은 과수원이 위치한 지역(시군 등)의 기상여건 등을 감안하여 통상적으로 해당 지역에서 해당 과실의 적과가 종료되거나 자연낙과가 종료되는 시점을 말함) 조사 시 사고 발생을 확인한 경우, 사고 접수에 대한 안내를 보험가입자에게 알린다.

　③ 조사 방법

　　㉠ 나무조사

　　　　ⓐ 실제결과주수 확인 : 품종별·재배방식별·수령별 실제결과주수를 확인

　　　　ⓑ 고사주수, 미보상주수, 수확불능주수 확인

　　　　　품종별·재배방식별·수령별 고사주수, 미보상주수, 수확불능주수 확인

〈용어의 정의〉

실제결과주수	가입일자를 기준으로 농지(과수원)에 식재된 모든 나무수 (단, 인수조건에 따라 보험에 가입할 수 없는 나무 수는 제외)
고사주수	실제결과주수 중 보상하는 재해로 고사된 나무수
수확불능주수	실제결과주수 중 보상하는 손해로 전체 주지·꽃(눈) 등이 분리되었거나 침수되어, 보험기간 내 수확이 불가능하나 나무가 죽지는 않아 향후에는 수확이 가능한 나무수
미보상주수	실제결과주수 중 보상하는 재해 이외의 원인으로 수확량(착과량)이 현저하게 감소하거나 고사한 나무수
기수확주수	실제결과주수 중 조사일자를 기준으로 수확이 완료된 나무수
조사대상주수	실제결과주수에서 고사주수, 미보상주수 및 기수확주수, 수확불능주수를 뺀 주수로 과실에 대한 표본조사의 대상이 되는 나무수

ⓛ 적정표본주수 산정

　ⓐ 품종별·재배방식별·수령별 실제결과주수에서 미보상주수, 고사주수, 수확불
　　능주수를 빼고 조사대상주수를 계산한다.

　ⓑ 조사대상주수 기준으로 〈별표1〉 품목별 표본주수표에 따라 과수원별 전체 적정
　　표본주수를 산정한다.

　ⓒ 적정표본주수는 품종·재배방식·수령별 조사대상주수에 비례하여 배정하며,
　　품종·재배방식·수령별 적정표본주수의 합은 전체 표본주수보다 크거나 같아
　　야 한다.

$$적정표본주수 = 전체표본주수 \times \frac{품종별\ 조사대상주수}{조사대상주수\ 합}$$

※ 소수점 첫째 자리에서 올림

▼ 사과 품목 품종·재배방식·수령별 적정표본주수 산정(예시)

품종	재배방식	수령	실제결과주수	미보상주수	고사주수	수확불능주수	조사대상주수	적정표본주수	적정표본주수 산정식
스가루	반밀식	10	100	0	0	0	100	3	12 × (100/550)
스가루	반밀식	20	200	0	0	0	200	5	12 × (200/550)
홍로	밀식	10	100	0	0	0	100	3	12 × (100/550)
부사	일반	10	150	0	0	0	150	4	12 × (150/550)
합계			550	0	0	0	550	15	–

※ 조사대상주수 550주, 전체표본주수 12주에 대한 적정표본주수 산출예시(소수점 첫째
　자리에서 올림)

ⓒ 표본주 선정 및 리본 부착

　품종별·재배방식별·수령별 조사대상주수의 특성이 골고루 반영될 수 있도록 표
　본주를 선정 후 조사용 리본을 부착하고 조사내용 및 조사자를 기재한다.

▼ 그림 2-4 표본주 선정

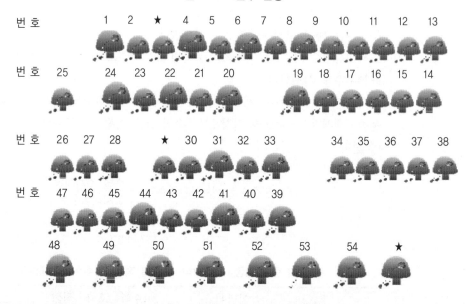

ⓔ 조사 및 조사 내용 현지조사서 등 기재

선정된 표본주의 품종, 재배방식, 수령 및 착과수(착과과실수)를 조사하고 현지조사서 및 리본에 조사 내용을 기재한다.

ⓜ 품종・재배방식・수령별 착과수는 다음과 같이 산출한다.

품종・재배방식・수령별 착과수

$$= \left[\frac{\text{품종・재배방식・수령별 표본주의 착과수 합계}}{\text{품종・재배방식・수령별 표본주 합계}} \right] \times \text{품종・재배방식・수령별 조사대상주수}$$

※ 품종・재배방식・수령별 착과수의 합계를 과수원별 『적과후착과수』로 함

ⓢ 미보상비율 확인

보상하는 손해 이외의 원인으로 인해 감소한 과실의 비율을 조사한다〈별표 2 참고〉.

3) 낙과피해조사

① 조사 대상 : 적과종료 이후 낙과사고가 접수된 과수원

② 대상 재해 : 태풍(강풍), 집중호우, 화재, 지진, 우박, 일소

③ 조사 시기 : 사고 접수 직후 실시

④ 조사 방법

㉠ 보상하는 재해 여부 심사

과수원 및 작물 상태 등을 감안하여 보상하는 재해로 인한 피해가 맞는지 확인하며, 필요시에는 이에 대한 근거자료를 확보한다(피해사실 확인조사 참고).

Ⓛ 조사 항목 결정

ⓐ 나무수조사

㉮ 과수원 내 품종·재배방식·수령별 실제결과주수에서 고사주수, 수확불능주수, 미보상주수, 수확완료주수 및 일부침수주수(금번 침수로 인한 피해주수 중 침수로 인한 고사주수 및 수확불능주수는 제외한 주수)를 파악한다.

㉯ 품종·재배방식·수령별 실제결과주수에서 고사주수, 수확불능주수, 미보상주수 및 수확완료주수를 빼고 조사대상주수(일부침수주수 포함)를 계산한다.

㉰ 무피해나무 착과수조사
- 금번 재해로 인한 고사주수, 수확불능주수가 있는 경우에만 실시한다.
- 무피해나무는 고사나무, 수확불능나무, 미보상나무, 수확완료나무 및 일부 침수나무를 제외한 나무를 의미한다.
- 품종·재배방식·수령별 무피해나무 중 가장 평균적인 나무를 1주 이상 선정하여 품종·재배방식·수령별 무피해나무 1주당 착과수를 계산한다 (단, 선정한 나무에서 금번 재해로 인해 낙과한 과실이 있는 경우에는 해당 과실을 착과수에 포함하여 계산한다).
- 다만, 이전 실시한 (적과후)착과수조사(이전 착과피해조사 시 실시한 착과수조사 포함)의 착과수와 금차 조사 시의 착과수가 큰 차이가 없는 경우에는 별도의 착과수 확인 없이 이전에 실시한 착과수조사 값으로 대체할 수 있다.

㉱ 일부 침수나무 침수착과수조사
- 금번 재해로 인한 일부 침수주수가 있는 경우에만 실시한다.
- 품종·재배방식·수령별 일부 침수나무 중 가장 평균적인 나무를 1주 이상 선정하여 품종·재배방식·수령별 일부 침수나무 1주당 침수착과수를 계산한다.

ⓑ 낙과수조사 : 낙과수조사는 전수조사를 원칙으로 하며 전수조사가 어려운 경우 표본조사를 실시한다.

㉮ 전수조사(조사대상주수의 낙과만 대상)
- 낙과수 전수조사 시에는 과수원 내 전체 낙과를 조사한다.
- 낙과수 확인이 끝나면 낙과 중 100개 이상을 무작위로 추출하고 '과실 분류에 따른 피해인정계수'〈별표 3 참고〉에 따라 구분하여 해당 과실 개수를 조사한다(단, 전체 낙과수가 100개 미만일 경우에는 해당 기준 미만으로도 조사 가능).

㉯ 표본조사

- 조사대상주수를 기준으로 과수원별 전체 표본주수〈별표 1 참고〉를 산정하되(다만 거대재해 발생 시 표본조사의 표본주수는 정해진 값의 1/2만으로도 가능), 품종·재배방식·수령별 표본주수는 품종·재배방식·수령별 조사대상주수에 비례하여 산정한다.
- 조사대상주수의 특성이 골고루 반영될 수 있도록 표본나무를 선정하고, 표본나무별로 수관면적 내에 있는 낙과수를 조사한다.

▼ 그림 2-5 수관면적

수관면적

- 낙과수 확인이 끝나면 낙과 중 100개 이상을 무작위로 추출하고 「과실 분류에 따른 피해인정계수」에 따라 구분하여 해당 과실 개수를 조사한다. 단, 전체 낙과수가 100개 미만일 경우에는 해당 기준 미만으로도 조사 가능하다.

낙과피해구성률

$$= \frac{(100\%\text{형 피해과실수} \times 1) + (80\%\text{형 피해과실수} \times 0.8) + (50\%\text{형 피해과실수} \times 0.5)}{100\%\text{형 피해과실수} + 80\%\text{형 피해과실수} + 50\%\text{형 피해과실수} + 정상과실수}$$

▼ 사과 품목 "중생/홍로"에 대한 낙과피해구성비율 산정 예시

○ 과실 피해구성비율(품종구분 여 Ⅴ / 부□)

숙기/품종	정상	50%형	80%형	100%형	합계	피해구성비율
중생/홍로	40	30	10	20	100	43%

※ 품종 구분을 하지 않는 경우에는 합계 칸에만 피해구성비율 표시

○ 낙과피해구성률 = $\dfrac{(100\% \times 20) + (80\% \times 10) + (50\% \times 30)}{100}$ = 43%

ⓒ 낙엽률조사(단감, 떫은감에 한함, 우박·일소피해는 제외)

  ㉮ 조사대상주수 기준으로 품목별 표본주수표의 표본주수에 따라 주수를 산정한다.

  ㉯ 표본주 간격에 따라 표본주를 정하고, 선정된 표본주에 리본을 묶고 동서남북 4곳의 결과지(신초, 1년생 가지)를 무작위로 정하여 각 결과지 별로 낙엽수와 착엽수를 조사하여 리본에 기재한 후 낙엽률을 산정한다(낙엽수는 잎이 떨어진 자리를 센다).

  ㉰ 사고 당시 착과과실수에 낙엽률에 따른 인정피해율을 곱하여 해당 감수과실수로 산정한다.

품목	낙엽률에 따른 인정피해율 계산식
단감	$(1.0115 \times$ 낙엽률$) - (0.0014 \times$ 경과일수$)$
떫은감	$0.9662 \times$ 낙엽률 $- 0.0703$

※ 경과일수 : 6월 1일부터 낙엽피해 발생일까지 경과된 일수

▼ 그림 2-6 가지별 낙엽 판단(예시)

4) 착과피해조사

① 조사 대상 : 적과종료 이후 대상 재해로 사고 접수된 과수원 또는 적과종료 이전 우박 피해 과수원

② 대상 재해 : 우박, 가을동상해, 일소피해

③ 조사 시기 : 착과피해 확인이 가능한 시점(수확 전 대상 재해 발생 시 계약자는 수확 개시 최소 10일 전에 보험 가입 대리점으로 수확 예정일을 통보하고 최초 수확 1일 전에는 조사를 마치며, 착과피해조사 시 따거나 수확한 과실은 계약자의 비용 부담으로 함)

④ 조사 방법

㉠ 착과피해조사는 착과된 과실에 대한 피해 정도를 조사하는 것으로 해당 피해에 대한 확인이 가능한 시기에 실시하며, 대표품종(적과후착과수 기준 60% 이상 품종)으로 하거나 품종별로 실시할 수 있다.

㉡ 착과피해조사에서는 가장 먼저 착과수를 확인하여야 하며, 이때 확인할 착과수는 적과후착과수조사와는 별개의 조사를 의미한다. 다만, 이전 실시한 (적과)착과수조사(이전 착과피해조사 시 실시한 착과수조사 포함)의 착과수와 금차 조사 시의 착과피해조사 시점의 착과수가 큰 차이가 없는 경우에는 별도의 착과수 확인 없이 이전에 실시한 착과수조사 값으로 대체할 수 있다.

㉢ 착과수 확인은 실제결과주수에서 고사주수, 수확불능주수, 미보상주수 및 수확완료주수를 뺀 조사대상주수를 기준으로 적정표본주수를 산정하며 이후 조사 방법은 위의 '적과후착과수조사' 방법과 같다.

㉣ 착과수 확인이 끝나면 수확이 완료되지 않은 품종별로 표본과실을 추출한다. 이때 추출하는 표본과실수는 품종별 1주 이상(과수원당 3주 이상)으로 하며, 추출한 표본과실을 '과실 분류에 따른 피해인정계수'〈별표 3 참고〉에 따라 품종별로 정상과, 50%형 피해과, 80%형 피해과, 100%형 피해과로 구분하여 해당 과실 개수를 조사한다. 다만, 거대재해 등 필요시에는 해당 기준 표본수의 1/2만 조사하는 것도 가능하다. 또한, 착과피해조사 시 따거나 수확한 과실은 계약자의 비용 부담으로 한다.

㉤ 조사 당시 수확이 완료된 품종이 있거나 피해가 경미하여 피해구성조사로 추가적인 감수가 인정되기 어려울 때에는 품종별로 피해구성조사를 생략할 수 있다. 대표품종만 조사한 경우에는 품종별 피해 상태에 따라 대표품종의 조사 결과를 동일하게 적용할 수 있다.

㉥ 다만, 일소피해의 경우 피해과를 수확기까지 착과시켜 놓을 경우 탄저병 등 병충해가 발생할 수 있으므로 착과피해조사의 방법이나 조사시기는 재해보험사업자의 시행지침에 따라 유동적일 수 있다.

▼ 그림 2-7 착과피해조사 과실 분류

5) 고사나무조사

① 조사 대상 : 나무손해보장특약을 가입한 농지 중 사고가 접수된 모든 농지

② 대상 재해 : 자연재해, 화재, 조수해

③ 조사 시기 : 수확완료 후 나무손해보장 종료 직전

④ 조사 방법

㉠ 고사나무조사 필요 여부 확인

ⓐ 수확완료 후 고사나무가 있는 경우에만 조사 실시

ⓑ 기조사(착과수조사 및 수확량조사 등) 시 확인된 고사나무 이외에 추가 고사나무가 없는 경우(계약자 유선 확인 등)에는 조사 생략 가능

㉡ 보상하는 재해로 인한 피해 여부 확인

ⓐ 보상하지 않는 손해로 고사한 나무가 있는 경우 미보상 고사주수로 조사한다.

ⓑ 미보상 고사주수는 고사나무조사 이전 조사(적과후착과수조사, 착과피해조사 및 낙과피해조사)에서 보상하는 재해 이외의 원인으로 고사하여 미보상주수로 조사된 주수를 포함한다.

㉢ 고사주수조사

ⓐ 품종별·재배방식별·수령별로 실제결과주수, 수확완료 전 고사주수, 수확완료 후 고사주수 및 미보상 고사주수(보상하는 재해 이외의 원인으로 고사한 나무)를 조사한다.

ⓑ 수확완료 전 고사주수는 고사나무조사 이전 조사(적과후착과수조사, 착과피해조사 및 낙과피해조사)에서 보상하는 재해로 고사한 것으로 확인된 주수를 의미하며, 수확완료 후 고사주수는 보상하는 재해로 고사한 나무 중 고사나무조사 이전 조사에서 확인되지 않은 나무주수를 말한다.

(3) 보험금 산정 방법 및 지급기준

> 적과전종합위험방식의 보험금은 적과 이전의 사고를 보상하는 착과감소보험금과 적과 이후의 사고를 보상하는 과실손해보험금으로 구분된다.

1) 적과전종합위험방식(사과, 배, 단감, 떫은감)의 보험금 산정

① 기준수확량의 산정

ㄱ) "기준착과수"라 함은 보험금 지급에 기준이 되는 과실 수(數)로, 아래와 같이 산출한다.

ⓐ 적과종료 전에 인정된 착과감소과실수가 없는 과수원 : 적과후착과수를 기준착과수로 한다.

ⓑ 다만, 적과후착과수조사 이후의 착과수가 적과후착과수보다 큰 경우에는 착과수를 기준착과수로 할 수 있다.

ⓒ 적과종료 전에 인정된 착과감소과실수가 있는 과수원 : 위에서 조사된 적과후착과수에 해당 착과감소과실수를 더하여 기준착과수로 한다.

ㄴ) 기준수확량은 기준착과수에 가입과중을 곱하여 산출한다. 가입과중은 보험에 가입할 때 결정한 과실의 1개당 평균 과실 무게를 말한다. 한 과수원에 다수의 품종이 혼식된 경우에도 품종과 관계없이 동일하다.

② 감수량의 산정

ㄱ) 적과종료 이전 착과감소량

ⓐ 재해보험사업자는 보험사고가 발생할 때 피해조사를 실시하여 피해사실이 확인되면 아래와 같이 착과감소과실수를 산출한다. 다만, 우박으로 인한 착과피해는 수확 전에 착과를 분류하고, 이에 과실 분류에 따른 피해인정계수를 적용하여 감수과실수를 별도로 산출(이하 "착과 감수과실수 산정방법"이라 함)하여 적과후 보상하는 재해로 발생하는 감수과실수에 합산한다.

> 착과감소과실수 = 최솟값(평년착과수 − 적과후착과수, 최대인정감소과실수)

ⓑ 착과감소량은 착과감소과실수에 가입과중을 곱하여 산출한다.

ⓒ 가입과중은 보험에 가입할 때 결정한 과실의 1개당 평균 과실 무게를 말한다. 한 과수원에 다수의 품종이 혼식된 경우에도 품종과 관계없이 동일하다.

ⓓ 피해사실 확인조사에서 모든 사고가 "피해규모가 일부"인 경우만 해당하며, 착과감소량이 최대인정감소량을 초과하는 경우에는 최대인정감소량을 착과감소량으로 한다.

> - 최대인정감소량 = 평년착과량 × 최대인정피해율
> - 최대인정감소과실수 = 평년착과수 × 최대인정피해율
> - 최대인정피해율
>   = 피해대상주수(고사주수, 수확불능주수, 일부피해주수) ÷ 실제결과주수
> ※ 해당 사고가 2회 이상 발생한 경우에는 사고별 피해대상주수를 누적하여 계산한다.

ⓔ 적과종료 이전 최대인정감소량(5종 한정 특약 가입건만 해당)

　㉮「적과종료 이전 특정위험 5종 한정보장 특별약관」 가입건에 적용되며, 착과감소량이 최대인정감소량을 초과하는 경우에는 최대인정감소량을 착과감소량으로 한다.

> - 최대인정감소량 = 평년착과량 × 최대인정피해율
> - 최대인정감소과실수 = 평년착과수 × 최대인정피해율

　㉯ 최대인정피해율은 아래 제〈1〉부터 제〈3〉까지 산정된 값 중 큰 값으로 한다.

> 〈1〉 나무피해 : 유실, 매몰, 도복, 절단(1/2), 소실(1/2), 침수주수를 실제결과주수로 나눈 값. 이때 침수주수는 침수피해를 입은 나무수에 과실침수율을 곱하여 계산한다.
> 〈2〉 우박피해에 따른 유과타박률
> 〈3〉 낙엽률에 따른 인정피해율 : 단감, 떫은감에 한하여 6월 1일부터 적과종료 이전까지 태풍(강풍)·집중호우·화재·지진으로 인한 낙엽피해가 발생한 경우 낙엽률을 조사하여 산출한 낙엽률에 따른 인정피해율

ⓛ 적과종료 이전 자연재해로 인한 적과종료 이후 착과손해 감수량

　ⓐ 재해보험사업자는 적과종료 이전 보상하는 손해 '자연재해'로 인하여 보험의 목적에 피해가 발생하고 ㉮에서 정한 착과감소과실수가 존재하는 경우에는 아래와 같이 착과손해 감수과실수를 산출한다.

　㉮ 적과후착과수가 평년착과수의 60% 미만인 경우

$$감수과실수 = 적과후착과수 \times 5\%$$

　㉯ 적과후착과수가 평년착과수의 60% 이상 100% 미만인 경우

$$감수과실수 = 적과후착과수 \times 5\% \times \frac{100\% - 착과율}{40\%}$$

$$※ 착과율 = 적과후착과수 \div 평년착과수$$

　　ⓑ 적과종료 이전 자연재해로 인한 적과종료 이후 착과손해 감수량은 착과감수과
　　　실수에 가입과중을 곱하여 산출한다.

　　ⓒ 본 감수량은 보험약관 중 2019년부터 변경된 적과전종합위험방식에 적용하며
　　　「적과종료 이전 특정위험 5종 한정보장 특별약관」에 가입한 경우에는 인정
　　　하지 않는다.

　ⓒ 적과종료 이후 감수량

　재해보험사업자는 보험사고가 발생할 때마다 피해사실 확인과 재해별로 아래와 같
　은 조사를 실시하여 감수과실수를 산출한다.

　　ⓐ 태풍(강풍), 집중호우, 화재, 지진

　　　㉮ 낙과손해

　　　　낙과를 분류하고, 이에 과실 분류에 따른 피해인정계수〈별표 3〉를 적용하
　　　　여 감수과실수를 산출한다(이하 "낙과 감수과실수 산출방법"이라 한다).

　　　㉯ 침수손해

　　　　조사를 통해 침수나무의 평균 침수 착과수를 산정하고, 이에 침수주수를 곱
　　　　하여 감수과실수를 산출한다.

　　　㉰ 나무의 유실·매몰·도복·절단 손해

　　　　조사를 통해 무피해나무의 평균 착과수를 산정하고, 이에 유실·매몰·도
　　　　복·절단된 주수를 곱하여 감수과실수를 산출한다.

　　　㉱ 소실손해

　　　　조사를 통해 무피해나무의 평균 착과수를 산정하고, 이에 소실된 주수를 곱
　　　　하여 감수과실수를 산출한다.

　　　㉲ 착과손해(사과, 배에 한함)

　　　　위 '㉮ 낙과손해'에 의해 결정된 낙과 감수과실수의 7%를 감수과실수로 한다.

　　ⓑ 우박

　　　㉮ 착과손해

　　　　수확 전에 착과 감수과실수 산정 방법에 따라 산출한다.

　　　㉯ 낙과손해

　　　　낙과 감수과실수 산출 방법에 따라 산출한다.

　　ⓒ 적과종료일 이후부터 당해연도 10월까지 낙엽피해(단감·떫은감에 한함)

　　　㉮ 보험기간 적과종료일 이후부터 당해연도 10월까지 태풍(강풍)·집중호우·화
　　　　재·지진으로 인한 낙엽피해가 발생한 경우 조사를 통해 착과수와 낙엽률을
　　　　산출한다.

　　　㉯ 낙엽률에 따른 인정피해율에서 기발생 낙엽률에 따른 인정피해율의 최댓값
　　　　을 차감하고 착과수를 곱하여 감수과실수를 산출한다.

품목	인정피해율
단감	인정피해율 = 1.0115 × 낙엽률 - 0.0014 × 경과일수 ※ 경과일수 : 6월 1일부터 낙엽피해 발생일까지 경과된 일수
떫은감	인정피해율 = 0.9662 × 낙엽률 - 0.0703

※ 인정피해율의 계산 값이 0보다 적은 경우 인정피해율은 0으로 한다.

ⓓ 가을동상해(착과손해)

피해과실을 분류하고, 이에 과실 분류에 따른 피해인정계수를 적용하여 감수과
실수를 산출한다. 이때 단감·떫은감의 경우 잎 피해가 인정된 경우에는 정상
과실의 피해인정계수를 아래와 같이 변경하여 감수과실수를 산출한다.

> 피해인정계수 = 0.0031 × 잔여일수
> ※ 잔여일수 : 사고발생일부터 가을동상해 보장종료일까지 일자 수

ⓔ 일소피해

㉮ 일소피해로 인한 감수과실수는 보험사고 한 건당 적과후착과수의 6%를 초
과하는 경우에만 감수과실수로 인정한다.

㉯ 착과손해

피해과실을 분류하고, 이에 과실 분류에 따른 피해인정계수를 적용하여 감
수과실수를 산출한다.

㉰ 낙과손해

낙과를 분류하고, 이에 과실 분류에 따른 피해인정계수를 적용하여 감수과
실수를 산출한다.

ⓕ 재해보험사업자는 감수과실수의 합계로 적과종료 이후 감수과실수를 산출한다.
다만, 일소·가을동상해로 발생한 감수과실수는 부보장 특별약관을 가입한 경
우에는 제외한다.

ⓖ 적과종료 이후 감수량은 적과종료 이후 감수과실수에 가입과중을 곱하여 산출
한다.

ⓗ 가입과중은 보험에 가입할 때 결정한 과실의 1개당 평균 과실 무게를 말한다.
한 과수원에 다수의 품종이 혼식된 경우에도 품종과 관계없이 동일하다.

ⓘ 재해보험사업자는 하나의 보험사고로 인해 산정된 감수량은 동시 또는 선·
후차적으로 발생한 다른 보험사고의 감수량으로 인정하지 않는다.

ⓙ 보상하는 재해가 여러 차례 발생하는 경우 금차사고의 조사값(낙엽률에 따른 인
정피해율, 착과피해구성률, 낙과피해구성률)에서 기사고의 조사값(낙엽률에 따른
인정피해율, 착과피해구성률) 중 최고값을 제외하고 감수과실수를 산정한다.

ⓚ 누적감수과실수(량)는 기준착과수(량)를 한도로 한다.

③ 착과감소보험금의 계산

    ㉠ 적과종료 이전 보상하는 재해로 인한 착과감소량이 자기부담감수량을 초과하는 경우, 재해보험사업자가 지급할 보험금은 아래에 따라 계산한다.

> (착과감소량 − 미보상감수량 − 자기부담감수량) × 가입가격 × 보장 수준(50%, 70%)

    ㉡ 착과감소보험금 보장 수준(50%, 70%)은 계약할 때 계약자가 선택한 보장 수준으로 한다.

    ㉢ 미보상감수량은 보상하는 재해 이외의 원인으로 인하여 감소되었다고 평가되는 부분을 말하며, 계약 당시 이미 발생한 피해, 병해충으로 인한 피해 및 제초상태 불량 등으로 인한 수확감소량으로써 감수량에서 제외된다.

    ㉣ 자기부담감수량은 기준수확량에 자기부담비율을 곱한 양으로 한다.

    ㉤ 자기부담비율은 계약할 때 계약자가 선택한 자기부담비율로 한다.

    ㉥ 가입가격은 보험에 가입할 때 결정한 과실의 kg당 평균 가격을 말한다. 한 과수원에 다수의 품종이 혼식된 경우에도 품종과 관계없이 동일하다.

④ 과실손해보험금의 계산

    ㉠ 적과종료 이후 누적감수량이 자기부담감수량을 초과하는 경우, 재해보험사업자가 지급할 보험금은 아래에 따라 계산한다.

> (적과종료 이후 누적감수량 − 자기부담감수량) × 가입가격

    ㉡ 적과종료 이후 누적감수량은 보장종료 시점까지 산출된 감수량을 누적한 값으로 한다.

    ㉢ 자기부담감수량은 기준수확량에 자기부담비율을 곱한 양으로 한다. 다만, 착과감소량이 존재하는 경우에는 착과감소량에서 적과종료 이전에 산정된 미보상감수량을 뺀 값을 자기부담감수량에서 제외한다. 이때 자기부담감수량은 0보다 작을 수 없다.

    ㉣ 자기부담비율은 계약할 때 계약자가 선택한 자기부담비율로 한다.

    ㉤ 가입가격은 보험에 가입할 때 결정한 과실의 kg당 평균 가격을 말한다. 한 과수원에 다수의 품종이 혼식된 경우에도 품종과 관계없이 동일하다.

⑤ 보험금의 지급한도에 따라 보험금이 '보험가입금액 × (1 − 자기부담비율)'을 초과하는 경우에는 '보험가입금액 × (1 − 자기부담비율)'을 보험금으로 한다. 단, 보험가입금액은 감액한 경우에는 감액 후 보험가입금액으로 한다.

▼ 그림 2-8 적과전종합위험방식의 보험금 산정

2) 나무손해보장(특약) 보험금 산정

① 지급보험금은 보험가입금액에 피해율에서 자기부담비율을 차감한 값을 곱하여 산정하며, 피해율은 피해주수(고사된 나무)를 실제결과주수로 나눈 값으로 한다.

② 피해주수는 손해평가요령에 따라 조사·평가하여 산정한다.

③ 자기부담비율은 5%로 한다.

> 지급보험금 = 보험가입금액 × (피해율 − 자기부담비율)
> ※ 피해율 = 피해주수(고사된 나무) ÷ 실제결과주수

2. 종합위험 수확감소보장방식 및 비가림과수 손해보장방식(포도, 복숭아, 자두, 밤, 호두, 참다래, 대추, 매실, 살구, 오미자, 유자)

종합위험 수확감소보장이란 보험목적에 보험기간 동안 보장하는 재해로 인하여 발생한 수확량의 감소를 보장하는 방식이다. 종합위험 비가림과수 손해보장이란 보험목적에 보험기간 동안 보장하는 재해로 인하여 발생한 수확량의 감소와 비가림시설의 손해를 보장하는 방식이다.

(1) 시기별 조사 종류

생육 시기	재해	조사내용	조사시기	조사 방법	비고
수확 전	보상하는 재해 전부	피해사실 확인조사	사고 접수 후 지체 없이	보상하는 재해로 인한 피해 발생 여부 조사 (피해사실이 명백한 경우 생략 가능)	전품목
수확 직전	-	착과수조사	수확직전	해당 농지의 최초 품종 수확 직전 총 착과수를 조사 (피해와 관계없이 전 과수원 조사) • 조사 방법 : 표본조사	포도, 복숭아, 자두만 해당
	보상하는 재해 전부	수확량조사	수확직전	사고발생 농지의 수확량조사 • 조사 방법 : 전수조사 또는 표본조사	전품목
수확 시작 후 ~ 수확 종료	보상하는 재해 전부	수확량조사	사고 접수 후 지체 없이	사고발생 농지의 수확 중의 수확량 및 감수량의 확인을 통한 수확량조사 • 조사 방법 : 전수조사 또는 표본조사	전품목 (유자 제외)
수확 완료 후 ~ 보험 종기	보상하는 재해 전부	고사나무 조사	수확완료 후 보험종기 전	보상하는 재해로 고사되거나 또는 회생이 불가능한 나무 수를 조사 (특약 가입 농지만 해당) • 조사 방법 : 전수조사	수확완료 후 추가 고사나무가 없는 경우 생략 가능

(2) 손해평가 현지조사 방법

1) 피해사실 확인조사

① 조사 대상 : 대상 재해로 사고 접수 농지 및 조사 필요 농지

② 대상 재해 : 자연재해, 조수해, 화재, 병충해(복숭아만 해당 – 세균구멍병으로 인하여 발생하는 피해 50%만 보상)

③ 조사 시기 : 사고 접수 직후 실시

④ 조사 방법 : 다음에 해당하는 사항을 확인한다.

㉠ 보상하는 재해로 인한 피해 여부 확인

기상청 자료 확인 및 현지 방문 등을 통하여 보상하는 재해로 인한 피해가 맞는지 확인하며, 필요시에는 이에 대한 근거로 다음의 자료를 확보한다.

ⓐ 기상청 자료, 농업기술센터 등 농업 전문기관 의견서 및 손해평가인 소견서 등 재해 입증 자료

ⓑ 피해 농지 사진 : 농지의 전반적인 피해 상황 및 세부 피해 내용이 확인 가능하도록 촬영

ⓒ 단, 태풍 등과 같이 재해 내용이 명확하거나 사고 접수 후 바로 추가조사가 필요한 경우 등에는 피해사실 확인조사를 생략할 수 있다.

㉡ 추가조사 필요 여부 판단

보상하는 재해 여부 및 피해 정도 등을 감안하여 추가조사(수확량조사)가 필요한지 여부를 판단하여 해당 내용에 대하여 계약자에게 안내하고, 추가조사(수확량조사)가 필요할 것으로 판단된 경우에는 수확기에 손해평가반구성 및 추가조사 일정을 수립한다.

2) 수확량조사(포도, 복숭아, 자두)

포도, 복숭아, 자두 품목에만 해당하는 수확량조사로 다음의 조사 종류별 방법에 따라 실시한다.

① 착과수조사

㉠ 조사 대상 : 사고 여부와 관계없이 보험에 가입한 농지

㉡ 조사 시기 : 최초 수확 품종 수확기 직전

㉢ 조사 방법 : 다음에 해당하는 사항을 확인한다.

ⓐ 나무수조사

농지내 품종별·수령별 실제결과주수, 미보상주수 및 고사나무주수를 파악한다.

ⓑ 조사대상주수 계산

품종별·수령별 실제결과주수에서 미보상주수 및 고사나무주수를 빼서 조사대상주수를 계산한다.

ⓒ 표본주수 산정

㉮ 과수원별 전체 조사대상주수를 기준으로 품목별 표본주수표〈별표 1〉에 따라 농지별 전체 표본주수를 산정한다.

㉯ 적정표본주수는 품종별·수령별 조사대상주수에 비례하여 산정하며, 품종별·수령별 적정표본주수의 합은 전체 표본주수보다 크거나 같아야 한다.

ⓓ 표본주 선정

㉮ 조사대상주수를 농지별 표본주수로 나눈 표본주 간격에 따라 표본주 선정 후 해당 표본주에 표시리본을 부착한다.

㉯ 동일품종·동일재배방식·동일수령의 농지가 아닌 경우에는 품종별·재배방식별·수령별 조사대상주수의 특성이 골고루 반영될 수 있도록 표본주를 선정한다.

ⓔ 착과된 전체 과실수 조사

선정된 표본주별로 착과된 전체 과실수를 세고 표시리본에 기재한다.

ⓕ 미보상비율 확인

품목별 미보상비율 적용표〈별표 2〉에 따라 미보상비율을 조사한다.

② 과중조사

㉠ 조사 대상 : 사고가 접수된 모든 농지

㉡ 조사 시기 : 품종별 수확시기에 각각 실시

㉢ 조사 방법 : 다음에 해당하는 사항을 확인한다.

ⓐ 표본과실 추출

㉮ 품종별로 착과가 평균적인 3주 이상의 나무에서 크기가 평균적인 과실을 20개 이상 추출한다.

㉯ 표본과실수는 농지당 60개(포도는 30개) 이상이어야 한다.

ⓑ 품종별 과실 개수와 무게 조사

추출한 표본과실을 품종별로 구분하여 개수와 무게를 조사한다.

ⓒ 미보상비율 조사

품목별 미보상비율 적용표〈별표 2〉에 따라 미보상비율을 조사하며, 품종별로 미보상비율이 다를 경우에는 품종별 미보상비율 중 가장 높은 미보상비율을 적용한다. 다만, 재조사 또는 검증조사로 미보상비율이 변경된 경우에는 재조사 또는 검증조사의 미보상비율을 적용한다.

ⓓ 위 사항에도 불구하고 현장에서 과중조사를 실시하기가 어려운 경우, 품종별 평균과중을 적용(자두 제외)하거나 증빙자료가 있는 경우에 한하여 농협의 품종별 출하 자료로 과중조사를 대체할 수 있다(수확 전 대상 재해 발생 시 계약

자는 수확 개시 최소 10일 전에 보험 가입 대리점으로 수확 예정일을 통보하고 최초 수확 1일 전에는 조사 실시).

▼ 그림 2-9 포도, 복숭아, 자두 과중조사

포도, 복숭아, 자두 과중조사 │ 관련사진

과중조사용 표본 과실 추출

표본과실 무게 조사 (복숭아)

표본과실 무게 조사 (자두)

③ 착과피해조사
  ㉠ **조사 대상** : 착과피해를 유발하는 재해(우박, 호우 등)가 접수된 모든 농지
  ㉡ **조사 시기** : 품종별 수확시기에 각각 실시
  ㉢ **조사 방법** : 다음에 해당하는 사항을 확인한다.
    ⓐ 착과피해조사는 착과피해를 유발하는 재해가 있을 경우에만 시행하며, 해당 재해 여부는 재해의 종류와 과실의 상태 등을 고려하여 조사자가 판단한다.
    ⓑ 조사대상주수 계산
      실제결과주수에서 수확완료주수, 미보상주수 및 고사나무주수를 뺀 조사대상 주수를 계산한다.
    ⓒ 적정표본주수 산정
      조사대상주수를 기준으로 적정표본주수를 산정한다〈별표 1 참고〉.
  ㉣ 착과수조사
    착과피해조사에서는 가장 먼저 착과수를 확인하여야 하며, 이때 확인할 착과수는 수확 전 착과수조사와는 별개의 조사를 의미한다. 다만, 이전 실시한 착과수조사 (이전 착과피해조사 시 실시한 착과수조사 포함)의 착과수와 착과피해조사 시점의 착과수가 큰 차이가 없는 경우에는 별도의 착과수 확인 없이 이전에 실시한 착과수 조사 값으로 대체할 수 있다.

ⓜ 품종별 표본과실 선정 및 피해구성조사

착과수 확인이 끝나면 수확이 완료되지 않은 품종별로 표본과실을 추출한다. 이때 추출하는 표본과실수는 품종별 20개 이상(포도는 농지당 30개 이상, 복숭아 · 자두는 농지당 60개 이상)으로 하며 표본과실을 추출할 때에는 품종별 3주 이상의 표본주에서 추출한다. 추출한 표본과실을 과실 분류에 따른 피해인정계수〈별표 3〉에 따라 품종별로 구분하여 해당 과실 개수를 조사한다. 또한, 착과피해조사 시 따거나 수확한 과실은 계약자의 비용 부담으로 한다.

ⓗ 조사 당시 수확이 완료된 품종이 있거나 피해가 경미하여 피해구성조사가 의미가 없을 때에는 품종별로 피해구성조사를 생략할 수 있다.

④ 낙과피해조사

㉠ 조사 대상 : 착과수조사 이후 낙과피해가 발생한 농지

㉡ 조사 시기 : 사고 접수 직후 실시

㉢ 조사 방법 : 다음에 해당하는 사항을 확인한다.

ⓐ 보상하는 재해 여부 심사

농지 및 작물 상태 등을 감안하여 보상하는 재해로 인한 피해가 맞는지 확인하며, 필요시에는 이에 대한 근거자료(피해사실 확인조사 참조)를 확보할 수 있다.

ⓑ 나무조사 : 품종별 · 수령별 나무주수 확인

실제결과주수에서 수확완료주수, 미보상주수 및 고사나무주수를 뺀 조사대상주수를 계산한다.

ⓒ 낙과수조사 방법 결정

㉮ 표본조사 : 낙과피해조사는 표본조사로 실시한다.

㉯ 전수조사 : 표본조사가 불가할 경우 실시한다.

㉣ 낙과수 표본조사

ⓐ 표본주 선정

㉮ 조사대상주수를 기준으로 농지별 전체 적정표본주수를 산정하되(거대재해 발생 시 표본조사의 표본주수는 「품목별 표본주수표」〈별표 1〉의 1/2 이하로 할 수 있다.), 품종별 · 수령별 표본주수는 품종별 · 수령별 조사대상주수에 비례하여 산정한다.

㉯ 선정된 품종별 · 수령별 표본주수를 바탕으로 품종별 · 수령별 조사대상주수의 특성이 골고루 반영될 수 있도록 표본주를 선정한다.

ⓑ 표본주 낙과수조사

㉮ 표본주별로 수관면적 내에 있는 낙과수를 조사한다.

㉯ 이때 표본주의 수관면적 내의 낙과는 표본주와 품종이 다르더라도 해당 표본주의 낙과로 본다.

ⓜ 낙과수 전수조사(표본조사가 불가할 경우 실시)

ⓐ 전체 낙과에 대한 품종구분이 가능할 경우 : 전체 낙과수를 품종별로 센다.

ⓑ 전체 낙과에 대한 품종구분이 불가능할 경우 : 전체 낙과수를 세고, 낙과 중 임의로 100개 이상을 추출하여 품종별로 해당 개수를 센다.

ⓗ 품종별 표본과실 선정 및 피해구성조사

ⓐ 낙과수 확인이 끝나면 낙과 중 품종별로 표본과실을 추출한다.

ⓑ 이때 추출하는 표본과실수는 품종별 20개 이상(포도는 농지당 30개 이상, 복숭아·자두는 농지당 60개 이상)으로 하며, 추출한 표본과실을 과실 분류에 따른 피해인정계수에 따라 품종별로 구분하여 해당 과실 개수를 조사한다.

ⓒ 다만, 전체 낙과수가 60개 미만일 경우 등에는 해당 기준 미만으로도 조사가 가능하다.

ⓢ 조사 당시 수확기에 해당하지 않는 품종이 있거나 낙과의 피해 정도가 심해 피해구성조사가 의미가 없는 경우 등에는 품종별로 피해구성조사를 생략할 수 있다.

3) 밤·호두 수확량조사

밤, 호두 품목에만 해당하는 수확량조사로 다음의 조사 종류별 방법에 따라 실시한다(품종의 수확기가 다른 경우에는 한 번에 조사가 불가하며, 해당 품종의 수확 시작 도래 전마다 수확량조사를 실시한다). 또한, 수확량조사 시 따거나 수확한 과실은 계약자의 비용 부담으로 한다.

① 수확 개시 전 수확량조사

수확 개시 전 수확량조사는 조사일을 기준으로 해당 농지의 수확이 시작되기 전에 수확량조사를 실시하는 경우를 의미하며, 조기 수확 및 수확해태 등으로 수확 개시 여부에 대한 분쟁이 발생한 경우에는 지역의 농업기술센터 등 농업 전문기관의 판단에 따른다(품종별 조사 시기가 다른 경우에는 최초 조사일을 기준으로 판단).

㉠ 보상하는 재해 여부 심사

농지 및 작물 상태 등을 감안하여 보상하는 재해로 인한 피해가 맞는지 확인하며, 필요시에는 이에 대한 근거자료(피해사실 확인조사 참조)를 확보한다.

㉡ 나무수조사

농지내 품종·수령별로 실제결과주수, 미보상주수 및 고사나무주수를 파악한다.

㉢ 조사대상주수 계산

실제결과주수에서 미보상주수 및 고사나무주수를 빼서 조사대상주수를 계산한다.

㉣ 표본주수 산정

농지별 전체 조사대상주수를 기준으로 품목별 표본주수표〈별표 1〉에 따라 농지별 전체 표본주수를 산정하되, 품종·수령별 표본주수는 품종 및 수령별 주수에 비례하여 산정한다.

ⓜ 표본주 선정

ⓐ 조사대상주수를 농지별 표본주수로 나눈 표본주 간격에 따라 표본주 선정 후 해당 표본주에 표시리본을 부착한다.

ⓑ 동일품종·동일재배방식·동일수령의 농지가 아닌 경우에는 품종별·재배방식별·수령별 조사대상주수의 특성이 골고루 반영될 수 있도록 표본주를 선정한다.

ⓗ 착과 및 낙과수조사

선정된 표본주별로 착과된 과실수 및 낙과된 과실수를 조사한다(과실수의 기준은 밤은 송이, 호두는 청피로 함).

ⓐ 착과수조사

선정된 표본주별로 착과된 전체 과실수를 조사한다.

ⓑ 낙과수조사

선정된 표본주별로 수관면적 내 낙과된 과실수를 조사한다. 단, 계약자 등이 낙과된 과실을 한 곳에 모아 둔 경우 등 표본주별 낙과수 확인이 불가능한 경우에는 농지 내 전체 낙과수를 품종별로 구분하여 전수조사한다. 전체 낙과에 대하여 품종별 구분이 어려운 경우에는 전체 낙과수를 세고 전체 낙과 중 100개 이상의 표본을 추출하여 해당 표본의 품종을 구분하는 방법을 사용한다.

ⓢ 과중조사

ⓐ 농지에서 품종별로 평균적인 착과량을 가진 3주 이상의 표본주에서 크기가 평균적인 과실을 품종별 20개 이상(농지당 최소 60개 이상) 추출한다.

ⓑ 밤의 경우, 품종별 과실(송이) 개수를 파악하고, 과실(송이) 내 과립을 분리하여 지름 길이를 기준으로 정상(30mm 초과)·소과(30mm 이하)를 구분하여 무게를 조사한다. 이때 소과(30mm 이하)인 과실은 해당 과실 무게를 실제 무게의 80%로 적용한다.

ⓒ 호두의 경우, 품종별 과실(청피) 개수를 파악하고, 무게를 조사한다.

▼ 그림 2-10 밤 소과 구분 요령

30mm 지름의 원형모양 구멍이 뚫린 규격대를 준비하여 샘플조사 시 해당 구멍을 통과하는 과립은 '소과'로 따로 분류한다.
- 아래 그림과 같이 과정부를 위로 향하게 하고 밤의 볼록한 부분이 정면을 향하게 하여 밤이 통과하는지 확인한다.
- 밤의 가장 긴 부분이 보이도록 밤을 넣어야 하며, 세로로 넣는 등 구멍에 통과하기 위하여 밤의 방향을 변경하지 아니한다.

〈조사를 위한 밤의 방향〉

$$품종별\ 개당\ 과중 = \frac{품종별\ \{정상\ 표본과실\ 무게\ 합 + (소과\ 표본과실\ 무게\ 합 \times 0.8)\}}{표본과실수}$$

◎ 낙과피해 및 착과피해 구성 조사

ⓐ 낙과피해 구성 조사

낙과 중 임의의 과실 20개 이상(품종별 20개 이상, 농지당 60개 이상)을 추출한 후 과실 분류에 따른 피해인정계수〈별표 3〉에 따라 구분하여 그 개수를 조사한다(다만, 전체 낙과수가 60개 미만일 경우 등에는 해당 기준 미만으로 조사 가능).

ⓑ 착과피해 구성 조사

착과피해를 유발하는 재해가 있을 경우 시행하며, 품종별로 3개 이상의 표본주에서 임의의 과실 20개 이상(품종별 20개 이상, 농지당 60개 이상)을 추출한 후 과실 분류에 따른 피해인정계수〈별표 3〉에 따라 구분하여 그 개수를 조사한다.

ⓒ 조사 당시 착과에 이상이 없는 경우나 낙과의 피해 정도가 심해 피해구성조사가 의미가 없을 경우 등에는 품종별로 피해구성조사를 생략할 수 있다.

ⓩ 미보상비율 확인

품목별 미보상비율 적용표〈별표 2〉에 따라 미보상비율을 조사한다.

② 수확 개시 후 수확량조사

수확 개시 후 수확량조사는 조사일을 기준으로 해당 농지의 수확이 시작된 후에 수확량조사를 실시하는 경우를 의미하며, 조기 수확 및 수확 해태 등으로 수확 개시 여부에 대한 분쟁이 발생한 경우에는 지역의 농업기술센터 등 농업 전문기관의 판단에 따른다(품종별 조사 시기가 다른 경우에는 최초 조사일을 기준으로 판단).

㉠ 보상하는 재해 여부 심사

농지 및 작물 상태 등을 감안하여 보상하는 재해로 인한 피해가 맞는지 확인하며, 필요시에는 이에 대한 근거자료(피해사실 확인조사 참조)를 확보할 수 있다.

㉡ 나무수조사

농지내 품종·수령별로 실제결과주수, 수확완료주수, 미보상주수 및 고사나무주수를 파악한다.

㉢ 조사대상주수 계산

실제결과주수에서 수확완료주수, 미보상주수 및 고사나무주수를 뺀 조사대상주수를 계산한다.

㉣ 표본주수 산정

농지별 전체 조사대상주수를 기준으로 품목별 표본주수표〈별표 1〉에 따라 농지별 전체 표본주수를 산정하되, 품종·수령별 표본주수는 품종·수령별 조사대상주수에 비례하여 산정한다.

㉤ 표본주 선정

산정한 품종·수령별 표본주수를 바탕으로 품종·수령별 조사대상주수의 특성이 골고루 반영될 수 있도록 표본주를 선정한다.

㉥ 착과 및 낙과수 표본조사

선정된 표본주별로 착과된 과실수 및 낙과된 과실수를 조사한다(과실수의 기준은 밤은 송이, 호두는 청피로 함).

ⓐ 착과수 확인

선정된 표본주별로 착과된 전체 과실수를 조사한다.

ⓑ 낙과수 확인

선정된 표본주별로 수관면적 내 낙과된 과실수를 조사한다. 단, 계약자 등이 낙과된 과실을 한 곳에 모아 둔 경우 등 표본주별 낙과수 확인이 불가능한 경우에는 농지 내 전체 낙과수를 품종별로 구분하여 전수조사한다. 전체 낙과에 대하여 품종별 구분이 어려운 경우에는 전체 낙과수를 세고 전체 낙과 중 100개 이상의 표본을 추출하여 해당 표본의 품종을 구분하는 방법을 사용한다.

㉦ 과중조사

ⓐ 농지에서 품종별로 평균적인 착과량을 가진 3주 이상의 표본주에서 크기가 평균적인 과실을 품종별 20개 이상(농지당 최소 60개 이상) 추출한다.

ⓑ 밤의 경우, 품종별 과실(송이) 개수를 파악하고, 과실(송이) 내 과립을 분리하여 지름 길이를 기준으로 정상(30mm 초과)·소과(30mm 이하)를 구분하여 무게를 조사한다.

ⓒ 호두의 경우, 품종별 과실(청피) 개수를 파악하고, 무게를 조사한다.

ⓞ 기수확량조사

출하자료 및 문답 등을 통하여 조사한다.

ⓩ 낙과피해 및 착과피해 구성 조사

ⓐ 낙과피해 구성 조사

낙과 중 임의의 과실 20개 이상(품종별 20개 이상, 농지당 60개 이상)을 추출한 후 과실 분류에 따른 피해인정계수〈별표 3〉에 따라 구분하여 그 개수를 조사한다(다만, 전체 낙과수가 60개 미만일 경우 등에는 해당 기준 미만으로도 조사 가능).

ⓑ 착과피해 구성 조사

착과피해를 유발하는 재해가 있을 경우 시행하며, 품종별로 3개 이상의 표본주에서 임의의 과실 20개 이상(품종별 20개 이상, 농지당 60개 이상)을 추출한 후 과실 분류에 따른 피해인정계수〈별표 3〉에 따라 구분하여 그 개수를 조사한다.

ⓒ 조사 당시 착과에 이상이 없는 경우나 낙과의 피해 정도가 심해 피해구성조사가 의미가 없을 경우 등에는 품종별로 피해구성조사를 생략할 수 있다.

ⓩ 미보상비율 확인

품목별 미보상비율 적용표〈별표 2〉에 따라 미보상비율을 조사한다.

4) 참다래 수확량조사

참다래 품목에만 해당하는 수확량조사로 다음의 조사 종류별 방법에 따라 실시한다. 또한, 수확량조사 시 따거나 수확한 과실은 계약자의 비용 부담으로 한다.

① 수확 개시 전 수확량조사

수확 개시 전 수확량조사는 조사일을 기준으로 해당 농지의 수확이 시작되기 전에 수확량조사를 실시하는 경우를 의미하며, 조기 수확 및 수확 해태 등으로 수확 개시 여부에 대한 분쟁이 발생한 경우에는 지역의 농업기술센터 등 농업 전문기관의 판단에 따른다.

㉠ 보상하는 재해 여부 심사

농지 및 작물 상태 등을 감안하여 보상하는 재해로 인한 피해가 맞는지 확인하며, 필요시에는 이에 대한 근거자료(피해사실 확인조사 참조)를 확보한다.

㉡ 나무수조사

품종별·수령별로 실제결과주수, 미보상주수 및 고사나무주수를 파악한다.

㉢ 조사대상주수 계산

실제결과주수에서 미보상주수 및 고사나무주수를 빼서 조사대상주수를 계산한다.

ⓔ 표본주수 산정

농지별 전체 조사대상주수를 기준으로 품목별 표본주수표〈별표 1〉에 따라 농지별 전체 표본주수를 산정하되, 품종별·수령별 표본주수는 품종별·수령별 조사대상주수에 비례하여 산정한다.

ⓜ 표본주 선정

산정한 품종별·수령별 표본주수를 바탕으로 품종별·수령별 조사대상주수의 특성이 골고루 반영될 수 있도록 표본주를 선정한다.

ⓗ 재식 간격 조사

농지내 품종별·수령별로 재식 간격을 조사한다(가입 시 재식 간격과 다를 경우 계약변경이 될 수 있음을 안내하고 현지 조사서에 기재한다).

ⓢ 면적 및 착과수조사

ⓐ 면적조사 : 선정된 표본주별로 해당 표본주 구역의 면적조사를 위해 길이[윗변, 아랫변, 높이(윗변과 아랫변의 거리)]를 재고 면적을 확인한다.

> 표본구간 면적 = (표본구간 윗변 길이 + 표본구간 아랫변 길이) × 표본구간 높이
> (윗변과 아랫변의 거리) ÷ 2

▼ 그림 2-11 참다래 표본구역 선정

ⓑ 착과수조사 : 선정된 해당 구역에 착과된 과실수를 조사한다.

ⓞ 과중조사

ⓐ 농지에서 품종별로 착과가 평균적인 3주 이상의 표본주에서 크기가 평균적인 과실을 품종별 20개 이상(농지당 최소 60개 이상) 추출한다.

ⓑ 품종별로 과실 개수를 파악하고, 개별 과실 과중이 50g 초과하는 과실과 50g 이하인 과실을 구분하여 무게를 조사한다. 이때, 개별 과실 중량이 50g 이하인 과실은 해당 과실의 무게를 실제 무게의 70%로 적용한다.

> 품종별 개당 과중 = 품종별{50g 초과 표본과실 무게 합 + (50g 이하 표본과실 무게 합 × 0.7)} ÷ 표본과실수

ⓩ **착과피해 구성 조사**

착과피해를 유발하는 재해가 있었을 경우에는 다음과 같이 착과피해 구성 조사를 실시한다.

ⓐ **품종별 표본과실 선정 및 피해구성조사** : 품종별로 3주 이상의 표본주에서 임의의 과실 100개 이상을 추출한 후 과실분류에 따른 피해인정계수〈별표 3〉에 따라 구분하여 그 개수를 조사한다.

ⓑ 조사 당시 착과에 이상이 없는 경우 등에는 품종별로 피해구성조사를 생략할 수 있다.

ⓩ **미보상비율 확인**

품목별 미보상비율 적용표〈별표 2〉에 따라 미보상비율을 조사한다.

② **수확 개시 후 수확량조사**

수확 개시 후 수확량조사는 조사일을 기준으로 해당 농지의 수확이 시작된 후에 수확량조사를 실시하는 경우를 의미하며, 조기 수확 및 수확 해태 등으로 수확 개시 여부에 대한 분쟁이 발생한 경우에는 지역의 농업기술센터 등 농업 전문기관의 판단에 따른다.

㉠ **보상하는 재해 여부 심사**

농지 및 작물 상태 등을 감안하여 보상하는 재해로 인한 피해가 맞는지 확인하며, 필요시에는 이에 대한 근거자료(피해사실 확인조사 참조)를 확보한다.

㉡ **나무수조사**

품종별·수령별로 실제결과주수, 수확완료주수, 미보상주수 및 고사나무주수를 파악한다.

㉢ **조사대상주수 계산**

실제결과주수에서 수확완료주수, 미보상주수 및 고사나무주수를 뺀 조사대상주수를 계산한다.

㉣ **표본주수 산정**

농지별 전체 조사대상주수를 기준으로 품목별 표본주수표〈별표 1〉에 따라 농지별 전체 표본주수를 산정하되, 품종별·수령별 표본주수는 품종별·수령별 조사대상주수에 비례하여 산정한다.

ⓜ 표본주 선정

산정한 품종별·수령별 표본주수를 바탕으로 품종별·수령별 조사대상주수의 특성이 골고루 반영될 수 있도록 표본주를 선정한다.

ⓗ 재식 간격 조사

농지내 품종별·수령별로 재식 간격을 조사한다(가입 시 재식 간격과 다를 경우 계약변경이 될 수 있음을 안내하고 현지 조사서에 기재).

ⓢ 면적, 착과 및 낙과수조사

ⓐ 면적 확인 : 선정된 표본주별로 해당 표본주 구역의 면적조사를 위해 길이[윗변, 아랫변, 높이(윗변과 아랫변의 거리)]를 재고 면적을 확인한다.

ⓑ 착과 및 낙과수 확인

㉮ 선정된 해당 구역에 착과 및 낙과된 과실수를 조사한다.

㉯ 계약자 등이 낙과된 과실을 한 곳에 모아 둔 경우 등 낙과수 표본조사가 불가능한 경우에는 낙과수 전수조사를 실시한다. 낙과수 전수조사 시에는 농지 내 전체 낙과를 품종별로 구분하여 조사한다. 단, 전체 낙과에 대하여 품종별 구분이 어려운 경우에는 전체 낙과수를 세고 전체 낙과수 중 100개 이상의 표본을 추출하여 해당 표본의 품종을 구분하는 방법을 사용한다.

ⓞ 과중조사

ⓐ 농지에서 품종별로 착과가 평균적인 3주 이상의 표본주에서 크기가 평균적인 과실을 품종별 20개 이상(농지당 최소 60개 이상) 추출한다.

ⓑ 품종별로 과실 개수를 파악하고, 개별 과실 과중이 50g 초과하는 과실과 50g 이하인 과실을 구분하여 무게를 조사한다. 이때, 개별 과실 중량이 50g 이하인 과실은 해당 과실의 무게를 실제 무게의 70%로 적용한다.

> 품종별 개당 과중 = 품종별{50g 초과 표본과실 무게 합 + (50g 이하 표본과실 무게 합 × 0.7)} ÷ 표본과실수

ⓩ 기수확량조사

출하자료 및 문답 등을 통하여 조사한다.

ⓩ 낙과피해 및 착과피해 구성 조사

ⓐ 낙과피해 구성 조사 : 품종별로 낙과 중 임의의 과실 100개 이상을 추출한 후 과실 분류에 따른 피해인정계수에 따라 구분하여 그 개수를 조사한다.

ⓑ 착과피해 구성 조사 : 착과피해를 유발하는 재해가 있을 경우 시행하며, 품종별로 3주 이상의 표본주에서 임의의 과실 100개 이상을 추출한 후 과실 분류에 따른 피해인정계수〈별표 3〉에 따라 구분하여 그 개수를 조사한다.

ⓒ 조사 당시 착과에 이상이 없는 경우나 낙과의 피해 정도가 심해 피해구성조사 없이 피해과실 분류가 가능한 경우 등에는 품종별로 피해구성조사를 생략할 수 있다.

㉠ 미보상비율 확인

품목별 미보상비율 적용표〈별표 2〉에 따라 미보상비율을 조사한다.

5) 대추, 매실, 살구 수확량조사

대추, 매실, 살구 품목에만 해당하는 수확량조사로, 다음의 조사 종류별 방법에 따라 실시한다. 또한, 수확량조사 시 따거나 수확한 과실은 계약자의 비용 부담으로 한다.

① 수확 개시 전 수확량조사

수확 개시 전 수확량조사는 조사일을 기준으로 해당 농지의 수확이 시작되기 전에 수확량조사를 실시하는 경우를 의미하며, 조기 수확 및 수확 해태 등으로 수확 개시 여부에 대한 분쟁이 발생한 경우에는 지역의 농업기술센터 등 농업 전문기관의 판단에 따른다.

㉠ 보상하는 재해 여부 심사

농지 및 작물 상태 등을 감안하여 보상하는 재해로 인한 피해가 맞는지 확인하며, 필요시에는 이에 대한 근거자료(피해사실 확인조사 참조)를 확보한다.

㉡ 나무수조사

농지내 품종별·수령별로 실제결과주수, 미보상주수 및 고사나무주수를 파악한다.

㉢ 조사대상주수 계산

실제결과주수에서 미보상주수 및 고사나무주수를 빼서 조사대상주수를 계산한다.

㉣ 표본주수 산정

농지별 전체 조사대상주수를 기준으로 품목별 표본주수표〈별표 1〉에 따라 농지별 전체 표본주수를 산정하되, 품종별·수령별 표본주수는 품종별·수령별 조사대상주수에 비례하여 산정한다.

㉤ 표본주 선정

산정한 품종별·수령별 표본주수를 바탕으로 품종별·수령별 조사대상주수의 특성이 골고루 반영될 수 있도록 표본주를 선정한다.

㉥ 과중조사

ⓐ 표본과실 수확 및 착과 무게 조사 : 선정된 표본주별로 착과된 과실을 전부 수확하여 수확한 과실의 무게를 조사한다. 다만, 현장 상황에 따라 표본주의 착과된 과실 중 절반만을 수확하여 조사할 수 있다.

ⓑ
• 품종·수령별 주당 착과 무게 = 품종·수령별 (표본주의 착과 무게 ÷ 표본주수)
• 표본주 착과 무게 = 조사 착과량 × 품종별 비대추정지수(매실) × 2(절반조사 시)

ⓐ 비대추정지수 조사(매실)

매실 품목의 경우 품종별 적정 수확 일자 및 조사 일자, 매실 품종별 과실 비대추정 지수〈별표 4〉를 참조하여 품종별로 비대추정지수를 조사한다.

ⓞ 착과피해 구성 조사

착과피해를 유발하는 재해가 있었을 경우에는 다음과 같이 착과피해 구성 조사를 실시한다.

ⓐ 각 표본주별로 수확한 과실 중 임의의 과실을 추출하여 과실 분류 기준〈별표 3〉 에 따라 구분하여 그 개수 또는 무게를 조사한다. 이때 개수 조사 시에는 표본 주당 표본과실수는 100개 이상으로 하며, 무게 조사 시에는 표본주당 표본과실 중량은 1,000g 이상으로 한다.

ⓑ 조사 당시 착과에 이상이 없는 경우 등에는 피해구성조사를 생략할 수 있다.

ⓒ 대추 · 매실 · 살구의 과실 분류에 따른 피해인정계수〈별표 3〉를 따른다.

ⓩ 미보상비율 확인

품목별 미보상비율 적용표〈별표 2〉에 따라 미보상비율을 조사한다.

② 수확 개시 후 수확량조사

수확 개시 후 수확량조사는 조사일을 기준으로 해당 농지의 수확이 시작된 후에 수확량 조사를 실시하는 경우를 의미하며, 조기 수확 및 수확 해태 등으로 수확 개시 여부에 대한 분쟁이 발생한 경우에는 지역의 농업기술센터 등 농업 전문기관의 판단에 따른다.

㉠ 보상하는 재해 여부 심사

농지 및 작물 상태 등을 감안하여 보상하는 재해로 인한 피해가 맞는지 확인하며, 필요시에는 이에 대한 근거자료(피해사실 확인조사 참조)를 확보한다.

㉡ 나무수조사

농지 내 품종별 · 수령별로 실제결과주수, 수확완료주수, 미보상주수 및 고사나무 주수를 파악한다.

㉢ 조사대상주수 계산

실제결과주수에서 수확완료주수, 미보상주수 및 고사나무주수를 뺀 조사대상주수를 계산한다.

㉣ 표본주수 산정

조사대상주수를 기준으로 품목별 표본주수표〈별표 1〉에 따라 농지별 전체 표본주수를 산정하되, 품종별 · 수령별 표본주수는 품종별 · 수령별 조사대상주수에 비례하여 산정한다.

㉤ 표본주 선정

산정한 품종별 · 수령별 표본주수를 바탕으로 품종별 · 수령별 조사대상주수의 특성 이 골고루 반영될 수 있도록 표본주를 선정한다.

ⓑ 과중조사

   ⓐ 표본과실 수확 및 착과 무게 조사 : 선정된 표본주별로 착과된 과실을 전부 수확하여 수확한 과실의 무게를 조사한다. 다만, 현장 상황에 따라 표본주의 착과된 과실 중 절반만을 수확하여 조사할 수 있다.

   ⓑ 낙과 무게

      ㉮ 선정된 표본주별로 수관면적 내 낙과된 과실의 무게를 조사한다.

      ㉯ 계약자 등이 낙과된 과실을 한 곳에 모아 둔 경우 등 낙과 표본조사가 불가능한 경우에는 낙과 전수조사를 실시한다. 낙과 전수조사 시에는 농지 내 전체 낙과를 품종별로 구분하여 조사한다. 단, 전체 낙과에 대하여 품종별 구분이 어려운 경우에는 전체 낙과 무게를 재고 전체 낙과 중 1,000g 이상의 표본을 추출하여 해당 표본의 품종을 구분하는 방법을 사용한다.

$$품종별\ 낙과량 = 전체\ 낙과량 \times \frac{품종별\ 표본과실수(무게)}{표본과실수(무게)}$$

      ㉰ 현장 상황에 따라 표본주별로 착과 및 낙과된 과실 중 절반만을 대상으로 조사할 수 있다.

  ⓢ 비대추정지수 조사(매실)

   매실 품목의 경우 품종별 적정 수확 일자 및 조사 일자, 매실 품종별 과실 비대추정지수〈별표 4〉를 참조하여 품종별로 비대추정지수를 조사한다.

  ⓞ 기수확량조사

   출하자료 및 문답 등을 통하여 기수확량을 조사한다.

▼ 그림 2-12 기수확량 확인

      ⓩ 낙과피해 및 착과피해 구성 조사

        ⓐ 낙과피해 구성 조사 : 품종별 낙과 중 임의의 과실 100개 또는 1,000g 이상을 추출하여 과실 분류에 따른 피해인정계수에 따른 개수 또는 무게를 조사한다.

        ⓑ 착과피해 구성 조사 : 착과피해를 유발하는 재해가 있을 경우 시행하며, 표본주별로 수확한 착과 중 임의의 과실 100개 또는 1,000g 이상을 추출한 후 과실 분류에 따른 피해인정계수에 따른 개수 또는 무게를 조사한다.

        ⓒ 조사 당시 착과에 이상이 없는 경우나 낙과의 피해 정도가 심해 피해구성조사가 의미가 없을 경우 등에는 피해구성조사를 생략할 수 있다.

      ⓩ 미보상비율 확인

      품목별 미보상비율 적용표〈별표 2〉에 따라 미보상비율을 조사한다.

6) 오미자 수확량조사

오미자 품목에만 해당하는 수확량조사로, 다음의 조사 종류별 방법에 따라 실시한다. 또한, 수확량조사 시 따거나 수확한 과실은 계약자의 비용 부담으로 한다.

① 수확 개시 전 수확량조사

수확 개시 전 수확량조사는 조사일을 기준으로 해당 농지의 수확이 시작되기 전에 수확량조사를 실시하는 경우를 의미하며, 조기 수확 및 수확 해태 등으로 수확 개시 여부에 대한 분쟁이 발생한 경우에는 지역의 농업기술센터 등 농업 전문기관의 판단에 따른다.

    ㉠ 보상하는 재해 여부 심사

    농지 및 작물 상태 등을 감안하여 약관에서 정한 보상하는 재해로 인한 피해가 맞는지 확인하며, 필요시에는 이에 대한 근거자료(피해사실 확인조사 참조)를 확보할 수 있다.

    ㉡ 유인틀 길이 측정

    가입대상 오미자에 한하여 유인틀 형태 및 오미자 수령별로 유인틀의 실제재배 길이, 고사 길이, 미보상 길이를 측정한다.

    ㉢ 조사대상 길이 계산

    실제재배 길이에서 고사 길이와 미보상 길이를 빼서 조사대상 길이를 계산한다.

    ㉣ 표본구간수 산정

    농지별 전체 조사대상 길이를 기준으로 품목별 표본주(구간)표〈별표 1〉에 따라 농지별 전체 표본구간수를 산정하되, 형태별·수령별 표본구간수는 형태별·수령별 조사대상 길이에 비례하여 산정한다.

    ㉤ 표본구간 선정

    산정한 형태별·수령별 표본구간수를 바탕으로 형태별·수령별 조사대상 길이의 특성이 골고루 반영될 수 있도록 표본구간(유인틀 길이 방향으로 1m)을 선정한다.

ⓗ 과중조사

선정된 표본구간별로 표본구간 내 착과된 과실을 전부 수확하여 수확한 과실의 무게를 조사한다. 다만, 현장 상황에 따라 표본구간의 착과된 과실 중 절반만을 수확하여 조사할 수 있다.

ⓢ 착과피해 구성 조사

착과피해를 유발하는 재해가 있었을 경우에는 아래와 같이 착과피해 구성 조사를 실시한다.

ⓐ 표본구간에서 수확한 과실 중 임의의 과실을 추출하여 과실 분류에 따른 피해인정계수에 따라 구분하여 그 무게를 조사한다. 이때 표본으로 추출한 과실 중량은 3,000g 이상(조사한 총착과 과실 무게가 3,000g 미만인 경우에는 해당 과실 전체)으로 한다.

ⓑ 조사 당시 착과에 이상이 없는 경우 등에는 피해구성조사를 생략할 수 있다.

ⓞ 미보상비율 확인

품목별 미보상비율 적용표〈별표 2〉에 따라 미보상비율을 조사한다.

② 수확 개시 후 수확량조사

수확 개시 후 수확량조사는 조사일을 기준으로 해당 농지의 수확이 시작된 후에 수확량조사를 실시하는 경우를 의미하며, 조기 수확 및 수확 해태 등으로 수확 개시 여부에 대한 분쟁이 발생한 경우에는 지역의 농업기술센터 등 농업 전문기관의 판단에 따른다.

㉠ 보상하는 재해 여부 심사

농지 및 작물 상태 등을 감안하여 약관에서 정한 보상하는 재해로 인한 피해가 맞는지 확인하며, 필요시에는 이에 대한 근거자료(피해사실 확인조사 참조)를 확보할 수 있다.

㉡ 유인틀 길이 측정

가입대상 오미자에 한하여 유인틀 형태 및 오미자 수령별로 유인틀의 실제재배 길이, 수확완료 길이, 고사 길이, 미보상 길이를 측정한다.

㉢ 조사대상 길이 계산

실제재배 길이에서 수확완료 길이, 고사 길이와 미보상 길이를 빼서 조사대상 길이를 계산한다.

㉣ 표본구간수 산정

농지별 전체 조사대상 길이를 기준으로 품목별 표본주(구간)표〈별표 1〉에 따라 농지별 전체 표본구간수를 산정하되, 형태별·수령별 표본구간수는 형태별·수령별 조사대상 길이에 비례하여 산정한다.

㉤ 표본구간 선정

산정한 형태별·수령별 표본구간수를 바탕으로 형태별·수령별 조사대상 길이의 특성이 골고루 반영될 수 있도록 표본구간(유인틀 길이 방향으로 1m)을 선정한다.

ⓗ 과중조사

ⓐ 선정된 표본구간별로 표본구간 내 착과된 과실과 낙과된 과실의 무게를 조사한다. 다만, 현장 상황에 따라 표본구간별로 착과된 과실 중 절반만을 수확하여 조사할 수 있다.

ⓑ 계약자 등이 낙과된 과실을 한곳에 모아 둔 경우 등 낙과 표본조사가 불가능한 경우에는 낙과 전수조사를 실시한다. 낙과 전수조사 시에는 농지 내 전체 낙과에 대하여 무게를 조사한다.

ⓢ 기수확량조사

출하자료 및 문답 등을 통하어 기수확량을 조사한다.

ⓞ 낙과피해 및 착과피해 구성 조사

ⓐ 낙과피해 구성 조사는 표본구간의 낙과(낙과 전수조사를 실시했을 경우에는 전체 낙과를 기준으로 함) 중 임의의 과실 3,000g 이상(조사한 총 낙과과실 무게가 3,000g 미만인 경우에는 해당 과실 전체)을 추출하여 아래 피해 구성 구분 기준에 따른 무게를 조사한다.

ⓑ 착과피해 구성 조사는 표본구간에서 수확한 과실 중 임의의 과실을 추출하여 과실 분류에 따른 피해인정계수〈별표 3〉에 따라 구분하여 그 무게를 조사한다. 이때 표본으로 추출한 과실 중량은 3,000g 이상(조사한 총착과 과실 무게가 3,000g 미만인 경우에는 해당 과실 전체)으로 한다.

ⓒ 조사 당시 착과에 이상이 없는 경우나 낙과의 피해 정도가 심해 피해구성조사가 의미가 없을 경우 등에는 피해구성조사를 생략할 수 있다.

ⓩ 미보상비율 확인

품목별 미보상비율 적용표〈별표 2〉에 따라 미보상비율을 조사한다.

7) 유자 수확량조사

유자 품목에만 해당하는 수확량조사로, 다음의 조사 종류별 방법에 따라 실시한다.

① 수확 개시 전 수확량조사

수확 개시 전 수확량조사는 조사일을 기준으로 해당 농지의 수확이 시작되기 전에 수확량조사를 실시하는 경우를 의미하며, 조기 수확 및 수확 해태 등으로 수확 개시 여부에 대한 분쟁이 발생한 경우에는 지역의 농업기술센터 등 농업 전문기관의 판단에 따른다.

㉠ 보상하는 재해 여부 심사

농지 및 작물 상태 등을 감안하여 보상하는 재해로 인한 피해가 맞는지 확인하며, 필요시에는 이에 대한 근거자료(피해사실 확인조사 참조)를 확보한다.

㉡ 나무수조사

품종별·수령별로 실제결과주수, 미보상주수 및 고사나무주수를 파악한다.

ⓒ 조사대상주수 계산

실제결과주수에서 미보상주수 및 고사나무주수를 빼서 조사대상주수를 계산한다.

ⓔ 표본주수 산정

농지별 전체 조사대상주수를 기준으로 품목별 표본주수표〈별표 1〉에 따라 농지별 전체 표본주수를 산정하되, 품종별·수령별 표본주수는 품종별·수령별 조사대상주수에 비례하여 산정한다.

ⓜ 표본주 선정

산정한 품종별·수령별 표본주수를 바탕으로 품종별·수령별 조사대상주수의 특성이 골고루 반영될 수 있도록 표본주를 선정한다.

ⓗ 착과수조사

선정된 표본주별로 착과된 전체 과실수를 조사한다.

ⓢ 과중조사

농지에서 품종별로 착과가 평균적인 3개 이상의 표본주에서 크기가 평균적인 과실을 품종별 20개 이상(농지당 최소 60개 이상) 추출하여 품종별 과실개수와 무게를 조사한다.

ⓞ 착과피해 구성 조사

착과피해를 유발하는 재해가 있었을 경우에는 아래와 같이 착과피해 구성 조사를 실시한다.

ⓐ 착과피해 구성 조사는 착과피해를 유발하는 재해가 있을 경우 시행하며, 품종별로 3개 이상의 표본주에서 임의의 과실 100개 이상을 추출한 후 과실분류에 따른 피해인정계수에 따라 구분하여 그 개수를 조사한다.

ⓑ 조사 당시 착과에 이상이 없는 경우 등에는 품종별로 피해구성조사를 생략할 수 있다.

ⓩ 미보상비율 확인

품목별 미보상비율 적용표〈별표 2〉에 따라 미보상비율을 조사한다.

8) 종합위험 비가림시설 피해조사(포도, 참다래, 대추)

포도, 참다래, 대추 품목에만 해당하는 비가림시설 피해조사로, 다음의 조사 방법에 따라 실시한다.

① **조사 기준** : 해당 목적물인 비가림시설의 구조체와 피복재의 재조달가액을 기준금액으로 수리비를 산출한다.

② **평가 단위** : 물리적으로 분리 가능한 시설 1동을 기준으로 보험 목적물별 평가한다.

③ **조사 방법**

㉠ **피복재** : 피복재의 피해면적을 조사한다.

ⓛ 구조체

ⓐ 손상된 골조를 재사용할 수 없는 경우 : 교체 수량 확인 후 교체 비용 산정

ⓑ 손상된 골조를 재사용할 수 있는 경우 : 보수 면적 확인 후 보수 비용 산정

▼ 그림 2-13 비가림시설

9) 나무손해보장 특약 고사나무조사(포도, 복숭아, 자두, 매실, 유자, 참다래, 살구)

포도, 복숭아, 자두, 매실, 유자, 참다래, 살구 품목에만 해당하는 고사나무조사로, 다음의 조사 방법에 따라 실시한다.

① 나무손해보장 특약 가입 여부 및 사고 접수 여부 확인

해당 특약을 가입한 농지 중 사고가 접수된 모든 농지에 대해서 고사나무조사를 실시한다.

② 조사 시기의 결정

고사나무조사는 수확완료 시점 이후에 실시하되, 나무손해보장 특약 종료 시점을 고려하여 결정한다.

③ 보상하는 재해 여부 심사

농지 및 작물 상태 등을 감안하여 보상하는 재해로 인한 피해가 맞는지 확인하며, 필요시에는 이에 대한 근거자료(피해사실 확인조사 참조)를 확보한다.

④ 나무수조사

㉠ 포도, 복숭아, 자두, 매실, 유자, 살구 품목에 대해서 품종별·수령별로 실제결과주수, 수확완료 전 고사주수, 수확완료 후 고사주수 및 미보상 고사주수를 조사한다.

ⓐ 수확완료 전 고사주수

고사나무조사 이전 조사(착과수조사, 착과피해조사, 낙과피해조사 및 수확개시 전·후 수확량조사)에서 보상하는 재해로 고사한 것으로 확인된 주수를 말한다.

ⓑ 수확완료 후 고사주수

보상하는 재해로 고사한 나무 중 고사나무조사 이전 조사에서 확인되지 않은 나무주수를 말한다.

ⓒ 미보상 고사주수

보상하는 재해 이외의 원인으로 고사한 나무주수를 의미하며 고사나무조사 이전 조사(착과수조사, 착과피해조사 및 낙과피해조사, 수확개시 전·후 수확량조사)에서 보상하는 재해 이외의 원인으로 고사하여 미보상주수로 조사된 주수를 포함한다.

ⓓ 수확완료 후 고사주수가 없는 경우(계약자 유선 확인 등)에는 고사나무조사를 생략할 수 있다.

ⓛ 참다래 품목에 대해서는 품종별·수령별로 실제결과주수와 고사주수, 미보상 고사주수를 조사한다.

⑤ 미보상비율조사(모든 조사 시 동시조사)

상기 모든 조사마다 미보상비율 적용표〈별표 2〉에 따라 미보상비율을 조사한다.

(3) 보험금 산정 방법 및 지급기준

1) 수확감소보험금은 다음과 같다.

① 지급보험금의 계산에 필요한 보험가입금액, 평년수확량, 수확량, 미보상감수량, 자기부담비율 등은 과수원별로 산정하며, 품종별로 산정하지 않는다.

② 보상하는 재해로 인하여 피해율이 자기부담비율을 초과하는 경우에만 지급보험금이 발생한다.

㉠ 보험금 = 보험가입금액 × (피해율 − 자기부담비율)

㉡ 피해율 = (평년수확량 − 수확량 − 미보상감수량) ÷ 평년수확량

㉢ 복숭아 피해율 = {(평년수확량 − 수확량 − 미보상감수량) + 병충해감수량}
                    ÷ 평년수확량

*병충해감수량 = 병충해 입은 과실의 무게 × 0.5

㉣ 미보상감수량 = (평년수확량 − 수확량) × 미보상비율

---

③ 보험금 등의 지급한도는 다음과 같다(비가림과수 − 포도, 대추, 참다래).

㉠ 보상하는 손해로 지급할 보험금은 상기 ②를 적용하여 계산하며, 보험증권에 기재된 농작물의 보험가입금액을 한도로 한다.

㉡ 손해방지비용, 대위권 보전비용, 잔존물 보전비용(단, 재해보험사업자가 잔존물을 취득할 의사표시를 하고 잔존물을 취득한 경우에 한하여 지급한다)은 상기 ②를 적용하여 계산한 금액이 보험가입금액을 초과하는 경우에도 지급한다(농작물의 경우 잔존물 제거비용은 지급하지 않는다). 단, 손해방지비용은 20만원을 한도로 지급한다.

2) 포도, 복숭아 수확량감소 추가보장 특약의 보험금

① 보상하는 재해로 피해율이 자기부담비율을 초과하는 경우 적용한다.

②

$$보험금 = 보험가입금액 \times (피해율 \times 10\%)$$

③

$$피해율 = (평년수확량 - 수확량 - 미보상감수량) \div 평년수확량$$
※ 복숭아 피해율
   = {(평년수확량 - 수확량 - 미보상감수량) + 병충해감수량} ÷ 평년수확량

3) 나무손해보장특약의 보험금

①

$$보험금 = 보험가입금액 \times (피해율 - 자기부담비율)$$
※ 피해율 = 피해주수(고사된 나무) ÷ 실제결과주수

② 피해주수는 수확 전 고사주수와 수확완료 후 고사주수를 더하여 산정하며, 미보상 고사주수는 피해주수에서 제외한다.

③ 대상 품목 및 자기부담비율은 약관에 따른다.

4) 종합위험 비가림시설(포도, 참다래, 대추) 보험금

① 손해액이 자기부담금을 초과하는 경우 아래와 같이 계산한 보험금을 지급한다.

   ㉠ 재해보험사업자가 보상할 손해액은 그 손해가 생긴 때와 곳에서의 가액에 따라 계산한다.

   ㉡ 재해보험사업자는 1사고마다 재조달가액(보험의 목적과 동형·동질의 신품을 조달하는 데 소요되는 금액을 말한다. 이하 같음) 기준으로 계산한 손해액에서 자기부담금을 차감한 금액을 보험가입금액 내에서 보상한다.

$$보험금 = MIN(손해액 - 자기부담금, 보험가입금액)$$

② 동일한 계약의 목적과 동일한 사고에 관하여 보험금을 지급하는 다른 계약(공제계약을 포함)이 있고 이들의 보험가입금액의 합계액이 보험가액보다 클 경우에는 아래에 따라 지급보험금을 계산한다. 이 경우 보험자 1인에 대한 보험금 청구를 포기한 경우에도 다른 보험자의 지급보험금 결정에는 영향을 미치지 않는다.

   ㉠ 다른 계약이 이 계약과 지급보험금의 계산 방법이 같은 경우

$$보험금 = 손해액 \times \frac{이\ 계약의\ 보험가입금액}{다른\ 계약이\ 없는\ 것으로\ 하여\ 각각\ 계산한\ 보험가입금액의\ 합계액}$$

© 다른 계약이 이 계약과 지급보험금의 계산 방법이 다른 경우

$$보험금 = 손해액 \times \frac{이\ 계약의\ 보험가입금액}{다른\ 계약이\ 없는\ 것으로\ 하여\ 각각\ 계산한\ 보험금의\ 합계액}$$

ⓒ 보험계약이 타인을 위한 보험계약이면서 보험계약자가 다른 계약으로 인하여 상법 제682조에 따른 대위권 행사의 대상이 된 경우에는 실제 그 다른 계약이 존재함에도 불구하고 그 다른 계약이 없다는 가정하에 계산한 보험금을 그 다른 보험계약에 우선하여 이 보험계약에서 지급한다.

ⓓ 보험계약을 체결한 재해보험사업자가 타인을 위한 보험에 해당하는 다른 계약의 보험계약자에게 상법 제682조에 따른 대위권을 행사할 수 있는 경우에는 이 보험계약이 없다는 가정하에 다른 계약에서 지급받을 수 있는 보험금을 초과한 손해액을 이 보험계약에서 보상한다.

③ 하나의 보험가입금액으로 둘 이상의 보험의 목적을 계약한 경우에는 전체가액에 대한 각 가액의 비율로 보험가입금액을 비례배분하여 지급보험금을 계산한다.

④ 재해보험사업자는 보험의 목적이 손해를 입은 장소에서 실제로 수리 또는 복구되지 않은 때에는 재조달가액에 의한 보상을 하지 않고 시가(감가상각된 금액)로 보상한다.

⑤ 계약자 또는 피보험자는 손해 발생 후 늦어도 180일 이내에 수리 또는 복구 의사를 재해보험사업자에 서면으로 통지해야 한다.

⑥ 자기부담금은 다음과 같이 산정한다.

ⓐ 재해보험사업자는 최소자기부담금(30만 원)과 최대자기부담금(100만 원)을 한도로 보험사고로 인하여 발생한 손해액의 10%에 해당하는 금액을 자기부담금으로 한다. 다만, 피복재 단독사고는 최소 자기부담금(10만 원)과 최대자기부담금(30만 원)을 한도로 한다.

ⓑ ⓐ의 자기부담금은 단지 단위, 1사고 단위로 적용한다.

⑦ 보험금 등의 지급한도는 다음과 같다.

ⓐ 보상하는 손해로 지급할 보험금과 잔존물 제거비용은 각각 상기 ①~⑤의 지급보험금 계산방법을 적용하여 계산하고, 그 합계액은 보험증권에 기재된 비가림시설의 보험가입금액을 한도로 한다. 단, 잔존물 제거비용은 손해액의 10%를 초과할 수 없다.

ⓑ 비용손해 중 손해방지비용, 대위권 보전비용, 잔존물 보전비용[1]은 상기 ①~⑤의 방법을 적용하여 계산한 금액이 보험가입금액을 초과하는 경우에도 지급한다.

ⓒ 비용손해 중 기타 협력비용은 보험가입금액을 초과한 경우에도 전액 지급한다.

---

1) 단, 재해보험사업자가 잔존물을 취득할 의사표시를 하고 잔존물을 취득한 경우에 한하여 지급한다.

3. 종합위험 과실손해보장방식(오디, 감귤)

종합위험 과실손해보장이란 보험 목적에 대한 보험기간 동안 보장하는 재해로 과실손해가 발생되어 이로 인한 수확량감소에 대해 보장받는 방식이다.

(1) 품목별 조사 종류

생육시기	재해	조사내용	조사시기	조사 방법	비고
수확 전	보상하는 재해 전부	피해사실 확인조사	사고접수 후 지체 없이	보상하는 재해로 인한 피해 발생 여부 조사 (피해사실이 명백한 경우 생략 가능)	전품목
		수확 전 과실손해조사	사고접수 후 지체 없이	표본주의 과실 구분 • 조사 방법 : 표본조사	감귤만 해당
수확 직전	보상하는 재해 전부	과실손해조사	결실완료 후	결실수 조사 • 조사 방법 : 표본조사	오디만 해당
		과실손해조사	수확직전	사고발생 농지의 과실피해 조사 • 조사 방법 : 표본조사	감귤만 해당
수확 시작 후 ~ 수확 종료	보상하는 재해 전부	동상해 과실손해조사	사고접수 후 지체 없이	표본주의 착과피해 조사 12월 1일~익년 2월 말일 사고 건에 한함 • 조사 방법 : 표본조사	감귤만 해당
수확 완료 후 ~ 보험 종기	보상하는 재해 전부	고사나무 조사	수확완료 후 보험종기 전	보상하는 재해로 고사되거나 또는 회생이 불가능한 나무 수를 조사 (특약 가입 농지만 해당) • 조사 방법 : 전수조사	수확완료 후 추가 고사나무가 없는 경우 생략 가능

(2) 손해평가 현지조사 방법

1) 피해사실 확인조사

① 조사 대상 : 대상 재해로 사고 접수 농지 및 조사 필요 농지

② 대상 재해 : 자연재해, 조수해, 화재

③ 조사 시기 : 사고 접수 직후 실시

④ 조사 방법 : 다음에 해당하는 사항을 확인한다.

㉠ 보상하는 재해로 인한 피해 여부 확인

기상청 자료 확인 및 현지 방문 등을 통하여 보상하는 재해로 인한 피해가 맞는지 확인하며, 필요시에는 이에 대한 근거로 다음의 자료를 확보한다.

ⓐ 기상청 자료, 농업기술센터 등 농업 전문기관 의견서 및 손해평가인 소견서 등 재해 입증 자료

ⓑ **피해농지 사진** : 농지의 전반적인 피해 상황 및 세부 피해내용이 확인 가능하도록 촬영

ⓒ 단, 태풍 등과 같이 재해 내용이 명확하거나 사고 접수 후 바로 추가조사가 필요한 경우 등에는 피해사실 확인조사를 생략할 수 있다.

㉡ 추가조사(수확량조사) 필요 여부 판단

보상하는 재해 여부 및 피해 정도 등을 감안하여 추가조사(수확량조사)가 필요한지를 판단하여 해당 내용에 대하여 계약자에게 안내하고, 추가조사(수확량조사)가 필요할 것으로 판단된 경우에는 수확기에 손해평가반 구성 및 추가조사 일정을 수립한다.

2) 수확 전 사고조사(감귤)

① 감귤 품목에만 해당하는 수확 전 과실손해조사이다.

② 사고가 발생한 과수원에 대하여 실시하며, 조사 시기는 사고 접수 후 즉시 실시한다. 다만, 수확 전 사고조사 전 계약자가 피해 미미(자기부담비율 이하의 사고) 등의 사유로 조사를 취소한 과수원은 수확 전 사고조사를 실시하지 않는다.

③ 수확 전 사고조사는 다음에 따라 실시한다.

㉠ 보상하는 재해 여부 심사

과수원 및 작물 상태 등을 감안하여 보상하는 재해로 인한 피해가 맞는지 확인하며, 필요시에는 이에 대한 근거자료(피해사실 확인조사 참조)를 확보한다.

㉡ 표본조사

ⓐ 표본주 선정 : 농지별 가입면적을 기준으로 품목별 표본주수표〈별표 1〉에 따라 농지별 전체 표본주수를 과수원에 고루 분포되도록 선정한다(단, 필요하다고 인정되는 경우 표본주수를 줄일 수도 있으나 최소 3주 이상 선정한다).

ⓑ 표본주 조사

㉮ 선정한 표본주에 리본을 묶고 수관면적 내 피해 및 정상과실을 조사한다.

㉯ 표본주의 과실을 100%형 피해과실과 정상과실로 구분한다.

㉰ 100%형 피해과실은 착과된 과실 중 100% 피해가 발생한 과실 및 보상하는 재해로 낙과된 과실을 말한다.

㉱ ㉯에서 선정된 과실 중 보상하지 않는 손해(병충해, 생리적 낙과 포함)에 해당하는 과실과 부분 착과피해 과실은 정상과실로 구분한다.

ⓒ 미보상비율 확인 : 품목별 미보상비율 적용표〈별표 2〉에 따라 미보상비율을 조사한다.

④ 수확 전 사고조사 건은 추후 과실손해조사를 진행한다.

3) 과실손해조사(오디)

오디 품목에만 해당하는 과실손해조사이다.

① 조사 대상

㉠ 피해사실 확인조사 시 과실손해조사가 필요하다고 판단된 과수원에 대하여 실시한다.

㉡ 가입 이듬해 5월 31일 이전 사고가 접수된 모든 농지이다.

② 조사 시기

결실 완료 직후부터 최초 수확 전까지로 한다. 다만, 과실손해조사 전 계약자가 피해 미미(자기부담비율 이내의 사고) 등의 사유로 과실손해조사 실시를 취소한 과수원은 과실손해조사를 실시하지 않는다.

③ 조사 방법

㉠ 보상하는 재해 여부 심사

과수원 및 작물 상태 등을 감안하여 보상하는 재해로 인한 피해가 맞는지 확인하며, 필요시에는 이에 대한 근거자료(피해사실 확인조사 참조)를 확보한다.

㉡ 나무수조사

품종별·수령별로 실제결과주수를, 품종별·수령별 결실불능주수와 미보상주수를 확인하며, 확인한 실제결과주수가 가입 주수 대비 10% 이상 차이가 날 경우에는 계약 사항을 변경해야 한다.

ⓐ 품종별·수령별 결실불능주수 확인 : 품종별·수령별로 보상하는 재해로 인하여 결실이 불가능한 주수를 조사한다.

ⓑ 품종별·수령별 미보상주수 확인 : 품종별·수령별로 보상하는 재해 이외의 원인으로 결실이 이루어지지 않는 주수를 조사한다.

㉢ 조사대상주수 계산

품종별·수령별 실제결과주수에서 품종별·수령별 결실불능주수 및 품종별·수령별 미보상주수를 빼서 품종별·수령별 조사대상주수를 계산한다.

㉣ 표본주수 산정

농지별 전체 조사대상주수를 기준으로 품목별 표본주수표〈별표 1〉에 따라 농지별 전체 표본주수를 산정하되, 품종별·수령별 표본주수는 품종별·수령별 조사대상주수에 비례하여 산정한다.

㉤ 표본주 선정

산정한 품종별·수령별 표본주수를 바탕으로 품종별·수령별 조사대상주수의 특성이 골고루 반영될 수 있도록 표본주를 선정한다.

ⓑ 표본주 조사

    ⓐ 표본가지 선정 : 표본주에서 가장 긴 결과모지 3개를 표본가지로 선정한다.

    ⓑ 길이 및 결실수 조사 : 표본가지별로 가지의 길이 및 결실수를 조사한다.

▼ 그림 2-14 오디 결실수 조사

식재 상태 확인

표본가지 결실수 조사

미보상비율 확인 - 균핵병

4) 과실손해조사(감귤)

감귤 품목에만 해당하는 과실손해조사이다. 또한, 과실손해조사 시 따거나 수확한 과실은 계약자의 비용 부담으로 한다.

① 조사 대상

    ㉠ 피해사실 확인조사 시 과실손해조사가 필요하다고 판단된 과수원에 대하여 실시한다.

    ㉡ 11월 30일 이전 사고가 접수된 모든 농지이다.

② 조사 시기

주품종 수확 시기에 한다. 다만, 과실손해조사 전 계약자가 피해 미미(자기부담비율 이하의 사고) 등의 사유로 조사를 취소한 과수원은 과실손해조사를 실시하지 않는다.

③ 조사 방법

    ㉠ 보상하는 재해 여부 심사

      과수원 및 작물 상태 등을 감안하여 보상하는 재해로 인한 피해가 맞는지 확인하며, 필요시에는 이에 대한 근거자료(피해사실 확인조사 참조)를 확보한다.

    ㉡ 표본조사

      ⓐ 표본주 선정 : 농지별 가입 면적을 기준으로 품목별 표본주수표〈별표 1〉에 따라 농지별 전체 표본주수를 과수원에 고루 분포되도록 선정한다(단, 필요하다고 인정되는 경우 표본주수를 줄일 수도 있으나 최소 2주 이상 선정).

      ⓑ 표본주 조사

        ㉮ 선정한 표본주에 리본을 묶고 주지별(원가지) 아주지(버금가지) 1~3개를 수확한다.

ⓝ 수확한 과실을 정상과실, 등급 내 피해과실 및 등급 외 피해과실로 구분한다.

ⓓ 등급 내 피해과실은 30%형 피해과실, 50%형 피해과실, 80%형 피해과실, 100%형 피해과실로 구분하여 등급 내 과실피해율을 산정한다.

ⓡ 등급 외 피해과실은 30%형 피해과실, 50%형 피해과실, 80%형 피해과실, 100%형 피해과실로 구분한 후, 인정비율(50%)을 적용하여 등급 외 과실피해율을 산정한다(만감류의 피해과실수는 등급 내·외의 구분을 하지 않고 등급 내 피해과실수로 간주하여 피해율을 산출한다).

ⓜ 위 ⓓ, ⓡ에서 선정된 과실 중 보상하지 않는 손해(병충해 등)에 해당하는 경우 정상과실로 구분한다.

④ 주 품종 최초 수확 이후 사고가 발생한 경우 추가로 과실손해조사를 진행할 수 있다. 기수확한 과실이 있는 경우 수확한 과실은 정상과실로 본다.

▼ 그림 2-15 감귤 등급 내·외 과실 분류

5) 동상해 과실손해조사(감귤)

감귤 품목에만 해당하는 동상해 과실손해조사이다. 또한, 과실손해조사 시 따거나 수확한 과실은 계약자의 비용 부담으로 한다. 동상해 과실손해조사는 수확기 동상해로 인해 피해가 발생한 경우에 실시하며 다음에 따라 실시한다.

① 보상하는 재해 여부 심사

과수원 및 작물 상태 등을 감안하여 보상하는 재해로 인한 피해가 맞는지 확인하며, 필요
시에는 이에 대한 근거자료(피해사실 확인조사 참조)를 확보한다.

② 표본조사

㉠ 표본주 선정 : 농지별 가입면적을 기준으로 품목별 표본주수표〈별표 1〉에 따라 농지
별 전체 표본주수를 과수원에 고루 분포되도록 선정한다(단, 필요하다고 인정되는
경우 표본주수를 줄일 수도 있으나 최소 2주 이상 선정한다).

㉡ 표본주 조사

ⓐ 선정한 표본주에 리본을 묶고 동서남북 4가지에 대하여 기수확한 과실수를 조
사한다.

ⓑ 기수확한 과실수를 파악한 뒤, 4가지에 착과된 과실을 전부 수확한다.

ⓒ 수확한 과실을 정상과실, 80%형 피해과실, 100%형 피해과실로 구분하여 동
상해 피해과실수를 산정한다(다만, 필요시에는 해당 기준 절반 조사도 가능).

㉢ ㉡의 ⓒ에서 선정된 과실 중 보상하지 않는 손해(병충해 등)에 해당하는 경우 정상
과실로 구분한다. 또한 사고 당시 기수확한 과실비율이 수확기 경과비율보다 현저
히 큰 경우에는 기수확한 과실비율과 수확기 경과비율의 차이에 해당하는 과실수
를 정상과실로 한다.

6) 고사나무조사(감귤)

감귤 품목에만 해당하는 나무피해조사로, 다음의 조사 방법에 따라 실시한다.

① 조사 대상 : 나무손해보장 특약을 가입한 농지 중 사고가 접수된 모든 농지에서 실시
한다.

② 조사 시기의 결정 : 고사나무조사는 수확완료 시점 이후에 실시하되, 나무손해보장 특
약 종료 시점을 고려하여 결정한다.

③ 조사 방법

㉠ 고사나무조사 필요 여부 확인

ⓐ 수확완료 후 고사나무가 있는 경우에만 조사한다.

ⓑ 기조사(착과수조사 및 수확량조사 등) 시 확인된 고사나무 이외에 추가 고사나
무가 없는 경우에는 조사 생략이 가능하다.

㉡ 보상하는 재해 여부 심사

농지 및 작물 상태 등을 감안하여 보상하는 재해로 인한 피해가 맞는지 확인하며,
필요시에는 이에 대한 근거자료(피해사실 확인조사 참조)를 확보할 수 있다.

㉢ 고사주수 확인

ⓐ 고사기준에 맞는 품종별·수령별 추가 고사주수를 확인한다.

ⓑ 보상하는 재해 이외의 원인으로 고사한 나무는 미보상고사주수로 조사한다.

(3) 보험금 산정 방법 및 지급기준

1) 과실손해보험금의 산정

① 오디

피해율이 자기부담비율을 초과하는 경우 과실손해보험금은 아래와 같이 계산한다.

$$과실손해보험금 = 보험가입금액 \times (피해율 - 자기부담비율)$$
$$※ 피해율 = (평년결실수 - 조사결실수 - 미보상감수결실수) \div 평년결실수$$

㉠ 조사결실수

품종별·수령별로 환산결실수에 조사대상주수를 곱한 값에 주당 평년결실수에 미보상주수를 곱한 값을 더한 후 전체 실제결과주수로 나누어 산출한다.

㉡ 미보상감수결실수

평년결실수에서 조사결실수를 뺀 값에 미보상비율을 곱하여 산출하며, 해당 값이 0보다 작을 때에는 0으로 한다.

㉢ 환산결실수

품종별·수령별로 표본가지 결실수 합계를 표본가지 길이 합계로 나누어 산출한다.

㉣ 조사대상주수

실제결과주수에서 고사주수와 미보상주수를 빼어 산출한다.

㉤ 주당 평년결실수

품종별로 평년결실수를 실제결과주수로 나누어 산출한다.

㉥ 자기부담비율은 보험 가입할 때 선택한 비율로 한다.

② 감귤

감귤 품목의 과실손해보험금은 보험가입금액을 한도로 보장기간 중 산정된 손해액에서 자기부담금을 차감하여 산정한다.

㉠ 과실손해보험금의 계산

손해액이 자기부담금을 초과하는 경우 다음과 같이 계산한 과실손해보험금을 지급한다.

$$과실손해보험금 = 손해액 - 자기부담금$$
$$※ 손해액 = 보험가입금액 \times 피해율$$
$$※ 자기부담금 = 보험가입금액 \times 자기부담비율$$

㉡ 피해율 산출

$$피해율 = (피해과실수 \div 기준과실수) \times (1 - 미보상비율)$$

ⓐ 기준과실수 = 표본주의 과실수 총 합계

ⓑ 피해과실수 = 등급 내 피해과실수 + (등급 외 피해과실수 × 50%)

ⓒ 등급 내 피해과실수

= (등급 내 30%형 피해과실수 합계 × 30%) + (등급 내 50%형 피해과실수 합계 × 50%) + (등급 내 80%형 피해과실수 합계 × 80%) + (등급 내 100%형 피해과실수 합계 × 100%)

ⓓ 등급 외 피해과실수

= (등급 외 30%형 피해과실수 합계 × 30%) + (등급 외 50%형 피해과실수 합계 × 50%) + (등급 외 80%형 피해과실수 합계 × 80%) + (등급 외 100%형 피해과실수 합계 × 100%)

ⓒ 피해과실수

ⓐ 피해과실수를 산정할 때, 보장하지 않는 재해로 인한 부분은 피해과실수에서 제외한다.

ⓑ 피해과실수는 출하등급을 분류하고 이에 과실 분류에 따른 피해인정계수를 적용하여 산정한다. 단, 만감류(한라봉, 천혜향, 레드향, 황금향)에 해당하는 품종의 피해과실수는 등급 내·외 구분을 하지 않고 등급 내 피해과실수로 간주하여 피해율을 산출한다.

▼ 과실 분류에 따른 피해인정계수

구분	정상과실	30%형 피해과실	50%형 피해과실	80%형 피해과실	100%형 피해과실
피해인정계수	0	0.3	0.5	0.8	1

2) 동상해 과실손해보장 특별약관 보험금 산정(감귤)

① 동상해 과실손해보험금은 보험기간 내에 동상해로 인한 손해액이 자기부담금을 초과하는 경우 다음과 같이 계산한 동상해 손해보험금을 지급한다.

동상해 과실손해보험금 = 손해액 − 자기부담금

※ 손해액 = {보험가입금액 − (보험가입금액 × 기사고피해율)} × 수확기잔존비율 × 동상해피해율 × (1 − 미보상비율)

※ 자기부담금 = 절댓값|보험가입금액 × 최솟값(주계약피해율 − 자기부담비율, 0)|

※ 단, 기사고피해율은 주계약피해율의 미보상비율을 반영하지 않은 값과 이전 사고의 동상해 과실손해피해율을 합산한 값임

② 동상해 피해율 산출

$$동상해 피해율 = \frac{(동상해\ 80\%형\ 피해과실수\ 합계 \times 80\%) + (동상해\ 100\%형\ 피해과실수\ 합계 \times 100\%)}{기준과실수}$$

※ 기준과실수 = 정상과실수 + 동상해피해 80%형 과실수 + 동상해피해 100%형 과실수

③ 수확기 잔존비율

▼ 기준일자별 수확기 잔존비율표(감귤)

품목	사고발생 월	잔존비율(%)
감귤	12월	100 − 1.5 × 사고 발생일자
	1월	(100 − 47) − 1.3 × 사고 발생일자
	2월	(100 − 88) − 0.4 × 사고 발생일자
감귤 (만감류)	12월	100 − 0.4 × 사고 발생일자
	1월	(100 − 13.1) − 1.3 × 사고 발생일자
	2월	(100 − 52.6) − 1.7 × 사고 발생일자

주1) 사고 발생일자는 해당 월의 사고 발생일자를 의미한다.

주2) 감귤(만감류)은 한라봉, 천혜향, 레드향, 황금향을 의미한다.

3) 종합위험 나무손해보장 특별약관 보험금 산정(감귤)

① 보험기간 내에 보상하는 손해에서 규정한 재해로 인한 피해율이 자기부담비율을 초과하는 경우 재해보험사업자가 지급할 보험금은 아래에 따라 계산한다.

지급보험금 = 보험가입금액 × (피해율 − 자기부담비율)

※ 피해율 = 피해주수(고사된 나무) ÷ 실제결과주수

② 자기부담비율은 5%로 한다.

4) 과실손해 추가보장 특별약관 보험금 산정(감귤)

① 보상하는 재해로 손해액이 자기부담금을 초과하는 손해가 발생한 경우 적용한다.

② 보험금 = 보험가입금액 × 주계약 피해율 × 10%

③ 주계약 피해율은 과실손해보장(보통약관)에서 산출한 피해율을 말한다.

4. 수확 전 종합위험보장방식(복분자, 무화과)

보험의 목적에 대해 보험기간 개시일부터 수확 개시 이전까지는 자연재해, 조수해, 화재에 해당하는 종합적인 위험을 보장하고, 수확 개시 이후부터 수확 종료 시점까지는 태풍(강풍), 우박에 해당하는 특정한 위험에 대해 보장하는 방식이다.

(1) 시기별 조사 종류

생육 시기	재해	조사내용	조사시기	조사 방법	비고
수확 전	보상하는 재해 전부	피해사실 확인조사	사고접수 후 지체 없이	보상하는 재해로 인한 피해발생 여부 조사 (피해사실이 명백한 경우 생략 가능)	전 품목
		경작불능 조사	사고접수 후 지체 없이	해당 농지의 피해면적비율 또는 보험목적인 식물체피해율 조사	복분자만 해당
		과실손해 조사	수정완료 후	살아있는 결과모지수 조사 및 수정불량(송이)피해율 조사 • 조사 방법 : 표본조사	복분자만 해당
수확 직전	보상하는 재해 전부	과실손해 조사	수확직전	사고발생 농지의 과실피해조사 • 조사 방법 : 표본조사	무화과만 해당
수확 시작 후 ~ 수확 종료	태풍(강풍), 우박	과실손해 조사	사고접수 후 지체 없이	전체 열매수(전체 개화수) 및 수확 가능 열매수 조사 6월 1일~6월 20일 사고 건에 한함 • 조사 방법 : 표본조사	복분자만 해당
				표본주의 고사 및 정상 결과지수 조사 • 조사 방법 : 표본조사	무화과만 해당
수확 완료 후 ~ 보험 종기	보상하는 재해 전부	고사나무 조사	수확완료 후 보험종기 전	보상하는 재해로 고사되거나 또는 회생이 불가능한 나무수를 조사 - 특약 가입 농지만 해당 • 조사 방법 : 전수조사	(무화과) 수확완료 후 추가 고사나무가 없는 경우 생략 가능

(2) 손해평가 현지조사 방법

1) 피해사실 확인조사

① 조사 대상 : 대상 재해로 사고 접수 농지 및 조사 필요 농지

② 대상 재해

㉠ 수확 개시 이전 : 자연재해, 조수해(鳥獸害), 화재

㉡ 수확 개시 이후 : 태풍(강풍), 우박

③ 조사 시기 : 사고 접수 직후 실시

④ 조사 방법 : 다음에 해당하는 사항을 확인한다.

㉠ 보상하는 재해로 인한 피해 어부 확인

기상청 자료 확인 및 현지 방문 등을 통하여 보상하는 재해로 인한 피해가 맞는지 확인하며, 필요시에는 이에 대한 근거로 다음의 자료를 확보한다.

ⓐ 기상청 자료, 농업기술센터 등 농업 전문기관 의견서 및 손해평가인 소견서 등 재해 입증 자료

ⓑ 피해농지 사진 : 농지의 전반적인 피해 상황 및 세부 피해내용이 확인 가능하도록 촬영

ⓒ 단, 태풍 등과 같이 재해 내용이 명확하거나 사고 접수 후 바로 추가조사가 필요한 경우 등에는 피해사실 확인조사를 생략할 수 있다.

㉡ 추가조사(과실손해조사) 필요 여부 판단

보상하는 재해 여부 및 피해 정도 등을 감안하여 추가조사(과실손해조사)가 필요한지 여부를 판단하여 해당 내용에 대하여 계약자에게 안내하고, 추가조사(과실손해조사)가 필요할 것으로 판단된 경우에는 수확기에 손해평가반구성 및 추가조사 일정을 수립한다.

2) 경작불능조사

① 대상 품목 : 복분자

② 조사 대상 : 피해사실 확인조사 시 경작불능조사가 필요하다고 판단된 농지 또는 사고 접수 시 이에 준하는 피해가 예상되는 농지

③ 조사 시기 : 피해사실 확인조사 직후 또는 사고 접수 직후로 한다.

④ 조사 방법 : 다음에 해당하는 사항을 확인한다.

㉠ 보험기간 확인

경작불능보장의 보험기간은 계약체결일 24시부터 수확 개시 시점(단, 가입 이듬해 5월 31일을 초과할 수 없음)까지로, 해당 기간 내 사고인지 확인한다.

㉡ 보상하는 재해 여부 심사

농지 및 작물 상태 등을 감안하여 보상하는 재해로 인한 피해가 맞는지 확인하며, 필요시에는 이에 대한 근거자료(피해사실 확인조사 참조)를 확보한다.

ⓒ 실제 경작면적 확인·재식면적 확인

@ GPS 면적측정기 또는 지형도 등을 이용하여 보험가입면적과 실제 경작면적을 비교한다.

ⓑ 재식면적을 확인한다(주간 길이와 이랑 폭 확인).

ⓒ 실제 경작면적이 보험가입면적 대비 10% 이상 차이(혹은 1,000㎡ 초과)가 날 경우에는 계약 사항을 변경해야 한다.

ⓔ 경작불능 여부 확인

@ 식물체피해율 65% 이상 여부를 확인한다(식물체가 고사한 면적을 보험가입면적으로 나누어 산출).

ⓑ 계약자의 경작불능보험금 신청 여부를 확인한다.

구분		계약자의 보험금 신청	
		신청	미신청
식물체 피해율	65% 이상	경작불능조사	(종합위험)과실손해조사
	65% 미만	(종합위험)과실손해조사	

ⓜ 산지폐기 여부 확인(경작불능 후 조사)

이전 조사에서 보상하는 재해로 식물체피해율이 65% 이상이고 계약자가 경작불능 보험금을 신청한 농지에 대하여, 산지폐기 여부를 확인한다.

3) 종합위험 과실손해조사

① 대상 품목 : 복분자

㉠ 조사 대상 : 종합위험방식 보험기간(계약체결일 24시부터 가입 이듬해 5월 31일 이전)까지의 사고로 피해사실 확인조사 시 추가조사가 필요하다고 판단된 농지 또는 경작불능조사 결과 종합위험 과실손해조사가 필요할 것으로 결정된 농지

㉡ 조사 시기 : 수정 완료 직후부터 최초 수확 전까지

㉢ 조사 제외 대상 : 종합위험 과실손해조사 전 계약자가 피해 미미(자기부담비율 이내의 사고) 등의 사유로 종합위험 과실손해조사를 취소한 농지는 조사를 실시하지 않는다.

㉣ 조사 방법 : 다음에 해당하는 사항을 확인한다.

@ 보상하는 재해 여부 심사

과수원 및 작물 상태 등을 감안하여 보상하는 재해로 인한 피해가 맞는지 확인하며, 필요시에는 이에 대한 근거자료(피해사실 확인조사 참조)를 확보한다.

ⓑ 실제 경작면적 확인·재식면적 확인
　　ⓐ GPS 면적측정기 또는 지형도 등을 이용하여 보험가입면적과 실제 경작면적을 비교한다.
　　ⓑ 재식면적을 확인한다(주간 길이와 이랑 폭 확인).
　　ⓒ 실제 경작면적이 보험가입면적 대비 10% 이상 차이(혹은 1,000㎡ 초과)가 날 경우에는 계약 사항을 변경해야 한다.
ⓒ 기준일자 확인
　　기준일자는 사고일자로 하며, 기준일자에 따라 보장재해가 달라짐에 유의한다.
ⓓ 표본조사
　　ⓐ 표본포기수 산정
　　　　가입포기수를 기준으로 품목별 표본구간수표〈별표 1〉에 따라 표본포기수를 산정한다. 다만, 실제 경작면적 및 재식면적이 가입사항과 차이가 나서 계약변경이 될 경우에는 변경될 가입포기수를 기준으로 표본포기수를 산정한다.
　　ⓑ 표본포기 선정
　　　　산정한 표본포기수를 바탕으로 조사 농지의 특성이 골고루 반영될 수 있도록 표본포기를 선정한다.
　　ⓒ 표본구간 선정
　　　　선정한 표본포기 전후 2포기씩 추가하여 총 5포기를 표본구간으로 선정한다. 다만, 가입 전 고사한 포기 및 보상하는 재해 이외의 원인으로 피해를 입은 포기가 표본구간에 포함될 경우에는 해당 포기를 표본구간에서 제외하고 이웃한 포기를 표본구간으로 선정하거나 표본포기를 변경한다.
　　ⓓ 살아있는 결과모지수 조사
　　　　각 표본구간별로 살아있는 결과모지수 합계를 조사한다.
　　ⓔ 수정불량(송이) 피해율 조사
　　　　각 표본포기에서 임의의 6송이를 선정하여 1송이당 맺혀있는 전체 열매수와 피해(수정불량) 열매수를 조사한다. 다만, 현장 사정에 따라 조사할 송이 수는 가감할 수 있다.
ⓔ 미보상비율 확인
　　품목별 미보상비율 적용표〈별표 2〉에 따라 미보상비율을 조사한다.
② 대상 품목 : 무화과
　ⓐ 조사 대상 : 종합위험방식 보험기간(계약체결일 24시부터 가입 이듬해 7월 31일 이전)까지의 사고로 피해사실 확인조사 시 추가조사가 필요하다고 판단된 농지
　ⓑ 조사 시기 : 최초 수확 품종 수확기 이전까지
　ⓒ 조사 방법 : 다음에 해당하는 사항을 확인한다.

ⓐ 보상하는 재해 여부 심사

과수원 및 작물 상태 등을 감안하여 보상하는 재해로 인한 피해가 맞는지 확인하며, 필요시에는 이에 대한 근거자료(피해사실 확인조사 참조)를 확보한다.

ⓑ 나무수조사

농지내 품종별·수령별 실제결과주수, 미보상주수 및 고사나무주수를 파악한다.

ⓒ 조사대상주수 계산

품종별·수령별 실제결과주수에서 미보상주수 및 고사나무주수를 빼서 조사대상주수를 계산한다.

ⓓ 표본주수 산정

㉮ 과수원별 전체 조사대상주수를 기준으로 품목별 표본주수표〈별표 1〉에 따라 농지별 전체 표본주수를 산정한다.

㉯ 적정 표본주수는 품종별·수령별 조사대상주수에 비례하여 산정하며, 품종별·수령별 적정표본주수의 합은 전체 표본주수보다 크거나 같아야 한다.

ⓔ 표본주 선정

㉮ 조사대상주수를 농지별 표본주수로 나눈 표본주 간격에 따라 표본주 선정 후 해당 표본주에 표시리본을 부착한다.

㉯ 동일품종·동일재배방식·동일수령의 농지가 아닌 경우에는 품종별·재배방식별·수령별 조사대상주수의 특성이 골고루 반영될 수 있도록 표본주를 선정한다.

ⓕ 착과수조사

선정된 표본주마다 착과된 전체 과실수를 세고 리본 및 현지 조사서에 조사 내용을 기재한다.

ⓖ 착과피해조사

착과피해조사는 착과피해를 유발하는 재해가 있을 경우에만 시행한다. 해당 재해 여부는 재해의 종류와 과실의 상태 등을 고려하여 조사자가 판단한다.

㉮ 품종별로 3개 이상의 표본주에서 임의의 과실 100개 이상을 추출한 후 피해구성 구분 기준에 따라 구분하여 그 개수를 조사한다.

㉯ 조사 당시 착과에 이상이 없는 경우 등에는 품종별로 피해구성조사를 생략할 수 있다.

ⓓ 과실 분류에 따른 피해인정계수

과실 분류	피해인정계수	비고
정상과	0	피해가 없거나 경미한 과실
50%형 피해과실	0.5	일반시장에 출하할 때 정상과실에 비해 50% 정도의 가격하락이 예상되는 품질의 과실 (단, 가공공장공급 및 판매 여부와 무관)
80%형 피해과실	0.8	일반시장 출하가 불가능하나 가공용으로 공급될 수 있는 품질의 과실 (단, 가공공장공급 및 판매 여부와 무관)
100%형 피해과실	1	일반시장 출하가 불가능하고 가공용으로도 공급될 수 없는 품질의 과실

ⓗ 미보상비율 확인

품목별 미보상비율 적용표〈별표 2〉에 따라 미보상비율을 조사한다.

4) 특정위험 과실손해조사

① 대상 품목 : 복분자

㉠ 조사 대상 : 특정위험방식 보험기간[가입 이듬해 6월 1일부터 수확기 종료 시점(다만 가입 이듬해 6월 20일 초과할 수 없음)]까지의 사고가 발생하는 경우

㉡ 조사 시기 : 사고 접수 직후

㉢ 조사 제외 대상 : 특정위험 과실손해조사 전 계약자가 피해 미미(자기부담비율 이내의 사고) 등의 사유로 특정위험 과실손해조사를 취소한 농지는 조사를 실시하지 않는다.

㉣ 조사 방법 : 다음에 해당하는 사항을 확인한다.

ⓐ 보상하는 재해 여부 심사

과수원 및 작물 상태 등을 감안하여 보상하는 재해로 인한 피해가 맞는지 확인하며, 필요시에는 이에 대한 근거자료를 확보할 수 있다.

ⓑ 실제 경작면적 확인·재식면적 확인

㉮ GPS 면적측정기 또는 지형도 등을 이용하여 보험가입면적과 실제 경작면적을 비교한다.

㉯ 재식면적을 확인한다(주간 길이와 이랑 폭 확인).

㉰ 실제 경작면적이 보험가입면적 대비 10% 이상 차이(혹은 1,000㎡ 초과)가 날 경우에는 계약 사항을 변경해야 한다.

ⓒ 기준일자 확인

㉮ 기준일자는 사고발생일자로 하되, 농지의 상태 및 수확 정도 등에 따라 조사자가 수정할 수 있다.

㉯ 기준일자에 따른 잔여수확량 비율 확인

품목	사고일자	경과비율(%)
복분자	1일 ~ 7일	98 - 사고발생일자
	8일 ~ 20일	$\dfrac{(사고발생일자^2 - 43 \times 사고발생일자 + 460)}{2}$

ⓓ 표본조사

㉮ 표본포기수 산정

가입포기수를 기준으로 품목별 표본구간수표〈별표 1〉에 따라 표본포기수를 산정한다. 다만, 실제 경작면적 및 재식면적이 가입사항과 차이가 나서 계약 변경이 될 경우에는 변경될 가입포기수를 기준으로 표본포기수를 산정한다.

㉯ 표본포기 선정

산정한 표본포기수를 바탕으로 조사 농지의 특성이 골고루 반영될 수 있도록 표본포기를 선정한다.

㉰ 표본송이 조사

각 표본포기에서 임의의 6송이를 선정하여 1송이당 전체 열매수(전체 개화수)와 수확 가능한 열매수(전체 결실수)를 조사한다. 다만, 현장 사정에 따라 조사할 송이수는 가감할 수 있다.

▼ 그림 2-16 복분자 과실손해조사

② 대상 품목 : 무화과

㉠ 조사 대상 : 특정위험방식 보험기간[가입 이듬해 8월 1일 이후부터 수확기 종료 시점(가입한 이듬해 10월 31일을 초과할 수 없음)]까지 사고가 발생하는 경우

㉡ 조사 방법 : 다음에 해당하는 사항을 확인한다.

ⓐ 보상하는 재해 여부 심사

과수원 및 작물 상태 등을 감안하여 보상하는 재해로 인한 피해가 맞는지 확인하며, 필요시에는 이에 대한 근거자료(피해사실 확인조사 참조)를 확보할 수 있다.

ⓑ 나무조사

㉮ 실제결과주수 확인 : 품종별·재배방식별·수령별 실제결괴주수를 확인한다.

㉯ 고사주수, 미보상주수, 기수확주수, 수확불능주수 확인 및 품종별·재배방식별·수령별 실제결과주수를 확인한다.

㉰ 조사대상주수 확인 : 품종별·재배방식별·수령별 실제결과주수에서 미보상주수, 고사주수, 수확불능주수를 빼고 조사대상주수를 계산한다.

ⓒ 기준일자 확인

㉮ 기준일자는 사고발생일자로 하되, 농지의 상태 및 수확 정도 등에 따라 조사자가 수정할 수 있다.

㉯ 기준일자에 따른 잔여수확량 비율을 확인한다.

ⓓ 표본조사

㉮ 표본포기수를 산정한다.

㉯ 3주 이상의 표본주에 달려있는 결과지수를 구분하여 고사결과지수, 미고사결과지수, 미보상고사결과지수를 각각 조사한다.

5) 고사나무조사

① 조사 대상 : 무화과

나무손해보장 특약을 가입한 농지 중 사고가 접수된 모든 농지에서 실시한다.

② 조사 시기의 결정 : 고사나무조사는 수확완료 시점 이후에 실시하되, 나무손해보장 특약 종료 시점을 고려하여 결정한다.

③ 조사 방법 : 다음에 해당하는 사항을 확인한다.

㉠ 고사나무조사 필요 여부 확인

ⓐ 수확완료 후 고사나무가 있는 경우에만 조사를 실시한다.

ⓑ 기조사(착과수조사 및 수확량조사 등) 시 확인된 고사나무 이외에 추가 고사나무가 없는 경우에는 조사 생략이 가능하다.

ⓒ 보상하는 재해 여부 심사

농지 및 작물 상태 등을 감안하여 보상하는 재해로 인한 피해가 맞는지 확인하며, 필요시에는 이에 대한 근거자료(피해사실 확인조사 참조)를 확보할 수 있다.

ⓓ 고사기준에 맞는 품종별·수령별 추가 고사주수 확인, 보상하는 재해 이외의 원인으로 고사한 나무는 미보상고사주수로 조사한다.

6) 미보상비율 확인

미보상비율 적용표〈별표 2〉에 따라 미보상비율을 조사한다.

(3) 보험금 산정 방법 및 지급기준

1) 경작불능보험금의 산정

① 대상 품목 : 복분자

② 지급조건 : 경작불능조사 결과 식물체피해율이 65% 이상이고, 계약자가 경작불능보험금을 신청한 경우에 지급한다.

③

$$지급보험금 = 보험가입금액 \times 자기부담비율별 지급비율$$

▼ 자기부담비율별 경작불능보험금 지급비율표

자기부담비율	10%형	15%형	20%형	30%형	40%형
지급비율	45%	42%	40%	35%	30%

2) 과실손해보험금의 산정

① 대상 품목 : 복분자

ⓐ 과실손해보험금의 계산

보상하는 재해로 피해율이 자기부담비율을 초과하는 경우 과실손해보험금을 아래와 같이 산정한다.

$$과실손해보험금 = 보험가입금액 \times (피해율 - 자기부담비율)$$
$$※ 피해율 = 고사결과모지수 \div 평년결과모지수$$

ⓑ 고사결과모지수

ⓐ 5월 31일 이전에 사고가 발생한 경우

$$(평년결과모지수 - 살아있는 결과모지수) + 수정불량환산 고사결과모지수$$
$$- 미보상 고사결과모지수$$

ⓑ 6월 1일 이후에 사고가 발생한 경우

$$
\text{수확감소환산 고사결과모지수} - \text{미보상 고사결과모지수}
$$

㉮ 수정불량환산 고사결과모지수 = 살아있는 결과모지수 × 수정불량환산계수

㉯ 수정불량환산계수 = (수정불량결실수 ÷ 전체결실수) − 자연수정불량률

※ 자연수정불량률 : 15%(2014 복분자 수확량 연구용역 결과 반영)

ⓒ 수확감소환산 고사결과모지수

ⓐ 5월 31일 이전 사고로 인한 고사결과모지수가 존재하는 경우

$$
(\text{살아있는 결과모지수} - \text{수정불량환산 고사결과모지수}) \times \text{누적수확감소환산계수}
$$

ⓑ 5월 31일 이전 사고로 인한 고사결과모지수가 존재하지 않는 경우

$$
\text{평년결과모지수} \times \text{누적수확감소환산계수}
$$

㉮ 누적수확감소환산계수 = 수확감소환산계수의 누적 값

㉯ 수확감소환산계수 = 수확일자별 잔여수확량 비율 − 결실률

㉰ 수확일자별 잔여수확량비율

품목	사고일자	경과비율(%)
복분자	6월 1일 ~ 7일	98 − 사고발생일자
	6월 8일 ~ 20일	$\dfrac{(\text{사고발생일자}^2 - 43 \times \text{사고발생일자} + 460)}{2}$

㉱ 결실률 = 전체결실수 ÷ 전체개화수

ⓓ 미보상 고사결과모지수

수확감소환산 고사결과모지수에 미보상비율을 곱하여 산출한다. 다수의 특정위험 과실손해조사가 이루어진 경우에는 제일 높은 미보상비율을 적용한다.

② 대상 품목 : 무화과

㉠ 지급보험금

$$
\text{지급보험금} = \text{보험가입금액} \times (\text{피해율} - \text{자기부담비율})
$$

㉡ 피해율은 7월 31일 이전 사고피해율과 8월 1일 이후 사고피해율을 합산하며, 다음 과 같이 산출한다.

ⓐ 무화과의 7월 31일 이전 사고피해율

$$
\text{피해율} = (\text{평년수확량} - \text{수확량} - \text{미보상감수량}) \div \text{평년수확량}
$$

ⓑ 무화과의 8월 1일 이후 사고피해율

$$\text{피해율} = (1 - \text{수확전사고 피해율}) \times \text{잔여수확량비율} \times \text{결과지피해율}$$

㉮ 수확전사고 피해율은 7월 31일 이전 발생한 기사고 피해율로 한다.
㉯ 잔여수확량 비율은 아래와 같이 결정한다.

▼ 사고발생일에 따른 잔여수확량 산정식

품목	사고발생 월	잔여수확량 산정식(%)
무화과	8월	$100 - 1.06 \times \text{사고 발생일자}$
	9월	$(100 - 33) - 1.13 \times \text{사고 발생일자}$
	10월	$(100 - 67) - 0.84 \times \text{사고 발생일자}$

㉰ 결과지 피해율

$$= \frac{\text{고사결과지수} + \text{미고사결과지수} \times \text{착과피해율} - \text{미보상고사결과지수}}{\text{기준결과지수}}$$

㉱ 기준결과지수 = 고사결과지수 + 미고사결과지수
㉲ 고사결과지수 = 보상고사결과지수 + 미보상고사결과지수

3) 종합위험 나무손해보장 특별약관 보험금 산정(무화과)

① 보험기간 내에 보상하는 손해에서 규정한 재해로 인한 피해율이 자기부담비율을 초과하는 경우 재해보험사업자가 지급할 보험금은 아래에 따라 계산한다.

$$\text{지급보험금} = \text{보험가입금액} \times (\text{피해율} - \text{자기부담비율})$$
$$※ \text{피해율} = \text{피해주수(고사된 나무)} \div \text{실제결과주수}$$

② 자기부담비율은 5%로 한다.

CHAPTER 03

논작물 손해평가 및 보험금 산정
(벼, 조사료용 벼, 밀, 보리)

1. 수확감소보장

수확감소보장이란 자연재해 등 보장하는 재해로 피해를 입어 수확량의 감소에 대하여 피보험자에게 보상하는 방식이다.

(1) 시기별 조사 종류

생육 시기	재해	조사내용	조사시기	조사 방법	비고
수확 전	보상하는 재해 전부	피해사실 확인조사	사고접수 후 지체 없이	보상하는 재해로 인한 피해발생 여부 조사 (피해사실이 명백한 경우 생략 가능)	전 품목
		이앙(직파) 불능조사	이앙 한계일 (7.31) 이후	이앙(직파)불능 상태 및 통상적인 영농활동 실시 여부 조사	벼만 해당
		재이앙(재직파) 조사	사고접수 후 지체 없이	해당 농지에 보상하는 손해로 인 하여 재이앙(재직파)이 필요한 면 적 또는 면적비율 조사	벼만 해당
		경작불능조사	사고접수 후 지체 없이	해당 농지의 피해면적비율 또는 보험목적인 식물체피해율 조사	전 품목
수확 직전	보상하는 재해 전부	수확량조사	수확직전	사고발생 농지의 수확량조사 • 조사 방법 : 전수조사 또는 표본 조사	벼, 밀, 보리
수확 시작 후 ~ 수확 종료	보상하는 재해 전부	수확량조사	사고접수 후 지체 없이	사고발생 농지의 수확 중의 수확 량 및 감수량의 확인을 통한 수확 량조사 • 조사 방법 : 전수조사 또는 표본 조사(벼는 수량요소조사도 가능)	벼, 밀, 보리
		수확불능 확인조사	조사 가능일	사고발생 농지의 제현율 및 정상 출하 불가 확인조사	벼만 해당

(2) 손해평가 현지조사 방법

1) 피해사실 확인조사

① 조사 대상 : 대상 재해로 사고 접수 농지 및 조사 필요 농지

② 대상 재해 : 자연재해, 조수해(鳥獸害), 화재, 병해충 7종(해당 특약 가입 시 보장 – 벼품목만 해당)

③ 조사 시기 : 사고 접수 직후 실시

④ 조사 방법 : 다음에 해당하는 사항을 확인한다.

㉠ 보상하는 재해로 인한 피해 여부 확인

기상청 자료 확인 및 현지 방문 등을 통하여 보상하는 재해로 인한 피해가 맞는지 확인하며, 필요시에는 이에 대한 근거로 다음의 자료를 확보한다.

ⓐ 기상청 자료, 농업기술센터 의견서 및 손해평가인 소견서 등 재해 입증자료

ⓑ 피해농지 사진 : 농지의 전반적인 피해 상황 및 세부 피해내용이 확인 가능하도록 촬영

ⓒ ICT 기반 무인항공기를 활용한 피해농지 촬영

㉡ 추가조사 필요 여부 판단

보상하는 재해 여부 및 피해 정도 등을 감안하여 이앙·직파불능조사(농지 전체이앙·직파불능 시), 재이앙·재직파조사(면적피해율 10% 초과), 경작불능조사(식물체피해율 65% 이상), 수확량조사(자기부담비율 초과) 중 필요한 조사를 판단하여 해당 내용에 대하여 계약자에게 안내하고, 추가조사가 필요할 것으로 판단된 경우에는 손해평가반 구성 및 추가조사 일정을 수립한다.

㉢ 단, 태풍 등과 같이 재해 내용이 명확하거나 사고 접수 후 바로 추가조사가 필요한 경우 등에는 피해사실 확인조사를 생략할 수 있다.

2) 이앙·직파불능조사(벼)

피해사실 확인조사 시 이앙·직파불능조사가 필요하다고 판단된 농지에 대하여 실시하는 조사로, 손해평가반은 피해농지를 방문하여 보상하는 재해 여부 및 이앙·직파불능 여부를 조사한다.

① 조사 대상 : 벼

② 조사 시기 : 이앙 한계일(7월 31일) 이후

③ 이앙·직파불능 보험금 지급 대상 여부 조사

㉠ 보상하는 재해 여부 심사

농지 및 작물 상태 등을 감안하여 보상하는 재해로 인한 피해가 맞는지 확인하며, 필요시 이에 대한 근거자료(피해사실 확인조사 참조)를 확보한다.

    ⓛ 실제 경작면적 확인

     GPS 면적측정기 또는 지형도 등을 이용하여 보험가입면적과 실제 경작면적을 비교한다. 이때 실제 경작면적이 보험가입면적 대비 10% 이상 차이가 날 경우에는 계약 사항을 변경해야 한다.

    ⓒ 이앙·직파불능 판정 기준

     보상하는 손해로 인하여 이앙 한계일(7월 31일)까지 해당 농지 전체를 이앙·직파하지 못한 경우 이앙·직파불능피해로 판단한다.

    ⓔ 통상적인 영농활동 이행 여부 확인

     대상 농지에 통상적인 영농활동(논둑 정리, 논갈이, 비료시비, 제초제 살포 등)을 실시했는지를 확인한다.

3) 재이앙·재직파조사(벼)

피해사실 확인조사 시 재이앙·재직파조사가 필요하다고 판단된 농지에 대하여 실시하는 조사로, 손해평가반은 피해농지를 방문하여 보상하는 재해 여부 및 피해면적을 조사한다.

① 조사 대상 : 벼

② 조사 시기 : 사고 접수 직후 실시

③ 재이앙·재직파 보험금 지급 대상 여부 조사[1차 : 재이앙·재직파 전(前) 조사]

    ⓐ 보상하는 재해 여부 심사

     농지 및 작물 상태 등을 감안하여 정한 보상하는 재해로 인한 피해가 맞는지 확인하며, 필요시에는 이에 대한 근거자료(피해사실 확인조사 참조)를 확보할 수 있다.

    ⓛ 실제 경작면적 확인

     GPS 면적측정기 또는 지형도 등을 이용하여 보험가입면적과 실제 경작면적을 비교한다. 이때 실제 경작면적이 보험가입면적 대비 10% 이상 차이가 날 경우에는 계약 사항을 변경해야 한다.

    ⓒ 피해면적 확인

     GPS 면적측정기 또는 지형도 등을 이용하여 실제 경작면적 대비 피해면적을 비교 및 조사한다.

    ⓔ 피해면적의 판정 기준

      ⓐ 묘가 본답의 바닥에 있는 흙과 분리되어 물 위에 뜬 면적

      ⓑ 묘가 토양에 의해 묻히거나 잎이 흙에 덮여져 햇빛이 차단된 면적

      ⓒ 묘는 살아 있으나 수확이 불가능할 것으로 판단된 면적

④ 재이앙·재직파 이행 완료 여부 조사[재이앙·재직파 후(後) 조사]

재이앙·재직파 보험금 대상 여부 조사[전(前) 조사] 시 재이앙·재직파 보험금 지급 대상으로 확인된 농지에 대하여, 재이앙·재직파가 완료되었는지를 조사한다. 피해면적 중 일부에 대해서만 재이앙·재직파가 이루어진 경우에는 재이앙·재직파가 이루어지지 않은 면적은 피해면적에서 제외한다.

⑤ 단, 농지별 상황에 따라 재이앙·재직파 전(前) 조사가 어려운 경우, 최초 이앙에 대한 증빙자료를 확보하여 최초 이앙 시기와 피해 사실에 대한 확인을 하여야 한다.

▼ 그림 2-17 재이앙·재직파조사

4) 경작불능조사

피해사실 확인조사 시 경작불능조사가 필요하다고 판단된 농지 또는 사고 접수 시 이에 준하는 피해가 예상되는 농지에 대하여 실시하는 조사이다.

① 조사 대상 : 벼, 조사료용 벼, 밀, 보리

② 조사 시기 : 사고 후 ~ 출수기

③ 경작불능보험금 지급 대상 여부 조사[경작불능 전(前) 조사]

  ㉠ 보상하는 재해 여부 심사

    농지 및 작물 상태 등을 감안하여 보상하는 재해로 인한 피해가 맞는지 확인하며, 필요시에는 이에 대한 근거자료(피해사실 확인조사 참조)를 확보한다.

  ㉡ 실제 경작면적 확인

    GPS 면적측정기 또는 지형도 등을 이용하여 보험가입면적과 실제 경작면적을 비교한다. 이때 실제 경작면적이 보험가입면적 대비 10% 이상 차이가 날 경우에는 계약 사항을 변경해야 한다.

  ㉢ 식물체피해율 조사

    목측 조사를 통해 조사대상 농지에서 보상하는 재해로 인한 식물체피해율[고사식물체(수 또는 면적)를 보험가입식물체(수 또는 면적)로 나눈 값을 의미하며, 고사식물체 판정의 기준은 해당 식물체의 수확 가능 여부]이 65% 이상인지 여부를 조사한다.

  ㉣ 계약자의 경작불능보험금 신청 여부 확인

    식물체피해율이 65% 이상인 경우 계약자에게 경작불능보험금 신청 여부를 확인한다.

  ㉤ 수확량조사대상 확인(조사료용 벼 제외)

    식물체피해율이 65% 미만이거나, 식물체피해율이 65% 이상이 되어도 계약자가 경작불능보험금을 신청하지 않은 경우에는 향후 수확량조사가 필요한 농지로 결정한다.

  ㉥ 산지폐기 여부 확인

    이전 조사에서 보상하는 재해로 식물체피해율이 65% 이상인 농지에 대하여 해당 농지에 대하여 산지폐기 여부를 확인한다.

5) 수확량조사(조사료용 벼 제외)

피해사실 확인조사 시 수확량조사가 필요하다고 판단된 농지에 대하여 실시하는 조사로, 수확량조사의 조사 방법은 수량요소조사, 표본조사, 전수조사가 있으며, 현장 상황에 따라 조사 방법을 선택하여 실시할 수 있다. 단, 거대재해 발생 시 대표농지를 선정하여 각 수확량조사의 조사 결과 값(조사수확비율, 단위면적당 조사수확량 등)을 대표농지의 인접 농지(동일 '리' 등 생육환경이 유사한 인근 농지)에 적용할 수 있다. 다만, 동일 농지에 대하여 복수의 조사 방법을 실시한 경우 피해율 산정의 우선 순위는 전수조사, 표본조사, 수량요소조사 순으로 적용한다.

① 조사 대상에 따른 조사 방법

조사대상	조사 방법
벼	수량요소조사
벼, 밀, 보리	표본조사
	전수조사

② 조사 시기에 따른 조사 방법

조사 시기	조사 방법
수확 전 14일 전후	수량요소조사
알곡이 여물어 수확이 가능한 시기	표본조사
수확 시	전수조사

③ 수확량조사 손해평가 절차

㉠ 보상하는 재해 여부 심사

농지 및 작물 상태 등을 감안하여 보상하는 재해로 인한 피해가 맞는지 확인하며, 필요시에는 이에 대한 근거자료(피해사실 확인조사 참조)를 확보한다.

㉡ 경작불능보험금 대상 여부 확인

식물체피해율이 65% 이상인 경작불능보험금 대상인지 확인한다.

㉢ 면적확인

ⓐ 실제 경작면적 확인

GPS 면적측정기 또는 지형도 등을 이용하여 보험가입면적과 실제 경작면적을 비교한다. 이때 실제 경작면적이 보험가입면적 대비 10% 이상 차이가 날 경우에는 계약 사항을 변경해야 한다.

ⓑ 고사면적 확인

보상하는 재해로 인하여 해당 작물이 수확될 수 없는 면적을 확인한다.

ⓒ 타작물 및 미보상면적 확인

해당 작물 외의 작물이 식재되어 있거나 보상하는 재해 이외의 사유로 수확이 감소한 면적을 확인한다.

ⓓ 기수확면적 확인

조사 전에 수확이 완료된 면적을 확인한다.

ⓔ 조사대상 면적 확인

실제 경작면적에서 고사면적, 타작물 및 미보상면적, 기수확면적을 제외하여 조사대상 면적을 확인한다.

ⓔ 수확불능 대상 여부 확인

벼의 제현율이 65% 미만으로 정상적인 출하가 불가능한지를 확인한다. 단, 경작불능보험금 대상인 경우에는 수확불능에서 제외한다.

ⓜ 조사 방법 결정 : 조사 시기 및 상황에 맞추어 적절한 조사 방법을 선택한다.

④ 수량요소조사 손해평가 방법

㉠ 표본포기 수 : 4포기(가입면적과 무관)

㉡ 표본포기 선정

재배 방법 및 품종 등을 감안하여 조사대상 면적에 동일한 간격으로 골고루 배치될 수 있도록 표본포기를 선정한다. 다만, 선정한 포기가 표본으로 부적합한 경우(해당 포기의 수확량이 현저히 많거나 적어서 표본으로 대표성을 가지기 어려운 경우 등)에는 가까운 위치의 다른 포기를 표본으로 선정한다.

㉢ 표본포기 조사

선정한 표본포기별로 이삭상태 점수 및 완전낟알상태 점수를 조사한다.

ⓐ 이삭상태 점수 조사

표본포기별로 포기당 이삭수에 따라 아래 이삭상태 점수표를 참고하여 점수를 부여한다.

▼ 이삭상태 점수표

포기당 이삭수	점수
16 미만	1
16 이상	2

ⓑ 완전낟알상태 점수 조사

표본포기별로 평균적인 이삭 1개를 선정하여, 선정한 이삭별로 이삭당 완전낟알수에 따라 아래 완전낟알상태 점수표를 참고하여 점수를 부여한다.

▼ 완전낱알상태 점수표

이삭당 완전낱알수	점수
51개 미만	1
51개 이상 61개 미만	2
61개 이상 71개 미만	3
71개 이상 81개 미만	4
81개 이상	5

▼ 그림 2-18 이삭상태, 완전낱알수 조사

이삭상태 조사

완전낱알수 조사

㉣ 수확비율 산정

　ⓐ 표본포기별 이삭상태 점수(4개) 및 완전낱알상태 점수(4개)를 합산한다.

　ⓑ 합산한 점수에 따라 조사수확비율 환산표에서 해당하는 수확비율구간을 확인한다.

　ⓒ 해당하는 수확비율구간 내에서 조사 농지의 상황을 감안하여 적절한 수확비율을 산정한다.

▼ 조사수확비율 환산표

점수 합계	조사수확비율(%)	점수 합계	조사수확비율(%)
10점 미만	0% ~ 20%	16점 ~ 18점	61% ~ 70%
10점 ~ 11점	21% ~ 40%	19점 ~ 21점	71% ~ 80%
12점 ~ 13점	41% ~ 50%	22점 ~ 23점	81% ~ 90%
14점 ~ 15점	51% ~ 60%	24점 이상	91% ~ 100%

ⓜ 피해면적 보정계수 산정 : 피해정도에 따른 보정계수를 산정한다.

▼ 피해면적 보정계수

피해정도	피해면적 비율	보정계수
매우 경미	10% 미만	1.2
경미	10% 이상 30% 미만	1.1
보통	30% 이상	1

ⓗ 병해충 단독사고 여부 확인(벼만 해당)

농지의 피해가 자연재해, 조수해 및 화재와는 상관없이 보상하는 병해충만으로 발생한 병해충 단독사고인지 여부를 확인한다. 이때, 병해충 단독사고로 판단될 경우에는 가장 주된 병해충명을 조사한다.

⑤ 표본조사 손해평가 방법

㉠ 표본구간수 선정

조사대상 면적에 따라 아래 적정 표본구간수 이상의 표본구간수를 선정한다. 다만, 가입면적과 실제 경작면적이 10% 이상 차이가 날 경우(계약 변경 대상)에는 실제 경작면적을 기준으로 표본구간수를 선정한다.

▼ 종합위험방식 논작물 품목(벼, 밀, 보리)

조사대상 면적	표본구간	조사대상 면적	표본구간
2,000㎡ 미만	3	4,000㎡ 이상 5,000㎡ 미만	6
2,000㎡ 이상 3,000㎡ 미만	4	5,000㎡ 이상 6,000㎡ 미만	7
3,000㎡ 이상 4,000㎡ 미만	5	6,000㎡ 이상	8

㉡ 표본구간 선정

선정한 표본구간수를 바탕으로 재배 방법 및 품종 등을 감안하여 조사대상 면적에 동일한 간격으로 골고루 배치될 수 있도록 표본구간을 선정한다. 다만, 선정한 구간이 표본으로 부적합한 경우(해당 작물의 수확량이 현저히 많거나 적어서 표본으로 대표성을 가지기 어려운 경우 등)에는 가까운 위치의 다른 구간을 표본구간으로 선정한다.

▼ 그림 2-19 표본구간 선정 예시

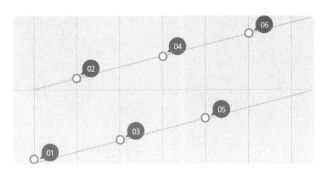

표본구간의 목적물(작물)이 너무 많거나 적은 경우 인접한 다른 구간을 조사한다.

ⓒ 표본구간 면적 및 수량 조사
  ⓐ 표본구간 면적 : 표본구간마다 4포기의 길이와 포기당 간격을 조사한다(단, 농지 및 조사 상황 등을 고려하여 4포기를 2포기로 줄일 수 있음).
  ⓑ 표본중량 조사 : 표본구간의 작물을 수확하여 해당 중량을 측정한다.
  ⓒ 함수율 조사 : 수확한 작물에 대하여 함수율 측정을 3회 이상 실시하여 평균값을 산출한다.
ⓔ 병해충 단독사고 여부 확인(벼만 해당)
  농지의 피해가 자연재해, 조수해 및 화재와는 상관없이 보상하는 병해충만으로 발생한 병해충 단독사고인지 여부를 확인한다. 이때, 병해충 단독사고로 판단될 경우에는 가장 주된 병해충명을 조사한다.

▼ 그림 2-20 표본구간 수확

표본구간 수확

▼ 그림 2-21 표본중량 조사

⑥ 전수조사 손해평가 방법

　㉠ 전수조사 대상 농지 여부 확인

　　전수조사는 기계수확(탈곡 포함)을 하는 농지에 한한다.

　㉡ 조곡의 중량 조사

　　대상 농지에서 수확한 전체 조곡의 중량을 조사하며, 전체 중량 측정이 어려운 경
　　우에는 콤바인, 톤백, 콤바인용 포대, 곡물적재함 등을 이용하여 중량을 산출한다.

　㉢ 조곡의 함수율 조사

　　수확한 작물에 대하여 함수율 측정을 3회 이상 실시하여 평균값을 산출한다.

　㉣ 병해충 단독사고 여부 확인(벼만 해당)

　　농지의 피해가 자연재해, 조수해 및 화재와는 상관없이 보상하는 병해충만으로 발
　　생한 병해충 단독사고인지 여부를 확인한다. 이때, 병해충 단독사고로 판단될 경
　　우에는 가장 주된 병해충명을 조사한다.

▼ 그림 2-22 전수조사

6) 수확불능확인조사(벼만 해당)

수확량조사 시 수확불능 대상 농지(벼의 제현율이 65% 미만으로 정상적인 출하가 불가능한 농지)로 확인된 농지에 대하여 실시하는 조사로, 조사 시점은 수확포기가 확인되는 시점으로 한다.

① 조사 대상 : 벼

② 조사 시기 : 수확포기가 확인되는 시점

③ 수확불능 보험금 지급 대상 여부 조사

　㉠ 보상하는 재해 여부 심사

　　농지 및 작물 상태 등을 감안하여 보상하는 재해로 인한 피해가 맞는지 확인하며, 필요시에는 이에 대한 근거자료(피해사실 확인조사 참조)를 확보할 수 있다.

　㉡ 실제 경작면적 확인

　　GPS 면적측정기 또는 지형도 등을 이용하여 보험가입면적과 실제 경작면적을 비교한다. 이때 실제 경작면적이 보험가입면적 대비 10% 이상 차이가 날 경우에는 계약 사항을 변경해야 한다.

　㉢ 수확불능 대상 여부 확인

　　벼의 제현율이 65% 미만으로 정상적인 출하가 불가능한지를 확인한다.

　㉣ 수확포기 여부 확인

　　아래의 경우에 한하여 수확을 포기한 것으로 한다.

　　ⓐ 당해연도 11월 30일까지 수확을 하지 않은 경우

　　ⓑ 목적물을 수확하지 않고 갈아엎은 경우(로터리 작업 등)

　　ⓒ 대상 농지의 수확물 모두가 시장으로 유통되지 않은 것이 확인된 경우

▼ 그림 2-23 수확포기 여부 확인

7) 미보상비율 조사(모든 조사 시 동시 조사)

상기 모든 조사마다 미보상비율 적용표〈별표 2〉에 따라 미보상비율을 조사한다.

2. 보험금 산정 방법 및 지급기준

(1) 이앙·직파불능 보험금 산정(벼만 해당)

1) 지급 사유

보험기간 내에 보상하는 재해로 농지 전체를 이앙·직파하지 못하게 된 경우 보험가입금액의 10%를 이앙·직파불능 보험금으로 지급한다.

$$지급보험금 = 보험가입금액 \times 10\%$$

2) 지급 거절 사유

논둑 정리, 논갈이, 비료 시비, 제초제 살포 등 이앙 전의 통상적인 영농활동을 하지 않은 농지에 대해서는 이앙·직파불능 보험금을 지급하지 않는다.

3) 이앙·직파불능 보험금을 지급한 때에는 그 손해보상의 원인이 생긴 때로부터 해당 농지에 대한 보험계약은 소멸되며, 이 경우 환급보험료는 발생하지 않는다.

(2) 재이앙·재직파 보험금 산정(벼만 해당)

1) 지급 사유

보험기간 내에 보상하는 재해로 면적 피해율이 10%를 초과하고, 재이앙(재직파)한 경우 다음과 같이 계산한 재이앙·재직파 보험금을 1회 지급한다.

2) 지급보험금

> 지급보험금 = 보험가입금액 × 25% × 면적 피해율
> ※ 면적 피해율 = 피해면적 ÷ 보험가입면적

(3) 경작불능조사 보험금 산정

1) 지급 사유

보험기간 내에 보상하는 재해로 식물체피해율이 65% 이상이고, 계약자가 경작불능보험금을 신청한 경우 경작불능보험금은 자기부담비율에 따라 보험가입금액의 일정 비율로 계산한다.

① 적용 품목 : 벼・밀・보리

▼ 자기부담비율별 경작불능보험금표

자기부담비율	경작불능보험금
10%형	보험가입금액 × 45%
15%형	보험가입금액 × 42%
20%형	보험가입금액 × 40%
30%형	보험가입금액 × 35%
40%형	보험가입금액 × 30%

② 적용 품목 : 조사료용 벼

ㄱ 보장비율은 조사료용 벼 가입 시 경작불능보험금 산정에 기초가 되는 비율을 말하며, 보험가입할 때 계약자가 선택한 비율로 한다.

ㄴ 경과비율은 사고발생일이 속한 월에 따라 아래와 같이 계산한다.

> 지급보험금 = 보험가입금액 × 보장비율 × 경과비율

구분	보장비율	월별	경과비율
45%형	45%	5월	80%
42%형	42%	6월	85%
40%형	40%	7월	90%
35%형	35%	8월	100%
30%형	30%		

2) 지급거절 사유

보험금 지급 대상 농지 벼가 산지폐기 등의 방법을 통해 시장으로 유통되지 않게 된 것이
확인되지 않으면 경작불능보험금을 지급하지 않는다.

3) 경작불능보험금을 지급한 때에는 그 손해보상의 원인이 생긴 때로부터 해당 농지에 대한
보험계약은 소멸되며, 이 경우 환급보험료는 발생하지 않는다.

▼ 그림 2-24 경작불능대상 농지

(4) 수확감소보험금 산정(조사료용 벼 제외)

1) 지급 사유

보험기간 내에 보상하는 재해로 피해율이 자기부담비율을 초과하는 경우 아래와 같이 계
산한 수확감소보험금을 지급한다.

> 지급보험금 = 보험가입금액 × (피해율 − 자기부담비율)
> ※ 피해율 = (평년수확량 − 수확량 − 미보상감수량) ÷ 평년수확량

① 평년수확량은 과거 조사 내용, 해당 농지의 식재 내역, 현황 및 경작 상황 등에 따라
정한 수확량을 활용하여 산정한다.
② 자기부담비율은 보험가입할 때 선택한 비율로 한다.

2) 지급거절 사유(벼만 해당)

경작불능보험금 및 수확불능보험금의 규정에 따른 보험금을 지급하여 계약이 소멸된 경
우에는 수확감소보험금을 지급하지 않는다.

(5) 수확불능보험금 산정(벼만 해당)

1) 지급 사유

보험기간 내에 보상하는 재해로 보험의 목적인 벼(조곡) 제현율이 65% 미만으로 떨어져 정상 벼로써 출하가 불가능하게 되고, 계약자가 수확불능보험금을 신청한 경우 산정된 보험가입금액의 일정 비율을 수확불능보험금으로 지급한다.

▼ 자기부담비율별 수확불능보험금표

자기부담비율	수확불능보험금
10%형	보험가입금액 × 60%
15%형	보험가입금액 × 57%
20%형	보험가입금액 × 55%
30%형	보험가입금액 × 50%
40%형	보험가입금액 × 45%

2) 지급거절 사유

① 경작불능보험금의 보험기간 내에 발생한 재해로 인해 식물체피해율이 65% 이상인 경우, 수확불능보험금 지급이 불가하다.

② 재해보험사업자는 보험금 지급 대상 농지 벼가 산지폐기 등의 방법을 통해 시장으로 유통되지 않게 된 것이 확인되지 않으면 수확불능보험금을 지급하지 않는다.

3) 수확불능보험금을 지급한 때에는 그 손해보상의 원인이 생긴 때로부터 해당 농지에 대한 보험계약은 소멸되며, 이 경우 환급보험료는 발생하지 않는다.

CHAPTER 04

밭작물 손해평가 및 보험금 산정

밭작물의 농작물재해보험 보장방식은 종합위험 수확감소보장방식, 생산비보장방식, 작물특정 및 시설종합위험방식 상품이 있다.

1. 종합위험 수확감소보장 - 마늘, 양배추, 양파, 고구마, 옥수수, 사료용 옥수수, 감자(봄재배, 가을재배, 고랭지재배), 차(茶), 콩, 팥

(1) 시기별 조사 종류

생육시기	재해	조사내용	조사시기	조사 방법	비고
수확 전	보상하는 재해 전부	피해사실 확인조사	사고접수 후 지체 없이	보상하는 재해로 인한 피해발생 여부 조사 (피해사실이 명백한 경우 생략 가능)	전 품목
		재파종 조사	사고접수 후 지체 없이	해당 농지에 보상하는 손해로 인하여 재파종이 필요한 면적 또는 면적비율 조사	마늘만 해당
		재정식 조사	사고접수 후 지체 없이	해당 농지에 보상하는 손해로 인하여 재정식이 필요한 면적 또는 면적비율 조사	양배추만 해당
		경작불능 조사	사고접수 후 지체 없이	해당 농지의 피해면적비율 또는 보험목적인 식물체피해율 조사	전 품목 [차(茶) 제외]
수확 직전	보상하는 재해 전부	수확량 조사	수확직전	사고발생 농지의 수확량조사 • 조사 방법 : 전수조사 또는 표본조사	전 품목 (사료용 옥수수 제외)
수확 시작 후 ~ 수확 종료	보상하는 재해 전부	수확량 조사	조사 가능일	사고발생 농지의 수확량조사 • 조사 방법 : 표본조사	차(茶)만 해당
			사고접수 후 지체 없이	사고발생 농지의 수확 중의 수확량 및 감수량의 확인을 통한 수확량조사 • 조사 방법 : 전수조사 또는 표본조사	전 품목

(2) 손해평가 현지조사 방법

1) 피해사실 확인조사

① 조사 대상 : 대상 재해로 사고 접수 농지 및 조사 필요 농지

② 대상 재해 : 자연재해, 조수해(鳥獸害), 화재, 병해충(단, 병해충은 감자 품목에만 해당)

③ 조사 시기 : 사고 접수 직후 실시

④ 피해사실 확인 방법 : 다음에 해당하는 사항을 확인한다.

　㉠ 보상하는 재해로 인한 피해 여부 확인

　　기상청 자료 확인 및 현지 방문 등을 통하여 보상하는 재해로 인한 피해가 맞는지 확인하며, 필요시에는 이에 대한 근거로 다음의 자료를 확보한다.

　　　ⓐ 기상청 자료, 농업기술센터 의견서 및 손해평가인 소견서 등 재해 입증자료

　　　ⓑ 피해농지 사진 : 농지의 전반적인 피해 상황 및 세부 피해 내용이 확인 가능하도록 촬영

　㉡ 추가조사 필요 여부 판단

　　보상하는 재해 여부 및 피해 정도 등을 감안하여 추가조사(재정식조사, 재파종조사, 경작불능조사 및 수확량조사)의 필요 여부를 판단하여 해당 내용에 대하여 계약자에게 안내하고, 추가조사가 필요할 것으로 판단된 경우에는 손해평가반 구성 및 추가조사 일정을 수립한다.

　㉢ 단, 태풍 등과 같이 재해 내용이 명확하거나 사고 접수 후 바로 추가조사가 필요한 경우 등에는 피해사실 확인조사를 생략할 수 있다.

2) 재파종조사(마늘)

① 적용 품목 : 마늘

② 조사 대상 : 피해사실 확인조사 시 재파종조사가 필요하다고 판단된 농지

③ 조사 시기 : 피해사실 확인조사 직후 또는 사고 접수 직후

④ 조사 방법 : 다음에 해당하는 사항을 확인한다.

　㉠ 보상하는 재해 여부 심사

　　농지 및 작물 상태 등을 감안하여 보상하는 재해로 인한 피해가 맞는지 확인하며, 필요시에는 이에 대한 근거자료(피해사실 확인조사 참조)를 확보한다.

　㉡ 실제 경작면적 확인

　　GPS 면적측정기 또는 지형도 등을 이용하여 보험가입면적과 실제 경작면적을 비교한다. 이때 실제 경작면적이 보험가입면적 대비 10% 이상 차이가 날 경우에는 계약 사항을 변경해야 한다.

　㉢ 재파종 보험금 지급 대상 여부 조사[재파종 전(前) 조사]

　　ⓐ 표본구간수 산정

　　　조사대상 면적 규모에 따라 적정 표본구간수〈별표 1〉 이상의 표본구간수를 산정한다. 다만 가입면적과 실제 경작면적이 10% 이상 차이가 날 경우(계약 변경 대상 건)에는 실제 경작면적을 기준으로 표본구간수를 산정한다.

조사대상 면적 = 실제경작면적 − 고사면적 − 타작물 및 미보상면적 − 기수확면적

ⓑ 표본구간 선정

선정한 표본구간수를 바탕으로 재배 방법 및 품종 등을 감안하여 조사대상 면적에 동일한 간격으로 골고루 배치될 수 있도록 표본구간을 선정한다. 다만, 선정한 지점이 표본으로 부적합한 경우(해당 지점 마늘의 출현율이 현저히 높거나 낮아서 표본으로 대표성을 가지기 어려운 경우 등)에는 가까운 위치의 다른 지점을 표본구간으로 선정한다.

ⓒ 표본구간 길이 및 출현주수 조사

선정된 표본구간별로 이랑 길이 방향으로 식물체 8주 이상(또는 1m)에 해당하는 이랑 길이, 이랑 폭(고랑 포함) 및 출현주수를 조사한다.

㉹ 재파종 이행완료 여부 조사[재파종 후(後)조사]

ⓐ 조사대상 농지 및 조사 시기 확인

재파종 보험금 대상 여부 조사[재파종 전(前) 조사] 시 재파종 보험금 대상으로 확인된 농지에 대하여, 재파종이 완료된 이후 조사를 진행한다.

ⓑ 표본구간 선정

재파종 보험금 대상 여부 조사[재파종 전(前)조사]에서와 같은 방법으로 표본구간을 선정한다.

ⓒ 표본구간 길이 및 파종주수 조사

선정된 표본구간별로 이랑 길이, 이랑 폭 및 파종주수를 조사한다.

3) 재정식조사(양배추)

① 적용 품목 : 양배추

② 조사 대상 : 피해사실 확인조사 시 재정식조사가 필요하다고 판단된 농지

③ 조사 시기 : 피해사실 확인조사 직후 또는 사고 접수 직후

④ 조사 방법 : 다음에 해당하는 사항을 확인한다.

㉠ 보상하는 재해 여부 심사

농지 및 작물 상태 등을 감안하여 보상하는 재해로 인한 피해가 맞는지 확인하며, 필요시에는 이에 대한 근거자료(피해사실 확인조사 참조)를 확보한다.

㉡ 실제 경작면적 확인

GPS 면적측정기 또는 지형도 등을 이용하여 보험가입면적과 실제 경작면적을 비교한다. 이때 실제 경작면적이 보험가입면적 대비 10% 이상 차이가 날 경우에는 계약 사항을 변경해야 한다.

ⓒ 재정식 보험금 지급 대상 여부 조사[재정식 전(前)조사]

ⓐ 피해면적 확인

GPS 면적측정기 또는 지형도 등을 이용하여 실제 경작면적 대비 피해면적을 비교 및 조사한다.

ⓑ 피해면적의 판정 기준

작물이 고사되거나 살아 있으나 수확이 불가능할 것으로 판단된 면적

ⓔ 재정식 이행 완료 여부 조사[재정식 후(後) 조사]

재정식 보험금 지급 대상 여부 조사[재정식 전(前)조사] 시 재정식 보험금 지급 대상으로 확인된 농지에 대하여, 재정식이 완료되었는지를 조사한다. 피해면적 중 일부에 대해서만 재정식이 이루어진 경우에는, 재정식이 이루어지지 않은 면적은 피해면적에서 제외한다.

ⓜ 농지별 상황에 따라 재정식 전(前) 조사를 생략하고 재정식 후 조사 시 면적조사 (실제 경작면적 및 피해면적)를 실시할 수 있다.

4) 경작불능조사

① 적용 품목 : 양파, 마늘, 고구마, 옥수수(사료용), 감자(봄재배, 가을재배, 고랭지재배), 콩, 양배추, 팥

② 조사 대상 : 피해사실 확인조사 시 경작불능조사가 필요하다고 판단된 농지 또는 사고 접수 시 이에 준하는 피해가 예상되는 농지

③ 조사 시기 : 피해사실 확인조사 직후 또는 사고 접수 직후

④ 경작불능보험금 지급 대상 여부 조사[경작불능 전(前) 조사] : 다음에 해당하는 사항을 확인한다.

㉠ 보상하는 재해 여부 심사

농지 및 작물 상태 등을 감안하여 보상하는 재해로 인한 피해가 맞는지 확인하며, 필요시에는 이에 대한 근거자료(피해사실 확인조사 참조)를 확보할 수 있다.

㉡ 실제 경작면적 확인

GPS 면적측정기 또는 지형도 등을 이용하여 보험가입면적과 실제 경작면적을 비교한다. 이때 실제 경작면적이 보험가입면적 대비 10% 이상 차이가 날 경우에는 계약 사항을 변경해야 한다.

㉢ 식물체피해율 조사

목측 조사를 통해 조사대상 농지에서 보상하는 재해로 인한 식물체피해율[고사식물체(수 또는 면적)를 보험 가입식물체(수 또는 면적)로 나눈 값을 의미하며, 고사식물체 판정의 기준은 해당 식물체의 수확 가능 여부]이 65% 이상 여부를 조사한다.

ⓔ 계약자의 경작불능보험금 신청 여부 확인

식물체피해율이 65% 이상인 경우 계약자에게 경작불능보험금 신청 여부를 확인한다.

ⓜ 수확량조사대상 확인(사료용 옥수수 제외)

식물체피해율이 65% 미만이거나, 식물체피해율이 65% 이상이 되어도 계약자가 경작불능보험금을 신청하지 않은 경우에는 향후 수확량조사가 필요한 농지로 결정한다(콩, 팥 제외).

ⓑ 산지폐기 여부 확인[경작불능 후(後) 조사]

양파・마늘・고구마・사료용 옥수수・감자(봄재배・가을재배・고랭지재배)・콩・양배추・팥 품목에 대하여 경작불능 전(前) 조사에서 보상하는 재해로 식물체피해율이 65% 이상인 농지에 대하여, 산지폐기 등으로 작물이 시장으로 유통되지 않는 것을 확인한다.

5) 수확량조사

① **적용 품목** : 마늘, 양배추, 양파, 고구마, 옥수수(사료용 옥수수 제외), 감자(봄재배, 가을재배, 고랭지재배), 차(茶), 콩, 팥

② **조사 대상** : 피해사실 확인조사 시 수확량조사가 필요하다고 판단된 농지 또는 경작불능조사 결과 수확량조사를 실시하는 것으로 결정된 농지

③ **조사 시기**

㉠ 수확 직전[단, 차(茶)의 경우에는 조사 가능 시기]

㉡ 수확량조사 전 계약자가 피해 미미(자기부담비율 이내의 사고) 등의 사유로 수확량조사 실시를 취소한 농지는 수확량조사를 실시하지 않는다.

④ **조사 방법** : 다음에 해당하는 사항을 확인한다.

㉠ 보상하는 재해 여부 심사

농지 및 작물 상태 등을 감안하여 보상하는 재해로 인한 피해가 맞는지 확인하며, 필요시에는 이에 대한 근거자료(피해사실 확인조사 참조)를 확보할 수 있다.

㉡ 수확량조사 적기 판단 및 시기 결정

해당 작물의 특성에 맞게 아래 표에서 수확량조사 적기 여부를 확인하고 이에 따른 조사 시기를 결정한다.

▼ 품목별 수확량조사 적기

품목	수확량조사 적기
양파	양파의 비대가 종료된 시점(식물체의 도복이 완료된 때)
마늘	마늘의 비대가 종료된 시점(잎과 줄기가 1/2~2/3 황변하여 말랐을 때와 해당 지역의 통상 수확기가 도래하였을 때)
고구마	고구마의 비대가 종료된 시점(삽식일로부터 120일 이후에 농지별로 적용)
감자 (고랭지재배)	감자의 비대가 종료된 시점(파종일로부터 110일 이후)
감자 (봄재배)	감자의 비대가 종료된 시점(파종일로부터 95일 이후)
감자 (가을재배)	감자의 비대가 종료된 시점(파종일로부터 제주지역은 110일 이후, 이외 지역은 95일 이후)
옥수수	옥수수의 수확 적기(수염이 나온 후 25일 이후)
차(茶)	조사 가능일 직전[조사 가능일은 대상 농지에 식재된 차나무의 대다수 신초가 1심2엽의 형태를 형성하며 수확이 가능할 정도의 크기(신초장 4.8cm 이상, 엽장 2.8cm 이상, 엽폭 0.9cm 이상)로 자란 시기를 의미하며, 해당 시기가 수확연도 5월 10일을 초과하는 경우에는 수확연도 5월 10일을 기준으로 함]
콩	콩의 수확 적기[콩잎이 누렇게 변하여 떨어지고 꼬투리의 80~90% 이상이 고유한 성숙(황색)색깔로 변하는 시기인 생리적 성숙기로부터 7~14일이 지난 시기]
팥	팥의 수확 적기(꼬투리가 70~80% 이상이 성숙한 시기)
양배추	양배추의 수확 적기(결구 형성이 완료된 때)

ⓒ 면적 확인

ⓐ 실제 경작면적 확인

GPS 면적측정기 또는 지형도 등을 이용하여 보험가입면적과 실제 경작면적을 비교한다. 이때 실제 경작면적이 보험가입면적 대비 10% 이상 차이가 날 경우에는 계약 사항을 변경해야 한다.

ⓑ 수확불능(고사)면적 확인

보상하는 재해로 인하여 해당 작물이 수확될 수 없는 면적을 확인한다.

ⓒ 타작물 및 미보상면적 확인

해당 작물 외의 작물이 식재되어 있거나 보상하는 재해 이외의 사유로 수확이 감소한 면적을 확인한다.

ⓓ 기수확면적 확인

조사 전에 수확이 완료된 면적을 확인한다.

ⓔ 조사대상 면적 확인

실제 경작면적에서 고사면적, 타작물 및 미보상면적, 기수확면적을 제외하여 조사대상 면적을 확인한다.

ⓕ 수확면적율 확인[차(茶) 품목에만 해당]

목측을 통해 보험 가입 시 수확면적율과 실제 수확면적율을 비교한다. 이때 실제 수확면적율이 보험 가입 수확면적율과 차이가 날 경우에는 계약사항을 변경할 수 있다.

㉣ 조사 방법 결정

품목 및 재배 방법 등을 참고하여 다음의 적절한 조사 방법을 선택한다.

ⓐ 표본조사 방법

㉮ 적용 품목

마늘, 양배추, 양파, 고구마, 감자(봄재배, 가을재배, 고랭지재배), 차(茶), 콩, 팥, 옥수수(사료용 옥수수 제외)

㉯ 표본구간수 산정

조사대상 면적 규모에 따라 적정 표본구간수〈별표 1〉 이상의 표본구간수를 산정한다. 다만, 가입면적과 실제 경작면적이 10% 이상 차이가 날 경우(계약 변경 대상)에는 실제 경작면적을 기준으로 표본구간 수를 산정한다.

㉰ 표본구간 선정

선정한 표본구간수를 바탕으로 재배 방법 및 품종 등을 감안하여 조사대상 면적에 동일한 간격으로 골고루 배치될 수 있도록 표본구간을 선정한다. 다만, 선정한 구간이 표본으로 부적합한 경우(해당 지점 작물의 수확량이 현저히 많거나 적어서 표본으로 대표성을 가지기 어려운 경우 등)에는 가까운 위치의 다른 구간을 표본구간으로 선정한다.

㉱ 표본구간 면적 및 수확량조사

해당 품목별로 선정된 표본구간의 면적을 조사하고, 해당 표본구간에서 수확한 작물의 수확량을 조사한다.

㉲ 양파, 마늘의 경우 지역별 수확 적기보다 일찍 조사를 하는 경우, 수확 적기까지 잔여일수별 비대지수를 추정하여 적용할 수 있다.

▼ 품목별 표본구간 면적조사 방법

품목	표본구간 면적조사 방법
양파, 마늘, 고구마, 양배추, 감자, 옥수수	이랑 길이(5주 이상) 및 이랑 폭 조사
차(茶)	규격의 테(0.04㎡) 사용
콩, 팥	점파 : 이랑 길이(4주 이상) 및 이랑 폭 조사 산파 : 규격의 원형(1㎡) 이용 또는 표본구간의 가로·세로 길이 조사

▼ 품목별 표본구간별 수확량조사 방법

품목	표본구간별 수확량조사 방법
양파	표본구간 내 작물을 수확한 후, 종구 5cm 윗부분 줄기를 절단하여 해당 무게를 조사[단, 양파의 최대지름이 6cm 미만인 경우에는 80%(보상하는 재해로 인해 피해가 발생하여 일반시장 출하가 불가능하나, 가공용으로는 공급될 수 있는 작물을 말하며, 가공공장 공급 및 판매 여부와는 무관), 100%(보상하는 재해로 인해 피해가 발생하여 일반시장 출하가 불가능하고 가공용으로도 공급될 수 없는 작물) 피해로 인정하고 해당 무게의 20%, 0%를 수확량으로 인정]
마늘	표본구간 내 작물을 수확한 후, 종구 3cm 윗부분을 절단하여 무게를 조사[단, 마늘통의 최대지름이 2cm(한지형), 3.5cm(난지형) 미만인 경우에는 80%(보상하는 재해로 인해 피해가 발생하여 일반시장 출하가 불가능하나, 가공용으로는 공급될 수 있는 작물을 말하며, 가공공장 공급 및 판매 여부와는 무관), 100%(보상하는 재해로 인해 피해가 발생하여 일반시장 출하가 불가능하고 가공용으로도 공급될 수 없는 작물) 피해로 인정하고 해당 무게의 20%, 0%를 수확량으로 인정]
고구마	표본구간 내 작물을 수확한 후 정상 고구마와 50%형 고구마(일반시장에 출하할 때, 정상 고구마에 비해 50% 정도의 가격하락이 예상되는 품질. 단, 가공공장 공급 및 판매 여부와 무관), 80% 피해 고구마(일반시장에 출하가 불가능하나, 가공용으로 공급될 수 있는 품질. 단, 가공공장 공급 및 판매 여부와 무관), 100% 피해 고구마(일반시장 출하가 불가능하고 가공용으로 공급될 수 없는 품질)로 구분하여 무게를 조사
감자	표본구간 내 작물을 수확한 후 정상 감자, 병충해별 20% 이하, 21~40% 이하, 41~60% 이하, 61~80% 이하, 81~100% 이하 발병 감자로 구분하여 해당 병충해명과 무게를 조사하고 최대 지름이 5cm 미만이거나 피해 정도 50% 이상인 감자의 무게는 실제 무게의 50%를 조사 무게로 함
옥수수	표본구간 내 작물을 수확한 후 착립장 길이에 따라 상(17cm 이상)·중(15cm 이상 17cm 미만)·하(15cm 미만)로 구분한 후 해당 개수를 조사
차(茶)	표본구간 중 두 곳에 20cm × 20cm 테를 두고 테 내의 수확이 완료된 새싹의 수를 세고, 남아있는 모든 새싹(1심2엽)을 따서 개수를 세고 무게를 조사
콩, 팥	표본구간 내 콩을 수확하여 꼬투리를 제거한 후 콩 종실의 무게 및 함수율(3회 평균) 조사

양배추	표본구간 내 작물의 뿌리를 절단하여 수확(외엽 2개 내외 부분을 제거)한 후, 80%피해 양배추, 100%피해 양배추로 구분. 80%피해형은 해당 양배추의 피해 무게를 80% 인정하고, 100%피해형은 해당 양배추 피해 무게를 100% 인정

▼ 그림 2-25 이랑 길이, 이랑 폭 측정

이랑 길이 측정

5주의 길이 (m로 측정)

1번 식물체의 처음부터 5주를 완전히 포함하고 6번 식물체의 시작까지 측정해야 온전한 5주의 길이를 측정할 수 있다.

이랑 폭 측정

길이측정 (단위 m)

▼ 그림 2-26 작물별 표본조사

종합위험방식 수확량감소조사 · 양파 수확량감소조사

수확시기	표본구간 면적조사	표본구간 수확량조사
양파의 비대가 종료된 시점 (식물체의 도복이 완료된 때)	이랑 길이(5주) 및 이랑 폭 조사	표본구간 내 작물을 수확한 후, 종구 5cm 윗부분 줄기를 절단하고 무게 측정

종합위험방식 수확량감소조사 · 고구마 수확량감소조사

수확시기	표본구간 면적조사	표본구간 수확량조사
고구마의 비대가 종료된 시점 (삽식일로부터 120일 이후 수확)	이랑 길이(5주) 및 이랑 폭 조사	표본구간 내 작물을 수확한 후, 정상 고구마와 비정상 비대 고구마를 분리하여 무게 측정

종합위험방식 수확량감소조사 〉 감자 수확량감소조사

수확시기	표본구간 면적조사	표본구간 수확량조사
고랭지재배 : 파종일로부터 110일 이후 봄재배 : 파종일로부터 95일 이후 가을재배 : 파종일로부터 95일 이후 제주 110일 이후	이랑 길이(5주 또는 1m 이상) 및 이랑 폭 조사	표본구간 내 작물을 수확한 후, 정상 감자와 병해충 감자를 분리하여 무게 측정

종합위험방식 수확량감소조사 〉 차(茶) 수확량감소조사

수확시기	표본구간 면적조사	표본구간 수확량조사
차나무의 신초가 1심2엽의 형태를 형성, 크기가 아래의 규격에 이르렀을 때	사각형모양의 테(0.04㎡) 사용	0.04㎡ 내, 수확이 끝난 새싹의 수를 세고, 남아있는 모든 새싹 (1심2엽)을 따서 개수를 세고 무게를 측정

종합위험방식 수확량감소조사 〉 양배추 수확량감소조사

수확시기	표본구간 면적조사	표본구간 수확량조사
결구 형성이 완료된 때	이랑 길이(5주) 및 이랑 폭 조사	표본구간 내 작물의 뿌리를 절단 하여 수확 후, 무게를 조사 (외엽 2개 내외 부분을 제거)

ⓑ 전수조사 방법(콩)

㉮ 적용 품목 : 콩, 팥

㉯ 전수조사 대상 농지 여부 확인

전수조사는 기계수확(탈곡 포함)을 하는 농지 또는 수확 직전 상태가 확인된 농지 중 자른 작물을 농지에 그대로 둔 상태에서 기계탈곡을 시행하는 농지에 한한다.

㉰ 콩(종실), 팥(종실)의 중량 조사

대상 농지에서 수확한 전체 콩(종실), 팥(종실)의 무게를 조사하며, 전체 무게 측정이 어려운 경우에는 10포대 이상의 포대를 임의로 선정하여 포대당 평균 무게를 구한 후 해당 수치에 수확한 전체 포대 수를 곱하여 전체 무게를 산출한다.

㉱ 콩(종실), 팥(종실)의 함수율 조사

10회 이상 종실의 함수율을 측정 후 평균값을 산출한다. 단, 함수율을 측정할 때에는 각 횟수마다 각기 다른 포대에서 추출한 콩, 팥을 사용한다.

6) 미보상비율 조사(모든 조사 시 동시 조사)

상기 모든 조사마다 미보상비율 적용표〈별표 2〉에 따라 미보상비율을 조사한다.

(3) 보험금 산정 방법 및 지급기준

1) 조기파종 보험금 산정(마늘)

① 지급 대상

조기파종보장 특별약관 판매시기 중 가입한 남도종 마늘을 재배하는 제주도 지역 농지

② 지급 사유

㉠ 한지형 마늘 최초 판매개시일 24시 이전에 보장하는 재해로 10a당 출현주수가 30,000주보다 작고, 10월 31일 이전 10a당 30,000주 이상으로 재파종한 경우 아래와 같이 계산한 재파종보험금을 지급한다.

> 지급보험금 = 보험가입금액 × 25% × 표준출현 피해율
> ※ 표준출현 피해율(10a 기준) = (30,000 - 출현주수) ÷ 30,000

㉡ 한지형 마늘 최초 판매개시일 24시 이전에 보장하는 재해로 식물체피해율이 65% 이상 발생한 경우 경작불능보험금의 신청시기와 관계없이 아래와 같이 계산한 경작불능보험금을 지급한다(단, 산지폐기가 확인된 경우 지급).

▼ 조기파종특약의 자기부담비율별 경작불능보험금 보장비율

구분	자기부담비율				
	10%형	15%형	20%형	30%형	40%형
경작불능보험금 (마늘 조기파종특약)	보험가입 금액의 32%	보험가입 금액의 30%	보험가입 금액의 28%	보험가입 금액의 25%	보험가입 금액의 25%

2) 재파종보험금 산정(마늘)

① 지급 사유

보험기간 내에 보장하는 재해로 10a당 출현주수가 30,000주보다 작고, 10a당 30,000주 이상으로 재파종한 경우 재파종보험금은 아래에 따라 계산하며 1회에 한하여 보상한다.

②

> 지급보험금 = 보험가입금액 × 35% × 표준출현 피해율
> ※ 표준출현 피해율(10a 기준) = (30,000 − 출현주수) ÷ 30,000

3) 재정식보험금 산정(양배추)

① 지급 사유

보험기간 내에 보장하는 재해로 면적 피해율이 자기부담비율을 초과하고, 재정식한 경우 재정식보험금은 아래에 따라 계산하며 1회 지급한다.

② 지급보험금

> 지급보험금 = 보험가입금액 × 20% × 면적 피해율
> ※ 면적 피해율 = 피해면적 ÷ 보험가입면적

4) 경작불능보험금 산정

① 지급 사유

보험기간 내에 보상하는 재해로 식물체피해율이 65% 이상이고, 계약자가 경작불능보험금을 신청한 경우 경작불능보험금은 자기부담비율에 따라 보험가입금액의 일정 비율로 계산한다(단, 산지폐기가 확인된 경우 지급).

ⓐ 적용 품목 : 양파, 마늘, 고구마, 옥수수, 사료용 옥수수, 콩, 양배추, 팥, 감자(봄재배, 가을재배, 고랭지재배)

> 지급보험금 = 보험가입금액 × 자기부담비율별 보장비율

▼ 품목별 자기부담비율별 경작불능보험금 보장비율

품목	자기부담비율				
	10%형	15%형	20%형	30%형	40%형
양파, 마늘, 고구마, 옥수수, 사료용 옥수수, 콩, 감자	45%	42%	40%	35%	30%
양배추	–	42%	40%	35%	30%
팥	–	–	40%	35%	30%

ⓛ 사료용 옥수수의 경작불능보험금은 경작불능조사 결과 보상하는 재해로 식물체피해율이 65% 이상이고, 계약자가 경작불능보험금을 신청한 경우에 지급하며, 보험금은 보험가입금액에 보장비율과 경과비율을 곱하여 산출한다.

> 지급보험금 = 보험가입금액 × 보장비율 × 경과비율

ⓐ 보장비율

구분	45%형	42%형	40%형	35%형	30%형
보장비율	45%	42%	40%	35%	30%

ⓑ 경과비율

월별	5월	6월	7월	8월
경과비율	80%	80%	90%	100%

② 계약의 소멸

경작불능보험금을 지급한 때에는 그 손해보상의 원인이 생긴 때로부터 해당 농지에 대한 보험계약은 소멸되며, 이 경우 환급보험료는 발생하지 않는다.

5) 수확감소보험금 산정

① 지급 사유

보험기간 내에 보상하는 재해로 피해율이 자기부담비율을 초과하는 경우 수확감소보험금은 아래에 따라 계산한다.

> 지급보험금 = 보험가입금액 × (피해율 − 자기부담비율)
> ※ 피해율 = (평년수확량 − 수확량 − 미보상감수량) ÷ 평년수확량

② 적용 품목

㉠ 적용 품목은 마늘, 양배추, 양파, 고구마, 감자(봄재배, 가을재배, 고랭지재배), 차(茶), 콩, 팥이다.

ⓛ 경작불능보험금 지급대상인 경우 수확감소보험금 산정 대상에서 제외된다.

ⓒ 감자의 경우 평년수확량에서 수확량과 미보상감수량을 뺀 값에 병충해감수량을 더한 후 평년수확량으로 나누어 산출된 피해율을 적용한다.

> 피해율 = {(평년수확량 − 수확량 − 미보상감수량) + 병충해감수량} ÷ 평년수확량

ⓓ 옥수수 품목의 수확감소보험금 산정은 아래와 같다.

> 지급보험금 = MIN[보험가입금액, 손해액] − 자기부담금
> ※ 손해액 = 피해수확량 × 가입가격
> → 피해수확량은 약관상 기재된 표현으로 미보상감수량을 제외하여 산정한 값을 뜻하며, 실무상 적용하는 [별표 7] 옥수수 손해액 산식의 (피해수확량 − 미보상감수량)과 동일한 의미
> ※ 자기부담금 = 보험가입금액 × 자기부담비율

③ 수확량조사

ⓐ 표본조사 시 수확량 산출

표본구간 수확량 합계를 표본구간 면적 합계로 나눈 후 표본조사대상면적 합계를 곱한 값에 평년수확량을 실제 경작면적으로 나눈 후 타작물 및 미보상면적과 기수확면적의 합을 곱한 값을 더하여 산정한다.

ⓐ 표본구간 수확량 합계

다음과 같이 품목별 표본구간 수확량 합계 산정 방법에 따라 산출한다.

▼ 품목별 표본구간 수확량 합계 산정 방법

품목	표본구간 수확량 합계 산정 방법
감자	표본구간별 작물 무게의 합계
양배추	표본구간별 정상 양배추 무게의 합계에 80%형 양배추의 무게에 0.2를 곱한 값을 더하여 산정
차(茶)	표본구간별로 수확한 새싹 무게를 수확한 새싹수로 나눈 값에 기수확 새싹수와 기수확지수를 곱하고, 여기에 수확한 새싹 무게를 더하여 산정 ※ 기수확지수는 기수확비율[기수확 새싹수를 전체 새싹수(기수확 새싹수와 수확한 새싹수를 더한 값)로 나눈값]에 따라 산출
양파, 마늘	표본구간별 작물 무게의 합계에 비대추정지수에 1을 더한 값(비대추정지수 + 1)을 곱하여 산정 [단, 마늘의 경우 이 수치에 품종별 환산계수를 곱하여 산정(품종별 환산 계수 : 난지형 0.72 / 한지형 0.7)]
고구마	표본구간별 정상 고구마의 무게 합계에 50%형 고구마의 무게에 0.5, 80%형 고구마의 무게에 0.2를 곱한 값을 더하여 산정

옥수수	표본구간 내 수확한 옥수수 중 "하" 항목의 개수에 "중" 항목 개수의 0.5를 곱한 값을 더한 후 품종별 표준중량을 곱하여 피해수확량을 산정 〈품종별 표준중량(g)〉		
	미백2호	대학찰(연농2호)	미흑찰 등
	180	160	190
콩, 팥	표본구간별 종실중량에 1에서 함수율을 뺀 값을 곱한 후 다시 0.86을 나누어 산정한 중량의 합계		

▼ 기수확비율에 따른 기수확지수[차(茶)만 해당]

기수확비율	기수확지수	기수확비율	기수확지수
10% 미만	1.000	50% 이상 60% 미만	0.958
10% 이상 20% 미만	0.992	60% 이상 70% 미만	0.949
20% 이상 30% 미만	0.983	70% 이상 80% 미만	0.941
30% 이상 40% 미만	0.975	80% 이상 90% 미만	0.932
40% 이상 50% 미만	0.966	90% 이상	0.924

ⓑ 표본구간 면적 합계

품목별 표본구간 면적 합계 산정 방법에 따라 산출한다.

▼ 품목별 표본구간 면적 합계 산정 방법

품목	표본구간 면적 합계 산정 방법
양파, 마늘, 고구마, 감자, 옥수수, 양배추	표본구간별 면적(이랑 길이 × 이랑 폭)의 합계
콩, 팥	표본구간별 면적[이랑 길이(또는 세로 길이) × 이랑 폭(또는 가로 길이)]의 합계 단, 규격의 원형(1㎡)을 이용하여 조사한 경우에는 표본구간 수에 규격 면적(1㎡)을 곱해 산정
차(茶)	표본구간수에 규격 면적(0.08㎡)을 곱하여 산정

ⓒ 조사대상 면적

실제 경작면적에서 수확불능(고사)면적, 타작물 및 미보상면적, 기수확면적을 빼어 산출한다.

> 조사대상 면적 = 실경작면적 − 수확불능(고사)면적 − 타작물 및 미보상면적 − 기수확면적

ⓓ 병충해감수량은 감자 품목에만 해당하며, 표본구간 병충해감수량 합계를 표본 구간 면적 합계로 나눈 후 조사대상 면적 합계를 곱하여 산출한다.

㉮ 표본구간 병충해감수량 합계 산정 : 표본구간 병충해감수량 합계는 각 표본구 간별 병충해감수량을 합하여 산출한다.

㉯ 병충해감수량 산정 : 병충해감수량은 병충해를 입은 괴경의 무게에 손해정도 비율과 인정비율을 곱하여 산출한다.

> 병충해감수량 = 병충해 입은 괴경의 무게 × 손해정도비율 × 인정비율

㉰ 손해정도비율 산정 : 손해정도비율은 병충해로 입은 손해의 정도에 따라 병 충해감수량으로 적용하는 비율로 아래 표와 같다.

▼ 손해정도에 따른 손해정도비율

품목	손해정도	손해정도비율
감자	1~20%	20%
	21~40%	40%
	41~60%	60%
	61~80%	80%
	81~100%	100%

㉱ 인정 비율 산정 : 인정비율은 병·해충별 등급에 따라 병충해감수량으로 인 정하는 비율로 아래 표와 같다.

▼ 병·해충 등급별 인정비율

구분		병·해충	인정비율
품목	급수		
감자	1급	역병, 걀쭉병, 모자이크병, 무름병, 둘레썩음병, 가루더뎅이병, 잎말림병, 감자뿔나방	90%
	2급	홍색부패병, 시들음병, 마른썩음병, 풋마름병, 줄기검은병, 더뎅이병, 균핵병, 검은무늬썩음병, 줄기기부썩음병, 진딧물류, 아메리카잎굴파리, 방아벌레류	70%
	3급	반쪽시들음병, 흰비단병, 잿빛곰팡이병, 탄저병, 겹둥근무늬병, 오이총채벌레, 뿌리혹선충, 파밤나방, 큰28점박이무당벌레, 기타	50%

ⓛ 전수조사 시 수확량 산출

ⓐ 적용 품목 : 콩, 팥

ⓑ 전수조사 수확량 합계에 평년수확량을 실제 경작면적으로 나눈 후 타작물 및 미보상면적과 기수확면적의 합을 곱한 값을 더하여 산정한다.

▼ 품목별 전수조사 수확량 산정 방법

품목	수확량 합계 산정 방법
콩	전체 종실 중량에 1에서 함수율을 뺀 값을 곱한 후 0.86을 나누어 산정한 중량의 합계

ⓒ 미보상감수량은 평년수확량에서 수확량을 뺀 값에 미보상비율을 곱하여 산출한다.

2. 종합위험 생산비보장방식 - 고추, 배추(고랭지 · 가을배추 · 월동), 무(고랭지 · 월동), 단호박, 메밀, 브로콜리, 당근, 시금치(노지), 대파, 쪽파 · 실파(1형), 쪽파 · 실파(2형)

종합위험 생산비보장방식이란 보상하는 재해로 사고 발생 시점까지 투입된 작물의 생산비를 피해율에 따라 지급하는 방식이다.

(1) 시기별 조사 종류

생육 시기	재해	조사내용	조사시기	조사 방법	비고
정식 (파종) ~ 수확 종료	보상하는 재해 전부	생산비 피해조사	사고발생시 마다	• 재배일정 확인 • 경과비율 산출 • 피해율 산정 • 병충해 등급별 인정비율 확인 (노지 고추만 해당)	고추, 브로콜리
수확전	보상하는 재해 전부	피해사실 확인조사	사고접수 후 지체 없이	보상하는 재해로 인한 피해발생 여부 조사 (피해사실이 명백한 경우 생략 가능)	배추, 무, 단호박, 파, 당근, 메밀, 시금치 (노지)만 해당
		경작불능 조사	사고접수 후 지체 없이	해당 농지의 피해면적비율 또는 보험목적인 식물체피해율 조사 • 조사 방법 : 전수조사 또는 표본 조사	
수확 직전		생산비 피해조사	수확직전	사고발생 농지의 피해비율 및 손해 정도비율 확인을 통한 피해율 조사 • 조사 방법 : 표본조사	

(2) 손해평가 현지조사 방법

1) 피해사실 확인조사

① **적용 품목** : 배추(고랭지·가을배추·월동), 무(고랭지·월동), 단호박, 파(대파, 쪽파·실파), 당근, 메밀, 시금치(노지)

② **조사 대상** : 대상 재해로 사고 접수 농지 및 조사 필요 농지

③ **대상 재해** : 자연재해, 조수해(鳥獸害), 화재

④ **조사 시기** : 사고 접수 직후 실시

⑤ **조사 방법** : 다음에 해당하는 사항을 확인한다.

ㄱ) **보상하는 재해로 인한 피해 여부 확인** : 기상청 자료 확인 및 현지 방문 등을 통하여 보상하는 재해로 인한 피해가 맞는지 확인하며, 필요시에는 이에 대한 근거로 다음의 자료를 확보한다.

ⓐ 기상청 자료, 농업기술센터 의견서 및 손해평가인 소견서 등 재해 입증 자료

ⓑ **피해농지 사진** : 농지의 전반적인 피해 상황 및 세부 피해 내용이 확인 가능하도록 촬영

ㄴ) **추가조사 필요 여부 판단** : 보상하는 재해 여부 및 피해 정도 등을 감안하여 추가조사(생산비보장 손해조사 또는 경작불능손해조사)가 필요한지 여부를 판단하여 해당 내용에 대하여 계약자에게 안내하고, 추가조사가 필요할 것으로 판단된 경우에는 손해평가반 구성 및 추가조사 일정을 수립한다.

ㄷ) 단, 태풍 등과 같이 재해 내용이 명확하거나 사고 접수 후 바로 추가조사가 필요한 경우 등에는 피해사실 확인조사를 생략할 수 있다.

2) 경작불능조사

① **적용 품목** : 배추(고랭지·가을배추·월동), 무(고랭지·월동), 단호박, 파(대파, 쪽파·실파), 당근, 메밀, 시금치(노지)

② **조사 대상** : 피해사실 확인조사 시 경작불능조사가 필요하다고 판단된 농지 또는 사고 접수 시 이에 준하는 피해가 예상되는 농지

③ **조사 시기** : 피해사실 확인조사 직후 또는 사고 접수 직후

④ **경작불능보험금 지급 대상 여부 조사[경작불능 전(前) 조사]** : 다음에 해당하는 사항을 확인한다.

ㄱ) **보험기간 확인**

경작불능보장의 보험기간은 '계약체결일 24시'와 '정식 및 파종완료일 24시[단, 각 품목별 아래의 일자를 초과할 수 없음(메밀 제외)]' 중 늦은 때부터 수확 개시일 직전(다만, 약관에서 정하는 보장종료일을 초과할 수 없음)까지로 해당 기간 내 사고인지 확인한다.

품목	정식완료일					파종완료일				
	고랭지 배추	가을 배추	월동 배추	대파	단호박	고랭지 무	월동무	쪽파 · 실파 ([1형] · [2형])	시금치 (노지)	당근
일자	7월 31일	9월 10일	9월 25일	5월 20일	5월 29일	7월 31일	10월 15일	10월 15일	10월 31일	8월 31일

ⓛ 보상하는 재해 여부 심사

농지 및 작물 상태 등을 감안하여 보상하는 재해로 인한 피해가 맞는지 확인하며, 필요시에는 이에 대한 근거자료(피해사실 확인조사 참조)를 확보한다.

ⓒ 실제 경작면적 확인

GPS 면적측정기 또는 지형도 등을 이용하여 보험가입면적과 실제 경작면적을 비교한다. 이때 실제 경작면적이 보험가입면적 대비 10% 이상 차이가 날 경우에는 계약 사항을 변경해야 한다.

② 식물체피해율 조사

목측 조사를 통해 조사대상 농지에서 보상하는 재해로 인한 식물체피해율[고사식물체(수 또는 면적)를 보험 가입식물체(수 또는 면적)로 나눈 값을 의미하며, 고사식물체 판정의 기준은 해당 식물체의 수확 가능 여부]이 65% 이상 여부를 조사한다.

⑩ 생산비보장 손해조사대상 확인

식물체피해율이 65% 미만이거나, 식물체피해율이 65% 이상이 되어도 계약자가 경작불능보험금을 신청하지 않은 경우에는 향후 생산비보장 손해조사가 필요한 농지로 결정한다.

ⓑ 산지폐기 여부 확인[경작불능 후(後)조사]

배추(고랭지 · 월동), 무(고랭지 · 월동), 단호박, 파(대파, 쪽파 · 실파), 당근, 메밀, 시금치(노지) 품목에 대하여 1차 조사(경작불능 전 조사)에서 보상하는 재해로 식물체피해율이 65% 이상인 농지에 대하여, 산지폐기 등으로 작물이 시장으로 유통되지 않은 것을 확인한다.

3) 생산비보장 손해조사

① 적용 품목

㉠ 고추, 브로콜리

ⓛ 배추(고랭지 · 가을배추 · 월동), 무(고랭지 · 월동), 단호박, 파(대파, 쪽파 · 실파), 당근, 메밀, 시금치(노지) 중 피해사실 확인조사 시 추가조사가 필요하다고 판단된 농지 또는 경작불능조사 결과 추가 조사를 실시하는 것으로 결정된 농지(식물체피해율이 65% 미만이거나, 65% 이상이어도 계약자가 경작불능보험금을 신청하지 않는 경우)

② 조사 시기

   ㉠ 사고 접수 직후 : 고추, 브로콜리

   ㉡ 수확 직전 : 배추(고랭지·가을배추·월동), 무(고랭지·월동), 단호박, 파(대파, 쪽파·실파), 당근, 메밀, 시금치(노지)

   ㉢ 단, 생산비보장 손해조사 전 계약자가 피해 미미(자기부담비율 이내의 사고) 등의 사유로 수확량조사 실시를 취소한 농지는 생산비보장 손해조사를 실시하지 않는다.

③ 조사 방법 : 다음에 해당하는 사항을 확인한다.

   ㉠ 보상하는 재해 여부 심사

     농지 및 작물 상태 등을 감안하여 보상하는 재해로 인한 피해가 맞는지 확인하며, 필요시에는 이에 대한 근거자료(피해사실 확인조사 참조)를 확보한다.

   ㉡ 일자 조사

     ⓐ 사고 일자 확인 : 재해가 발생한 일자를 확인한다.

       ㉮ 한해(가뭄), 폭염 및 병충해와 같이 지속되는 재해의 사고일자는 재해가 끝나는 날(가뭄예시 : 가뭄 이후 첫 강우일의 전날)을 사고 일자로 한다.

       ㉯ 재해가 끝나기 전에 조사가 이루어질 경우에는 조사가 이루어진 날을 사고 일자로 하며, 조사 이후 해당 재해로 추가 발생한 손해는 보상하지 않는다.

     ⓑ 수확 예정 일자, 수확 개시 일자, 수확 종료 일자 확인

       ㉮ 사고 일자를 기준으로 사고 일자 전에 수확이 시작되지 않았다면 수확 예정 일자를 확인한다.

       ㉯ 사고 일자 전에 수확이 시작되었다면 최초 수확을 시작한 일자와 수확 종료 (예정) 일자를 확인한다.

   ㉢ 실제 경작 면적 확인

     GPS 면적측정기 또는 지형도 등을 이용하여 보험가입면적과 실제 경작면적을 비교한다. 이때 실제 경작면적이 보험가입면적 대비 10% 이상 차이가 날 경우에는 계약 사항을 변경해야 한다.

   ㉣ 피해면적 조사

     GPS 면적측정기 또는 지형도 등을 이용하여 피해 이랑 또는 식물체 피해면적을 확인한다. 단, 메밀 품목은 도복으로 인한 피해면적과 도복 이외 피해면적을 나누어 조사한다.

ⓜ 손해정도비율 조사

ⓐ 고추

㉮ 표본이랑수 선정 : 조사된 피해면적에 따라 표본이랑수〈별표 1〉를 선정한다.

㉯ 표본이랑 선정 : 선정한 표본이랑수를 바탕으로 피해 이랑 중에서 동일한 간격으로 골고루 배치될 수 있도록 표본이랑을 선정한다. 다만, 선정한 이랑이 표본으로 부적합한 경우(해당 지점 작물의 상태가 현저히 좋거나 나빠서 표본으로 대표성을 가지기 어려운 경우 등)에는 가까운 위치의 다른 피해 이랑을 표본이랑으로 선정한다.

㉰ 표본이랑 내 작물 상태 조사 : 표본이랑별로 식재된 작물(식물체 단위)을 손해정도비율표〈별표 6〉와 고추 병충해 등급별 인정비율에 따라 구분하여 조사한다. 이때 피해가 없거나 보상하는 재해 이외의 원인으로 피해가 발생한 작물 및 타작물은 정상으로 분류하며, 가입 이후 추가로 정식한 식물체 등 보장 대상과 무관한 식물체도 정상으로 분류하여 조사한다.

▼ 품목별(공통 적용 사항) 손해정도에 따른 손해정도비율

손해정도	1%~20%	21%~40%	41%~60%	61%~80%	81%~100%
손해정도비율	20%	40%	60%	80%	100%

▼ 고추 병충해 등급별 인정비율

등급	종류	인정비율
1등급	역병, 풋마름병, 바이러스병, 탄저병, 세균성점무늬병	70%
2등급	잿빛곰팡이병, 시들음병, 담배가루이, 담배나방	50%
3등급	흰가루병, 균핵병, 무름병, 진딧물 및 기타	30%

㉱ 미보상비율 조사 : 품목별 미보상비율 적용표〈별표 2〉에 따라 미보상비율을 조사한다.

ⓑ 브로콜리

㉮ 표본구간수 선정 : 실제 경작면적에 따라 최소 표본구간수 이상의 표본구간수를 선정한다.

▼ 품목별 표본주(구간)수 표

실제 경작면적 또는 피해면적	표본구간(이랑)수
3,000㎡ 미만	4
3,000㎡ 이상 7,000㎡ 미만	6
7,000㎡ 이상 15,000㎡ 미만	8
15,000㎡ 이상	10

ⓝ 표본구간 선정 : 선정한 표본구간수를 바탕으로 재배 방법 및 품종 등을 감안하여 조사대상 면적에 동일한 간격으로 골고루 배치될 수 있도록 표본구간을 선정한다. 다만, 선정한 구간이 표본으로 부적합한 경우(해당 지점 작물의 수확량이 현저히 많거나 적어서 표본으로 대표성을 가지기 어려운 경우 등)에는 가까운 위치의 다른 구간을 표본구간으로 선정한다. 대상 이랑을 연속해서 잡거나 1~2이랑씩 간격을 두고 선택한다.

ⓓ 표본구간 내 작물 상태 조사
- 각 표본구간 내에서 연속하는 10구의 작물피해율 조사를 진행한다.
- 각 표본구간 내에서 식재된 작물을 브로콜리 피해정도에 따른 피해인정계수표에 따라 조사를 진행한다. 작물피해율조사 시, 보상하는 재해로 인한 작물이 훼손된 경우 피해정도에 따라 정상, 50%형 피해송이, 80%형 피해송이, 100%형 피해송이로 구분하여 조사한다.

▼ 브로콜리 피해정도에 따른 피해인정계수

구분	정상밭작물	50%형 피해밭작물	80%형 피해밭작물	100%형 피해밭작물
피해인정계수	0	0.5	0.8	1

ⓒ 메밀(도복 이외의 피해면적만을 대상으로 함)
㉮ 표본구간수 선정 : 조사된 도복 이외 피해면적에 따라 표본구간수〈별표 1〉를 선정한다.

▼ 품목별 표본주(구간)수 표

실제 경작면적 또는 피해면적	표본구간(이랑)수
3,000㎡ 미만	4
3,000㎡ 이상 7,000㎡ 미만	6
7,000㎡ 이상 15,000㎡ 미만	8
15,000㎡ 이상	10

㉯ 표본구간 선정 : 선정한 표본구간수를 바탕으로 피해면적에 골고루 배치될 수 있도록 표본구간을 선정한다. 다만, 선정한 구간이 표본으로 부적합한 경우(해당 작물의 수확량이 현저히 많거나 적어서 표본으로 대표성을 가지기 어려운 경우 등)에는 가까운 위치의 다른 구간을 표본구간으로 선정한다.

ⓒ 표본구간 내 작물 상태 조사 : 선정된 표본구간에 규격의 원형(1㎡) 이용 또는 표본구간의 가로·세로 길이 1m × 1m를 구획하여, 표본구간 내 식재된 메밀을 손해정도비율표에 따라 구분하여 조사한다. 이때 피해가 없거나 보상하는 재해 이외의 원인으로 피해가 발생한 메밀 및 타작물은 정상으로 분류하여 조사한다. 다만, 기 조사 시 100%형 피해로 보험금 지급완료 후 새로 파종한 메밀 등 보장대상과 무관한 작물은 평가제외로 분류하여 조사한다.

▼ 손해정도에 따른 손해정도비율

손해정도	1%~20%	21%~40%	41%~60%	61%~80%	81%~100%
손해정도비율	20%	40%	60%	80%	100%

ⓓ 배추(고랭지·가을배추·월동), 무(고랭지·월동), 파(대파, 쪽파·실파), 당근, 시금치(노지)

㉮ 표본구간수 선정 : 조사된 피해면적에 따라 표본구간수〈별표1〉를 산정한다.

㉯ 표본구간 선정 및 표식 : 선정한 표본구간수를 바탕으로 피해면적에 골고루 배치될 수 있도록 표본구간을 선정한다. 다만, 선정한 구간이 표본으로 부적합한 경우(해당 작물의 수확량이 현저히 많거나 적어서 표본으로 대표성을 가지기 어려운 경우 등)에는 가까운 위치의 다른 구간을 표본구간으로 선정한다. 표본구간마다 첫 번째 작물과 마지막 작물에 리본 등으로 표시한다.

㉰ 표본구간 내 작물 상태 조사 : 표본구간 내에서 연속하는 10구의 손해정도비율 조사를 진행한다. 손해정도비율 조사 시, 보상하는 재해로 인한 작물이 훼손된 경우 손해정도비율표〈별표 6〉에 따라 구분하여 조사한다.

ⓔ 단호박

㉮ 표본구간수 선정 : 조사된 피해면적에 따라 표본구간수〈별표 1〉를 선정한다.

㉯ 표본구간 선정 : 선정한 표본구간수를 바탕으로 피해면적에 골고루 배치될 수 있도록 표본구간을 선정한다. 다만, 선정한 구간이 표본으로 부적합한 경우(해당 작물의 수확량이 현저히 많거나 적어서 표본으로 대표성을 가지기 어려운 경우 등)에는 가까운 위치의 다른 구간을 표본구간으로 선정한다.

㉰ 표본구간 내 작물 상태 조사 : 선정된 표본구간에 표본구간의 가로(이랑 폭)·세로(1m) 길이를 구획하여, 표본구간 내 식재된 단호박을 손해정도비율표〈별표 6〉에 따라 구분하여 조사한다.

(3) 보험금 산정 방법 및 지급기준

1) 경작불능보험금의 산정

① 지급 사유

보험기간 내에 보상하는 재해로 식물체피해율이 65% 이상이고, 계약자가 경작불능보험금을 신청한 경우 경작불능보험금은 자기부담비율에 따라 아래 표와 같이 보험가입금액의 일정 비율을 곱하여 계산한다.

▼ 자기부담비율별 경작불능보험금표

자기부담비율	경작불능보험금
20%형	보험가입금액 × 40%
30%형	보험가입금액 × 35%
40%형	보험가입금액 × 30%

② 지급거절 사유

보험금 지급 대상 농지 품목이 산지폐기 등의 방법을 통해 시장으로 유통되지 않게 된 것이 확인되지 않으면 경작불능보험금을 지급하지 않는다.

③ 경작불능보험금을 지급한 때에는 그 손해보상의 원인이 생긴 때로부터 해당 농지에 대한 보험계약은 소멸되며, 이 경우 환급보험료는 발생하지 않는다.

▼ 그림 2-27 생산비보장방식 식물체 손해정도비율 조사

2) 생산비보장보험금 산정

보험기간 내에 보상하는 재해로 피해가 발생한 경우 아래와 같이 계산한 생산비보장보험금을 지급한다.

① 고추

㉠ 생산비보장보험금 : 보험기간 내에 보상하는 재해로 피해가 발생한 경우 아래와 같이 계산한 생산비보장보험금을 지급한다.

ⓐ 병충해가 없는 경우

> (잔존보험가입금액 × 경과비율 × 피해율) − 자기부담금
> ※ 잔존보험가입금액 = 보험가입금액 − 보상액(기 발생 생산비보장보험금 합계액)
> ※ 자기부담금 = 잔존보험가입금액 × 보험가입을 할 때 계약자가 선택한 비율

ⓑ 병충해가 있는 경우

> (잔존보험가입금액 × 경과비율 × 피해율 × 병충해 등급별 인정비율) − 자기부담금

▼ 고추 병충해 등급별 인정비율

등급	종류	인정비율
1등급	역병, 풋마름병, 바이러스병, 세균성점무늬병, 탄저병	70%
2등급	잿빛곰팡이병, 시들음병, 담배가루이, 담배나방	50%
3등급	흰가루병, 균핵병, 무름병, 진딧물 및 기타	30%

ⓛ 경과비율

ⓐ 수확기 이전에 보험사고가 발생한 경우

> $$\text{준비기생산비계수} + \left\{ (1 - \text{준비기생산비계수}) \times \frac{\text{생장일수}}{\text{표준생장일수}} \right\}$$
>
> ※ 준비기생산비계수는 54.4%로 한다.
> ※ 생장일수는 정식일로부터 사고발생일까지 경과일수로 한다.
> ※ 표준생장일수(정식일로부터 수확개시일까지 표준적인 생장일수)는 사전에 설정된 값으로 100일로 한다.
> ※ 생장일수를 표준생장일수로 나눈 값은 1을 초과할 수 없다.

ⓑ 수확기 중에 보험사고가 발생한 경우

> 1 − (수확일수 ÷ 표준수확일수)
> ※ 수확일수는 수확개시일부터 사고발생일까지 경과일수로 한다.
> ※ 표준수확일수는 수확개시일부터 수확종료일까지의 일수로 한다.

ⓒ 피해율

> 피해율 = 피해비율 × 손해정도비율 × (1 − 미보상비율)
> ※ 피해비율 = 피해면적(주수) ÷ 재배면적(주수)

② 손해정도비율

▼ 손해정도에 따른 손해정도비율

손해정도	1%~20%	21%~40%	41%~60%	61%~80%	81%~100%
손해정도비율	20%	40%	60%	80%	100%

손해정도비율 = {(20%형 피해작물 개수 × 0.2) + (40%형 피해작물 개수 × 0.4) + (60%형 피해작물 개수 × 0.6) + (80%형 피해작물 개수 × 0.8) + (100%형 피해작물 개수)} ÷ {(정상작물 개수 + 20%형 피해작물 개수 + 40%형 피해작물 개수 + 60%형 피해작물 개수 + 80%형 피해작물 개수 + 100%형 피해작물 개수}

② 브로콜리

㉠ 생산비보장보험금 : 보험기간 내에 보상하는 재해로 피해가 발생한 경우 아래와 같이 계산한 생산비보장보험금을 지급한다.

생산비보장보험금 = (잔존보험가입금액 × 경과비율 × 피해율) − 자기부담금
※ 잔존보험가입금액 = 보험가입금액 − 보상액(기 발생 생산비보장보험금 합계액)
※ 자기부담금 = 잔존보험가입금액 × 보험가입을 할 때 계약자가 선택한 비율

㉡ 경과비율

ⓐ 수확기 이전에 보험사고가 발생한 경우

$$준비기생산비계수 + \{(1 − 준비기생산비계수) × \frac{생장일수}{표준생장일수}\}$$

※ 준비기생산비계수는 49.5%로 한다.
※ 생장일수는 정식일로부터 사고발생일까지 경과일수로 한다.
※ 표준생장일수(정식일로부터 수확개시일까지 표준적인 생장일수)는 사전에 설정된 값으로 130일로 한다.
※ 생장일수를 표준생장일수로 나눈 값은 1을 초과할 수 없다.

ⓑ 수확기 중에 보험사고가 발생한 경우

$$1 − (수확일수 ÷ 표준수확일수)$$

※ 수확일수는 수확개시일부터 사고발생일까지 경과일수로 한다.
※ 표준수확일수는 수확개시일부터 수확종료일까지의 일수로 한다.

© 피해율

> 피해율 = 피해비율 × 작물피해율
>
> ※ 피해비율 = 피해면적(㎡) ÷ 재배면적(㎡)
>
> ※ 작물피해율은 피해면적 내 피해송이 수를 총 송이 수로 나누어 산출한다.

주) 피해송이는 송이별로 피해정도에 따라 피해인정계수를 정하며, 피해송이 수는 피해송이별 피해인정계수의 합계로 산출한다.

③ 메밀

㉠ 생산비보장보험금은 보험가입금액에 피해율에서 자기부담비율을 뺀 값을 곱하여 산출한다.

> 생산비보장보험금 = 보험가입금액 × (피해율 − 자기부담비율)

㉡ 피해율은 피해면적(㎡)을 재배면적(㎡)으로 나누어 산정한다.

> 피해율 = 피해면적 ÷ 실제 재배면적

㉢ 피해면적은 도복으로 인한 피해면적에 70%를 곱한 값과 도복 이외 피해면적에 손해정도비율을 곱한 값을 더하여 산정한다.

> 피해면적 = (도복으로 인한 피해면적 × 70%) + (도복 이외 피해면적 × 손해정도비율)

㉣ 자기부담비율은 보험가입을 할 때 계약자가 선택한 비율로 한다.

㉤ 손해정도비율은 각각의 표본구간 면적(1㎡)에 표본구간별 손해정도비율을 곱한 값을 모두 더한 후 해당 값을 표본구간 면적의 합으로 나누어 산출한다.

▼ **손해정도에 따른 손해정도비율**

손해정도	1%~20%	21%~40%	41%~60%	61%~80%	81%~100%
손해정도비율	20%	40%	60%	80%	100%

④ 배추, 무, 단호박, 파, 당근, 시금치(노지)

㉠ 생산비보장보험금은 보험가입금액에 피해율에서 자기부담비율을 뺀 값을 곱하여 산출한다.

> 생산비보장보험금 = 보험가입금액 × (피해율 − 자기부담비율)

ⓛ 피해율은 피해비율에 손해정도비율, (1 − 미보상비율)을 곱하여 산정하며, 각 요소는 아래와 같이 산출한다.

$$피해율 = 피해비율 \times 손해정도비율 \times (1 - 미보상비율)$$

ⓐ **피해비율** : 피해비율 산정 시 보상하지 않는 손해에 해당하는 피해면적(주수)은 제외하여 산출한다.

$$피해비율 = 피해면적(주수) \div 실제\ 재배면적(주수)$$

ⓑ **손해정도비율** : 표본이랑 내 작물의 손해정도를 의미하며, 표본이랑 내 각 손해정도비율별 작물 수에 손해정도비율(정상 작물의 손해정도비율은 0으로 함)을 곱한 값의 합계를 전체 작물 수로 나누어 산출한다.

▼ **손해정도에 따른 손해정도비율**

손해정도	1%~20%	21%~40%	41%~60%	61%~80%	81%~100%
손해정도비율	20%	40%	60%	80%	100%

손해정도비율 = {(20%형 피해작물 개수 × 0.2) + (40%형 피해작물 개수 × 0.4) + (60%형 피해작물 개수 × 0.6) + (80%형 피해작물 개수 × 0.8) + (100%형 피해작물 개수)} ÷ (정상작물 개수 + 20%형 피해작물 개수 + 40%형 피해작물 개수 + 60%형 피해작물 개수 + 80%형 피해작물 개수 + 100%형 피해작물 개수)

ⓒ **미보상비율** : 품목별 미보상비율 적용표〈별표 2〉에 따라 조사한 미보상비율을 적용한다.

ⓒ 자기부담비율은 보험가입을 할 때 계약자가 선택한 비율로 한다.

3. 작물특정 및 시설종합위험 인삼손해보장방식

(1) 작물특정 인삼손해보장

보상하는 재해[태풍(강풍), 폭설, 집중호우, 침수, 화재, 우박, 냉해, 폭염]로 인삼(작물)에 직접적인 피해가 발생하여 자기부담비율(자기부담금)을 초과하는 손해가 발생한 경우 보험금이 지급된다.

(2) 시설(해가림시설) 종합위험 손해보장

① 보상하는 재해(자연재해, 조수해, 화재)로 해가림시설(시설)에 직접적인 피해가 발생하여 자기부담비율(자기부담금)을 초과하는 손해가 발생한 경우 보험금이 지급된다.

② 보험가입금액이 보험가액과 같거나 클 때에는 발생한 손해액에 자기부담금을 차감하여

보험금을 산정한다. 단, 보험가입금액이 보험가액보다 작을 때에는 보험가입금액을 한도로 비례 보상하여 산정한다.

(3) 시기별 조사 종류

생육시기	재해	조사내용	조사시기	조사 방법	비고
보험 기간 내	태풍(강풍)·폭설·집중호우·침수·화재·우박·냉해·폭염	수확량 조사	피해 확인이 가능한 시기	보상하는 재해로 인하여 감소된 수확량조사 • 조사 방법 : 전수조사 또는 표본조사	인삼
	보상하는 재해 전부	해가림시설 조사	사고접수 후 지체 없이	보상하는 재해로 인하여 손해를 입은 시설 조사	해가림 시설

(4) 손해평가 현지조사 종류 및 방법

1) 피해사실 확인조사

① 적용 품목 : 인삼, 해가림시설

② 조사 대상 : 대상 재해로 사고 접수 농지 및 조사 필요 농지

③ 대상 재해

　㉠ 인삼(특정위험) : 태풍(강풍), 폭설, 집중호우, 침수, 화재, 우박, 냉해, 폭염

　㉡ 해가림시설(종합위험) : 자연재해, 조수해(鳥獸害), 화재

④ 조사 시기 : 사고 접수 직후 실시

⑤ 조사 방법 : 다음에 해당하는 사항을 확인한다.

　㉠ 보상하는 재해로 인한 피해 여부 확인

　　기상청 자료 확인 및 현지 방문 등을 통하여 보상하는 재해로 인한 피해가 맞는지 확인하며, 필요시에는 이에 대한 근거로 다음의 자료를 확보한다.

　　ⓐ 기상청 자료, 농업기술센터 의견서 및 손해평가인 소견서 등 재해 입증 자료

　　ⓑ 피해 농지 사진 : 농지의 전반적인 피해 상황 및 세부 피해 내용이 확인 가능하도록 촬영

　㉡ 추가조사 필요 여부 판단

　　보상하는 재해 여부 및 피해 정도 등을 감안하여 추가조사(수확량조사 및 해가림시설손해조사)가 필요한지 여부를 판단하여 해당 내용에 대하여 계약자에게 안내하고, 추가조사가 필요할 것으로 판단된 경우에는 손해평가반 구성 및 추가조사 일정을 수립한다.

　㉢ 단, 태풍 등과 같이 재해 내용이 명확하거나 사고 접수 후 바로 추가조사가 필요한 경우 등에는 피해사실 확인조사를 생략할 수 있다.

2) 수확량조사

① 적용 품목 : 인삼

② 조사 대상 : 피해사실 확인조사 시 수확량조사가 필요하다고 판단된 농지

③ 조사 시기 : 수확량 확인이 가능한 시기

④ 조사 방법 : 다음에 해당하는 사항을 확인한다.

㉠ 보상하는 재해 여부 심사

농지 및 작물 상태 등을 감안하여 보상하는 재해로 인한 피해가 맞는지 확인하며, 필요시에는 이에 대한 근거자료(피해사실 확인조사 참조)를 확보할 수 있다.

㉡ 수확량조사 적기 판단 및 시기 결정

조사 시점이 인삼의 수확량을 확인하는 데 적절한지 검토하고, 부적절한 경우 조사 일정을 조정한다.

㉢ 전체 칸수 및 칸 넓이 조사

ⓐ 전체 칸수 조사 : 농지 내 경작 칸수를 센다[단, 칸수를 직접 세는 것이 불가능할 경우에는 경작면적을 이용한 칸수 조사(경작면적 ÷ 칸 넓이)도 가능].

ⓑ 칸 넓이 조사 : 지주목 간격, 두둑 폭 및 고랑 폭을 조사하여 칸 넓이를 구한다 [칸 넓이 = 지주목 간격 × (두둑 폭 + 고랑 폭)].

㉣ 조사 방법에 따른 수확량 확인

ⓐ 전수조사

㉮ 칸수 조사 : 금번 수확칸수, 미수확칸수 및 기수확칸수를 확인한다.

㉯ 실 수확량 확인 : 수확한 인삼 무게를 확인한다.

ⓑ 표본조사

㉮ 칸수 조사 : 정상칸수 및 피해칸수를 확인한다.

㉯ 표본칸 선정 : 피해칸수에 따라 적정 표본칸수〈별표 1〉를 선정하고, 해당 수의 칸이 피해칸에 골고루 배치될 수 있도록 표본칸을 선정한다.

㉰ 인삼 수확 및 무게 측정 : 표본칸 내 인삼을 모두 수확한 후 무게를 측정한다.

▼ 품목별 표본주(구간)수 표

피해칸수	표본칸수	피해칸수	표본칸수
300칸 미만	3칸	900칸 이상 1,200칸 미만	7칸
300칸 이상 500칸 미만	4칸	1,200칸 이상 1,500칸 미만	8칸
500칸 이상 700칸 미만	5칸	1,500칸 이상 1,800칸 미만	9칸
700칸 이상 900칸 미만	6칸	1,800칸 이상	10칸

3) 인삼 해가림시설 손해조사

① 적용 품목 : 해가림시설

② 조사 대상 : 인삼 해가림시설 사고가 접수된 농지

③ 조사 시기 : 사고 접수 직후

④ 조사 방법 : 다음에 해당하는 사항을 확인한다.

   ㉠ 보상하는 재해 여부 심사

      농지 및 작물 상태 등을 감안하여 보상하는 재해로 인한 피해가 맞는지 확인하며, 필요시에는 이에 대한 근거자료(피해사실 확인조사 참조)를 확보한다.

   ㉡ 전체 칸수 및 칸 넓이 조사

      ⓐ 전체 칸수 조사 : 농지 내 경작 칸수를 센다[단, 칸수를 직접 세는 것이 불가능할 경우에는 경작면적을 이용한 칸수 조사(경작면적 ÷ 칸 넓이)도 가능].

      ⓑ 칸 넓이 조사 : 지주목 간격, 두둑 폭 및 고랑 폭을 조사하여 칸 넓이를 구한다. [칸 넓이 = 지주목 간격 × (두둑 폭 + 고랑 폭)].

   ㉢ 피해칸수 조사

      피해칸에 대하여 전체파손 및 부분파손(20%형, 40%형, 60%형, 80%형)으로 나누어 각 칸수를 조사한다.

▼ 그림 2-28 해가림시설 손해조사

   ㉣ 손해액 산정

      ⓐ 단위면적당 시설가액표, 파손 칸수 및 파손 정도 등을 참고하여 실제 피해에 대한 복구비용을 기평가한 재조달가액으로 산출한 피해액을 산정한다.

      ⓑ 산출된 피해액에 대하여 감가상각을 적용하여 손해액을 산정한다. 다만, 피해액이 보험가액의 20% 이하인 경우에는 감가를 적용하지 않고, 피해액이 보험가액의 20%를 초과하면서 감가 후 피해액이 보험가액의 20% 미만인 경우에는 보험가액의 20%를 손해액으로 산출한다.

4) 미보상비율 조사(모든 조사 시 동시 조사)

상기 모든 조사마다 미보상비율 적용표〈별표 2〉에 따라 미보상비율을 조사한다.

(5) 보험금 산정방법 및 지급기준

1) 인삼보험금 산정

① 지급 사유

보험기간 내에 보상하는 재해로 피해율이 자기부담비율을 초과하는 경우 보험금은 아래에 따라 계산한다.

> 지급보험금 = 보험가입금액 × (피해율 − 자기부담비율)

② 2회 이상 보험사고가 발생하는 경우의 지급보험금은 ①에 따라 산정된 보험금에서 기발생지급보험금을 차감하여 계산한다.

③ 피해율

㉠ 보상하는 재해로 피해가 발생한 경우 연근별 기준수확량에서 수확량을 뺀 후 연근별 기준수확량으로 나눈 값에 피해면적을 재배면적으로 나눈 값을 곱하여 산출한다.

> 피해율 = (1 − 수확량 ÷ 연근별 기준수확량) × (피해면적 ÷ 재배면적)

▼ 연근별 기준수확량(가입 당시 년근 기준)

(단위 : kg/m²)

구분	2년근	3년근	4년근	5년근
불량	0.45	0.57	0.64	0.66
표준	0.50	0.64	0.71	0.73
우수	0.55	0.70	0.78	0.81

㉡ 수확량 : 단위면적당 조사수확량과 단위면적당 미보상감수량을 합하여 계산한다. 단위면적당 조사수확량은 총수확량을 금차수확면적(금차수확칸수 × 조사칸넓이)으로 나누어 계산한다. 단위면적당 미보상감수량은 기준수확량에서 단위면적당 조사수확량을 뺀 값과 미보상비율을 곱하여 계산한다.

④ 자기부담비율

자기부담비율은 보험가입을 할 때 계약자가 선택한 비율로 한다.

⑤ 보험금 등의 지급한도

㉠ 재해보험사업자가 지급하여야 할 보험금은 상기 ① · ② · ③ · ④를 적용하여 계산하며 보험증권에 기재된 인삼의 보험가입금액을 한도로 한다.

㉡ 손해방지비용, 대위권 보전비용, 잔존물 보전비용(단, 재해보험사업자가 잔존물을 취득할 의사표시를 하고 잔존물을 취득한 경우에 한하여 지급)은 보험가입금액을

초과하는 경우에도 지급한다(보험의 목적이 인삼일 경우, 잔존물 제거비용은 지급하지 않는다). 단, 농지별 손해방지비용은 20만원을 한도로 지급한다.

ⓒ 비용손해 중 기타 협력비용은 보험가입금액을 초과한 경우에도 전액 지급한다.

2) 인삼 해가림시설 보험금 산정

① 지급 사유

보험기간 내에 보상하는 재해로 피해율이 자기부담비율을 초과하는 경우 보험금은 아래에 따라 계산한다.

㉠ 보험가입금액이 보험가액과 같거나 클 때

보험가입금액을 한도로 손해액에서 자기부담금을 차감한 금액. 그러나, 보험가입금액이 보험가액보다 클 때에는 보험가액을 한도로 한다.

㉡ 보험가입금액이 보험가액보다 작을 때

보험가입금액을 한도로 다음과 같이 비례보상한다.

> 지급보험금 = (손해액 − 자기부담금) × (보험가입금액 ÷ 보험가액)
> ※ 자기부담금은 최소자기부담금(10만 원)과 최대자기부담금(100만 원)을 한도로 손해액의 10%에 해당하는 금액을 적용한다.

㉢ 위 ㉠과 ㉡에서 손해액이란 그 손해가 생긴 때와 곳에서의 보험가액을 말한다.

② 동일한 계약의 목적과 동일한 사고에 관하여 보험금을 지급하는 다른 계약[공제계약(각종 공제회에 가입되어 있는 계약)을 포함]이 있고 이들의 보험가입금액의 합계액이 보험가액보다 클 경우에는 아래에 따라 보험금을 계산한다. 이 경우 보험자 1인에 대한 보험금 청구를 포기한 경우에도 다른 보험자의 보험금 결정에는 영향을 미치지 않는다.

㉠ 다른 계약이 이 계약과 보험금의 계산 방법이 같은 경우

> 지급보험금 = 손해액 × (이 계약의 보험가입금액 ÷ 다른 계약이 없는 것으로 하여 각각 계산한 보험가입금액의 합계액)

㉡ 다른 계약이 이 계약과 보험금의 계산 방법이 다른 경우

> 지급보험금 = 손해액 × (이 계약에 의한 보험금 ÷ 다른 계약이 없는 것으로 하여 각각 계산한 보험금의 합계액)

③ 보험금 등의 지급한도

㉠ 보상하는 재해(자연재해, 조수해, 화재)로 재해보험사업자가 지급할 보험금과 잔존물 제거비용은 각각 상기 ①, ②를 적용하여 계산하며, 그 합계액은 보험증권에

기재된 해가림시설의 보험가입금액을 한도로 한다. 단, 잔존물 제거비용은 손해액
의 10%를 초과할 수 없다.

ⓛ 비용손해 중 손해방지비용, 대위권 보전비용, 잔존물 보전비용(단, 재해보험사업
자가 잔존물을 취득할 의사표시를 하고 잔존물을 취득한 경우에 한하여 지급)은
상기 ①·②를 적용하여 계산한 금액이 보험가입금액을 초과하는 경우에도 지급한
다. 단, 농지별 손해방지비용은 20만원을 한도로 지급한다.

ⓒ 비용손해 중 기타 협력비용은 보험가입금액을 초과한 경우에도 전액 지급한다.

CHAPTER 05

종합위험 시설작물 손해평가 및 보험금 산정
(원예시설 및 시설작물, 버섯재배사 및 버섯작물)

1. 보험의 목적

(1) 원예시설

1) 농업용 시설물

단동하우스(광폭형하우스를 포함), 연동하우스 및 유리(경질판)온실의 구조체 및 피복재

2) 부대시설 : 보험의 목적인 부대시설은 아래의 물건 등을 말한다.

① 시설재배 농작물의 재배를 위하여 농업용 시설물 내부 구조체에 연결, 부착되어 외부에 노출되지 않은 시설물

② 시설재배 농작물의 재배를 위하여 농업용 시설물 내부 지면에 고정되어 이동 불가능한 시설물

③ 시설재배 농작물의 재배를 위하여 지붕 및 기둥 또는 외벽을 갖춘 외부 구조체 내에 고정·부착된 시설물

3) 시설재배 농작물

① 화훼류 : 국화, 장미, 백합, 카네이션

② 비화훼류 : 딸기, 오이, 토마토, 참외, 풋고추, 호박, 수박, 멜론, 파프리카, 상추, 부추, 시금치, 가지, 배추, 파(대파·쪽파), 무, 쑥갓, 미나리

▼ 보장대상 제외 품종(목)

농작물	보장대상 제외 품종(목)
배추(시설재배)	얼갈이 배추, 쌈배추, 양배추
딸기(시설재배)	산딸기
수박(시설재배)	애플수박, 미니수박, 복수박
고추(시설재배)	홍고추
오이(시설재배)	노각
상추(시설재배)	양상추, 프릴라이스, 버터헤드(볼라레), 오비레드, 이자벨, 멀티레드, 카이피라, 아지르카, 이자트릭스, 크리스피아노

(2) 버섯

1) 농업용 시설물(버섯재배사)

단동하우스(광폭형하우스를 포함), 연동하우스 및 경량철골조 등 버섯작물 재배용으로 사용하는 구조체, 피복재 또는 벽으로 구성된 시설

2) 부대시설

버섯작물 재배를 위하여 농업용 시설물(버섯재배사)에 부대하여 설치한 시설(단, 동산시설 제외)

① 버섯작물 재배를 위하여 농업용 시설물(버섯재배사) 내부 구조체에 연결, 부착되어 외부에 노출되지 않은 시설물

② 버섯작물의 재배를 위하여 농업용 시설물(버섯재배사) 내부 지면에 고정되어 이동 불가능한 시설물

③ 버섯작물의 재배를 위하여 지붕 및 기둥 또는 외벽을 갖춘 외부 구조체 내에 고정·부착된 시설물

3) 시설재배 버섯

농업용 시설물(버섯재배사) 및 부대시설을 이용하여 재배하는 느타리버섯(균상재배, 병재배), 표고버섯(원목재배, 톱밥배지재배), 새송이버섯(병재배), 양송이버섯(균상재배)

2. 손해평가 및 보험금 산정

(1) 손해평가 현지조사 방법

1) 농업용 시설물 및 부대시설 손해조사

① 조사 기준

㉠ 손해가 생긴 때와 곳에서의 가액에 따라 손해액을 산출하며, 손해액 산출 시에는 농업용 시설물 감가율을 적용한다.

▼ 농업용 시설물 감가율

1. 고정식 하우스

구분		내용연수	경년감가율
구조체	단동하우스	10년	8%
	연동하우스	15년	5.3%
피복재	장수PE, 삼중EVA, 기능성필름, 기타	1년	40% 고정감가
	장기성Po	5년	16%

2. 이동식 하우스(최초 설치년도 기준)

구분	경과기간			
	1년 이하	2~4년	5~8년	9년 이상
구조체 (고정감가)	0%	30%	50%	70%
피복재	40%(고정감가)			

3. 유리온실 부대시설

구분		내용연수	경년감가율
부대시설		8년	10%
유리온실	철골조/석조/연와석조	60년	1.33%
	블록조/경량철골조/단열판넬조	40년	2.0%

※ 유리온실은 손해보험협회가 발행한 『보험가액 및 손해액의 평가기준』 건물의 추정내용년수 및 경년감가율표를 준용

※ 경년감가율은 월단위로 적용(경과년수 = 사고년월 – 취득년월)하여 월단위 감가 적용한다. 다만, 고정식하우스의 피복재(내용년수 1년)와 이동식하우스의 구조체, 피복재는 고정감가를 적용

ⓛ 재조달가액 보장 특별약관에 가입한 경우에는 재조달가액(보험의 목적과 동형 동질의 신품을 조달하는 데 소요되는 금액)기준으로 계산한 손해액을 산출한다. 단, 보험의 목적이 손해를 입은 장소에서 실제로 수리 또는 복구되지 않은 때에는 재조달가액에 의한 보상을 하지 않고 시가(감가상각된 금액)로 보상한다.

② 평가단위

물리적으로 분리 가능한 시설 1동을 기준으로 계약 원장에 기재된 목적물별로 평가한다.

③ 조사 방법

ⓐ 계약사항 확인

ⓐ 계약 원장 및 현지 조사표를 확인하여 사고 목적물의 소재지 및 보험시기 등을 확인한다.

ⓑ 계약 원장상의 하우스 규격(단동, 연동, 피복재 종류 등)을 확인한다.

ⓛ 사고 현장 방문

ⓐ 계약 원장상의 목적물과 실제 목적물 소재지 일치 여부를 확인한다.

ⓑ 면담을 통해 사고 경위, 사고 일시 등을 확인한다.

ⓒ 면담 결과, 사고 경위, 기상청 자료 등을 감안하여 보상하는 재해로 인한 손해가 맞는지를 판단한다.

ⓒ 손해평가

ⓐ 피복재 : 다음을 참고하여 하우스 폭에 피해길이를 감안하여 피해 범위를 산정한다.

㉮ 전체 교체가 필요하다고 판단되어 전체 교체를 한 경우 전체 피해로 인정

㉯ 전체 교체가 필요하다고 판단되지만 부분 교체를 한 경우 교체한 부분만 피해로 인정

㉰ 전체 교체가 필요하지 않다고 판단되는 경우 피해가 발생한 부분만 피해로 인정

ⓑ 구조체 및 부대시설 : 다음을 참고하여 교체수량(비용), 보수 및 수리 면적(비용)을 산정하되, 재사용할 수 없는 경우(보수 불가) 또는 수리 비용이 교체비용보다 클 경우에는 재조달비용을 산정한다.

㉮ 손상된 골조(부대시설)를 재사용할 수 없는 경우는 교체수량 확인 후 교체비용 산정

㉯ 손상된 골조(부대시설)를 재사용할 수 있는 경우는 수리 및 보수비용 산정

ⓒ 인건비 : 실제 투입된 인력, 시방서, 견적서, 영수증 및 시장조사를 통해 피복재 및 구조체 시공에 소모된 인건비 등을 감안하여 산정한다.

▼ 그림 2-29 시설하우스 손해조사

조사 방법	관련사진

1 손해액 조사
- 피복재 : 피복재의 피해면적 조사
- 구조체
  • 손상된 골조를 재사용할 수 없는 경우
    : 교체 수량
  • 손상된 골조를 재사용할 수 있는 경우
    : 보수면적 확인
- 부대시설
  : 보상 가능한 목적물 중 피해목적물에 대한 피해정도 조사 후 수리 및 보수비용 확인

2 잔존물 확인
- 피해목적물을 재사용(수리・복구)할 수 없는 경우 경제적 가치 확인

침수로 매몰된 하우스

강풍 피해 하우스

화재 피해 하우스

2) 원예시설작물・시설재배 버섯 손해조사

① 조사 기준

㉠ 1사고마다 생산비보장 보험금을 보험가입금액 한도 내에서 보상한다.

㉡ 평가단위는 목적물 단위로 한다.

㉢ 동일 작기에서 2회 이상 사고가 난 경우 동일 작기 작물의 이전 사고의 피해를 감안하여 산정한다.

㉣ 평가 시점은 피해의 확정이 가능한 시점에서 평가한다.

② 조사 방법

㉠ 계약사항 확인

ⓐ 계약 원장 및 현지 조사표를 확인하여 사고 목적물의 소재지 및 보험시기 등을 확인한다.

ⓑ 계약 원장상의 하우스 규격 및 재배면적 등을 확인한다.

㉡ 사고 현장 방문

ⓐ 면담을 통해 사고 경위, 사고 일자 등을 확인한다.

ⓑ 기상청 자료 확인, 계약자 면담, 작물의 상태 등을 고려하여 보상하는 재해로 인한 피해 여부를 확인하며, 필요시 계약자에게 아래의 자료를 요청하여 보상하는 재해 여부를 판단한다.

㉮ 농업기술센터 의견서

㉯ 출하내역서(과거 출하내역 포함)

㉰ 기타 정상적인 영농활동을 입증할 수 있는 자료 등

ⓒ 재배 일정 확인(정식·파종·종균접종일, 수확개시·수확종료일 확인)

㉮ 문답 조사를 통하여 확인

㉯ 필요시 재배 일정 관련 증빙서류(모종 구매내역, 출하 관련 증명서, 영농일지 등)를 확인

ⓓ 사고 일자 확인 : 계약자 면담, 기상청 자료 등을 토대로 사고 일자를 특정한다.

㉮ 수확기 이전 사고 : 연속적인 자연재해(폭염, 냉해 등)로 사고 일자를 특정할 수 없는 경우에는 기상특보 발령 일자를 사고 일자로 추정한다. 다만 지역적 재해 특성, 계약자별 피해 정도 등을 고려하여 이를 달리 정할 수 있다.

㉯ 수확기 중 사고 : 연속적인 자연재해(폭염, 냉해 등)로 사고 일자를 특정할 수 없는 경우에는 최종 출하 일자를 사고 일자로 추정한다. 다만 지역적 재해 특성, 계약자별 피해 정도 등을 고려하여 이를 달리 정할 수 있다.

③ 손해조사

㉠ 경과비율 산출

사고 현장 방문 시 확인한 정식일자(파종·종균접종일), 수확개시일자, 수확종료일자, 사고 일자를 토대로 작물별 경과비율을 산출한다.

㉡ 재배비율 및 피해비율 확인

해당 작물의 재배면적(주수) 및 피해면적(주수)을 조사한다.

㉢ 손해정도비율

보험목적물의 뿌리, 줄기, 잎 과실 등에 발생한 부분의 손해정도비율〈별표 6〉을 산정한다.

3) 화재대물배상책임

손해평가는 피보험자가 보험증권에 기재된 농업용 시설물 및 부대시설 내에서 발생한 화재 사고로 타인의 재물을 망가뜨려 법률상의 배상책임이 발생한 경우에 한하여 조사한다.

(2) 보험금 산정 방법 및 지급기준

1) 농업용 시설물 및 부대시설 보험금 산정

① 시설하우스의 손해액은 구조체(파이프, 경량철골조) 손해액에 피복재 손해액을 합하여 산정하고 부대시설 손해액은 별도로 산정한다.

② 손해액 산출 기준

㉠ 손해가 생긴 때와 곳에서의 가액에 따라 농업용 시설물 감가율을 적용한 손해액을 산출한다.

㉡ 재조달가액 보장 특별약관에 가입한 경우에는 감가율을 적용하지 않고 재조달가액 기준으로 계산한 손해액을 산출한다. 단, 보험의 목적이 손해를 입은 장소에서 실제로 수리 또는 복구되지 않은 때에는 재조달가액에 의한 보상을 하지 않고 시가(감가상각된 금액)로 보상한다.

③ 보상하는 재해로 인하여 손해가 발생한 경우 계약자 또는 피보험자가 지출한 아래의 비용을 추가로 지급한다. 단, 보험의 목적 중 농작물의 경우 잔존물 제거비용은 지급하지 않는다.

㉠ 잔존물 제거비용 : 사고현장에서의 잔존물의 해체비용, 청소비용 및 차에 싣는 비용(보험금과 잔존물 제거비용의 합계액은 보험증권에 기재된 보험가입금액을 한도로 하며 잔존물 제거비용은 손해액의 10%를 초과할 수 없다)

㉡ 손해방지비용 : 손해의 방지 또는 경감을 위하여 지출한 필요 또는 유익한 비용

㉢ 대위권 보전비용 : 제3자로부터 손해의 배상을 받을 수 있는 경우에는 그 권리를 지키거나 행사하기 위하여 지출한 필요 또는 유익한 비용

㉣ 잔존물 보전비용 : 잔존물을 보전하기 위하여 지출한 필요 또는 유익한 비용(다만, 재해보험사업자가 보험금을 지급하고 잔존물의 취득한 경우에 한함)

㉤ 기타 협력비용 : 회사의 요구에 따르기 위하여 지출한 필요 또는 유익한 비용

④ 지급보험금의 계산

㉠ 1사고마다 손해액이 자기부담금을 초과하는 경우 보험가입금액을 한도로 손해액에서 자기부담금을 차감하여 계산한다.

> 지급보험금 = (손해액 – 자기부담금)
> ※ 손해액은 그 손해가 생긴 때와 곳에서의 가액에 따라 계산한다.

ⓛ 동일한 계약의 보험목적과 동일한 사고에 관하여 보험금을 지급하는 다른 계약(공제 계약을 포함한다)이 있고 이들의 보험가입금액의 합계액이 보험가액보다 클 경우에는 아래에 따라 계산한다. 이 경우 보험자 1인에 대한 보험금 청구를 포기한 경우에도 다른 보험자의 지급보험금 결정에는 영향을 미치지 않는다.

ⓐ 다른 계약이 이 계약과 지급보험금의 계산 방법이 같은 경우

$$손해액 \times \frac{이\ 계약의\ 보험가입금액}{다른\ 계약이\ 없는\ 것으로\ 하여\ 각각\ 계산한\ 보험가입금액의\ 합계액}$$

ⓑ 다른 계약이 이 계약과 지급보험금의 계산 방법이 다른 경우

$$손해액 \times \frac{이\ 계약의\ 보험금}{다른\ 계약이\ 없는\ 것으로\ 하여\ 각각\ 계산한\ 보험금의\ 합계액}$$

ⓒ 이 보험계약이 타인을 위한 보험계약이면서 보험계약자가 다른 계약으로 인하여 상법 제682조에 따른 대위권 행사의 대상이 된 경우에는 실제 그 다른 계약이 존재함에도 불구하고 그 다른 계약이 없다는 가정하에 계산한 보험금을 그 다른 보험계약에 우선하여 이 보험계약에서 지급한다.

ⓓ 이 보험계약을 체결한 재해보험사업자가 타인을 위한 보험에 해당하는 다른 계약의 보험계약자에게 상법 제682조에 따른 대위권을 행사할 수 있는 경우에는 이 보험계약이 없다는 가정하에 다른 계약에서 지급받을 수 있는 보험금을 초과한 손해액을 이 보험계약에서 보상한다.

ⓒ 하나의 보험가입금액으로 둘 이상의 보험의 목적을 계약한 경우에는 전체가액에 대한 각 가액의 비율로 보험가입금액을 비례배분하여 상기 ⓖ과 ⓛ의 규정에 따라 지급보험금을 계산한다.

⑤ 자기부담금

ⓖ 최소자기부담금(30만원)과 최대자기부담금(100만원)을 한도로 보험사고로 인하여 발생한 손해액의 10%에 해당하는 금액을 적용한다.

ⓛ 피복재단독사고는 최소자기부담금(10만원)과 최대자기부담금(30만원)을 한도로 한다.

ⓒ 농업용 시설물과 부대시설 모두를 보험의 목적으로 하는 보험계약은 두 보험의 목적의 손해액 합계액을 기준으로 자기부담금을 산출하고 두 목적물의 손해액 비율로 자기부담금을 적용한다.

ⓔ 자기부담금은 단지 단위, 1사고 단위로 적용한다.

ⓜ 화재로 인한 손해는 자기부담금을 적용하지 않는다.

⑥ 보험금 등의 지급한도

㉠ 재해보험사업자가 지급하여야 할 보험금과 잔존물 제거비용은 상기 ④의 ㉠, ㉡, ㉢을 적용하여 계산하며, 그 합계액은 보험증권에 기재된 농업용 시설물 및 부대시설의 보험가입금액을 한도로 한다. 단, 잔존물 제거비용은 손해액의 10%를 초과할 수 없다.

㉡ 비용손해 중 손해방지비용, 대위권 보전비용 및 잔존물 보전비용(단, 재해보험사업자가 잔존물을 취득할 의사표시를 하고 잔존물을 취득한 경우에 한하여 지급)은 상기 ④의 ㉠, ㉡, ㉢을 적용하여 계산한 금액이 농업용 시설물 및 부대시설의 보험가입금액을 초과하는 경우에도 지급한다. 단, 이 경우에 자기부담금은 차감하지 않는다.

㉢ 비용손해 중 기타 협력비용은 보험가입금액을 초과한 경우에도 전액 지급한다.

2) 원예시설작물 및 시설재배 버섯 보험금 산정

① 보험금 지급기준

㉠ 보상하는 재해로 1사고마다 1동 단위로 생산비보장보험금이 10만원을 초과하는 경우에 그 전액을 보험가입금액 내에서 보상한다.

㉡ 동일 작기에서 2회 이상 사고가 난 경우 동일 작기 작물의 이전 사고의 피해를 감안하여 산출한다.

② 보험금 등의 지급한도

㉠ 생산비보장보험금은 다음 ③의 품목별 보험금 산출 계산식을 적용하여 계산하며 하나의 작기(한 작물의 생육기간)에서 지급하는 보험금은 보험증권에 기재된 시설재배 농작물의 보험가입금액을 한도로 한다.

㉡ 비용손해 중 손해방지비용, 대위권 보전비용 및 잔존물 보존비용(단, 재해보험사업자가 잔존물을 취득할 의사표시를 하고 잔존물을 취득한 경우에 한하여 지급)은 다음 ③의 품목별 보험금 산출 계산식을 적용하여 계산한 금액이 해당 작기(작물의 생육기간)에서 재배하는 보험증권 기재 농작물의 보험가입금액을 초과하는 경우에도 지급한다(농작물의 경우 잔존물 제거비용은 지급하지 않음). 단, 손해방지비용은 20만원을 초과할 수 없다.

㉢ 비용손해 중 기타 협력비용은 보험가입금액을 초과한 경우에도 전액 지급한다.

③ 보험금 산출방법

㉠ 적용 품목 : 딸기, 오이, 토마토, 참외, 풋고추, 호박, 수박, 멜론, 파프리카, 상추, 가지, 배추, 파(대파), 미나리, 국화, 백합, 카네이션

ⓐ 생산비보장보험금

보상하는 재해로 1사고마다 1동 단위로 생산비보장보험금이 10만원을 초과하는 경우에 그 전액을 보험가입금액 내에서 보상한다.

> 피해작물 재배면적 × 피해작물 단위면적당 보장생산비 × 경과비율 × 피해율

ⓑ 경과비율

㉮ 수확기 이전 사고
- 경과비율 = [α + (1 − α) × (생장일수 ÷ 표준생장일수)]
- 준비기생산비계수 = α(40%, 국화·카네이션 재절화재배는 20%)
- 생장일수 : 정식(파종)일로부터 사고발생일까지 경과일수
- 표준생장일수 : 정식일로부터 수확개시일까지 표준적인 생장일수
- 생장일수를 표준생장일수로 나눈 값은 1을 초과할 수 없다.

㉯ 수확기 중 사고
- 경과비율 = 1 − (수확일수 ÷ 표준수확일수)
- 수확일수 : 수확개시일부터 사고발생일까지 경과일수
- 표준수확일수 : 수확개시일부터 수확종료일까지의 일수
  ※ 단, 오이·토마토·풋고추·호박·상추의 표준수확일수는 수확개시일로부터 수확종료일까지의 일수로 한다.
- 위 계산식에도 불구하고 국화·수박·멜론의 경과비율은 1
- 위 계산식에 따라 계산된 경과비율이 10% 미만인 경우 경과비율을 10%로 한다(단, 오이·토마토·풋고추·호박·상추의 경우는 제외).

ⓒ 피해율

> 피해율 = 피해비율 × 손해정도비율
>
> ※ 피해비율 = 피해면적(주수) ÷ 재배면적(주수)

▼ 손해정도에 따른 손해정도비율

손해정도	1%~20%	21%~40%	41%~60%	61%~80%	81%~100%
손해정도비율	20%	40%	60%	80%	100%

ⓓ 단, 위 ⓐ의 경우에도 불구하고 피해작물 재배면적에 피해작물 단위면적당 보장생산비를 곱한 값이 보험가입금액보다 큰 경우에는 위에서 계산된 생산비보장보험금을 아래와 같이 다시 계산하여 지급한다.

> 위 ⓐ에서 계산된 생산비보장보험금 × [보험가입금액 ÷ (피해작물 단위면적당 보장생산비 × 피해작물 재배면적)]

ⓒ 적용 품목 : 장미

　ⓐ 생산비보장보험금 : 보상하는 재해로 1사고마다 1동 단위로 생산비보장보험금이 10만원을 초과하는 경우에 그 전액을 보험가입금액 내에서 보상한다.

　　㉮ 보상하는 재해로 인하여 줄기, 잎, 꽃 등에 손해가 발생하였으나 나무는 죽지 않은 경우

$$생산비보장보험금 = 장미\ 재배면적 \times 장미\ 단위면적당\ 나무생존시\ 보장생산비 \times 피해율$$
$$※\ 피해율 = 피해비율 \times 손해정도비율$$

　　※ 피해비율 = 피해면적(주수) ÷ 재배면적(주수)
　　※ 손해정도에 따른 손해정도비율(아래)

손해정도	1%~20%	21%~40%	41%~60%	61%~80%	81%~100%
손해정도비율	20%	40%	60%	80%	100%

　　㉯ 보상하는 재해로 인하여 나무가 죽은 경우

$$생산비보장보험금 = 장미\ 재배면적 \times 장미\ 단위면적당\ 나무고사\ 보장생산비 \times 피해율$$
$$※\ 피해율 = 피해비율 \times 손해정도비율$$

　　※ 피해비율 = 피해면적(주수) ÷ 재배면적(주수)
　　※ 손해정도비율은 100로 함

　ⓑ 단, 위 ⓐ의 경우에도 불구하고 장미 재배면적에 장미 단위면적당 나무고사 보장생산비를 곱한 값이 보험가입금액보다 큰 경우에는 위에서 계산된 생산비보장보험금을 아래와 같이 다시 계산하여 지급한다.

$$위\ ⓐ에서\ 계산된\ 생산비보장보험금 \times [보험가입금액 ÷ (장미\ 단위면적당\ 나무고사\ 보장생산비 \times 장미\ 재배면적)]$$

ⓒ 적용 품목 : 부추

　ⓐ 생산비보장보험금 : 보상하는 재해로 1사고마다 1동 단위로 아래와 같이 계산한 생산비보장 보험금이 10만원을 초과하는 경우에 한하여 그 전액을 보험증권에 기재된 보험가입금액의 70% 내에서 보상한다.

$$부추\ 재배면적 \times 부추\ 단위면적당\ 보장생산비 \times 피해율 \times 70\%$$

ⓑ 피해율

> 피해율 = 피해비율 × 손해정도비율
>
> ※ 피해비율 = 피해면적(주수) ÷ 재배면적(주수)

▼ 손해정도에 따른 손해정도비율

손해정도	1%~20%	21%~40%	41%~60%	61%~80%	81%~100%
손해정도비율	20%	40%	60%	80%	100%

ⓒ 단, 위 ⓐ의 경우에도 불구하고 부추 재배면적에 부추 단위면적당 보장생산비를 곱한 값이 보험가입금액보다 큰 경우에는 위에서 계산된 생산비보장보험금을 아래와 같이 다시 계산하여 지급한다.

> 위 ⓐ에서 계산된 생산비보장보험금 × [보험가입금액 ÷ (부추 단위면적당 보장생산비 × 부추 재배면적)]

ⓔ 적용 품목 : 시금치·파(쪽파)·무·쑥갓
  ⓐ **생산비보장보험금** : 보상하는 재해로 1사고마다 1동 단위로 생산비보장보험금이 10만원을 초과하는 경우에 그 전액을 보험가입금액 내에서 보상한다.

> 피해작물 재배면적 × 단위면적당 보장생산비 × 경과비율 × 피해율

  ⓑ **경과비율**
    ㉮ 수확기 이전 사고
      • 경과비율 = α + [(1 − α) × (생장일수 ÷ 표준생장일수)]
      • 준비기생산비계수 = α(10%)
      • 생장일수 : 파종일로부터 사고발생일까지 경과일수
      • 표준생장일수 : 파종일로부터 수확개시일까지 표준적인 생장일수
      • 생장일수를 표준생장일수로 나눈 값은 1을 초과할 수 없다.
    ㉯ 수확기 중 사고
      • 경과비율 = 1 − (수확일수 ÷ 표준수확일수)
      • 수확일수 : 수확개시일부터 사고발생일까지 경과일수
      • 표준수확일수 : 수확개시일부터 수확종료일까지의 일수
      • 위 계산식에 따라 계산된 경과비율이 10% 미만인 경우 경과비율을 10%로 한다.

ⓒ 피해율

> 피해율 = 피해비율 × 손해정도비율
>
> ※ 피해비율 = 피해면적(주수) ÷ 재배면적(주수)

▼ 손해정도에 따른 손해정도비율

손해정도	1%~20%	21%~40%	41%~60%	61%~80%	81%~100%
손해정도비율	20%	40%	60%	80%	100%

ⓓ 단, 위 ⓐ의 경우에도 불구하고 피해작물 재배면적에 피해작물 단위면적당 보장생산비를 곱한 값이 보험가입금액보다 큰 경우에는 위에서 계산된 생산비보장보험금을 아래와 같이 다시 계산하여 지급한다.

> 위 ⓐ에서 계산된 생산비보장보험금 × [보험가입금액 ÷ (피해작물 단위면적당 보장생산비 × 피해작물 재배면적]

▼ 시설작물별 보장생산비(2022년 계약기준)

구분		보장생산비
수박		5,500원/㎡
딸기		17,300원/㎡
토마토		14,300원/㎡
오이		9,300원/㎡
참외		7,400원/㎡
풋고추		9,200원/㎡
호박		9,300원/㎡
국화	일반	13,600원/㎡
	재절화	10,300원/㎡
파프리카		28,400원/㎡
멜론		9,000원/㎡
장미	나무 생존시	6,500원/㎡
	나무 고사시	19,400원/㎡
상추		5,500원/㎡
시금치		1,800원/㎡
부추		5,900원/㎡
가지		14,900원/㎡

배추		3,100원/㎡
파	대파	2,500원/㎡
	쪽파	3,100원/㎡
무		3,200원/㎡
백합		11,100원/㎡
카네이션	일반	23,700원/㎡
	재절화	14,600원/㎡
미나리		6,900원/㎡
쑥갓		2,600원/㎡

▼ 시설작물별 표준생장일수 및 표준수확일수

품목		표준생장일수	표준수확일수
딸기		90일	182일
오이		45일(75일)	–
토마토		80일(120일)	–
참외		90일	224일
풋고추		55일	–
호박		40일	–
수박		100일	–
멜론		100일	–
파프리카		100일	223일
상추		30일	–
시금치		40일	30일
국화	스탠다드형	120일	–
	스프레이형	90일	–
가지		50일	262일
배추		70일	50일
파	대파	120일	64일
	쪽파	60일	19일
무	일반	80일	28일
	기타	50일	28일
백합		100일	23일
카네이션		150일	224일

| 미나리 | 130일 | 88일 |
| 쑥갓 | 50일 | 51일 |

※ 단, 괄호 안의 표준생장일수는 9월~11월에 정식하여 겨울을 나는 재배일정으로 3월 이후에 수확을 종료하는 경우에 적용한다.
※ 무 품목의 기타 품종은 알타리무, 열무 등 큰 무가 아닌 품종의 무이다.

ⓜ 적용 품목 : 표고버섯(원목재배)
ⓐ 생산비보장보험금 : 보상하는 재해로 1사고마다 생산비보장보험금이 10만원을 초과하는 경우에 그 전액을 보험가입금액 내에서 보상한다.

재배원목(본)수 × 원목(본)당 보장생산비 × 피해율

피해율 = 피해비율 × 손해정도비율
※ 피해비율 = 피해원목(본)수 ÷ 재배원목(본)수
※ 손해정도비율 = 원목(본)의 피해면적 ÷ 원목의 면적

▼ 표본원목수 표

피해 원목수	1,000본 이하	1,300본 이하	1,500본 이하	1,800본 이하	2,000본 이하	2,300본 이하	2,300본 초과
조사 표본수	10	14	16	18	20	24	26

ⓑ 단, 위 ⓐ의 경우에도 불구하고 재배원목(본)수에 원목(본)당 보장생산비를 곱한 값이 보험가입금액보다 큰 경우에는 위에서 계산된 생산비보장보험금을 아래와 같이 다시 계산하여 지급한다.

위 ⓐ에서 계산된 생산비보장보험금 × [보험가입금액 ÷ (원목(본)당 보장생산비 × 재배원목(본)수)]

ⓗ 적용 품목 : 표고버섯(톱밥배지재배)
ⓐ 생산비보장보험금 : 보상하는 재해로 1사고마다 생산비보장보험금이 10만원을 초과하는 경우에 그 전액을 보험가입금액 내에서 보상한다.

재배배지(봉)수 × 배지(봉)당 보장생산비 × 경과비율 × 피해율

ⓑ 경과비율
㉮ 수확기 이전 사고
• 경과비율 = α + [(1 − α) × (생장일수 ÷ 표준생장일수)]

- 준비기생산비계수 = α(79.8%)
- 생장일수 : 종균접종일로부터 사고발생일까지 경과일수
- 표준생장일수 : 종균접종일로부터 수확개시일까지 표준적인 생장일수
- 생장일수를 표준생장일수로 나눈 값은 1을 초과할 수 없다.

ⓘ 수확기 중 사고
- 경과비율 = 1 − (수확일수 ÷ 표준수확일수)
- 수확일수 : 수확개시일로부터 사고발생일까지 경과일수
- 표준수확일수 : 수확개시일부터 수확종료일까지의 일수

ⓒ 피해율

> 피해율 = 피해비율 × 손해정도비율
>
> ※ 피해비율 = 피해배지(봉)수 ÷ 재배배지(봉)수
>
> ※ 손해정도비율은 손해정도에 따라 50%, 100%에서 결정

ⓓ 단, 위 ⓐ의 경우에도 불구하고 재배면적에 단위면적당 보장생산비를 곱한 값이 보험가입금액보다 큰 경우에는 위에서 계산된 생산비보장보험금을 아래와 같이 다시 계산하여 지급한다.

> 위 ⓐ에서 계산된 생산비보장보험금 × [보험가입금액 ÷ (배지(봉)당 보장생산비 × 배지(봉)수)]

ⓢ 적용 품목 : 느타리버섯(균상재배)
ⓐ 생산비보장보험금 : 보상하는 재해로 1사고마다 생산비보장보험금이 10만원을 초과하는 경우에 그 전액을 보험가입금액 내에서 보상한다.

> 재배면적 × 단위면적당 보장생산비 × 경과비율 × 피해율

ⓑ 경과비율
ⓐ 수확기 이전 사고
- 경과비율 = α + [(1 − α) × (생장일수 ÷ 표준생장일수)]
- 준비기생산비계수 = α(72.3%)
- 생장일수 : 종균접종일로부터 사고발생일까지 경과일수
- 표준생장일수 : 종균접종일로부터 수확개시일까지 표준적인 생장일수
- 생장일수를 표준생장일수로 나눈 값은 1을 초과할 수 없다.

ⓘ 수확기 중 사고
- 경과비율 = 1 − (수확일수 ÷ 표준수확일수)
- 수확일수 : 수확개시일로부터 사고발생일까지 경과일수

• 표준수확일수 : 수확개시일부터 수확종료일까지의 일수

ⓒ 피해율

> 피해율 = 피해비율 × 손해정도비율
>
> ※ 피해비율 = 피해면적(m^2) ÷ 재배면적(균상면적, m^2)

▼ 손해정도에 따른 손해정도비율

손해정도	1%~20%	21%~40%	41%~60%	61%~80%	81%~100%
손해정도비율	20%	40%	60%	80%	100%

ⓓ 단, 위 ⓐ의 경우에도 불구하고 재배면적에 단위면적당 보장생산비를 곱한 값이 보험가입금액보다 큰 경우에는 위에서 계산된 생산비보장보험금을 아래와 같이 다시 계산하여 지급한다.

> 위 ⓐ에서 계산된 생산비보장보험금 × $\dfrac{보험가입금액}{단위면적당\ 보장생산비\ ×\ 재배면적}$

◎ 적용 품목 : 느타리버섯(병재배)

ⓐ 생산비보장보험금 = 재배병수 × 병당 보장생산비 × 경과비율 × 피해율

ⓑ 경과비율 = 일자와 관계없이 88.7%

ⓒ 피해율

> 피해율 = 피해비율 × 손해정도비율
>
> ※ 피해비율 = 피해병수 ÷ 재배병수

▼ 손해정도에 따른 손해정도비율

손해정도	1%~20%	21%~40%	41%~60%	61%~80%	81%~100%
손해정도비율	20%	40%	60%	80%	100%

ⓓ 단, 위 ⓐ의 경우에도 불구하고 재배병수에 병당 보장생산비를 곱한 값이 보험가입금액보다 큰 경우에는 위에서 계산된 생산비보장보험금을 아래와 같이 다시 계산하여 지급한다.

> 위 ⓐ에서 계산된 생산비보장보험금 × $\dfrac{보험가입금액}{병당\ 보장생산비\ ×\ 재배병수}$

ⓩ 적용 품목 : 새송이버섯(병재배)

ⓐ 생산비보장보험금 = 재배병수 × 병당 보장생산비 × 경과비율 × 피해율

ⓑ 경과비율 = 일자와 관계없이 91.3%

ⓒ 피해율

$$피해율 = 피해비율 \times 손해정도비율$$
$$※ 피해비율 = 피해병수 \div 재배병수$$

▼ 손해정도에 따른 손해정도비율

손해정도	1%~20%	21%~40%	41%~60%	61%~80%	81%~100%
손해정도비율	20%	40%	60%	80%	100%

ⓓ 단, 위 ⓐ의 경우에도 불구하고 재배병수에 병당 보장생산비를 곱한 값이 보험 가입금액보다 큰 경우에는 위에서 계산된 생산비보장보험금을 아래와 같이 다시 계산하여 지급한다.

$$위 \text{ⓐ}에서 계산된 생산비보장보험금 \times \frac{보험가입금액}{병당 \ 보장생산비 \times 재배병수}$$

㉛ 적용 품목 : 양송이버섯(균상재배)

ⓐ 생산비보장보험금 : 보상하는 재해로 1사고마다 생산비보장보험금이 10만원을 초과하는 경우에 그 전액을 보험가입금액 내에서 보상한다.

$$재배면적 \times 단위면적당 보장생산비 \times 경과비율 \times 피해율$$

ⓑ 경과비율

㉮ 수확기 이전 사고
- 경과비율 = α + [(1 − α) × (생장일수 ÷ 표준생장일수)]
- 준비기생산비계수 = α(81.7%)
- 생장일수 : 종균접종일로부터 사고발생일까지 경과일수
- 표준생장일수 : 종균접종일로부터 수확개시일까지 표준적인 생장일수
- 생장일수를 표준생장일수로 나눈 값은 1을 초과할 수 없다.

㉯ 수확기 중 사고
- 경과비율 = 1 − (수확일수 ÷ 표준수확일수)
- 수확일수 : 수확개시일로부터 사고발생일까지 경과일수
- 표준수확일수 : 수확개시일부터 수확종료일까지의 일수

ⓒ 피해율

$$피해율 = 피해비율 \times 손해정도비율$$
$$※ 피해비율 = 피해면적(\text{m}^2) \div 재배면적(\text{m}^2)$$

▼ 손해정도에 따른 손해정도비율

손해정도	1%~20%	21%~40%	41%~60%	61%~80%	81%~100%
손해정도비율	20%	40%	60%	80%	100%

ⓓ 단, 위 ⓐ의 경우에도 불구하고 재배면적에 단위면적당 보장생산비를 곱한 값이 보험가입금액보다 큰 경우에는 위에서 계산된 생산비보장보험금을 아래와 같이 다시 계산하여 지급한다.

$$위\ ⓐ에서\ 계산된\ 생산비보장보험금 \times \frac{보험가입금액}{단위면적당\ 보장생산비 \times 재배면적}$$

▼ 버섯작물별 표준생장일수

품목	품종	표준생장일수
표고버섯(톱밥배지재배)	전체	90일
느타리버섯(균상재배)	전체	28일
양송이버섯(균상재배)	전체	30일

▼ 버섯작물별 보장생산비 및 준비기생산비계수

품목		보장생산비	준비기 생산비계수	비고
표고버섯 (원목재배)	1년차	8,300원/본	88.3%	본 기준
	2년차	6,400원/본		
	3년차	3,200원/본		
	4년차	700원/본		
표고버섯 (톱밥배지재배)		2,400원/봉	79.8%	봉 기준
느타리버섯 (균상재배)		16,900/㎡	72.3%	㎡ 기준
느타리버섯 (병재배)		480/병	77.5%	병 기준
새송이버섯 (병재배)		460/병	82.7%	
양송이버섯 (균상재배)		20,500/㎡	81.7%	㎡ 기준

CHAPTER 06

농업수입보장방식의 손해평가 및 보험금 산정

농업수입보장보험이란 기존 농작물재해보험에 농산물 가격하락을 반영한 농업수입감소를 보장하는 보험이다. 농업수입감소보험금의 산출시가격은 기준가격과 수확기가격 중 낮은 가격을 적용한다. 즉, 수확기가격이 상승한 경우 보험금 지급에 적용되는 가격은 가입할 때 결정된 기준가격이다. 따라서, 실제수입을 산정할 때 실제수확량이 평년수확량보다 적은 상황이 발생한다면 수확기가격이 기준가격을 초과하더라도 수확량감소에 의한 손해는 농업수입감소보험금으로 지급된다. 결과적으로 농업수입보장보험은 수확량감소에 따른 계약자의 손해에 농산물 가격하락에 의한 손해까지 더하여 보상한다.

1. 과수(포도, 비가림시설)

(1) 시기별 조사종류

[종합위험방식과 동일] 피해사실 확인조사, 착과수조사, 과중조사, 착과피해조사, 낙과피해조사, 고사나무조사, 비가림시설 피해조사

(2) 손해평가 현지조사 방법

1) 피해사실 확인조사

① 조사 대상 : 대상 재해로 사고 접수 농지 및 조사 필요 농지
② 대상 재해 : 자연재해, 조수해(鳥獸害), 화재, 가격하락
③ 조사 시기 : 사고 접수 직후 실시
④ 조사 방법 : 다음에 해당하는 사항을 확인한다.

㉠ 보상하는 재해로 인한 피해 여부 확인

기상청 자료 확인 및 현지 방문 등을 통하여 보상하는 재해로 인한 피해가 맞는지 확인하며, 필요시에는 이에 대한 근거로 다음의 자료를 확보한다.

ⓐ 기상청 자료, 농업기술센터 등 농업 전문기관 의견서 및 손해평가인 소견서 등 재해 입증 자료

ⓑ 피해농지 사진 : 농지의 전반적인 피해 상황 및 세부 피해 내용이 확인 가능하도록 촬영

ⓒ 단, 태풍 등과 같이 재해 내용이 명확하거나 사고 접수 후 바로 추가조사가 필요한 경우 등에는 피해사실 확인조사를 생략할 수 있다.

ⓛ 수확량조사 필요 여부 판단

보상하는 재해 여부 및 피해 정도 등을 감안하여 추가조사(수확량조사)가 필요한 지를 판단하여 해당 내용에 대하여 계약자에게 안내하고, 추가조사(수확량조사)가 필요할 것으로 판단된 경우에는 수확기에 손해평가반구성 및 추가조사 일정을 수립한다.

2) 수확량조사

포도 품목에만 해당하는 수확량조사로, 다음의 조사 종류별 방법에 따라 실시한다. 또한, 수확량조사 시 따거나 수확한 과실은 계약자의 비용 부담으로 한다.

① 착과수조사

ⓖ 조사 대상 : 사고 여부와 관계없이 보험에 가입한 농지

ⓛ 대상 재해 : 해당 없음

ⓒ 조사 시기 : 최초 수확 품종 수확기 직전

ⓔ 조사 방법

ⓐ 나무수조사

농지내 품종별·수령별 실제결과주수, 미보상주수 및 고사나무주수를 파악한다.

ⓑ 조사대상주수 계산

품종별·수령별 실제결과주수에서 미보상주수 및 고사나무주수를 빼서 조사대상주수를 계산한다.

ⓒ 표본주수 산정

㉮ 과수원별 전체 조사대상주수를 기준으로 품목별 표본주수표〈별표 1〉에 따라 농지별 전체 표본주수를 산정한다.

㉯ 적정표본주수는 품종별·수령별 조사대상주수에 비례하여 산정하며, 품종별·수령별 적정표본주수의 합은 전체 표본주수보다 크거나 같아야 한다.

ⓓ 표본주 선정

㉮ 조사대상주수를 농지별 표본주수로 나눈 표본주 간격에 따라 표본주 선정 후 해당 표본주에 표시리본을 부착한다.

㉯ 동일품종·동일재배방식·동일수령의 농지가 아닌 경우에는 품종별·재배방식별·수령별 조사대상주수의 특성이 골고루 반영될 수 있도록 표본주를 선정한다.

ⓔ 착과된 전체 과실수 조사

선정된 표본주별로 착과된 전체 과실수를 조사하되, 품종별 수확 시기 차이에 따른 자연낙과를 감안한다.

ⓕ 품목별 미보상비율 적용표〈별표 2〉에 따라 미보상비율을 조사한다.

② 과중조사

㉠ 조사 대상 : 사고 접수가 된 농지(단, 수입보장포도는 가입된 모든 농지 실시)

㉡ 조사 시기 : 품종별 수확시기에 각각 실시

㉢ 조사 방법

ⓐ 표본과실 추출

㉮ 품종별로 착과가 평균적인 3주 이상의 나무에서 크기가 평균적인 과실을 20개 이상 추출한다.

㉯ 표본과실수는 농지당 60개(포도는 30개) 이상이어야 한다.

ⓑ 품종별 과실 개수와 무게 조사

추출한 표본과실을 품종별로 구분하여 개수와 무게를 조사한다.

ⓒ 미보상비율 조사

품목별 미보상비율 적용표〈별표 2〉에 따라 미보상비율을 조사하며, 품종별로 미보상비율이 다를 경우에는 품종별 미보상비율 중 가장 높은 미보상비율을 적용한다. 다만, 재조사 또는 검증조사로 미보상비율이 변경된 경우에는 재조사 또는 검증조사의 미보상비율을 적용한다.

ⓓ 위 사항에도 불구하고 현장에서 과중조사를 실시하기가 어려운 경우, 품종별 평균과중을 적용(자두 제외)하거나 증빙자료가 있는 경우에 한하여 농협의 품종별 출하 자료로 과중조사를 대체할 수 있다(수확 전 대상 재해 발생 시 계약자는 수확 개시 최소 10일 전에 보험 가입 대리점으로 수확 예정일을 통보하고 최초 수확 1일 전에는 조사를 실시한다).

③ 착과피해조사

㉠ 착과피해조사는 착과피해를 유발하는 재해가 있을 경우에만 시행하며, 해당 재해 여부는 재해의 종류와 과실의 상태 등을 고려하여 조사자가 판단한다.

㉡ 착과된 과실에 대한 피해 정도를 조사하는 것으로 해당 피해에 대한 확인이 가능한 시기에 실시하며, 필요시 품종별로 각각 실시할 수 있다.

㉢ 조사 방법

ⓐ 착과수조사

착과피해조사에서는 가장 먼저 착과수를 확인하여야 하며, 이때 확인할 착과수는 수확 전 착과수조사와는 별개의 조사를 의미한다. 다만, 이전 실시한 착과수조사(이전 착과피해조사 시 실시한 착과수조사 포함)의 착과수와 착과피해조사 시점의 착과수가 큰 차이가 없는 경우에는 별도의 착과수 확인 없이 이전에 실시한 착과수조사 값으로 대체할 수 있다.

㉮ **나무수조사** : 농지내 품종별·수령별 실제결과주수, 수확완료주수, 미보상주수 및 고사나무주수를 파악한다.

㉯ **조사대상주수 계산** : 실제결과주수에서 수확완료주수, 미보상주수 및 고사나무주수를 뺀 조사대상주수를 계산한다.

㉰ **적정표본주수 산정** : 조사대상주수를 기준으로 적정표본주수를 산정한다.

㉱ 이후 조사 방법은 이전 착과수조사 방법과 같다.

ⓑ **품종별 표본과실 선정 및 피해구성조사**

㉮ **표본과실 추출** : 착과수 확인이 끝나면 수확이 완료되지 않은 품종별로 표본과실을 추출한다. 이때 추출하는 표본과실수는 품종별 20개 이상(포도 농지당 30개 이상)으로 하며 표본과실을 추출할 때에는 품종별 3주 이상의 표본주에서 추출한다.

㉯ **피해구성조사** : 추출한 표본과실을 "과실 분류에 따른 피해인정계수표"〈별표 3〉에 따라 품종별로 구분하여 해당 과실 개수를 조사한다.

ⓒ 조사 당시 수확이 완료된 품종이 있거나 피해가 경미하여 피해구성조사가 의미가 없을 때에는 품종별로 피해구성조사를 생략할 수 있다.

④ **낙과피해조사**

㉠ 낙과피해조사는 착과수조사 이후 낙과피해가 발생한 농지에 대하여 실시한다.

㉡ **조사 방법**

ⓐ **보상하는 재해 여부 심사**

농지 및 작물 상태 등을 감안하여 보상하는 재해로 인한 피해가 맞는지 확인하며, 필요시에는 이에 대한 근거자료(피해사실 확인조사 참조)를 확보한다.

ⓑ **표본조사**

낙과피해조사는 표본조사로 실시한다(단, 계약자 등이 낙과된 과실을 한 곳에 모아 둔 경우 등 표본조사가 불가능한 경우에 한하여 전수조사 실시).

㉮ **나무수조사** : 농지내 품종별·수령별 실제결과주수, 수확완료주수, 미보상주수 및 고사나무주수를 파악한다.

㉯ **조사대상주수 계산** : 실제결과주수에서 수확완료주수, 미보상주수 및 고사나무주수를 뺀 조사대상주수를 계산한다.

㉰ **적정표본주수 산정** : 조사대상주수를 기준으로 농지별 전체 적정표본주수를 산정하되(거대재해 발생 시 표본조사의 표본주수는 『품목별 표본주수표』〈별표 1〉의 1/2 이하로 할 수 있음), 품종별·수령별 표본주수는 품종별·수령별 조사대상주수에 비례하여 산정한다. 선정된 품종별·수령별 표본주수를 바탕으로 품종별·수령별 조사대상주수의 특성이 골고루 반영될 수 있도록 표본주를 선정하고, 표본주별로 수관면적 내에 있는 낙과수를 조사한

다(이때 표본주의 수관면적 내의 낙과는 표본주와 품종이 다르더라도 해당 표본주의 낙과로 봄).

ⓒ 전수조사

낙과수 전수조사 시에는 농지 내 전체 낙과를 품종별로 구분하여 조사한다. 단, 전체 낙과에 대하여 품종별 구분이 어려운 경우에는 전체 낙과수를 세고 전체 낙과수 중 100개 이상의 표본을 추출하여 해당 표본의 품종을 구분하는 방법을 사용한다.

ⓓ 품종별 표본과실 선정 및 피해구성조사

낙과수 확인이 끝나면 낙과 중 품종별로 표본과실을 추출한다. 이때 추출하는 표본과실수는 품종별 20개 이상(포도는 농지당 30개 이상)으로 하며, 추출한 표본과실을 "과실 분류에 따른 피해 인정계수표"〈별표 3〉에 따라 품종별로 구분하여 해당 과실 개수를 조사한다(다만, 전체 낙과수가 30개 미만일 경우 등에는 해당 기준 미만으로도 조사 가능).

ⓔ 조사 당시 수확기에 해당하지 않는 품종이 있거나 낙과의 피해 정도가 심해 피해구성조사가 의미가 없는 경우 등에는 품종별로 피해구성조사를 생략할 수 있다.

3) 고사나무조사

① 나무손해보장 특약 가입 여부 및 사고 접수 여부 확인

해당 특약을 가입한 농지 중 사고가 접수된 모든 농지에 대해서 고사나무조사를 실시한다.

② 조사 시기의 결정

고사나무조사는 수확완료 시점 이후에 실시하되, 나무손해보장 특약 종료 시점을 고려하여 결정한다.

③ 보상하는 재해 여부 심사

농지 및 작물 상태 등을 감안하여 보상하는 재해로 인한 피해가 맞는지 확인하며, 필요시에는 이에 대한 근거 자료(피해사실 확인조사 참조)를 확보할 수 있다.

④ 나무수조사

품종별·수령별로 실제결과주수, 수확완료 전 고사주수, 수확완료 후 고사주수 및 미보상 고사주수를 조사한다.

㉠ 수확완료 전 고사주수

고사나무조사 이전 조사(착과수조사, 착과피해조사, 낙과피해조사 및 수확개시 전·후 수확량조사)에서 보상하는 재해로 고사한 것으로 확인된 주수를 말한다.

㉡ 수확완료 후 고사주수

보상하는 재해로 고사한 나무 중 고사나무조사 이전 조사에서 확인되지 않은 나무 주수를 말한다.

ⓒ 미보상 고사주수

보상하는 재해 이외의 원인으로 고사한 나무주수를 의미하며 고사나무조사 이전 조사(착과수조사, 착과피해조사 및 낙과피해조사)에서 보상하는 재해 이외의 원인으로 고사하여 미보상주수로 조사된 주수를 포함한다.

⑤ 수확완료 후 고사주수가 없는 경우(계약자 유선 확인 등)에는 고사나무조사를 생략할 수 있다.

4) 비가림시설 피해조사

① **조사 기준** : 해당 목적물인 비가림시설의 구조체와 피복재의 재조달가액을 기준금액으로 수리비를 산출한다.

② **평가 단위** : 물리적으로 분리 가능한 시설 1동을 기준으로 보험목적물별로 평가한다.

③ **조사 방법**

㉠ **피복재** : 피복재의 피해면적을 조사한다.

㉡ **구조체**

ⓐ 손상된 골조를 재사용할 수 없는 경우 : 교체 수량 확인 후 교체 비용 산정

ⓑ 손상된 골조를 재사용할 수 있는 경우 : 보수 면적 확인 후 보수 비용 산정

(3) 보험금 산정 방법 및 지급기준

1) 농업수입감소보험금 산정

① 보험기간 내에 보상하는 재해로 피해율이 자기부담비율을 초과하는 경우 아래와 같이 계산한 농업수입감소보험금을 지급한다.

> 농업수입감소보험금 = 보험가입금액 × (피해율 − 자기부담비율)
> ※ 피해율 = (기준수입 − 실제수입) ÷ 기준수입

② 기준수입은 평년수확량에 농지별 기준가격을 곱하여 산출한다.

③ 실제수입은 수확기에 조사한 수확량(다만, 수확량조사를 하지 아니한 경우에는 평년수확량)에 미보상감수량을 더한 값에 농지별 기준가격[2]과 농지별 수확기가격[3] 중 작은 값을 곱하여 산출한다.

④ 계약자 또는 피보험자의 고의 또는 중대한 과실로 수확량조사를 하지 못하여 수확량을 확인할 수 없는 경우에는 농업수입감소보험금을 지급하지 않는다.

⑤ 자기부담비율은 보험을 가입할 때 계약자가 선택한 비율로 한다.

⑥ 포도의 경우 착색 불량된 송이는 상품성 저하로 인한 손해로 보아 감수량에 포함되지 않는다.

---

2) 기준가격 산정방법은 1권 〈농작물재해보험 및 가축재해보험의 이론과 실무〉의 농업수입감소보험 부분 참고
3) 수확기가격 산정방법은 1권 〈농작물재해보험 및 가축재해보험의 이론과 실무〉의 농업수입감소보험 부분 참고

2) 수확량감소 추가보장 특약의 보험금

보상하는 재해로 피해율이 자기부담비율을 초과하는 경우 적용한다.

> 보험금 = 보험가입금액 × (피해율 × 10%)
>
> ※ 피해율 = (평년수확량 − 수확량 − 미보상감수량) ÷ 평년수확량

3) 나무손해보장특약의 보험금

① > 보험금 = 보험가입금액 × (피해율 − 자기부담비율)
>
> ※ 피해율 = 피해주수(고사된 나무) ÷ 실제결과주수

② 피해주수는 수확 전 고사주수와 수확완료 후 고사주수를 더하여 산정하며, 미보상 고사주수는 피해주수에서 제외한다.

③ 대상 품목 및 자기부담비율은 약관에 따른다.

4) 비가림시설 보험금 산정

① 손해액이 자기부담금을 초과하는 경우 아래와 같이 계산한 보험금을 지급한다.

  ㉠ 재해보험사업자가 보상할 손해액은 그 손해가 생긴 때와 곳에서의 가액에 따라 계산한다.

  ㉡ 재해보험사업자는 1사고마다 재조달가액(보험의 목적과 동형·동질의 신품을 조달하는 데 소요되는 금액을 말한다. 이하 같음)을 기준으로 계산한 손해액에서 자기부담금을 차감한 금액을 보험가입금액 내에서 보상한다.

> 지급보험금 = MIN(손해액 − 자기부담금, 보험가입금액)

② 동일한 계약의 목적과 동일한 사고에 관하여 보험금을 지급하는 다른 계약(공제계약을 포함)이 있고 이들의 보험가입금액의 합계액이 보험가액보다 클 경우에는 아래에 따라 지급보험금을 계산한다. 이 경우 보험자 1인에 대한 보험금 청구를 포기한 경우에도 다른 보험자의 지급보험금 결정에는 영향을 미치지 않는다.

  ㉠ 다른 계약이 이 계약과 지급보험금의 계산 방법이 같은 경우

$$\text{보험금} = \text{손해액} \times \frac{\text{이 계약의 보험가입금}}{\text{다른 계약이 없는 것으로 하여 각각 계산한 보험가입금의 합계액}}$$

  ㉡ 다른 계약이 이 계약과 지급보험금의 계산 방법이 다른 경우

$$\text{보험금} = \text{손해액} \times \frac{\text{이 계약의 보험금}}{\text{다른 계약이 없는 것으로 하여 각각 계산한 보험금의 합계액}}$$

ⓒ 이 보험계약이 타인을 위한 보험계약이면서 보험계약자가 다른 계약으로 인하여 상법 제682조에 따른 대위권 행사의 대상이 된 경우에는 실제 그 다른 계약이 존재함에도 불구하고 그 다른 계약이 없다는 가정하에 계산한 보험금을 그 다른 보험계약에 우선하여 이 보험계약에서 지급한다.

ⓓ 이 보험계약을 체결한 재해보험사업자가 타인을 위한 보험에 해당하는 다른 계약의 보험계약자에게 상법 제682조에 따른 대위권을 행사할 수 있는 경우에는 이 보험계약이 없다는 가정하에 다른 계약에서 지급받을 수 있는 보험금을 초과한 손해액을 이 보험계약에서 보상한다.

③ 하나의 보험가입금액으로 둘 이상의 보험의 목적을 계약한 경우에는 전체가액에 대한 각 가액의 비율로 보험가입금액을 비례배분하여 ① 또는 ②에 따라 지급보험금을 계산한다.

④ 재해보험사업자는 보험의 목적이 손해를 입은 장소에서 실제로 수리 또는 복구되지 않은 때에는 재조달가액에 의한 보상을 하지 않고 시가(감가상각된 금액)로 보상한다.

⑤ 계약자 또는 피보험자는 손해 발생 후 늦어도 180일 이내에 수리 또는 복구 의사를 재해보험사업자에 서면으로 통지해야 한다.

⑥ 자기부담금은 다음과 같이 산정한다.

ⓐ 재해보험사업자는 최소자기부담금(30만원)과 최대자기부담금(100만원)을 한도로 보험사고로 인하여 발생한 손해액의 10%에 해당하는 금액을 자기부담금으로 한다. 다만, 피복재 단독사고는 최소자기부담금(10만원)과 최대자기부담금(30만원)을 한도로 한다.

ⓑ ⓐ의 자기부담금은 단지 단위, 1사고 단위로 적용한다.

⑦ 보험금 등의 지급한도는 다음과 같다.

ⓐ 보상하는 손해로 지급할 보험금과 잔존물 제거비용은 상기 ①~⑤의 방법을 적용하여 계산하고, 그 합계액은 보험증권에 기재된 보험가입금액을 한도로 한다. 단, 잔존물 제거비용은 손해액의 10%를 초과할 수 없다.

ⓑ 비용손해 중 손해방지비용, 대위권 보전비용, 잔존물 보전비용(단, 재해보험업자가 잔존물을 취득할 의사표시를 하고 잔존물을 취득한 경우에 한하여 지급)은 상기 ①~⑥의 방법을 적용하여 계산한 금액이 보험가입금액을 초과하는 경우에도 지급한다.

ⓒ 비용손해 중 기타 협력비용은 보험가입금액을 초과한 경우에도 전액 지급한다.

2. 밭작물 - 마늘, 양파, 양배추, 감자(가을재배), 고구마, 콩

(1) 시기별 조사 종류

[종합위험방식과 동일] 피해사실 확인조사, 경작불능조사, 수확량조사, 재파종조사(마늘만 해당), 재정식조사(양배추만 해당)

(2) 손해평가 현지조사 방법

1) 피해사실 확인조사

① 조사 대상 : 대상 재해로 사고 접수 농지 및 조사 필요 농지

② 대상 재해 : 자연재해, 조수해(鳥獸害), 화재, 병해충(감자 품목만 해당)

③ 조사 시기 : 사고 접수 직후 실시

④ 피해사실 확인 방법 : 다음에 해당하는 사항을 확인한다.

㉠ 보상하는 재해로 인한 피해 여부 확인

기상청 자료 확인 및 현지 방문 등을 통하여 보상하는 재해로 인한 피해가 맞는지 확인하며, 필요시에는 이에 대한 근거로 다음의 자료를 확보한다.

ⓐ 기상청 자료, 농업기술센터 의견서 및 손해평가인 소견서 등 재해 입증 자료

ⓑ 피해농지 사진 : 농지의 전반적인 피해 상황 및 세부 피해 내용이 확인 가능하도록 촬영

㉡ 추가조사 필요 여부 판단

보상하는 재해 여부 및 피해 정도 등을 감안하여 추가조사(재정식조사, 재파종조사, 경작불능조사 및 수확량조사)가 필요한지 여부를 판단하여 해당 내용에 대하여 계약자에게 안내하고, 추가조사가 필요할 것으로 판단된 경우에는 손해평가반 구성 및 추가조사 일정을 수립한다.

㉢ 단, 태풍 등과 같이 재해 내용이 명확하거나 사고 접수 후 바로 추가조사가 필요한 경우 등에는 피해사실 확인조사를 생략할 수 있다.

2) 재파종조사(마늘)

① 적용 품목 : 마늘

② 조사 대상 : 피해사실 확인조사 시 재파종조사가 필요하다고 판단된 농지

③ 조사 시기 : 피해사실 확인조사 직후 또는 사고 접수 직후

④ 조사 방법 : 다음에 해당하는 사항을 확인한다.

㉠ 보상하는 재해 여부 심사

농지 및 작물 상태 등을 감안하여 보상하는 재해로 인한 피해가 맞는지 확인하며, 필요시에는 이에 대한 근거자료(피해사실 확인조사 참조)를 확보한다.

㉡ 실제 경작면적 확인

GPS 면적측정기 또는 지형도 등을 이용하여 보험가입면적과 실제 경작면적을 비

교한다. 이때 실제 경작면적이 보험가입면적 대비 10% 이상 차이가 날 경우에는 계약 사항을 변경해야 한다.

ⓒ 재파종 보험금 지급 대상 여부 조사[재파종 전(前) 조사]

   ⓐ 표본구간수 산정

   조사대상 면적 규모에 따라 적정 표본구간수〈별표 1〉 이상의 표본구간수를 산정한다. 다만 가입면적과 실제 경작면적이 10% 이상 차이가 날 경우(계약 변경 대상 건)에는 실제 경작면적을 기준으로 표본구간수를 산정한다.

> 조사대상 면적 = 실경작면적 − 고사면적 − 타작물 및 미보상면적 − 기수확면적

   ⓑ 표본구간 선정

   선정한 표본구간수를 바탕으로 재배 방법 및 품종 등을 감안하여 조사대상 면적에 동일한 간격으로 골고루 배치될 수 있도록 표본구간을 선정한다. 다만, 선정한 지점이 표본으로 부적합한 경우(해당 지점 마늘의 출현율이 현저히 높거나 낮아서 표본으로 대표성을 가지기 어려운 경우 등)에는 가까운 위치의 다른 지점을 표본구간으로 선정한다.

   ⓒ 표본구간 길이 및 출현주수 조사

   선정된 표본구간별로 이랑 길이 방향으로 식물체 8주 이상(또는 1m)에 해당하는 이랑 길이, 이랑 폭(고랑 포함) 및 출현주수를 조사한다.

ⓔ 재파종 이행완료 여부 조사[재파종 후(後) 조사]

   ⓐ 조사대상 농지 및 조사 시기 확인

   재파종 보험금 대상 여부 조사(1차 조사) 시 재파종 보험금 대상으로 확인된 농지에 대하여, 재파종이 완료된 이후 조사를 진행한다.

   ⓑ 표본구간 선정

   재파종 보험금 대상 여부 조사(재파종 전 조사)에서와 같은 방법으로 표본구간을 선정한다.

   ⓒ 표본구간 길이 및 파종주수 조사

   선정된 표본구간별로 이랑 길이, 이랑 폭 및 파종주수를 조사한다.

3) 재정식조사(양배추)

① 적용 품목 : 양배추

② 조사 대상 : 피해사실 확인조사 시 재정식조사가 필요하다고 판단된 농지

③ 조사 시기 : 피해사실 확인조사 직후 또는 사고 접수 직후

④ 조사 방법 : 다음에 해당하는 사항을 확인한다.

      ㄱ 보상하는 재해 여부 심사

          농지 및 작물 상태 등을 감안하여 보상하는 재해로 인한 피해가 맞는지 확인하며, 필요시에는 이에 대한 근거자료(피해사실 확인조사 참조)를 확보할 수 있다.

      ㄴ 실제 경작면적 확인

          GPS 면적측정기 또는 지형도 등을 이용하여 보험가입면적과 실제 경작면적을 비교한다. 이때 실제 경작면적이 보험가입면적 대비 10% 이상 차이가 날 경우에는 계약 사항을 변경해야 한다.

      ㄷ 재정식 보험금 지급 대상 여부 조사[재정식 전(前) 조사]

          ⓐ 피해면적 확인 : GPS 면적측정기 또는 지형도 등을 이용하여 실제 경작면적 대비 피해면적을 비교 및 조사

          ⓑ 피해면적의 판정 기준 : 작물이 고사되거나 살아 있으나 수확이 불가능할 것으로 판단된 면적

      ㄹ 재정식 이행완료 여부 조사[재정식 후(後)조사]

          재정식 보험금 지급 대상 여부 조사[전(前)조사] 시 재정식 보험금 지급 대상으로 확인된 농지에 대하여, 재정식이 완료되었는지를 조사한다. 피해면적 중 일부에 대해서만 재정식이 이루어진 경우에는, 재정식이 이루어지지 않은 면적은 피해면적에서 제외한다.

      ㅁ 농지별 상황에 따라 재정식 전 조사를 생략하고 재정식 후(後) 조사 시 면적조사(실제 경작면적 및 피해면적)를 실시할 수 있다.

4) 경작불능조사

  ① 적용 품목 : 콩, 양배추, 양파, 감자(가을재배), 마늘, 고구마

  ② 조사 대상 : 피해사실 확인조사 시 경작불능조사가 필요하다고 판단된 농지 또는 사고 접수 시 이에 준하는 피해가 예상되는 농지

  ③ 조사 시기 : 피해사실 확인조사 직후 또는 사고 접수 직후

  ④ 경작불능보험금 지급 대상 여부 조사[경작불능 전(前) 조사] : 다음에 해당하는 사항을 확인한다.

      ㄱ 보상하는 재해 여부 심사

          농지 및 작물 상태 등을 감안하여 보상하는 재해로 인한 피해가 맞는지 확인하며, 필요시에는 이에 대한 근거자료(피해사실 확인조사 참조)를 확보한다.

      ㄴ 실제 경작면적 확인

          GPS 면적측정기 또는 지형도 등을 이용하여 보험가입면적과 실제 경작면적을 비교한다. 이때 실제 경작면적이 보험가입면적 대비 10% 이상 차이가 날 경우에는 계약 사항을 변경해야 한다.

ⓒ 식물체피해율 조사

목측 조사를 통해 조사대상 농지에서 보상하는 재해로 인한 식물체피해율[고사식물체(수 또는 면적)를 보험 가입식물체(수 또는 면적)로 나눈 값을 의미하며, 고사식물체 판정의 기준은 해당 식물체의 수확 가능 여부임]이 65% 이상 여부를 조사한다.

ⓔ 계약자의 경작불능보험금 신청 여부 확인

식물체피해율이 65% 이상인 경우 계약자에게 경작불능보험금 신청 여부를 확인한다.

ⓜ 수확량조사대상 확인

식물체피해율이 65% 미만이거나, 식물체피해율이 65% 이상이 되어도 계약자가 경작불능보험금을 신청하지 않은 경우에는 향후 수확량조사가 필요한 농지로 결정한다(콩 제외).

ⓗ 산지폐기 여부 확인[경작불능 후(後) 조사]

마늘, 양파, 양배추, 감자(봄재배, 가을재배, 고랭지재배), 고구마, 옥수수, 사료용 옥수수, 콩, 팥 품목에 대하여 경작불능 전(前) 조사에서 보상하는 재해로 식물체피해율이 65% 이상인 농지에 대하여, 산지폐기 등으로 작물이 시장으로 유통되지 않은 것을 확인한다.

5) 수확량조사

① 적용 품목 : 콩, 양배추, 양파, 감자(가을재배), 마늘, 고구마

② 조사 대상

ⓐ 피해사실 확인조사 시 수확량조사가 필요하다고 판단된 농지 또는 경작불능조사 결과 수확량조사를 실시하는 것으로 결정된 농지

ⓑ 수확량조사 전 계약자가 피해 미미(자기부담비율 이내의 사고) 등의 사유로 수확량조사 실시를 취소한 농지는 수확량조사를 실시하지 않는다.

③ 손해조사 방법 : 다음에 해당하는 사항을 확인한다.

ⓐ 보상하는 재해 여부 심사

농지 및 작물 상태 등을 감안하여 보상하는 재해로 인한 피해가 맞는지 확인하며, 필요시에는 이에 대한 근거자료(피해사실 확인조사 참조)를 확보할 수 있다.

ⓑ 수확량조사 적기 판단 및 시기 결정

해당 작물의 특성에 맞게 아래 표에서 수확량조사 적기 여부를 확인하고 이에 따른 조사 시기를 결정한다.

▼ 품목별 수확량조사 적기

품목	수확량조사 적기
콩	콩잎이 누렇게 변하여 떨어지고 꼬투리의 80~90% 이상이 고유한 성숙(황색) 색깔로 변하는 시기인 생리적 성숙기로부터 7~14일이 지난 시기
양배추	결구 형성이 완료된 때
양파	양파의 비대가 종료된 시점(식물체의 도복이 완료된 때)
감자 (가을재배)	감자의 비대가 종료된 시점(파종일로부터 제주지역은 110일 이후, 이외 지역은 95일 이후)
마늘	마늘의 비대가 종료된 시점(잎과 줄기가 1/2~2/3 황변하여 말랐을 때와 해당 지역의 통상 수확기가 도래하였을 때)
고구마	고구마의 비대가 종료된 시점(삽식일로부터 120일 이후에 농지별로 적용)

ⓒ 면적 확인

ⓐ 실제 경작면적 확인

GPS 면적측정기 또는 지형도 등을 이용하여 보험가입면적과 실제 경작면적을 비교한다. 이때 실제 경작면적이 보험가입면적 대비 10% 이상 차이가 날 경우에는 계약 사항을 변경해야 한다.

ⓑ 수확불능(고사)면적 확인

보상하는 재해로 인하여 해당 작물이 수확될 수 없는 면적을 확인한다.

ⓒ 타작물 및 미보상면적 확인

해당 작물 외의 작물이 식재되어 있거나 보상하는 재해 이외의 사유로 수확이 감소한 면적을 확인한다.

ⓓ 기수확면적 확인

조사 전에 수확이 완료된 면적을 확인한다.

ⓔ 조사대상 면적 확인

실제 경작면적에서 고사면적, 타작물 및 미보상면적, 기수확면적을 제외하여 조사대상 면적을 확인한다.

ⓔ 조사 방법 결정

품목 및 재배 방법 등을 참고하여 다음의 적절한 조사 방법을 선택한다.

ⓐ 표본조사 방법

㉮ 적용 품목 : 콩, 양배추, 양파, 감자(가을재배), 마늘, 고구마

㉯ 표본구간수 산정

조사대상 면적 규모에 따라 적정 표본구간수 이상의 표본구간수를 산정한다. 다만, 가입면적과 실제 경작면적이 10% 이상 차이가 날 경우(계약 변경 대상)에는 실제 경작면적을 기준으로 표본구간수를 산정한다.

ⓓ 표본구간 선정

선정한 표본구간수를 바탕으로 재배 방법 및 품종 등을 감안하여 조사대상 면적에 동일한 간격으로 골고루 배치될 수 있도록 표본구간을 선정한다. 다만, 선정한 구간이 표본으로 부적합한 경우(해당 지점 작물의 수확량이 현저히 많거나 적어서 표본으로 대표성을 가지기 어려운 경우 등)에는 가까운 위치의 다른 구간을 표본구간으로 선정한다.

ⓔ 표본구간 면적 및 수확량조사

해당 품목별로 선정된 표본구간의 면적을 조사하고, 해당 표본구간에서 수확한 작물의 수확량을 조사한다.

ⓕ 양파, 마늘의 경우 지역별 수확 적기보다 일찍 조사를 하는 경우, 수확 적기까지 잔여일수별 비대지수를 추정하여 적용할 수 있다.

▼ 품목별 표본구간 면적조사 방법

품목	표본구간 면적조사 방법
콩	• 점파 : 이랑 길이(4주 이상) 및 이랑 폭 조사 • 산파 : 규격의 원형(1㎡) 이용 또는 표본구간의 가로·세로 길이 조사
양배추, 양파, 마늘, 감자(가을재배), 고구마	이랑 길이(5주 이상) 및 이랑 폭 조사

ⓑ 전수조사 방법

㉮ 적용 품목 : 콩

㉯ 전수조사 대상 농지 여부 확인

전수조사는 기계수확(탈곡 포함)을 하는 농지 또는 수확 직전 상태가 확인된 농지 중 자른 작물을 농지에 그대로 둔 상태에서 기계 탈곡을 시행하는 농지에 한한다.

㉰ 중량 조사

대상 농지에서 수확한 전체 콩(종실)의 무게를 조사하며, 전체 무게 측정이 어려운 경우에는 10포대 이상의 포대를 임의로 선정하여 포대당 평균 무게를 구한 후 해당 수치에 수확한 전체 포대 수를 곱하여 전체 무게를 산출한다.

㉱ 콩(종실)의 함수율 조사

10회 이상 종실의 함수율을 측정 후 평균값을 산출한다. 단, 함수율을 측정할 때에는 각 횟수마다 각기 다른 포대에서 추출한 콩을 사용한다.

6) 미보상비율 조사(모든 조사 시 동시 조사)

상기 모든 조사마다 미보상비율 적용표〈별표 2〉에 따라 미보상비율을 조사한다.

▼ 품목별 표본구간별 수확량조사 방법

품목	표본구간별 수확량조사 방법
콩	표본구간 내 콩을 수확하여 꼬투리를 제거한 후 콩 종실의 무게 및 함수율(3회 평균) 조사
양배추	표본구간 내 작물의 뿌리를 절단하여 수확(외엽 2개 내외 부분을 제거)한 후, 정상 양배추와 80%피해 양배추(일반시장에 출하할 때 정상과실에 비해 50% 정도의 가격이 예상되는 품질이거나 일반시장 출하는 불가능하나 가공용으로 공급될 수 있는 품질), 100%피해 양배추(일반시장 및 가공용 출하 불가)로 구분하여 무게를 조사
양파	표본구간 내 작물을 수확한 후, 종구 5cm 윗부분 줄기를 절단하여 해당 무게를 조사 [단, 양파의 최대 지름이 6cm 미만인 경우에는 80%(보상하는 재해로 인해 피해가 발생하여 일반시장 출하가 불가능하나, 가공용으로는 공급될 수 있는 작물을 말하며, 가공공장 공급 및 판매 여부와는 무관), 100%(보상하는 재해로 인해 피해가 발생하여 일반시장 출하가 불가능하고 가공용으로도 공급될 수 없는 작물) 피해로 인정하고 해당 무게의 20%, 0%를 수확량으로 인정]
마늘	표본구간 내 작물을 수확한 후, 종구 3cm 윗부분을 절단하여 무게를 조사[단, 마늘통의 최대 지름이 2cm(한지형), 3.5cm(난지형) 미만인 경우에는 80%(보상하는 재해로 인해 피해가 발생하여 일반시장 출하가 불가능하나, 가공용으로는 공급될 수 있는 작물을 말하며, 가공공장 공급 및 판매 여부와는 무관), 100%(보상하는 재해로 인해 피해가 발생하여 일반시장 출하가 불가능하고 가공용으로도 공급될 수 없는 작물) 피해로 인정하고 해당 무게의 20%, 0%를 수확량으로 인정]
감자 (가을 재배)	표본구간 내 작물을 수확한 후 정상 감자, 병충해별 20% 이하, 21%~40% 이하, 41%~60% 이하, 61%~80% 이하, 81%~100% 이하 발병 감자로 구분하여 해당 병충해명과 무게를 조사하고 최대 지름이 5cm 미만이거나 피해 정도 50% 이상인 감자의 무게는 실제 무게의 50%를 조사 무게로 함
고구마	표본구간 내 작물을 수확한 후 정상 고구마와 50%형 고구마(일반시장에 출하할 때, 정상 고구마에 비해 50% 정도의 가격 하락이 예상되는 품질. 단, 가공공장 공급 및 판매 여부와 무관), 80% 피해 고구마(일반시장에 출하가 불가능하나, 가공용으로 공급될 수 있는 품질. 단, 가공공장 공급 및 판매 여부와 무관), 100% 피해 고구마(일반시장 출하가 불가능하고 가공용으로 공급될 수 없는 품질)로 구분하여 무게를 조사

(3) 보험금 산정 방법 및 지급기준

1) 재파종보험금 산정(마늘)

① 지급 사유

보험기간 내에 보상하는 재해로 10a당 출현주수가 30,000주보다 작고, 10a당 30,000 주 이상으로 재파종한 경우 재파종보험금은 아래에 따라 계산하며 1회에 한하여 보상 한다.

②

지급보험금 = 보험가입금액 × 35% × 표준출현 피해율

※ 표준출현 피해율(10a 기준) = (30,000 - 출현주수) ÷ 30,000

2) 재정식보험금 산정(양배추)

① 지급 사유

보험기간 내에 보상하는 재해로 면적 피해율이 자기부담비율을 초과하고, 재정식한 경우 재정식보험금은 아래에 따라 계산하며 1회 지급한다.

②

지급보험금 = 보험가입금액 × 20% × 면적 피해율

※ 면적 피해율 = 피해면적 ÷ 보험가입면적

3) 경작불능보험금 산정[콩, 양배추, 양파, 감자(가을재배), 마늘, 고구마]

① 지급 사유

보험기간 내에 보상하는 재해로 식물체피해율이 65% 이상이고, 계약자가 경작불능보 험금을 신청한 경우 경작불능보험금은 자기부담비율에 따라 보험가입금액의 일정 비 율로 계산한다.

▼ 품목별 자기부담비율별 경작불능보험금 지급 비율

품목	자기부담비율		
	20%형	30%형	40%형
콩, 양배추, 양파, 감자, 마늘, 고구마	보험가입금액 × 40%	보험가입금액 × 35%	보험가입금액 × 30%

② 지급거절 사유

보험금 지급 대상 농지 품목이 산지폐기 등의 방법을 통해 시장으로 유통되지 않게 된 것이 확인되지 않으면 경작불능보험금을 지급하지 않는다.

③ 경작불능보험금을 지급한 때에는 그 손해보상의 원인이 생긴 때로부터 해당 농지에 대한 보험계약은 소멸되며, 이 경우 환급보험료는 발생하지 않는다.

4) 농업수입감소보험금 산정

① 보험기간 내에 보상하는 재해로 피해율이 자기부담비율을 초과하는 경우 아래와 같이 계산한 농업수입감소보험금을 지급한다. 다만, 콩 품목은 경작불능보험금 지급대상인 경우 농업수입감소보험금을 지급하지 아니한다.

> 농업수입감소보험금 = 보험가입금액 × (피해율 − 자기부담비율)
>
> ※ 피해율 = (기준수입 − 실제수입) ÷ 기준수입

② 기준수입은 평년수확량에 농지별 기준가격을 곱하여 산출한다.

③ 실제수입은 수확기에 조사한 수확량(다만, 수확량조사를 하지 아니한 경우에는 평년수확량)에 미보상감수량을 더한 값에 농지별 기준가격과 농지별 수확기가격 중 작은 값을 곱하여 산출한다.

④ 미보상감수량은 평년수확량에서 수확량을 뺀 값에 미보상비율을 곱하여 산출하며, 평년수확량보다 수확량이 감소하였으나 보상하는 재해로 인한 감소가 확인되지 않는 경우에는 감소한 수량을 모두 미보상감수량으로 한다.

⑤ 계약자 또는 피보험자의 고의 또는 중대한 과실로 수확량조사를 하지 못하여 수확량을 확인할 수 없는 경우에는 농업수입감소보험금을 지급하지 않는다.

⑥ 자기부담비율은 보험가입할 때 계약자가 선택한 비율로 한다.

[별표 1] 품목별 표본주(구간)수 표

1. 사과, 배, 단감, 떫은감, 포도(수입보장 포함), 복숭아, 자두, 밤, 호두, 무화과

조사대상주수	표본주수
50주 미만	5
50주 이상 100주 미만	6
100주 이상 150주 미만	7
150주 이상 200주 미만	8
200주 이상 300주 미만	9
300주 이상 400주 미만	10
400주 이상 500주 미만	11
500주 이상 600주 미만	12
600주 이상 700주 미만	13
700주 이상 800주 미만	14
800주 이상 900주 미만	15
900주 이상 1,000주 미만	16
1,000주 이상	17

2. 유자

조사대상주수	표본주수	조사대상주수	표본주수
50주 미만	5	200주 이상 500주 미만	8
50주 이상 100주 미만	6	500주 이상 800주 미만	9
100주 이상 200주 미만	7	800주 이상	10

3. 참다래, 매실, 살구, 대추, 오미자

참다래		매실, 살구, 대추		오미자	
조사대상주수	표본주수	조사대상주수	표본주수	조사대상 유인틀 길이	표본주수
50주 미만	5	100주 미만	5	500m 미만	5
50주 이상 100주 미만	6	100주 이상 300주 미만	7	500m 이상 1,000m 미만	6
100주 이상 200주 미만	7	300주 이상 500주 미만	9	1,000m 이상 2,000m 미만	7
200주 이상 500주 미만	8	500주 이상 1,000주 미만	12	2,000m 이상 4,000m 미만	8
500주 이상 800주 미만	9	1,000주 이상	15	4,000m 이상 6,000m 미만	9
800주 이상	10	–	–	6,000m 이상	10

4. 오디, 복분자, 감귤

오디		복분자		감귤	
조사대상주수	표본 주수	가입포기수	표본 포기수	가입면적	표본 주수
50주 미만	6	1,000포기 미만	8	5,000㎡ 미만	4
50주 이상 100주 미만	7	1,000포기 이상 1,500포기 미만	9	5,000㎡ 이상 10,000㎡ 미만	6
100주 이상 200주 미만	8	1,500포기 이상 2,000포기 미만	10	10,000㎡ 이상	8
200주 이상 300주 미만	9	2,000포기 이상 2,500포기 미만	11		
300주 이상 400주 미만	10	2,500포기 이상 3,000포기 미만	12		
400주 이상 500주 미만	11	3,000포기 이상	13		
500주 이상 600주 미만	12				
600주 이상	13				

5. 벼, 밀, 보리

조사대상면적	표본구간	조사대상면적	표본구간
2,000㎡ 미만	3	4,000㎡ 이상 5,000㎡ 미만	6
2,000㎡ 이상 3,000㎡ 미만	4	5,000㎡ 이상 6,000㎡ 미만	7
3,000㎡ 이상 4,000㎡ 미만	5	6,000㎡ 이상	8

6. 고구마, 양파, 마늘, 옥수수, 양배추

※ 수입보장 포함

조사대상면적	표본구간	조사대상면적	표본구간
1,500㎡ 미만	4	3,000㎡ 이상 4,500㎡ 미만	6
1,500㎡ 이상 3,000㎡ 미만	5	4,500㎡ 이상	7

7. 감자, 차, 콩, 팥

※ 수입보장 포함

조사대상면적	표본구간	조사대상면적	표본구간
2,500㎡ 미만	4	7,500㎡ 이상 10,000㎡ 미만	7
2,500㎡ 이상 5,000㎡ 미만	5	10,000㎡ 이상	8
5,000㎡ 이상 7,500㎡ 미만	6	–	–

8. 인삼

피해칸수	표본칸수	피해칸수	표본칸수
300칸 미만	3칸	900칸 이상 1,200칸 미만	7칸
300칸 이상 500칸 미만	4칸	1,200칸 이상 1,500칸 미만	8칸
500칸 이상 700칸 미만	5칸	1,500칸 이상 1,800칸 미만	9칸
700칸 이상 900칸 미만	6칸	1,800칸 이상	10칸

9. 고추, 메밀, 브로콜리, 배추, 무, 단호박, 파, 당근, 시금치(노지)

실제 경작면적 또는 피해면적	표본구간(이랑)수
3,000㎡ 미만	4
3,000㎡ 이상 7,000㎡ 미만	6
7,000㎡이상 15,000㎡ 미만	8
15,000㎡ 이상	10

10. 표고버섯(원목재배)

피해 원목수	조사표본수
1,000본 이하	10
1,300본 이하	14
1,500본 이하	16
1,800본 이하	18
2,000본 이하	20
2,300본 이하	24
2,300본 초과	26

[별표 2] 농작물재해보험 미보상비율 적용표

1. 감자, 고추 제외 전 품목

구분	제초 상태	병해충 상태	기타
해당 없음	0%	0%	0%
미흡	10% 미만	10% 미만	10% 미만
불량	20% 미만	20% 미만	20% 미만
매우 불량	20% 이상	20% 이상	20% 이상

미보상비율은 보상하는 재해 이외의 원인이 조사 농지의 수확량 감소에 영향을 준 비율을 의미하여 제초 상태, 병해충 상태 및 기타 항목에 따라 개별 적용한 후 해당 비율을 합산하여 산정한다.

1) 제초 상태(과수품목은 피해율에 영향을 줄 수 있는 잡초만 해당)

① 해당 없음 : 잡초가 농지 면적의 20% 미만으로 분포한 경우

② 미흡 : 잡초가 농지 면적의 20% 이상 40% 미만으로 분포한 경우

③ 불량 : 잡초가 농지 면적의 40% 이상 60% 미만으로 분포한 경우 또는 경작불능조사 진행건이나 정상적인 영농활동 시행을 증빙하는 자료(비료 및 농약 영수증 등)가 부족한 경우

④ 매우 불량 : 잡초가 농지 면적의 60% 이상으로 분포한 경우 또는 경작불능조사 진행건이나 정상적인 영농활동 시행을 증빙하는 자료(비료 및 농약 영수증 등)가 없는 경우

2) 병해충 상태(각 품목에서 별도로 보상하는 병해충은 제외)

① 해당 없음 : 병해충이 농지 면적의 20% 미만으로 분포한 경우

② 미흡 : 병해충이 농지 면적의 20% 이상 40% 미만으로 분포한 경우

③ 불량 : 병해충이 농지 면적의 40% 이상 60% 미만으로 분포한 경우 또는 경작불능조사 진행건이나 정상적인 영농활동 시행을 증빙하는 자료(비료 및 농약 영수증 등)가 부족한 경우

④ 매우 불량 : 병해충이 농지 면적의 60% 이상으로 분포한 경우 또는 경작불능조사 진행건이나 정상적인 영농활동 시행을 증빙하는 자료(비료 및 농약 영수증 등)가 없는 경우

3) 기타 : 영농기술 부족, 영농상 실수 및 단순 생리장애 등 보상하는 손해 이외의 사유로 피해가 발생한 것으로 추정되는 경우[해거리, 생리장애(원소결핍 등), 시비관리, 토양관리(연작 및 pH 과다·과소 등), 전정(강전정 등), 조방재배, 재식밀도(인수기준 이하), 농지상태(혼식, 멀칭, 급배수 등), 가입이전 사고 및 계약자 중과실손해, 자연감모, 보상재해 이외(종자불량, 일부가입 등)]에 적용

① 해당 없음 : 위 사유로 인한 피해가 없는 것으로 판단되는 경우

② 미흡 : 위 사유로 인한 피해가 10% 미만으로 판단되는 경우

③ 불량 : 위 사유로 인한 피해가 20% 미만으로 판단되는 경우

④ 매우 불량 : 위 사유로 인한 피해가 20% 이상으로 판단되는 경우

2. 감자, 고추 품목

구분	제초 상태	기타
해당 없음	0%	0%
미흡	10% 미만	10% 미만
불량	20% 미만	20% 미만
매우 불량	20% 이상	20% 이상

미보상비율은 보상하는 재해 이외의 원인이 조사 농지의 수확량 감소에 영향을 준 비율을 의미하여 제초 상태, 병해충 상태 및 기타 항목에 따라 개별 적용한 후 해당 비율을 합산하여 산정한다.

1) 제초 상태(과수품목은 피해율에 영향을 줄 수 있는 잡초만 해당)

① 해당 없음 : 잡초가 농지 면적의 20% 미만으로 분포한 경우

② 미흡 : 잡초가 농지 면적의 20% 이상 40% 미만으로 분포한 경우

③ 불량 : 잡초가 농지 면적의 40% 이상 60% 미만으로 분포한 경우 또는 경작불능조사 진행건이나 정상적인 영농활동 시행을 증빙하는 자료(비료 및 농약 영수증 등)가 부족한 경우

④ 매우 불량 : 잡초가 농지 면적의 60% 이상으로 분포한 경우 또는 경작불능조사 진행건이나 정상적인 영농활동 시행을 증빙하는 자료(비료 및 농약 영수증 등)가 없는 경우

2) 기타 : 영농기술 부족, 영농상 실수 및 단순 생리장애 등 보상하는 손해 이외의 사유로 피해가 발생한 것으로 추정되는 경우[해거리, 생리장애(원소결핍 등), 시비관리, 토양관리(연작 및 pH 과다·과소 등), 전정(강전정 등), 조방재배, 재식밀도(인수기준 이하), 농지상태(혼식, 멀칭, 급배수 등), 가입이전 사고 및 계약자 중과실손해, 자연감모, 보상재해 이외(종자불량, 일부가입 등)]에 적용

① 해당 없음 : 위 사유로 인한 피해가 없는 것으로 판단되는 경우

② 미흡 : 위 사유로 인한 피해가 10% 미만으로 판단되는 경우

③ 불량 : 위 사유로 인한 피해가 20% 미만으로 판단되는 경우

④ 매우 불량 : 위 사유로 인한 피해가 20% 이상으로 판단되는 경우

[별표 3] 과실 분류에 따른 피해인정계수

1. 복숭아, 감귤 외 과실

과실분류	피해인정계수	비고
정상과	0	피해가 없거나 경미한 과실
50%형 피해과실	0.5	일반시장에 출하할 때 정상과실에 비해 50% 정도의 가격하락이 예상되는 품질의 과실(단, 가공공장 공급 및 판매 여부와 무관)
80%형 피해과실	0.8	일반시장 출하가 불가능하나 가공용으로 공급될 수 있는 품질의 과실(단, 가공공장 공급 및 판매 여부와 무관)
100%형 피해과실	1	일반시장 출하가 불가능하고 가공용으로도 공급될 수 없는 품질의 과실

2. 복숭아

과실분류	피해인정계수	비고
정상과	0	피해가 없거나 경미한 과실
50%형 피해과실	0.5	일반시장에 출하할 때 정상과실에 비해 50% 정도의 가격하락이 예상되는 품질의 과실(단, 가공공장 공급 및 판매 여부와 무관)
80%형 피해과실	0.8	일반시장 출하가 불가능하나 가공용으로 공급될 수 있는 품질의 과실(단, 가공공장 공급 및 판매 여부와 무관)
100%형 피해과실	1	일반시장 출하가 불가능하고 가공용으로도 공급될 수 없는 품질의 과실
병충해 피해과실	0.5	세균구멍병 피해를 입은 과실

3. 감귤

과실분류		비고
정상과실	0	무피해 과실 또는 보상하는 재해로 과피 전체 표면 면적의 10% 내로 피해가 있는 경우
등급 내 피해과실	30%형	보상하는 재해로 과육은 피해가 없고 과피 전체 표면 면적의 10% 이상 30% 미만의 피해가 있는 경우
	50%형	보상하는 재해로 과육은 피해가 없고 과피 전체 표면 면적의 30% 이상 50% 미만의 피해가 있는 경우
	80%형	보상하는 재해로 과육은 피해가 없고 과피 전체 표면 면적의 50% 이상 80% 미만의 피해가 있는 경우
	100%형	보상하는 재해로 과피 전체 표면 면적의 80% 이상 피해가 있거나 과육의 부패 및 무름 등의 피해가 있는 경우

등급 외 피해과실	30%형	[제주특별자치도 감귤생산 및 유통에 관한 조례시행규칙] 제18조 제4항에 준하여 과실의 크기만으로 등급 외 크기이면서 무피해 과실 또는 보상하는 재해로 과피 및 과육 피해가 없는 경우를 말함
	50%형	[제주특별자치도 감귤생산 및 유통에 관한 조례시행규칙] 제18조 제4항에 준하여 과실의 크기만으로 등급 외 크기이면서 보상하는 재해로 과육은 피해가 없고 과피 전체 표면 면적의 10% 이상 피해가 있으며 과실 횡경이 71mm 이상인 경우를 말함
	80%형	[제주특별자치도 감귤생산 및 유통에 관한 조례시행규칙] 제18조 제4항에 준하여 과실의 크기만으로 등급 외 크기이면서 보상하는 재해로 과육은 피해가 없고 과피 전체 표면 면적의 10% 이상 피해가 있으며 과실 횡경이 49mm 미만인 경우를 말함
	100%형	[제주특별자치도 감귤생산 및 유통에 관한 조례시행규칙] 제18조 제4항에 준하여 과실의 크기만으로 등급 외 크기이면서 과육부패 및 무름 등의 피해가 있어 가공용으로도 공급될 수 없는 과실을 말함

[별표 4] 매실 품종별 과실 비대추정지수

조사일	남고	백가하	재래종	천매
30일전	2.871	3.411	3.389	3.463
29일전	2.749	3.252	3.227	3.297
28일전	2.626	3.093	3.064	3.131
27일전	2.504	2.934	2.902	2.965
26일전	2.381	2.775	2.740	2.800
25일전	2.258	2.616	2.577	2.634
24일전	2.172	2.504	2.464	2.518
23일전	2.086	2.391	2.351	2.402
22일전	2.000	2.279	2.238	2.286
21일전	1.914	2.166	2.124	2.171
20일전	1.827	2.054	2.011	2.055
19일전	1.764	1.972	1.933	1.975
18일전	1.701	1.891	1.854	1.895
17일전	1.638	1.809	1.776	1.815
16일전	1.574	1.728	1.698	1.735
15일전	1.511	1.647	1.619	1.655
14일전	1.465	1.598	1.565	1.599
13일전	1.419	1.530	1.510	1.543
12일전	1.373	1.471	1.455	1.487
11일전	1.326	1.413	1.400	1.431
10일전	1.280	1.355	1.346	1.375
9일전	1.248	1.312	1.300	1.328
8일전	1.215	1.270	1.254	1.281
7일전	1.182	1.228	1.208	1.234
6일전	1.149	1.186	1.162	1.187
5일전	1.117	1.144	1.116	1.140
4일전	1.093	1.115	1.093	1.112
3일전	1.070	1.096	1.070	1.084
2일전	1.047	1.057	1.046	1.056
1일전	1.023	1.029	1.023	1.028
수확일	1	1	1	1

※ 위에 없는 품종은 남고를 기준으로 함(출처 : 국립원예특작과학원)

[별표 5] 무화과 품목 사고발생일에 따른 잔여수확량 비율

사고발생 월	잔여수확량 산정식(%)
8월	100 − (1.06 × 사고발생일자)
9월	{(100 − 33) − (1.13 × 사고발생일자)}
10월	{(100 − 67) − (0.84 × 사고발생일자)}

[별표 6] 손해정도에 따른 손해정도비율

손해정도	1%~20%	21%~40%	41%~60%	61%~80%	81%~100%
손해정도비율	20%	40%	60%	80%	100%

[별표 7] 품목별 감수과실수 피해율 산정방법

1. 적과전 종합위험방식 과수 품목 감수과실수 산정방법

품목	조사시기	재해종류	조사종류	감수과실수 산정 방법
사과 · 배 · 단감 · 떫은감	적과종료 이전	자연재해 · 조수해 · 화재	피해사실 확인조사	□ 적과종료 이전 사고는 보상하는 재해(자연재해, 조수해, 화재)가 중복해서 발생한 경우에도 아래 산식을 한번만 적용함 ○ 착과감소과실수 = 최솟값(평년착과수 − 적과후착과수, 최대인정감소과실수) ○ 적과종료 이전의 미보상감수과실수 = {(착과감소과실수 × 미보상비율) + 미보상주수 감수과실수} ※ 적과전 사고 조사에서 미보상비율적용은 미보상비율조사값 중 가장 큰 값만 적용 □ 적과종료 이전 최대인정감소량(5종 한정 특약 가입건 제외) 사고접수 건 중 피해사실 확인조사결과 모든 사고가 "피해규모 일부"인 경우만 해당하며, 착과감소량(과실수)이 최대인정감소량(과실수)을 초과하는 경우에는 최대인정감소량(과실수)을 착과감소량(과실수)으로 함 ○ 최대인정감소량 = 평년착과량 × 최대인정피해율 ○ 최대인정감소과실수 = 평년착과수 × 최대인정피해율

| 사과
·
배
·
단감
·
떫은감 | 적과
종료
이전 | 자연재해
·조수해
·화재 | 피해사실
확인조사 | – 최대인정피해율 = 피해대상주수(고사주수, 수확불능주수, 일부피해주수) ÷ 실제결과주수
※ 해당 사고가 2회 이상 발생한 경우에는 사고별 피해대상주수를 누적하여 계산

□ 적과종료 이전 최대인정감소량(5종 한정 특약 가입건만 해당)
「적과종료 이전 특정위험 5종 한정 보장특별약관」 가입 건에 적용되며, 착과감소량(과실수)이 최대인정감소량(과실수)을 초과하는 경우에는 최대인정감소량(과실수)을 착과감소량(과실수)으로 함
○ 최대인정감소량 = 평년착과량 × 최대인정피해율
○ 최대인정감소과실수 = 평년착과수 × 최대인정피해율
※ 최대인정피해율은 아래의 값 중 가장 큰 값
– 나무피해
• (유실, 매몰, 도복, 절단(1/2), 소실(1/2), 침수주수) ÷ 실제결과주수
단, 침수주수는 침수피해를 입은 나무수에 과실침수율을 곱하여 계산함
• 해당 사고가 2회 이상 발생한 경우에는 사고별 나무피해주수를 누적하여 계산
– 우박피해에 따른 유과타박률
• 최댓값(유과타박률1, 유과타박률2, 유과타박률3, …)
– 6월 1일부터 적과종료 이전까지 단감·떫은감의 낙엽피해에 따른 인정피해율
• 최댓값(인정피해율1, 인정피해율2, 인정피해율3, …) |
| | | 자연재해 | 해당
조사없음 | □ 적과종료 이전 자연재해로 인한 적과종료 이후 착과 손해 감수과실수
– 적과후착과수가 평년착과수의 60% 미만인 경우, 감수과실수 = 적과후착과수 × 5%
– 적과후착과수가 평년착과수의 60% 이상 100% 미만인 경우,
• 감수과실수 = 적과후착과수 × 5% × $\dfrac{100\% - 착과율}{40\%}$,
• 착과율 = 적과후착과수 ÷ 평년착과수 |

사과·배·단감·떫은감	적과종료이전	자연재해	해당조사없음	※ 상기 계산된 감수과실수는 적과종료 이후 누적감수량에 합산하며, 적과종료 이후 착과피해율(max A 적용)로 인식함 ※ 적과전종합방식(II)가입 건 중 「적과종료 이전 특정위험 5종 한정 보장특별약관」 미가입시에만 적용
사과·배	적과종료이후	태풍(강풍)·화재·지진·집중호우	낙과피해조사	○ 낙과 손해(전수조사) : 총낙과과실수 × (낙과피해구성률 − max A) × 1.07 ○ 낙과 손해(표본조사) : (낙과과실수 합계 / 표본주수) × 조사대상주수 × (낙과피해구성률 − max A) × 1.07 ※ 낙과 감수과실수의 7%를 착과손해로 포함하여 산정 ☞ max A : 금차 사고전 기조사된 착과피해구성률 중 최댓값을 말함 ☞ "(낙과피해구성률 − max A)"의 값이 영(0)보다 작은 경우 : 금차 감수과실수는 영(0)으로 함

			나무피해조사	○ 나무의 고사 및 수확불능 손해
				  − (고사주수 + 수확불능주수) × 무피해나무 1주당 평균 착과수 × (1 − max A)
				○ 나무의 일부침수 손해
				  − (일부침수주수 × 일부침수나무 1주당 평균 침수 착과수) × (1 − max A)
				  − max A : 금차 사고전 기조사된 착과피해구성률 또는 인정피해율 중 최댓값을 말함

		우박	낙과피해조사	○ 낙과 손해(전수조사) : 총낙과과실수 × (낙과피해구성률 − max A) ○ 낙과 손해(표본조사) : (낙과과실수 합계 / 표본주수) × 조사대상주수 × (낙과피해구성률 − max A) ☞ max A : 금차 사고전 기조사된 착과피해구성률 중 최댓값을 말함 ☞ "(해당과실의 피해구성률 − max A)"의 값이 영(0)보다 작은 경우 : 금차 감수과실수는 영(0)으로 함

사과 · 배	적과 종료 이후	우박	착과피해 조사	○ 사고 당시 착과과실수 × (착과피해구성률 − max A) ☞ max A : 금차 사고전 기조사된 착과피해구성률 중 최댓값을 말함 ☞ "(해당과실의 피해구성률 − max A)"의 값이 영(0)보다 작은 경우 : 금차 감수과실수는 영(0)으로 함
		가을 동상해	착과피해 조사	○ 사고 당시 착과과실수 × (착과피해구성률 − max A) ☞ max A : 금차 사고전 기조사된 착과피해구성률 중 최댓값을 말함 ☞ "(착과피해구성률 − max A)"의 값이 영(0)보다 작은 경우 : 금차 감수과실수는 영(0)으로 함
단감 · 떫은감	적과 종료 이후	태풍 (강풍) ·화재 ·지진 ·집중 호우	낙과피해 조사	○ 낙과 손해(전수조사) : 총낙과과실수 × (낙과피해구성률 − max A) ○ 낙과 손해(표본조사) : (낙과과실수 합계 / 표본주수) × 조사대상주수 × (낙과피해구성률 − max A) ☞ max A : 금차 사고전 기조사된 착과피해구성률 또는 인정피해율 중 최댓값을 말함 ☞ "(낙과피해구성률 − max A)"의 값이 영(0)보다 작은 경우 : 금차 감수과실수는 영(0)으로 함
			나무피해 조사	○ 나무의 고사 및 수확불능 손해 – (고사주수 + 수확불능주수) × 무피해나무 1주당 평균 착과수 × (1 − max A) ○ 나무의 일부침수 손해 – (일부침수주수 × 일부침수나무 1주당 평균 침수착과수) × (1 − max A) – max A : 금차 사고전 기조사된 착과피해구성률 또는 인정피해율 중 최댓값을 말함
			낙엽피해 조사	○ 낙엽 손해 – 사고 당시 착과과실수 × (인정피해율 − max A) × (1 − 미보상비율) ☞ max A : 금차 사고전 기조사된 착과피해구성률 또는 인정피해율 중 최댓값을 말함 ☞ "(인정피해률 − max A)"의 값이 영(0)보다 작은 경우 : 금차 감수과실수는 영(0)으로 함 ☞ 미보상비율은 금차 사고조사의 미보상비율을 적용함

단감 · 떫은감	적과 종료 이후	우박	낙과피해 조사	○ 낙과 손해(전수조사) – 총낙과과실수 × (낙과피해구성률 – max A) ○ 낙과 손해(표본조사) – (낙과과실수 합계 / 표본주수) × 조사대상주수 × (낙과피해구성률 – max A) ☞ max A : 금차 사고전 기조사된 착과피해구성률 또는 인정피해율 중 최댓값을 말함 ☞ "(낙과피해구성률 – max A)"의 값이 영(0)보다 작은 경우 : 금차 감수과실수는 영(0)으로 함
			착과피해 조사	○ 착과 손해 – 사고 당시 착과과실수 × (착과피해구성률 – max A) ☞ max A : 금차 사고전 기조사된 착과피해구성률 또는 인정피해율 중 최댓값을 말함 ☞ "(착과피해구성률 – max A)"의 값이 영(0)보다 작은 경우 : 금차 감수과실수는 영(0)으로 함
		가을 동상해	착과피해 조사	○ 착과 손해 – 사고 당시 착과과실수 × (착과피해구성률 – max A) ※ 단, '잎 피해가 인정된 경우'에는 착과피해구성률을 아래와 같이 적용함 착과피해구성률 = [(정상과실수 × 0.0031 × 잔여일수) + (50%형 피해과실수 × 0.5) + (80%형 피해과실수 × 0.8) + (100%형 피해과실수 × 1)] ÷ (정상과실수 + 50%형 피해과실수 + 80%형 피해과실수 + 100%형 피해과실수) – 잔여일수 : 사고발생일부터 가을동상해 보장종료일까지 일자 수 – max A : 금차 사고전 기조사된 착과피해구성률 또는 인정피해율 중 최댓값을 말함

사과 · 배 · 단감 · 떫은감	적과 종료 이후	일소피해	낙과 · 착과 피해조사	※ "(착과피해구성률 - max A)"의 값이 영(0)보다 작은 경우 : 금차 감수과실수는 영(0)으로 함 ○ 낙과 손해(전수조사 시) : 총낙과과실수 × (낙과피해구성률 - max A) ○ 낙과 손해(표본조사 시) : (낙과과실수 합계 ÷ 표본주수) × 조사대상주수 × (낙과피해구성률 - max A) - max A : 금차 사고전 기조사된 착과피해구성률 또는 인정피해율 중 최댓값을 말함 ※ "(낙과피해구성률 - max A)"의 값이 영(0)보다 작은 경우 : 금차 감수과실수는 영(0)으로 함 ○ 착과 손해 - 사고 당시 착과과실수 × (착과피해구성률 - max A) - max A : 금차 사고전 기조사된 착과피해구성률 또는 인정피해율 중 최댓값을 말함 ※ "(착과피해구성률 - max A)"의 값이 영(0)보다 작은 경우 : 금차 감수과실수는 영(0)으로 함 ○ 일소피해과실수 = 낙과 손해 + 착과 손해 - 일소피해과실수가 보험사고 한 건당 적과후착과수의 6%를 초과하는 경우에만 감수과실수로 인정 - 일소피해과실수가 보험사고 한 건당 적과후착과수의 6% 이하인 경우에는 해당 조사의 감수과실수는 영(0)으로 함

※ 용어 및 관련 산식

품목	조사종류	내용
사과 · 배 · 단감 · 떫은감	공통	○ 조사대상주수 = 실제결과주수 − 고사주수 − 수확불능주수 − 미보상주수 − 수확완료주수 ○ 미보상주수 감수과실수 = 미보상주수 × 품종·재배방식·수령별 1주당 평년착과수 ○ 기준착과수 결정 − 적과종료전에 인정된 착과감소과실수가 없는 과수원 : 기준착과수 = 적과후착과수 − 적과종료전에 인정된 착과감소과실수가 있는 과수원 : 기준착과수 = 적과후착과수 + 착과감소과실수
	나무피해 조사	○ 침수율 = $\dfrac{\text{침수 꽃(눈)·유과수의 합계}}{\text{침수 꽃(눈)·유과수의 합계} + \text{미침수 꽃(눈)·유과수의 합계}}$ ○ 나무피해 시 품종·재배방식·수령별 주당 평년착과수 = (전체 평년착과수 × $\dfrac{\text{품종·재배방식·수령별 표준수확량 합계}}{\text{전체표준수확량 합계}}$) ÷ 품종·재배방식·수령별 실제결과주수 ※ 품종·재배방식·수령별로 구분하여 산식에 적용
	유과 타박률 조사	○ 유과타박률 = $\dfrac{\text{표본주의 피해유과수 합계}}{\text{표본주의 피해유과수 합계} + \text{표본주의 정상유과수 합계}}$
	피해구성 조사	○ 피해구성률 = $\dfrac{(100\%\text{형 피해과실수}\times1)+(80\%\text{형 피해과실수}\times0.8)+(50\%\text{형 피해과실수}\times0.5)}{100\%\text{형 피해과실수}+80\%\text{형 피해과실수}+50\%\text{형 피해과실수}+\text{정상과실수}}$ ※ 착과 및 낙과피해조사에서 피해구성률 산정 시 적용
	낙엽피해 조사	○ 인정피해율 − 단감 : (1.0115 × 낙엽률) − (0.0014 × 경과일수) − 떫은감 : 0.9662 × 낙엽률 − 0.0703 − 경과일수 = 6월 1일부터 낙엽피해 발생일까지 경과된 일수 − 낙엽률 = $\dfrac{\text{표본주의 낙엽수 합계}}{\text{표본주의 낙엽수 합계} + \text{표본주의 착엽수 합계}}$
	착과피해 조사	○ "사고 당시 착과과실수"는 "적과후착과수 − 총낙과과실수 − 총적과종료후 나무피해과실수 − 총 기수확과실수"보다 클 수 없음
	적과후 착과수 조사	○ 품종·재배방식·수령별 착과수 = [$\dfrac{\text{품종·재배방식·수령별 표본주의 착과수 합계}}{\text{품종·재배방식·수령별 표본주 합계}}$] × 품종·재배방식·수령별 조사대상주수 ※ 품종·재배방식·수령별 착과수의 합계를 과수원별 『적과후착과수』로 함

2. 특정위험방식 밭작물 품목

품목별	조사종류별	조사시기	피해율 산정 방법

인삼	수확량조사	수확량 확인이 가능한 시점	□ 전수조사 시
			
			○ 피해율 = $(1 - \dfrac{수확량}{연근별기준수확량}) \times \dfrac{피해면적}{재배면적}$
			
			○ 수확량 = 단위면적당 조사수확량 + 단위면적당 미보상감수량
			  − 단위면적당 조사수확량 = 총조사수확량 ÷ 금차 수확면적
			    ▷ 금차 수확면적 = 금차 수확칸수 × 지주목 간격 × (두둑 폭 + 고랑 폭)
			  − 단위면적당 미보상감수량 = (기준수확량 − 단위면적당 조사수확량) × 미보상비율
			○ 피해면적 = 금차 수확칸수
			○ 재배면적 = 실제경작칸수
			
			□ 표본조사 시
			
			○ 피해율 = $(1 - \dfrac{수확량}{연근별기준수확량}) \times \dfrac{피해면적}{재배면적}$
			
			○ 수확량 = 단위면적당 조사수확량 + 단위면적당 미보상감수량
			  − 단위면적당 조사수확량 = 표본수확량 합계 ÷ 표본칸 면적
			    ▷ 표본칸 면적 = 표본칸 수 × 지주목 간격 × (두둑 폭 + 고랑 폭)
			  − 단위면적당 미보상감수량 = (기준수확량 − 단위면적당 조사수확량) × 미보상비율
			○ 피해면적 = 피해칸수
			○ 재배면적 = 실제경작칸수

3. 종합위험 수확감소보장방식 과수 품목

품목별	조사종류별	조사시기	피해율 산정 방법
자두, 복숭아, 포도	수확량조사	착과수조사 (최초 수확 품종 수확전) / 과중조사 (품종별 수확시기) / 착과 피해조사 (피해 확인 가능 시기) / 낙과 피해조사 (착과수 조사 이후 낙과 피해 시) / 고사나무 조사 (수확 완료 후)	□ 착과수(수확개시 전 착과수조사 시) ○ 품종·수령별 착과수 = 품종·수령별 조사대상주수 × 품종·수령별 주당 착과수 ▷ 품종·수령별 조사대상주수 = 품종·수령별 실제결과주수 − 품종·수령별 고사주수 − 품종·수령별 미보상주수 ▷ 품종·수령별 주당 착과수 = 품종·수령별 표본주의 착과수 ÷ 품종·수령별 표본주수 □ 착과수(착과피해조사 시) ○ 품종·수령별 착과수 = 품종·수령별 조사대상주수 × 품종·수령별 주당 착과수 ▷ 품종·수령별 조사대상주수 = 품종·수령별 실제결과주수 − 품종·수령별 고사주수 − 품종·수령별 미보상주수 − 품종·수령별 수확완료주수 ▷ 품종·수령별 주당 착과수 = 품종별·수령별 표본주의 착과수 ÷ 품종별·수령별 표본주수 □ 과중조사(사고접수건에 대해 실시) ○ 품종별 과중 = 품종별 표본과실 무게 ÷ 품종별 표본과실 수 □ 낙과수 산정(착과수조사 이후 발생한 낙과사고마다 산정) ○ 표본조사 시 : 품종·수령별 낙과수조사 ▷ 품종·수령별 낙과수 = 품종·수령별 조사대상주수 × 품종·수령별 주당 낙과수 − 품종·수령별 조사대상주수 = 품종·수령별 실제결과주수 − 품종·수령별 고사주수 − 품종·수령별 미보상주수 − 품종·수령별 수확완료주수 − 품종·수령별주당 낙과수 = 품종·수령별 표본주의 낙과수 ÷ 품종·수령별 표본주수 ○ 전수조사 시 : 품종별 낙과수조사 ▷ 전체 낙과수에 대한 품종 구분이 가능할 때 : 품종별로 낙과수조사 ▷ 전체 낙과수에 대한 품종 구분이 불가능할 때(전체 낙과수조사 후 품종별 안분)

| 자두,
복숭아,
포도 | 수확량조사 | 착과수조사
(최초 수확
품종
수확전)
/
과중조사
(품종별
수확시기)
/
착과
피해조사
(피해 확인
가능 시기)
/
낙과
피해조사
(착과수
조사 이후
낙과
피해 시)
/
고사나무
조사
(수확
완료 후) | – 품종별 낙과수 = 전체 낙과수 × (품종별 표본과실
  수 ÷ 품종별 표본과실 수의 합계)
 • 품종별 주당 낙과수 = 품종별 낙과수 ÷ 품종별
  조사대상주수
 – 품종별 조사대상주수 = 품종별 실제결과주수 –
  품종별 고사주수 – 품종별 미보상주수 – 품종별
  수확완료주수)

□ 피해구성조사(낙과 및 착과피해 발생 시 실시)
 ○ 피해구성률 = {(50%형 피해과실 수 × 0.5) + (80%
  형 피해과실 수 × 0.8) + (100%형 피해과실 수 ×
  1)} ÷ 표본과실 수
 ○ 금차 피해구성률 = 피해구성률 – max A
 ▷ 금차 피해구성률은 다수 사고인 경우 적용
 ▷ max A : 금차 사고전 기조사된 착과피해구성률 중
  최댓값을 말함
 ※ 금차 피해구성률이 영(0)보다 작은 경우에는 영
  (0)으로 함

□ 착과량 산정
 ○ 착과량 = 품종·수령별 착과량의 합
 ▷ 품종·수령별 착과량 = (품종·수령별 착과수 × 품
  종별 과중) + (품종·수령별 주당 평년수확량 × 미
  보상주수)
 ※ 단, 품종별 과중이 없는 경우(과중조사 전 기수확
  품종)에는 품종·수령별 평년수확량을 품종·수
  령별 착과량으로 한다.
 – 품종·수령별 주당 평년수확량 = 품종·수령별 평
  년수확량 ÷ 품종·수령별 실제결과주수
 – 품종·수령별 평년수확량 = 평년수확량 × (품종
  ·수령별 표준수확량 ÷ 표준수확량)
 – 품종·수령별 표준수확량 = 품종·수령별 주당 표
  준수확량 × 품종·수령별 실제결과주수

□ 감수량 산정(사고마다 산정)
 ○ 금차 감수량 = 금차 착과 감수량 + 금차 낙과 감수
  량 + 금차 고사주수 감수량
 – 금차 착과 감수량 = 금차 품종·수령별 착과 감수
  량의 합
 – 금차 품종·수령별 착과 감수량 = 금차 품종·수
  령별 착과수 × 품종별 과중 × 금차 품종별 착과
  피해구성률 |

자두, 복숭아, 포도	수확량조사	착과수조사 (최초 수확 품종 수확전) / 과중조사 (품종별 수확시기) / 착과 피해조사 (피해 확인 가능 시기) / 낙과 피해조사 (착과수조사 이후 낙과 피해 시) / 고사나무조사 (수확 완료 후)	– 금차 낙과 감수량 = 금차 품종·수령별 낙과수 × 품종별 과중 × 금차 낙과피해구성률 – 금차 고사주수 감수량 = 품종·수령별 금차 고사주수 × (품종·수령별 주당 착과수 + 품종·수령별 주당 낙과수) × 품종별 과중 × (1 – max A) ▷ 품종·수령별 금차 고사주수 = 품종·수령별 고사주수 – 품종·수령별 기조사 고사주수 □ 피해율 산정 ○ 피해율(포도, 자두) = (평년수확량 – 수확량 – 미보상감수량) ÷ 평년수확량 ○ 피해율(복숭아) = (평년수확량 – 수확량 – 미보상감수량 + *병충해감수량) ÷ 평년수확량 ▷ 미보상감수량 = (평년수확량 – 수확량) × 최댓값(미보상비율1, 미보상비율2, …) □ 수확량 산정 ○ 수확량 = 착과량 – 사고당 감수량의 합 □ *병충해감수량(복숭아만 해당) ○ 병충해감수량 = 금차 병충해 착과감수량 + 금차 병충해 낙과감수량 ▷ 금차 병충해 착과감수량 = 금차 품종·수령별 병충해 인정피해 착과수 × 품종별 과중 – 금차 품종·수령별 병충해 인정피해 착과수 = 금차 품종·수령별 착과 과실수 × 품종별 병충해 착과피해구성률 • 품종별 병충해 착과피해구성률 = (병충해 착과피해과실수 × (0.5 – max A)) ÷ 표본 착과과실수 ▷ 금차 병충해 낙과감수량 = 금차 품종·수령별 병충해 인정피해 낙과수 × 품종별 과중 – 금차 품종·수령별 병충해 인정피해 낙과수 = 금차 품종·수령별 낙과 과실수 × 품종별 병충해 낙과피해구성률 • 품종별 병충해 낙과피해구성률 = (병충해 낙과피해과실수 × (0.5 – max A)) ÷ 표본 낙과과실수 ※ max A : 금차 사고전 기조사된 착과피해구성률 중 최댓값을 말함 (0.5 – max A)의 값이 영(0)보다 작은 경우 : 금차 병충해감수량은 영(0)으로 함

| 밤, 호두 | 수확
개시 전
수확량조사
(조사일
기준) | 최초
수확 전 | □ 수확개시 이전 수확량조사
○ 기본사항
▷ 품종별 조사대상주수 = 품종별 실제결과주수 − 품종별 미보상주수 − 품종별 고사나무주수
▷ 품종별 평년수확량 = 평년수확량 × ((품종별 주당 표준수확량 × 품종별 실제결과주수) ÷ 표준수확량)
▷ 품종별 주당 평년수확량 = 품종별 평년수확량 ÷ 품종별 실제결과주수

○ 착과수조사
▷ 품종별 주당 착과수 = 품종별 표본주의 착과수 ÷ 품종별 표본주수

○ 낙과수조사
▷ 표본조사
　− 품종별 주당 낙과수 = 품종별 표본주의 낙과수 ÷ 품종별 표본주수
▷ 전수조사
　− 전체 낙과에 대하여 품종별 구분이 가능한 경우 : 품종별 낙과수조사
　− 전체 낙과에 대하여 품종별 구분이 불가한 경우 : 전체 낙과수조사 후 낙과수 중 표본을 추출하여 품종별 개수 조사
　• 품종별 낙과수 = 전체 낙과수 × (품종별 표본과실 수 ÷ 전체 표본과실 수의 합계)
　• 품종별 주당 낙과수 = 품종별 낙과수 ÷ 품종별 조사대상주수
　• 품종별 조사대상주수 = 품종별 실제결과주수 − 품종별 고사주수 − 품종별 미보상주수

○ 과중조사
▷ (밤) 품종별 개당 과중 = 품종별 {정상 표본과실 무게 + (소과 표본과실 무게 × 0.8)} ÷ 표본과실 수
▷ (호두) 품종별 개당 과중 = 품종별 표본과실 무게 합계 ÷ 표본과실 수

○ 피해구성조사(품종별로 실시)
▷ 피해구성률 = {(50%형 피해과실 수 × 0.5) + (80%형 피해과실 수 × 0.8) + (100%형 피해과실 수 × 1)} ÷ 표본과실 수 |

밤, 호두	수확 개시 후 수확량조사 (조사일 기준)	최초 수확 전	○ 피해율 = (평년수확량 − 수확량 − 미보상감수량) ÷ 평년수확량 ▷ 수확량 = {품종별 조사대상주수 × 품종별 주당 착과수 × (1 − 착과피해구성률) × 품종별 과중} + {품종별 조사대상주수 × 품종별 주당 낙과수 × (1 − 낙과피해구성률) × 품종별 과중} + (품종별 주당 평년수확량 × 품종별 미보상주수) ▷ 미보상감수량 = (평년수확량 − 수확량) × 미보상비율
		사고 발생 직후	□ 수확개시 후 수확량조사 ○ 착과수조사 ▷ 품종별 주당 착과수 = 품종별 표본주의 착과수 ÷ 품종별 표본주수 ○ 낙과수조사 ▷ 표본조사 − 품종별 주당 낙과수 = 품종별 표본주의 낙과수 ÷ 품종별 표본주수 ▷ 전수조사 − 전체 낙과에 대하여 품종별 구분이 가능한 경우 : 품종별 낙과수조사 − 전체 낙과에 대하여 품종별 구분이 불가한 경우 : 전체 낙과수조사 후 낙과수 중 표본을 추출하여 품종별 개수 조사 • 품종별 낙과수 = 전체 낙과수 × (품종별 표본과실 수 ÷ 전체 표본과실 수의 합계) • 품종별 주당 낙과수 = 품종별 낙과수 ÷ 품종별 조사대상주수 • 품종별 조사대상주수 = 품종별 실제결과주수 − 품종별 고사주수 − 품종별 미보상주수 − 품종별 수확완료주수 ○ 과중조사 ▷ (밤) 품종별 개당 과중 = 품종별 {정상 표본과실 무게 + (소과 표본과실 무게 × 0.8)} ÷ 표본과실 수 ▷ (호두) 품종별 개당 과중 = 품종별 표본과실 무게 합계 ÷ 표본과실 수 ○ 피해구성조사(품종별로 실시)

밤, 호두	수확 개시 후 수확량조사 (조사일 기준)	사고 발생 직후	▷ 피해구성률 = ((50%형 피해과실 수 × 0.5) + (80%형 피해과실 수 × 0.8) + (100%형 피해과실 수 × 1)) ÷ 표본과실 수 ▷ 금차 피해구성률 = 피해구성률 − max A 　− 금차 피해구성률은 다수 사고인 경우 적용 　− max A : 금차 사고전 기조사된 착과피해구성률 중 최댓값을 말함 　　※ 금차 피해구성률이 영(0)보다 작은 경우에는 영(0)으로 함 ○ 금차 수확량 　= {품종별 조사대상주수 × 품종별 주당 착과수 × 품종별 개당 과중 × (1 − 금차 착과피해구성률)} + {품종별 조사대상주수 × 품종별 주당 낙과수 × 품종별 개당 과중 × (1 − 금차 낙과피해구성률)} + (품종별 주당 평년수확량 × 품종별 미보상주수) ○ 감수량 　= (품종별 조사대상주수 × 품종별 주당 착과수 × 금차 착과피해구성률 × 품종별 개당 과중) + (품종별 조사대상주수 × 품종별 주당 낙과수 × 금차 낙과피해구성률 × 품종별 개당 과중) + (품종별 금차 고사주수 × (품종별 주당 착과수 + 품종별 주당 낙과수) × 품종별 개당 과중 × (1 − max A)) ▷ 품종별 조사대상주수 = 품종별 실제 결과주수 − 품종별 미보상주수 − 품종별 고사나무주수 − 품종별 수확완료주수 ▷ 품종별 평년수확량 = 평년수확량 × ((품종별 주당 표준수확량 × 품종별 실제결과주수) ÷ 표준수확량) ▷ 품종별 주당 평년수확량 = 품종별 평년수확량 ÷ 품종별 실제결과주수 ▷ 품종별 금차 고사주수 = 품종별 고사주수 − 품종별 기조사 고사주수 □ 피해율 산정 ○ 금차 수확 개시 후 수확량조사가 최초 조사인 경우 (이전 수확량조사가 없는 경우) 1)『금차 수확량 + 금차 감수량 + 기수확량 < 평년수확량』인 경우 　▷ 피해율 = (평년수확량 − 수확량 − 미보상감수량) ÷ 평년수확량

밤, 호두	수확 개시 후 수확량조사 (조사일 기준)	사고 발생 직후	− 수확량 = 평년수확량 − 금차 감수량 − 미보상감수량 = 금차 감수량 × 미보상비율 2)『금차 수확량 + 금차 감수량 + 기수확량 ≧ 평년수확량』인 경우 ▷ 피해율 = (평년수확량 − 수확량 − 미보상감수량) ÷ 평년수확량 − 수확량 = 금차 수확량 + 기수확량 − 미보상감수량 = (평년수확량 − (금차 수확량 + 기수확량)) × 미보상비율 ○ 수확 개시 전 수확량조사가 있는 경우(이전 수확량조사에 수확 개시 전 수확량조사가 포함된 경우) 1)『금차 수확량 + 금차 감수량 + 기수확량 > 수확 개시 전 수확량조사 수확량』⇒ 오류 수정 필요 2)『금차 수확량 + 금차 감수량 + 기수확량 > 이전 조사 금차 수확량 + 이전 조사 기수확량』⇒ 오류 수정 필요 3)『금차 수확량 + 금차 감수량 + 기수확량 ≤ 수확 개시 전 수확량조사 수확량』이면서 『금차 수확량 + 금차 감수량 + 기수확량 ≤ 이전 조사 금차 수확량 + 이전 조사 기수확량』인 경우 ▷ 피해율 = (평년수확량 − 수확량 − 미보상감수량) ÷ 평년수확량 − 수확량 = 수확 개시 전 수확량 − 사고당 감수량의 합 − 미보상감수량 = {평년수확량 − (수확 개시 전 수확량 − 사고당 감수량의 합)} × max(미보상비율) ○ 수확 개시 후 수확량조사만 있는 경우(이전 수확량조사가 모두 수확 개시 후 수확량조사인 경우) 1)『금차 수확량 + 금차 감수량 + 기수확량 > 이전 조사 금차 수확량 + 이전 조사 기수확량』⇒ 오류 수정 필요 2)『금차 수확량 + 금차 감수량 + 기수확량 ≤ 이전 조사 금차 수확량 + 이전 조사 기수확량』인 경우 ① 최초 조사가『금차 수확량 + 금차 감수량 + 기수확량 < 평년수확량』인 경우 ▷ 피해율 = (평년수확량 − 수확량 − 미보상감수량) ÷ 평년수확량 − 수확량 = 평년수확량 − 사고당 감수량의 합

| 밤, 호두 | 수확 개시 후 수확량조사 (조사일 기준) | 사고 발생 직후 | – 미보상감수량 = 사고당 감수량의 합 × max(미보상비율)
② 최초 조사가 『금차 수확량 + 금차 감수량 + 기수확량 ≧ 평년수확량』인 경우
 ▷ 피해율 = (평년수확량 − 수확량 − 미보상감수량) ÷ 평년수확량
 – 수확량 = 최초 조사 금차 수확량 + 최초 조사 기수확량 − 2차 이후 사고당 감수량의 합
 – 미보상감수량 = {평년수확량 − (최초 조사 금차 수확량 + 최초 조사 기수확량) + 2차 이후 사고당 감수량의 합} × max(미보상비율) |
| 참다래 | 수확 개시 전 수확량조사 (조사일 기준) | 최초 수확 전 | ○ 착과수조사
 ▷ 품종·수령별 착과수 = 품종·수령별 표본조사대상면적 × 품종·수령별 면적(㎡)당 착과수
 – 품종·수령별 표본조사대상면적 = 품종·수령별 재식면적 × 품종·수령별 표본조사대상주수
 – 품종·수령별 면적(㎡)당 착과수 = 품종·수령별 (표본구간 착과수 ÷ 표본구간 넓이)
 – 재식면적 = 주간 거리 × 열간 거리
 – 품종별·수령별 표본조사대상주수 = 품종·수령별 실제 결과주수 − 품종·수령별 미보상주수 − 품종·수령별 고사나무주수
 – 표본구간 넓이 = (표본구간 윗변 길이 + 표본구간 아랫변 길이) × 표본구간 높이(윗변과 아랫변의 거리) ÷ 2
○ 과중조사
 ▷ 품종별 개당 과중 = 품종별 표본과실 무게 합계 ÷ 표본과실수
○ 피해구성조사(품종별로 실시)
 ▷ 피해구성률 = ((50%형 피해과실수 × 0.5) + (80%형 피해과실수 × 0.8) + (100%형 피해과실수 × 1)) ÷ 표본과실수
 ▷ 금차 피해구성률 = 피해구성률 − max A
 – 금차 피해구성률은 다수 사고인 경우 적용
 – max A : 금차 사고전 기조사된 착과피해구성률 중 최댓값을 말함
 ※ 금차 피해구성률이 영(0)보다 작은 경우에는 영(0)으로 함 |

참다래	수확 개시 전 수확량조사 (조사일 기준)	최초 수확 전	○ 피해율 산정 ▷ 피해율 = (평년수확량 – 수확량 – 미보상감수량) ÷ 평년수확량 　– 수확량 = (품종·수령별 착과수 × 품종별 과중 × (1 – 피해구성률)) + (품종·수령별 면적(㎡)당 평년수확량 × 품종·수령별 미보상주수 × 품종·수령별 재식면적) 　– 품종·수령별 면적(㎡)당 평년수확량 = 품종별·수령별 평년수확량 ÷ 품종·수령별 재식면적 합계 　– 품종·수령별 평년수확량 = 평년수확량 × (품종별·수령별 표준수확량 ÷ 표준수확량) 　– 미보상감수량 = (평년수확량 – 수확량) × 미보상비율
	수확 개시 후 수확량조사 (조사일 기준)	사고 발생 직후	○ 착과수조사 ▷ 품종·수령별 착과수 = 품종·수령별 표본조사대상 면적 × 품종·수령별 면적(㎡)당 착과수 ▷ 품종·수령별 조사대상 면적 = 품종·수령별 재식면 적 × 품종·수령별 표본조사대상주수 ▷ 품종·수령별 면적(㎡)당 착과수 = 품종별·수령별 표본구간 착과수 ÷ 품종·수령별 표본구간 넓이 ▷ 재식면적 = 주간 거리 × 열간 거리 ▷ 품종·수령별 조사대상주수 = 품종·수령별 실제 결 과주수 – 품종·수령별 미보상주수 – 품종·수령별 고사나무주수 – 품종·수령별 수확완료주수 ▷ 표본구간 넓이 = (표본구간 윗변 길이 + 표본구간 아랫변 길이) × 표본구간 높이(윗변과 아랫변의 거리) ÷ 2 ○ 낙과수조사 ▷ 표본조사 　– 품종·수령별 낙과수 = 품종·수령별 조사대상면 적 × 품종·수령별 면적(㎡)당 낙과수 　– 품종·수령별 면적(㎡)당 낙과수 = 품종·수령별 표본주의 낙과수 ÷ 품종·수령별 표본구간 넓이 ▷ 전수조사 　– 전체 낙과에 대하여 품종별 구분이 가능한 경우 : 품종별 낙과수조사 　– 전체 낙과에 대하여 품종별 구분이 불가한 경우 : 품종별 낙과수 = 전체 낙과수 × (품종별 표본과실 수 ÷ 전체 표본과실수의 합계)

| 참다래 | 수확 개시 후 수확량조사 (조사일 기준) | 사고 발생 직후 | ○ 과중조사
▷ 품종별 개당 과중 = 품종별 표본과실 무게 합계 ÷ 표본과실수

○ 피해구성조사(품종별로 실시)
▷ 피해구성률 = {(50%형 피해과실수 × 0.5) + (80%형 피해과실수 × 0.8) + (100%형 피해과실수 × 1)} ÷ 표본과실수
▷ 금차 피해구성률 = 피해구성률 - max A
　- 금차 피해구성률은 다수 사고인 경우 적용
　- max A : 금차 사고전 기조사된 착과피해구성률 중 최댓값을 말함
　　※ 금차 피해구성률이 영(0)보다 작은 경우에는 영(0)으로 함

○ 금차 수확량
= {품종·수령별 착과수 × 품종별 개당 과중 × (1 - 금차 착과피해구성률)} + {품종·수령별 낙과수 × 품종별 개당 과중 × (1 - 금차 낙과피해구성률)} + {품종·수령별 m²당 평년수확량 × 미보상주수 × 품종·수령별 재식면적}

○ 금차 감수량
= {품종·수령별 착과수 × 품종별 과중 × 금차 착과피해구성률} + {품종·수령별 낙과수 × 품종별 과중 × 금차 낙과피해구성률} + {품종·수령별 m²당 평년수확량 × 금차 고사주수 × (1 - max A)} × 품종·수령별 재식면적}
▷ 금차 고사주수 = 고사주수 - 기조사 고사주수
▷ 품종·수령별 면적(m²)당 평년수확량 = 품종·수령별 평년수확량 ÷ 품종·수령별 재식면적 합계
▷ 품종·수령별 평년수확량 = 평년수확량 × (품종·수령별 표준수확량 ÷ 표준수확량)

□ 피해율 산정
○ 금차 수확 개시 후 수확량조사가 최초 조사인 경우 (이전 수확량조사가 없는 경우)
1)『금차 수확량 + 금차 감수량 + 기수확량 < 평년수확량』인 경우
▷ 피해율 = (평년수확량 - 수확량 - 미보상감수량) ÷ 평년수확량
　- 수확량 = 평년수확량 - 금차 감수량
　- 미보상감수량 = 금차 감수량 × 미보상비율 |

참다래	수확 개시 후 수확량조사 (조사일 기준)	사고 발생 직후	2)『금차 수확량 + 금차 감수량 + 기수확량 ≧ 평년수확량』인 경우 ▷ 피해율 = (평년수확량 – 수확량 – 미보상감수량) ÷ 평년수확량 – 수확량 = 금차 수확량 + 기수확량 – 미보상감수량 = (평년수확량 – (금차 수확량 + 기수확량)) × 미보상비율 ○ 수확 개시 전 수확량조사가 있는 경우(이전 수확량조사에 수확 개시 전 수확량조사가 포함된 경우) 1)『금차 수확량 + 금차 감수량 + 기수확량 > 수확 개시 전 수확량조사 수확량』⇒ 오류 수정 필요 2)『금차 수확량 + 금차 감수량 + 기수확량 > 이전 조사 금차 수확량 + 이전 조사 기수확량』⇒ 오류 수정 필요 3)『금차 수확량 + 금차 감수량 + 기수확량 ≦ 수확 개시 전 수확량조사 수확량』이면서 『금차 수확량 + 금차 감수량 + 기수확량 ≦ 이전 조사 금차 수확량 + 이전 조사 기수확량』인 경우 ▷ 피해율 = (평년수확량 – 수확량 – 미보상감수량) ÷ 평년수확량 – 수확량 = 수확 개시 전 수확량 – 사고당 감수량의 합 – 미보상감수량 = {평년수확량 – (수확 개시 전 수확량 – 사고당 감수량의 합)} × max(미보상비율) ○ 수확 개시 후 수확량조사만 있는 경우(이전 수확량조사가 모두 수확 개시 후 수확량조사인 경우) 1)『금차 수확량 + 금차 감수량 + 기수확량 > 이전 조사 금차 수확량 + 이전 조사 기수확량』⇒ 오류 수정 필요 2)『금차 수확량 + 금차 감수량 + 기수확량 ≦ 이전 조사 금차 수확량 + 이전 조사 기수확량』인 경우 ① 최초 조사가『금차 수확량 + 금차 감수량 + 기수확량 < 평년수확량』인 경우 ▷ 피해율 = (평년수확량 – 수확량 – 미보상감수량) ÷ 평년수확량 – 수확량 = 평년수확량 – 사고당 감수량의 합

참다래	수확 개시 후 수확량조사 (조사일 기준)	사고 발생 직후	– 미보상감수량 = 사고당 감수량의 합 × max(미보상비율) ② 최초 조사가 『금차 수확량 + 금차 감수량 + 기수확량』 ≧ 평년수확량』인 경우 ▷ 피해율 = (평년수확량 – 수확량 – 미보상감수량) ÷ 평년수확량 – 수확량 = 최초 조사 금차 수확량 + 최초 조사 기수확량 – 2차 이후 사고당 감수량의 합 – 미보상감수량 = {평년수확량 – (최초 조사 금차 수확량 + 최초 조사 기수확량) + 2차 이후 사고당 감수량의 합} × max(미보상비율)
매실, 대추, 살구	수확 개시 전 수확량조사 (조사일 기준)	최초 수확 전	□ 피해율 = (평년수확량 – 수확량 – 미보상감수량) ÷ 평년수확량 ○ 수확량 = {품종·수령별 조사대상주수 × 품종·수령별 주당 착과량 × (1 – 착과피해구성률)} + (품종·수령별 주당 평년수확량 × 품종·수령별 미보상주수) ○ 미보상감수량 = (평년수확량 – 수확량) × 미보상비율 ▷ 품종·수령별 조사대상주수 = 품종·수령별 실제결과주수 – 품종·수령별 미보상주수 – 품종·수령별 고사나무주수 ▷ 품종·수령별 평년수확량 = 평년수확량 × (품종별 표준수확량 ÷ 표준수확량) ▷ 품종·수령별 주당 평년수확량 = 품종별·수령별 (평년수확량 ÷ 실제결과주수) ▷ 품종·수령별 주당 착과량 = 품종별·수령별 (표본주의 착과무게 ÷ 표본주수) – 표본주 착과무게 = 조사 착과량 × 품종별 비대추정지수(매실) × 2(절반조사 시) ○ 피해구성조사 ▷ 피해구성률 = ((50%형 피해과실무게 × 0.5) + ((80%형 피해과실무게 × 0.8) + (100%형 피해과실무게 × 1)) ÷ 표본과실무게
	수확 개시 후 수확량조사 (조사일 기준)	사고 발생 직후	○ 금차 수확량 = {품종·수령별 조사대상주수 × 품종·수령별 주당 착과량 × (1 – 금차 착과피해구성률)} + {품종·수령별 조사대상주수 × 품종별(·수령별) 주당 낙과량 × (1 – 금차 낙과피해구성률)} + (품종별 주당 평년수확량 × 품종별 미보상주수)

| 매실,
대추,
살구 | 수확
개시 후
수확량조사
(조사일
기준) | 사고
발생
직후 | ○ 금차 감수량
= (품종·수령별 조사대상주수 × 품종·수령별 주당
착과량 × 금차 착과피해구성률) + (품종·수령별 조사
대상주수 × 품종별(·수령별) 주당 낙과량 × 금차 낙
과피해구성률) + {품종·수령별 금차 고사주수 × (품
종·수령별 주당 착과량 + 품종별(·수령별) 주당 낙과
량) × (1 − max A)}
▷ 품종·수령별 조사대상주수 = 품종·수령별 실제 결
과주수 − 품종·수령별 미보상주수 − 품종·수령별
고사나무주수 − 품종·수령별 수확완료주수
▷ 품종·수령별 평년수확량 = 평년수확량 ÷ 품종·수
령별 표준수확량 합계 × 품종·수령별 표준수확량
▷ 품종·수령별 주당 평년수확량 = 품종·수령별 평년
수확량 ÷ 품종·수령별 실제결과주수
▷ 품종·수령별 주당 착과량 = 품종·수령별 표본주의
착과량 ÷ 품종·수령별 표본주수
▷ 표본주 착과무게 = 조사 착과량 × 품종별 비대추정
지수(매실) × 2(절반조사 시)
▷ 품종·수령별 금차 고사주수 = 품종·수령별 고사주
수 − 품종·수령별 기조사 고사주수

○ 낙과량 조사
▷ 표본조사
 − 품종·수령별 주당 낙과량 = 품종·수령별 표본주
  의 낙과량 ÷ 품종·수령별 표본주수
▷ 전수조사
 − 품종별 주당 낙과량 = 품종별 낙과량 ÷ 품종별 표
  본조사대상주수
 − 전체 낙과에 대하여 품종별 구분이 가능한 경우 :
  품종별 낙과량 조사
 − 전체 낙과에 대하여 품종별 구분이 불가한 경우 : 품종
  별 낙과량 = 전체 낙과량 × (품종별 표본과실수(무게)
  ÷ 표본과실수(무게))

○ 피해구성조사
▷ 피해구성률 = ((50%형 피해과실무게 × 0.5) +
((80%형 피해과실무게 × 0.8) 100%형 피해과실무게)
÷ 표본과실무게
▷ 금차 피해구성률 = 피해구성률 − max A |

매실, 대추, 살구	수확 개시 후 수확량조사 (조사일 기준)	사고 발생 직후	– 금차 피해구성률은 다수 사고인 경우 적용 – max A : 금차 사고전 기조사된 착과피해구성률 중 최댓값을 말함 ※ 금차 피해구성률이 영(0)보다 작은 경우에는 영(0)으로 함 ☐ 피해율 산정 ○ 금차 수확 개시 후 수확량조사가 최초 조사인 경우 (이전 수확량조사가 없는 경우) 1)『금차 수확량 + 금차 감수량 + 기수확량 < 평년수확량』인 경우 ▷ 피해율 = (평년수확량 – 수확량 – 미보상감수량) ÷ 평년수확량 – 수확량 = 평년수확량 – 금차 감수량 – 미보상감수량 = 금차 감수량 × 미보상비율 2)『금차 수확량 + 금차 감수량 + 기수확량 ≧ 평년수확량』인 경우 ▷ 피해율 = (평년수확량 – 수확량 – 미보상감수량) ÷ 평년수확량 – 수확량 = 금차 수확량 + 기수확량 – 미보상감수량 = (평년수확량 – (금차 수확량 + 기수확량)) × 미보상비율 ○ 수확 개시 전 수확량조사가 있는 경우(이전 수확량 조사에 수확 개시 전 수확량조사가 포함된 경우) 1)『금차 수확량 + 금차 감수량 + 기수확량 > 수확 개시 전 수확량조사 수확량』⇒ 오류 수정 필요 2)『금차 수확량 + 금차 감수량 + 기수확량 > 이전 조사 금차 수확량 + 이전 조사 기수확량』⇒ 오류 수정 필요 3)『금차 수확량 + 금차 감수량 + 기수확량 ≦ 수확 개시 전 수확량조사 수확량』이면서 『금차 수확량 + 금차 감수량 + 기수확량 ≦ 이전 조사 금차 수확량 + 이전 조사 기수확량』인 경우 ▷ 피해율 = (평년수확량 – 수확량 – 미보상감수량) ÷ 평년수확량 – 수확량 = 수확 개시 전 수확량 – 사고당 감수량 의 합

매실, 대추, 살구	수확 개시 후 수확량조사 (조사일 기준)	사고 발생 직후	– 미보상감수량 = {평년수확량 – (수확 개시 전 수확량 – 사고당 감수량의 합)} × max(미보상비율) ○ 수확 개시 후 수확량조사만 있는 경우(이전 수확량조사가 모두 수확 개시 후 수확량조사인 경우) 1) 『금차 수확량 + 금차 감수량 + 기수확량 > 이전 조사 금차 수확량 + 이전 조사 기수확량』 ⇒ 오류 수정 필요 2) 『금차 수확량 + 금차 감수량 + 기수확량 ≤ 이전 조사 금차 수확량 + 이전 조사 기수확량』인 경우 ① 최초 조사가 『금차 수확량 + 금차 감수량 + 기수확량 < 평년수확량』인 경우 ▷ 피해율 = (평년수확량 – 수확량 – 미보상감수량) ÷ 평년수확량 – 수확량 = 평년수확량 – 사고당 감수량의 합 – 미보상감수량 = 사고당 감수량의 합 × max(미보상비율) ② 최초 조사가 『금차 수확량 + 금차 감수량 + 기수확량 ≧ 평년수확량』인 경우 ▷ 피해율 = (평년수확량 – 수확량 – 미보상감수량) ÷ 평년수확량 – 수확량 = 최초 조사 금차 수확량 + 최초 조사 기수확량 – 2차 이후 사고당 감수량의 합 – 미보상감수량 = {평년수확량 – (최초 조사 금차 수확량 + 최초 조사 기수확량) + 2차 이후 사고당 감수량의 합} × max(미보상비율)
오미자	수확 개시 전 수확량조사 (조사일 기준)	최초 수확 전	□ 피해율 = (평년수확량 – 수확량 – 미보상감수량) ÷ 평년수확량 ○ 수확량 = {형태·수령별 조사대상길이 × 형태·수령별 m당 착과량 × (1 – 착과피해구성률)} + (형태·수령별 m당 평년수확량 × 형태·수령별 미보상길이) ▷ 형태·수령별 조사대상길이 = 형태·수령별 실제재배길이 – 형태·수령별 미보상길이 – 형태·수령별 고사길이) ▷ 형태·수령별 길이(m)당 착과량 = 형태·수령별 표본구간의 착과무게 ÷ 형태·수령별 표본구간 길이의 합

	수확 개시 전 수확량조사 (조사일 기준)	최초 수확 전	– 표본구간 착과무게 = 조사 착과량 × 2(절반조사 시) ▷ 형태·수령별 길이(m)당 평년수확량 = 형태·수령별 평년수확량 ÷ 형태·수령별 실제재배길이 – 형태·수령별 평년수확량 = 평년수확량 × {(형태·수령별 m당 표준수확량 × 형태·수령별 실제재배길이) ÷ 표준수확량} ○ 미보상감수량 = (평년수확량 – 수확량) × 미보상비율 ○ 피해구성조사 – 피해구성률 = ((50%형 피해과실무게 × 0.5) + (80%형 피해과실무게 × 0.8) + (100%형 피해과실무게 × 1)) ÷ 표본과실무게
오미자	수확 개시 후 수확량조사 (조사일 기준)	사고 발생 직후	○ 기본사항 ▷ 형태·수령별 조사대상길이 = 형태·수령별 실제재배길이 – 형태·수령별 수확완료길이 – 형태·수령별 미보상길이 – 형태·수령별 고사 길이 ▷ 형태·수령별 평년수확량 = 평년수확량 ÷ 표준수확량 × 형태·수령별 표준수확량 ▷ 형태·수령별 길이(m)당 평년수확량 = 형태·수령별 평년수확량 ÷ 형태·수령별 실제재배길이 ▷ 형태·수령별 길이(m)당 착과량 = 형태·수령별 표본구간의 착과무게 ÷ 형태·수령별 표본구간 길이의 합 ▷ 표본구간 착과무게 = 조사 착과량 × 2(절반조사 시) ▷ 형태·수령별 금차 고사 길이 = 형태·수령별 고사 길이 – 형태·수령별 기조사 고사 길이 ○ 낙과량 조사 ▷ 표본조사 　형태·수령별 길이(m)당 낙과량 = 형태·수령별 표본구간의 낙과량의 합 ÷ 형태·수령별 표본구간 길이의 합 ▷ 전수조사 　길이(m)당 낙과량 = 낙과량 ÷ 전체 조사대상길이의 합 ○ 피해구성조사 ▷ 피해구성률 = ((50%형 과실무게 × 0.5) + ((80%형 과실무게 × 0.8) + (100%형 과실무게 × 1)) ÷ 표본과실무게

오미자	수확 개시 후 수확량조사 (조사일 기준)	사고 발생 직후	▷ 금차 피해구성률 = 피해구성률 − max A 　− max A : 금차 사고전 기조사된 착과피해구성률 중 최댓값을 말함 　※ 금차 피해구성률이 영(0)보다 작은 경우 : 금차 감수과실수는 영(0)으로 함 ○ 금차 수확량 　= {형태·수령별 조사대상길이 × 형태·수령별 m당 착과량 × (1 − 금차 착과피해구성률)} + {형태·수령별 조사대상길이 × 형태·수령별 m당 낙과량 × (1 − 금차 낙과피해구성률)} + (형태·수령별 m당 평년수확량 × 형태별수령별 미보상 길이) ○ 금차 감수량 　= (형태·수령별 조사대상길이 × 형태·수령별 m당 착과량 × 금차 착과피해구성률) + (형태·수령별 조사대상길이 × 형태·수령별 m당 낙과량 × 금차 낙과피해구성률) + (형태·수령별 금차 고사 길이 × (형태·수령별 m당 착과량 + 형태·수령별 m당 낙과량) × (1 − max A)) □ 피해율 산정 ○ 금차 수확 개시 후 수확량조사가 최초 조사인 경우 (이전 수확량조사가 없는 경우) 1)『금차 수확량 + 금차 감수량 + 기수확량 < 평년수확량』인 경우 　▷ 피해율 = (평년수확량 − 수확량 − 미보상감수량) ÷ 평년수확량 　　− 수확량 = 평년수확량 − 금차 감수량 　　− 미보상감수량 = 금차 감수량 × 미보상비율 2)『금차 수확량 + 금차 감수량 + 기수확량 ≧ 평년수확량』인 경우 　▷ 피해율 = (평년수확량 − 수확량 − 미보상감수량) ÷ 평년수확량 　　− 수확량 = 금차 수확량 + 기수확량 　　− 미보상감수량 = (평년수확량 − (금차 수확량 + 기수확량)) × 미보상비율 ○ 수확 개시 전 수확량조사가 있는 경우(이전 수확량조사에 수확 개시 전 수확량조사가 포함된 경우)

| 오미자 | 수확
개시 후
수확량조사
(조사일
기준) | 사고
발생
직후 | 1) 『금차 수확량 + 금차 감수량 + 기수확량 > 수확
개시 전 수확량조사 수확량』⇒ 오류 수정 필요
2) 『금차 수확량 + 금차 감수량 + 기수확량 > 이전
조사 금차 수확량 + 이전 조사 기수확량』⇒ 오류
수정 필요
3) 『금차 수확량 + 금차 감수량 + 기수확량 ≦ 수확
개시 전 수확량조사 수확량』이면서
『금차 수확량 + 금차 감수량 + 기수확량 ≦ 이전
조사 금차 수확량 + 이전 조사 기수확량』인 경우
▷ 피해율 = (평년수확량 − 수확량 − 미보상감수량)
÷ 평년수확량
− 수확량 = 수확 개시 전 수확량 − 사고당 감수량
의 합
− 미보상감수량 = {평년수확량 − (수확 개시 전
수확량 − 사고당 감수량의 합)} × max(미보상
비율)

○ 수확 개시 후 수확량조사만 있는 경우(이전 수확량
조사가 모두 수확 개시 후 수확량조사인 경우)
1) 『금차 수확량 + 금차 감수량 + 기수확량 > 이전
조사 금차 수확량 + 이전 조사 기수확량』⇒ 오류
수정 필요
2) 『금차 수확량 + 금차 감수량 + 기수확량 ≦ 이전
조사 금차 수확량 + 이전 조사 기수확량』인 경우
① 최초 조사가 『금차 수확량 + 금차 감수량 + 기수확
량 < 평년수확량』인 경우
▷ 피해율 = (평년수확량 − 수확량 − 미보상감수
량) ÷ 평년수확량
− 수확량 = 평년수확량 − 사고당 감수량의 합
− 미보상감수량 = 사고당 감수량의 합 × max
(미보상비율)
② 최초 조사가 『금차 수확량 + 금차 감수량 + 기수
확량 ≧ 평년수확량』인 경우
▷ 피해율 = (평년수확량 − 수확량 − 미보상감수
량) ÷ 평년수확량
− 수확량 = 최초 조사 금차 수확량 + 최초 조
사 기수확량 − 2차 이후 사고당 감수량의 합
− 미보상감수량 = {평년수확량 − (최초 조사 금
차 수확량 + 최초 조사 기수확량) + 2차 이후
사고당 감수량의 합} × max(미보상비율) |

유자	수확량조사	수확 개시 전	○ 기본사항 ▷ 품종·수령별 조사대상주수 = 품종·수령별 실제결과주수 − 품종·수령별 미보상주수 − 품종·수령별 고사주수 ▷ 품종·수령별 평년수확량 = 평년수확량 ÷ 표준수확량 × 품종·수령별 표준수확량 　− 품종·수령별 주당 평년수확량 = 품종·수령별 평년수확량 ÷ 품종·수령별 실제결과주수 ▷ 품종·수령별 과중 = 품종·수령별 표본과실 무게 합계 ÷ 품종·수령별 표본과실수 ▷ 품종·수령별 표본주당 착과수 = 품종·수령별 표본주 착과수 합계 ÷ 품종·수령별 표본주수 ▷ 품종·수령별 표본주당 착과량 = 품종·수령별 표본주당 착과수 × 품종·수령별 과중 ○ 피해구성조사 ▷ 피해구성률 = ((50%형 피해과실수 × 0.5) + (80%형 피해과실수 × 0.8) + (100%형 피해과실수 × 1)) ÷ 표본과실수 ○ 피해율 = (평년수확량 − 수확량 − 미보상감수량) ÷ 평년수확량 ▷ 수확량 = {품종·수령별 표본조사대상주수 × 품종·수령별 표본주당 착과량 × (1 − 착과피해구성률)} + (품종·수령별 주당 평년수확량 × 품종·수령별 미보상주수) ▷ 미보상감수량 = (평년수확량 − 수확량) × 미보상비율

4. 종합위험 및 수확전 종합위험 과실손해보장방식

품목별	조사종류별	조사시기	피해율 산정 방법
오디	과실손해조사	결실완료시점 ~ 수확 전	□ 피해율 = (평년결실수 − 조사결실수 − 미보상감수결실수) ÷ 평년결실수 ○ 조사결실수 = Σ{(품종·수령별 환산결실수 × 품종·수령별 조사대상주수) + (품종별 주당 평년결실수 × 품종·수령별 미보상주수)} ÷ 전체 실제결과주수 − 품종·수령별 환산결실수 = 품종·수령별 표본가지 결실수 합계 ÷ 품종·수령별 표본가지 길이 합계 − 품종·수령별 표본조사대상주수 = 품종·수령별 실제결과주수 − 품종·수령별 고사주수 − 품종·수령별 미보상주수 − 품종별 주당 평년결실수 = 품종별 평년결실수 ÷ 품종별 실제결과주수 − 품종별 평년결실수 = (평년결실수 × 전체 실제결과주수) × (대상 품종 표준결실수 × 대상 품종 실제결과주수) ÷ Σ(품종별 표준결실수 × 품종별 실제결과주수) ○ 미보상감수결실수 = Max((평년결실수 − 조사결실수) × 미보상비율, 0)
감귤	과실손해조사	착과피해조사	○ 과실손해 피해율 = {(등급 내 피해과실수 + 등급 외 피해과실수 × 50%) ÷ 기준과실수} × (1 − 미보상비율) ○ 피해 인정 과실수 = 등급 내 피해과실수 + 등급 외 피해과실수 × 50% 1) 등급 내 피해과실수 = (등급 내 30%형 과실수 합계 × 0.3) + (등급 내 50%형 과실수 합계 × 0.5) + (등급 내 80%형 과실수 합계 × 0.8) + (등급 내 100%형 과실수 × 1) 2) 등급 외 피해과실수 = (등급 외 30%형 과실수 합계 × 0.3) + (등급 외 50%형 과실수 합계 × 0.5) + (등급 외 80%형 과실수 합계 × 0.8) + (등급 외 100%형 과실수 × 1) ※ 만감류는 등급 외 피해과실수를 피해 인정 과실수 및 과실손해 피해율에 반영하지 않음 3) 기준과실수 : 모든 표본주의 과실수 총 합계 단, 수확전 사고조사를 실시한 경우에는 아래와 같이 적용한다.

감귤	과실손해조사	착과피해조사	– (수확전 사고조사 결과가 있는 경우) 과실손해피해율 = {최종 수확전 과실손해 피해율 ÷ (1 – 최종 수확전 과실손해조사 미보상비율)} + {(1 – (최종 수확전 과실손해 피해율 ÷ (1 – 최종 수확전 과실손해조사 미보상비율))) × (과실손해 피해율 ÷ (1 – 과실손해미보상비율))} × {1 – 최댓값(최종 수확전 과실손해조사 미보상비율, 과실손해 미보상비율)} • 수확전 과실손해 피해율 = {100%형 피해과실수 ÷ (정상 과실수 + 100%형 피해과실수)} × (1 – 미보상비율) • 최종 수확전 과실손해 피해율 = {(이전 100% 피해과실수 + 금차 100% 피해과실수) ÷ (정상 과실수 + 100%형 피해과실수)} × (1 – 미보상비율)
	동상해조사	착과피해조사	○ 동상해 과실손해 피해율 = 동상해 피해과실수 ÷ 기준과실수 $= \dfrac{(80\%형\ 피해과실수 \times 0.8) + (100\%형\ 피해과실수 \times 1)}{정상과실수 + 80\%형\ 피해과실수 + 100\%형\ 피해과실수}$ ※ 동상해 피해과실수 = (80%형 피해과실수 × 0.8) + (100%형 피해과실수 × 1) ※ 기준과실수(모든 표본주의 과실수 총 합계) = 정상 과실수 + 80%형 피해과실수 + 100%형 피해과실수
복분자	종합위험 과실손해조사	수정완료 시점 ~ 수확 전	□ 종합위험 과실손해 고사결과모지수 = 평년결과모지수 − (기준 살아있는 결과모지수 − 수정불량환산 고사결과모지수 + 미보상 고사결과모지수) ○ 기준 살아있는 결과모지수 = 표본구간 살아있는 결과모지수의 합 ÷ (표본구간수 × 5) ○ 수정불량환산 고사결과모지수 = 표본구간 수정불량 고사결과모지수의 합 ÷ (표본구간수 × 5) ○ 표본구간 수정불량 고사결과모지수 = 표본구간 살아있는 결과모지수 × 수정불량환산계수
	특정위험 과실손해조사	사고접수 직후	○ 수정불량환산계수 = (수정불량결실수 ÷ 전체결실수) − 자연수정불량률 = 최댓값((표본포기 6송이 피해 열매수의 합 ÷ 표본포기 6송이 열매수의 합계) − 15%, 0)

복분자	특정위험 과실손해 조사	사고접수 직후	▷ 자연수정불량률 : 15%(2014 복분자 수확량 연구용역 결과반영) ○ 미보상 고사결과모지수 = 최댓값({평년결과모지수 − (기준 살아있는 결과모지수 − 수정불량환산 고사결과모지수)} × 미보상비율, 0) □ 특정위험 과실손해 고사결과모지수 = 수확감소환산 고사결과모지수 − 미보상 고사결과모지수 ○ 수확감소환산 고사결과모지수 (종합위험 과실손해조사를 실시한 경우) = (기준 살아있는 결과모지수 − 수정불량환산 고사결과모지수) × 누적수확감소환산계수 ○ 수확감소환산 고사결과모지수 (종합위험 과실손해조사를 실시하지 않은 경우) = 평년결과모지수 × 누적수확감소환산계수 ▷ 누적수확감소환산계수 = 특정위험 과실손해조사별 수확감소환산계수의 합 ▷ 수확감소환산계수 = 최댓값(기준일자별 잔여수확량 비율 − 결실율, 0) ▷ 결실율 = 전체결실수 ÷ 전체개화수 = Σ(표본송이의 수확 가능한 열매수) ÷ Σ(표본송이의 총열매수) ○ 미보상 고사결과모지수 = 수확감소환산 고사결과모지수 × 최댓값(특정위험 과실손해조사별 미보상비율) □ 피해율 = 고사결과모지수 ÷ 평년결과모지수 − 고사결과모지수 = 종합위험 과실손해 고사결과모지수 + 특정위험 과실손해 고사결과모지수
무화과	수확량조사	수확전 수확후	□ 기본사항 ○ 품종·수령별 조사대상주수 = 품종·수령별 실제결과주수 − 품종·수령별 미보상주수 − 품종·수령별 고사주수 ○ 품종·수령별 평년수확량 = 평년수확량 × (품종·수령별 주당 표준수확량 × 품종·수령별 실제결과주수 ÷ 표준수확량) ▷ 품종·수령별 주당 평년수확량 = 품종·수령별 평년수확량 ÷ 품종·수령별 실제결과주수 □ 7월 31일 이전 피해율 ○ 피해율 = (평년수확량 − 수확량 − 미보상감수량) ÷ 평년수확량

무화과	수확량조사	수확전 수확후	▷ 수확량 = {품종별·수령별 조사대상주수 × 품종·수령별 주당 수확량 × (1 − 피해구성률)} + (품종·수령별 주당 평년수확량 × 미보상주수) − 품종·수령별 주당 수확량 = 품종·수령별 주당 착과수 × 표준과중 − 품종·수령별 주당 착과수 = 품종·수령별 표본주 과실수의 합계 ÷ 품종·수령별 표본주수 ▷ 미보상감수량 = (평년수확량 − 수확량) × 미보상비율 ▷ 피해구성조사 − 피해구성률 : {(50%형 과실수 × 0.5) + (80%형 과실수 × 0.8) + (100%형 과실수 × 1)} ÷ 표본과실수 □ 8월 1일 이후 피해율 ○ 피해율 = (1 − 수확전사고 피해율) × 잔여수확량비율 × 결과지 피해율 ▷ 결과지 피해율 = (고사결과지수 + 미고사결과지수 × 착과피해율 − 미보상고사결과지수) ÷ 기준결과지수 − 기준결과지수 = 고사결과지수 + 미고사결과지수 − 고사결과지수 = 보상고사결과지수 + 미보상고사결과지수 ※ 8월 1일 이후 사고가 중복 발생할 경우 금차 피해율에서 전차 피해율을 차감하고 산정함

5. 종합위험 수확감소보장방식 논작물 품목

품목별	조사종류별	조사시기	피해율 산정 방법
벼	수량요소 (벼만 해당)	수확 전 14일 (전후)	○ 피해율 = (평년수확량 – 수확량 – 미보상감수량) ÷ 평년수확량 (단, 병해충 단독사고일 경우 병해충 최대인정피해율 적용) ▷ 수확량 = 표준수확량 × 조사수확비율 × 피해면적 보정계수 ▷ 미보상감수량 = (평년수확량 – 수확량) × 미보상비율
	표본	수확 가능시기	○ 피해율 : (평년수확량 – 수확량 – 미보상감수량) ÷ 평년수확량 (단, 병해충 단독사고일 경우 병해충 최대인정피해율 적용) ▷ 수확량 = (표본구간 단위면적당 유효중량 × 조사대상면적) + {단위면적당 평년수확량 × (타작물 및 미보상면적 + 기수확면적)} – 단위면적당 평년수확량 = 평년수확량 ÷ 실제경작면적 – 조사대상면적 = 실제경작면적 – 고사면적 – 타작물 및 미보상면적 – 기수확면적 – 표본구간 단위면적당 유효중량 = 표본구간 유효중량 ÷ 표본구간 면적 • 표본구간 유효중량 = 표본구간 작물 중량 합계 × (1 – Loss율) × {(1 – 함수율) ÷ (1 – 기준함수율)} • Loss율 : 7% / 기준함수율 : 메벼(15%), 찰벼(13%) • 표본구간 면적 = 4포기 길이 × 포기당 간격 × 표본구간 수 ▷ 미보상감수량 = (평년수확량 – 수확량) × 미보상비율
	전수	수확 시	○ 피해율 : (평년수확량 – 수확량 – 미보상감수량) ÷ 평년수확량 (단, 병해충 단독사고일 경우 병해충 최대인정피해율 적용) ▷ 수확량 : 조사대상면적 수확량 + {단위면적당 평년수확량 × (타작물 및 미보상면적 + 기수확면적)} – 단위면적당 평년수확량 = 평년수확량 ÷ 실제경작면적

벼	전수	수확 시	− 조사대상면적 = 실제경작면적 − 고사면적 − 타작물 및 미보상면적 − 기수확면적 − 조사대상면적 수확량 = 작물 중량 × {(1 − 함수율) ÷ (1 − 기준함수율)} • 기준함수율 : 메벼(15%), 찰벼(13%) ▷ 미보상감수량 = (평년수확량 − 수확량) × 미보상비율
밀, 보리	표본	수확 가능시기	○ 피해율 : (평년수확량 − 수확량 − 미보상감수량) ÷ 평년수확량 ▷ 수확량 = (표본구간 단위면적당 유효중량 × 조사대상면적) + {단위면적당 평년수확량×(타작물 및 미보상면적 + 기수확면적)} − 단위면적당 평년수확량 = 평년수확량 ÷ 실제경작면적 − 조사대상면적 = 실제경작면적 − 고사면적 − 타작물 및 미보상면적 − 기수확면적 − 표본구간 단위면적당 유효중량 = 표본구간 유효중량 ÷ 표본구간 면적 • 표본구간 유효중량 = 표본구간 작물 중량 합계 × (1 − Loss율) × {(1 − 함수율) ÷ (1 − 기준함수율)} • Loss율 : 7% / 기준함수율 : 밀(13%), 보리(13%) • 표본구간 면적 = 4포기 길이 × 포기당 간격 × 표본구간 수 ▷ 미보상감수량 : (평년수확량 − 수확량) × 미보상비율
	전수	수확 시	○ 피해율 : (평년수확량 − 수확량 − 미보상감수량) ÷ 평년수확량 ▷ 수확량 : 조사대상면적 수확량 + {단위면적당 평년수확량 × (타작물 및 미보상면적 + 기수확면적)} − 단위면적당 평년수확량 = 평년수확량 ÷ 실제경작면적 − 조사대상면적 = 실제경작면적 − 고사면적 − 타작물 및 미보상면적 − 기수확면적 − 조사대상면적 수확량 = 작물 중량 × {(1 − 함수율) ÷ (1 − 기준함수율)} • 기준함수율 : 밀(13%), 보리(13%) ▷ 미보상감수량 : (평년수확량 − 수확량) × 미보상비율

※ 하나의 농지에 대하여 여러 종류의 수확량조사가 실시되었을 경우, 피해율 적용 우선순위는 전수, 표본, 수량요소 순임

6. 종합위험 수확감소보장방식 밭작물 품목

품목별	조사종류별	조사시기	피해율 산정 방법
양배추	수확량조사 (수확 전 사고가 발생한 경우)	수확직전	○ 피해율 = (평년수확량 − 수확량 − 미보상감수량) ÷ 평년수확량 ▷ 수확량 = (표본구간 단위면적당 수확량 × 조사대상면적) + {단위면적당 평년수확량 × (타작물 및 미보상면적 + 기수확면적)} − 단위면적당 평년수확량 = 평년수확량 ÷ 실제경작면적 − 표본조사대상면적 = 실제경작면적 − 고사면적 − 타작물 및 미보상면적 − 기수확면적 − 표본구간 단위면적당 수확량 = 표본구간 수확량 합계 ÷ 표본구간 면적 • 표본구간 수확량 합계 = 표본구간 정상 양배추 중량 + (80% 피해 양배추 중량 × 0.2) ▷ 미보상감수량 = (평년수확량 − 수확량) × 미보상비율
	수확량조사 (수확 중 사고가 발생한 경우)	사고발생 직후	
양파, 마늘	수확량조사 (수확 전 사고가 발생한 경우)	수확직전	○ 피해율 = (평년수확량 − 수확량 − 미보상감수량) ÷ 평년수확량 ▷ 수확량 = (표본구간 단위면적당 수확량 × 조사대상면적) + {단위면적당 평년수확량 × (타작물 및 미보상면적 + 기수확면적)} − 단위면적당 평년수확량 = 평년수확량 ÷ 실제경작면적 − 조사대상면적 = 실제경작면적 − 고사면적 − 타작물 및 미보상면적 − 기수확면적 − 표본구간 단위면적당 수확량 = 표본구간 수확량 합계 ÷ 표본구간 면적 • 표본구간 수확량 합계 = (표본구간 정상 작물 중량 + (80% 피해 작물 중량 × 0.2)) × (1 + 비대추정지수) × 환산계수 • 환산계수는 마늘에 한하여 0.7(한지형), 0.72(난지형)를 적용 • 누적비대추정지수 = 지역별 수확적기까지 잔여일수 × 일자별 비대추정지수 ▷ 미보상감수량 = (평년수확량 − 수확량) × 미보상비율
	수확량조사 (수확 중 사고가 발생한 경우)	사고발생 직후	

차(茶)	수확량조사 (조사 가능일 전 사고가 발생한 경우)	조사 가능일 직전	○ 피해율 = (평년수확량 − 수확량 − 미보상감수량) ÷ 평년수확량 ▷ 수확량 = (표본구간 단위면적당 수확량 × 조사대상면적) + {단위면적당 평년수확량 × (타작물 및 미보상면적 + 기수확면적)} − 단위면적당 평년수확량 = 평년수확량 ÷ 실제경작면적 − 조사대상면적 = 실제경작면적 − 고사면적 − 타작물 및 미보상면적 − 기수확면적 − 표본구간 단위면적당 수확량 = 표본구간 수확량 합계 ÷ 표본구간 면적 합계 × 수확면적율 • 표본구간 수확량 합계 = {(수확한 새싹무게 ÷ 수확한 새싹수) × 기수확 새싹수 × 기수확지수} + 수확한 새싹무게 ▷ 미보상감수량 = (평년수확량 − 수확량) × 미보상비율
	수확량조사 (조사 가능일 후 사고가 발생한 경우)	사고발생 직후	
콩, 팥	수확량조사 (수확 전 사고가 발생한 경우)	수확직전	○ 피해율 = (평년수확량 − 수확량 − 미보상감수량) ÷ 평년수확량 ▷ 수확량(표본조사) = (표본구간 단위면적당 수확량 × 조사대상면적) + {단위면적당 평년수확량 × (타작물 및 미보상면적 + 기수확면적)} ▷ 수확량(전수조사) = {전수조사 수확량 × (1 − 함수율) ÷ (1 − 기준함수율)} + {단위면적당 평년수확량 × (타작물 및 미보상면적 + 기수확면적)} − 표본구간 단위면적당 수확량 = 표본구간 수확량 합계 ÷ 표본구간 면적 • 표본구간 수확량 합계 = 표본구간별 종실중량 합계 × {(1 − 함수율) ÷ (1 − 기준함수율)} • 기준함수율 : 콩(14%), 팥(14%) − 조사대상면적 = 실경작면적 − 고사면적 − 타작물 및 미보상면적 − 기수확면적 − 단위면적당 평년수확량 = 평년수확량 ÷ 실제경작면적 ▷ 미보상감수량 = (평년수확량 − 수확량) × 미보상비율
	수확량조사 (수확 중 사고가 발생한 경우)	사고발생 직후	

감자	수확량조사 (수확 전 사고가 발생한 경우)	수확직전	○ 피해율 = {(평년수확량 − 수확량 − 미보상감수량) + 병충해감수량} ÷ 평년수확량 ▷ 수확량 = (표본구간 단위면적당 수확량 × 조사대상면 적) + {단위면적당 평년수확량 × (타작물 및 미보상면 적 + 기수확면적)} − 단위면적당 평년수확량 = 평년수확량 ÷ 실제경작 면적 − 조사대상면적 = 실제경작면적 − 고사면적 − 타작 물 및 미보상면적 − 기수확면적 − 표본구간 단위면적당 수확량 = 표본구간 수확량 합계 ÷ 표본구간 면적
	수확량조사 (수확 중 사고가 발생한 경우)	사고발생 직후	• 표본구간 수확량 합계 = 표본구간별 정상 감자 중 량 + (최대 지름이 5cm 미만이거나 50%형 피해 감자 중량 × 0.5) + 병충해 입은 감자 중량 ▷ 병충해감수량 = 병충해 입은 괴경의 무게 × 손해정도 비율 × 인정비율 ☞ 위 산식은 각각의 표본구간별로 적용되며, 각 표 본구간 면적을 감안하여 전체 병충해 감수량을 산정 − 손해정도비율, 인정비율(119p) 참조 ▷ 미보상감수량 = (평년수확량 − 수확량) × 미보상비율
고구마	수확량조사 (수확 전 사고가 발생한 경우)	수확직전	○ 피해율 = (평년수확량 − 수확량 − 미보상감수량) ÷ 평년수확량 ▷ 수확량 = (표본구간 단위면적당 수확량 × 조사대상면 적) + {단위면적당 평년수확량 × (타작물 및 미보상면적 + 기수확면적)} − 단위면적당 평년수확량 = 평년수확량 ÷ 실제경작 면적 − 조사대상면적 = 실제경작면적 − 고사면적 − 타작 물 및 미보상면적 − 기수확면적 − 표본구간 단위면적당 수확량 = 표본구간 수확량 합계 ÷ 표본구간 면적
	수확량조사 (수확 중 사고가 발생한 경우)	사고발생 직후	• 표본구간 수확량 = 표본구간별 정상 고구마 중량 + (50% 피해 고구마 중량 × 0.5) + (80% 피해 고구마 중량 × 0.2) ▷ 미보상감수량 = (평년수확량 − 수확량) × 미보상비율

옥수수	수확량조사 (수확 전 사고가 발생한 경우)	수확직전	○ 손해액 = (피해수확량 − 미보상감수량) × 가입가격 ▷ 피해수확량 = (표본구간 단위면적당 피해수확량 × 표본조사대상면적) + (단위면적당 표준수확량 × 고사면적) − 단위면적당 표준수확량 = 표준수확량 ÷ 실제경작면적 − 조사대상면적 = 실제경작면적 − 고사면적 − 타작물 및 미보상면적 − 기수확면적 − 표본구간 단위면적당 피해수확량 = 표본구간 피해수확량 합계 ÷ 표본구간 면적 − 표본구간 피해수확량 합계 = (표본구간 "하"품 이하 옥수수 개수 + "중"품 옥수수 개수 × 0.5) × 표준중량 × 재식시기지수 × 재식밀도지수 ▷ 미보상감수량 = 피해수확량 × 미보상비율
	수확량조사 (수확 중 사고가 발생한 경우)	사고발생 직후	

7. 종합위험 생산비보장방식 밭작물 품목 보험금 산정 방법

품목별	조사종류별	조사시기	피해율 산정 방법
고추, 브로콜리, 배추, 무, 단호박, 파, 당근, 메밀	생산비보장 손해조사	사고발생 직후	□ 보험금 산정(고추, 브로콜리) ○ 보험금 = (잔존보험가입금액 × 경과비율 × 피해율) － 자기부담금 (단, 고추는 병충해가 있는 경우 병충해등급별 인정 비율 추가하여 피해율에 곱함) ▷ 경과비율 • 수확기 이전에 사고 시 $= \left\{ a + (1-a) \times \dfrac{생장일수}{표준생장일수} \right\}$ • 수확기 중 사고 시 $= \left(1 - \dfrac{수확일수}{표준수확일수} \right)$ ※ α(준비기생산비계수) = (고추 : 54.4%, 브로 콜리 : 49.5%) 〈용어의 정의〉 • 생장일수 : 정식일로부터 사고발생일까지 경 과일수 • 표준생장일수 : 정식일로부터 수확개시일 까지의 일수로 작목별로 사전에 설정된 값 (고추 : 100일, 브로콜리 : 130일) • 수확일수 : 수확개시일로부터 사고발생일 까지 경과일수 • 표준수확일수 : 수확개시일부터 수확종료 (예정)일까지 일수 ▷ 자기부담금 = 잔존보험가입금액 × (3% 또는 5%) □ 보험금 산정(배추, 무, 단호박, 파, 당근, 메밀, 시금치 (노지)) ○ 보험금 = 보험가입금액 × (피해율 － 자기부담비율) □ 품목별 피해율 산정 ○ 고추 피해율 = 피해비율 × 손해정도비율(심도) × (1 － 미보상비율) ▷ 피해비율 = 피해면적 ÷ 실제경작면적(재배면적) ▷ 손해정도비율 = {(20%형 피해 고추주수 × 0.2) + (40%형 피해 고추주수 × 0.4) + (60%형 피해 고 추주수 × 0.6) + (80%형 피해 고추주수 × 0.8) +

고추, 브로콜리, 배추, 무, 단호박, 파, 당근, 메밀	생산비보장 손해조사	사고발생 직후	(100형 피해 고추주수)} ÷ (정상 고추주수 + 20%형 피해 고추주수 + 40%형 피해 고추주수 + 60%형 피해 고추주수 + 80%형 피해 고추주수 + 100%형 피해 고추주수) ○ 브로콜리 피해율 = 피해비율 × 작물피해율 ▷ 피해비율 = 피해면적 ÷ 실제경작면적(재배면적) ▷ 작물피해율 = {(50%형 피해송이 개수 × 0.5) + (80%형 피해송이 개수 × 0.8) + (100%형 피해송이 개수)} ÷ (정상 송이 개수 + 50%형 피해송이 개수 + 80%형 피해송이 개수 + 100%형 피해송이 개수) ○ 배추, 무, 단호박, 파, 당근, 시금치(노지) 피해율 = 피해비율 × 손해정도비율(심도) × (1 − 미보상비율) ▷ 피해비율 = 피해면적 ÷ 실제경작면적(재배면적) ▷ 손해정도비율 = {(20%형 피해작물 개수 × 0.2) + (40%형 피해작물 개수 × 0.4) + (60%형 피해작물 개수 × 0.6) + (80%형 피해작물 개수 × 0.8) + (100%형 피해작물 개수)} ÷ (정상 작물 개수 + 20%형 피해작물 개수 + 40%형 피해작물 개수 + 60%형 피해작물 개수 + 80%형 피해작물 개수 + 100%형 피해작물 개수) ○ 메밀 피해율 = 피해면적 ÷ 실제경작면적(재배면적) ▷ 피해면적 = (도복으로 인한 피해면적 × 70%) + [도복 이외로 인한 피해면적 × {(20%형 피해 표본면적 × 0.2) + (40%형 피해 표본면적 × 0.4) + (60%형 피해 표본면적 × 0.6) + (80%형 피해 표본면적 × 0.8) + (100%형 피해 표본면적 × 1)} ÷ 표본면적 합계]

8. 농업수입감소보장방식 과수작물 품목

품목별	조사종류별	조사시기	피해율 산정 방법
포도	수확량조사	착과수조사 (최초 수확 품종 수확전) / 과중조사 (품종별 수확시기) / 착과 피해조사 (피해 확인 가능 시기) / 낙과 피해조사 (착과수 조사 이후 낙과 피해 시) / 고사나무 조사 (수확 완료 후)	□ 착과수(수확개시 전 착과수조사 시) ○ 품종·수령별 착과수 = 품종·수령별 조사대상주수 × 품종·수령별 주당 착과수 ▷ 품종·수령별 조사대상주수 = 품종·수령별 실제결과주수 − 품종·수령별 고사주수 − 품종·수령별 미보상주수 ▷ 품종·수령별 주당 착과수 = 품종·수령별 표본주의 착과수 ÷ 품종·수령별 표본주수 □ 착과수(착과피해조사 시) ○ 품종·수령별 착과수 = 품종·수령별 조사대상주수 × 품종·수령별 주당 착과수 ▷ 품종·수령별 조사대상주수 = 품종·수령별 실제결과주수 − 품종·수령별 고사주수 − 품종·수령별 미보상주수 − 품종·수령별 수확완료주수 ▷ 품종·수령별 주당 착과수 = 품종별·수령별 표본주의 착과수 ÷ 품종별·수령별 표본주수 □ 과중조사(사고접수 여부와 상관없이 모든 농지마다 실시) ○ 품종별 과중 = 품종별 표본과실 무게 ÷ 품종별 표본과실수 □ 낙과수 산정(착과수조사 이후 발생한 낙과사고마다 산정) ○ 표본조사 시 : 품종·수령별 낙과수조사 ▷ 품종·수령별 낙과수 = 품종·수령별 조사대상주수 × 품종·수령별 주당 낙과수 − 품종·수령별 조사대상주수 = 품종·수령별 실제결과주수 − 품종·수령별 고사주수 − 품종·수령별 미보상주수 − 품종·수령별 수확완료주수 − 품종·수령별주당 낙과수 = 품종·수령별 표본주의 낙과수 ÷ 품종·수령별 표본주수 ○ 전수조사 시 : 품종별 낙과수조사 ▷ 전체 낙과수에 대한 품종 구분이 가능할 때 : 품종별로 낙과수조사 ▷ 전체 낙과수에 대한 품종 구분이 불가능할 때(전체 낙과수조사 후 품종별 안분)

| 포도 | 수확량조사 | 착과수조사 (최초 수확 품종 수확전) / 과중조사 (품종별 수확시기) / 착과 피해조사 (피해 확인 가능 시기) / 낙과 피해조사 (착과수 조사 이후 낙과 피해 시) / 고사나무 조사 (수확 완료 후) | – 품종별 낙과수 = 전체 낙과수 × (품종별 표본과실수 ÷ 품종별 표본과실수의 합계)
　• 품종별 주당 낙과수 = 품종별 낙과수 ÷ 품종별 조사대상주수
– 품종별 조사대상주수 = 품종별 실제결과주수 – 품종별 고사주수 – 품종별 미보상주수 – 품종별 수확완료주수)

□ 피해구성조사(낙과 및 착과피해 발생 시 실시)
○ 피해구성률 = {(50%형 피해과실 수 × 0.5) + (80%형 피해과실 수 × 0.8) + (100%형 피해과실 수 × 1)} ÷ 표본과실수
○ 금차 피해구성률 = 피해구성률 – max A
▷ 금차 피해구성률은 다수 사고인 경우 적용
▷ max A : 금차 사고전 기조사된 착과피해구성률 중 최댓값을 말함
※ 금차 피해구성률이 영(0)보다 작은 경우에는 영(0)으로 함

□ 착과량 산정
○ 착과량 = 품종·수령별 착과량의 합
▷ 품종·수령별 착과량 = (품종·수령별 착과수 × 품종별 과중) + (품종·수령별 주당 평년수확량 × 미보상주수)
– 품종·수령별 주당 평년수확량 = 품종·수령별 평년수확량 ÷ 품종·수령별 실제결과주수
– 품종·수령별 평년수확량 = 평년수확량 × (품종·수령별 표준수확량 ÷ 표준수확량)
– 품종·수령별 표준수확량 = 품종·수령별 주당 표준수확량 × 품종·수령별 실제결과주수

□ 감수량 산정(사고마다 산정)
○ 금차 감수량 = 금차 착과 감수량 + 금차 낙과 감수량 + 금차 고사주수 감수량
▷ 금차 착과 감수량 = 금차 품종별·수령별 착과 감수량의 합
– 금차 품종·수령별 착과 감수량 = 금차 품종·수령별 착과수 × 품종별 과중 × 금차 품종별 착과피해구성률
– 금차 낙과 감수량 = 금차 품종·수령별 낙과수 × 품종별 과중 × 금차 낙과피해구성률 |

포도	수확량조사	착과수조사 (최초 수확 품종 수확전) / 과중조사 (품종별 수확시기) / 착과 피해조사 (피해 확인 가능 시기) / 낙과 피해조사 (착과수 조사 이후 낙과 피해 시) / 고사나무 조사 (수확 완료 후)	− 금차 고사주수 감수량 = 품종·수령별 금차 고사 　주수 × (품종·수령별 주당 착과수 + 품종·수 　령별 주당 낙과수) × 품종별 과중 × (1 − max A) ▷ 품종·수령별 금차 고사주수 = 품종·수령별 고사 　주수 − 품종·수령별 기조사 고사주수 □ 피해율 산정 ○ 피해율 = (기준수입 − 실제수입) ÷ 기준수입 　▷ 기준수입 = 평년수확량 × 농지별 기준가격 　▷ 실제수입 = (수확량 + 미보상감수량) × 최솟값(농 　　지별 기준가격, 농지별 수확기가격) 　　− 미보상감수량 = (평년수확량 − 수확량) × 최댓값 　　（미보상비율） □ 수확량 산정 ○ 품종별 개당 과중이 모두 있는 경우 　▷ 수확량 = 착과량 − 사고당 감수량의 합

9. 농업수입감소보장방식 밭작물 품목

품목별	조사종류별	조사시기	피해율 산정 방법
콩	수확량조사	수확직전	○ 피해율 = (기준수입 − 실제수입) ÷ 기준수입 ▷ 기준수입 = 평년수확량 × 농지별 기준가격 ▷ 실제수입 = (수확량 + 미보상감수량) × 최솟값(농지별 기준가격, 농지별 수확기가격) − 수확량(표본조사) = (표본구간 단위면적당 수확량 × 조사대상면적) + {단위면적당 평년수확량 × (타작물 및 미보상면적 + 기수확면적)} − 수확량(전수조사) = {전수조사 수확량 × (1 − 함수율) ÷ (1 − 기준함수율)} + {단위면적당 평년수확량 × (타작물 및 미보상면적 + 기수확면적)} • 표본구간 단위면적당 수확량 = 표본구간 수확량 합계 ÷ 표본구간 면적 • 표본구간 수확량 합계 = 표본구간별 종실중량 합계 × {(1 − 함수율) ÷ (1 − 기준함수율)} • 기준함수율 : 콩(14%) • 조사대상면적 = 실경작면적 − 고사면적 − 타작물 및 미보상면적 − 기수확면적 • 단위면적당 평년수확량 = 평년수확량 ÷ 실제경작면적 ▷ 미보상감수량 = (평년수확량 − 수확량) × 미보상비율 (또는 보상하는 재해가 없이 감소된 수량)
양파	수확량조사	수확직전	○ 피해율 = (기준수입 − 실제수입) ÷ 기준수입 ▷ 기준수입 = 평년수확량 × 농지별 기준가격 ▷ 실제수입 = (수확량 + 미보상감수량) × 최솟값(농지별 기준가격, 농지별 수확기가격) − 미보상감수량 = (평년수확량 − 수확량) × 미보상비율 (또는 보상하는 재해가 없이 감소된 수량) ○ 수확량 = (표본구간 단위면적당 수확량 × 조사대상면적) + {단위면적당 평년수확량 × (타작물 및 미보상면적 + 기수확면적)} ▷ 단위면적당 평년수확량 = 평년수확량 ÷ 실제경작면적 ▷ 조사대상면적 = 실경작면적 − 수확불능면적 − 타작물 및 미보상면적 − 기수확면적 ▷ 표본구간 단위면적당 수확량 = 표본구간 수확량 ÷ 표본구간 면적

양파	수확량조사	수확직전	− 표본구간 수확량 = (표본구간 정상 양파 중량 + 80%형 피해 양파 중량의 20%) × (1 + 누적비대추정지수) − 누적비대추정지수 = 지역별 수확적기까지 잔여일수 × 비대추정지수

마늘	수확량조사	수확직전	○ 피해율 = (기준수입 − 실제수입) ÷ 기준수입
			▷ 기준수입 = 평년수확량 × 농지별 기준가격
			▷ 실제수입 = (수확량 + 미보상감수량) × 최솟값(농지별 기준가격, 농지별 수확기가격)
			  − 미보상감수량 = (평년수확량 − 수확량) × 미보상비율 (또는 보상하는 재해가 없이 감소된 수량)
			○ 수확량 = (표본구간 단위면적당 수확량 × 조사대상면적) + {단위면적당 평년수확량 × (타작물 및 미보상면적 + 기수확면적)}
			▷ 단위면적당 평년수확량 = 평년수확량 ÷ 실제경작면적
			▷ 조사대상면적 = 실경작면적 − 수확불능면적 − 타작물 및 미보상면적 − 기수확면적
			▷ 표본구간 단위면적당 수확량 = (표본구간 수확량 × 환산계수) ÷ 표본구간 면적
			  − 표본구간 수확량 = (표본구간 정상 마늘 중량 + 80%형 피해 마늘 중량의 20%) × (1 + 누적비대추정지수)
			  − 환산계수 : 0.7(한지형), 0.72(난지형)
			  − 누적비대추정지수 = 지역별 수확적기까지 잔여일수 × 비대추정지수

고구마	수확량조사	수확직전	○ 피해율 = (기준수입 − 실제수입) ÷ 기준수입 ▷ 기준수입 = 평년수확량 × 농지별 기준가격 ▷ 실제수입 = (수확량 + 미보상감수량) × 최솟값(농지별 기준가격, 농지별 수확기가격) − 미보상감수량 = (평년수확량 − 수확량) × 미보상비율 (또는 보상하는 재해가 없이 감소된 수량) ○ 수확량 = (표본구간 단위면적당 수확량 × 조사대상면적) + {단위면적당 평년수확량 × (타작물 및 미보상면적 + 기수확면적)} ▷ 단위면적당 평년수확량 = 평년수확량 ÷ 실제경작면적 ▷ 조사대상면적 = 실경작면적 − 수확불능면적 − 타작물 및 미보상면적 − 기수확면적

고구마	수확량조사	수확직전	▷ 표본구간 단위면적당 수확량 = 표본구간 수확량 ÷ 표본구간 면적 　－ 표본구간 수확량 = (표본구간 정상 고구마 중량 + 50% 피해 고구마 중량 × 0.5 + 80% 피해 고구마 중량 × 0.2) 　※ 위 산식은 표본구간별로 적용됨
감자 (가을 재배)	수확량조사	수확직전	○ 피해율 = (기준수입 － 실제수입) ÷ 기준수입 ▷ 기준수입 : 평년수확량 × 농지별 기준가격 ▷ 실제수입 : (수확량 + 미보상감수량 － 병충해감수량) × 최솟값(농지별 기준가격, 수확기가격) 　－ 미보상감수량 = (평년수확량 － 수확량) × 미보상비율 (또는 보상하는 재해가 없이 감소된 수량) 　－ 병충해감수량 = 병충해 입은 괴경의 무게 × 손해정도비율 × 인정비율 ○ 수확량 = (표본구간 단위면적당 수확량 × 조사대상면적) + {단위면적당 평년수확량 × (타작물 및 미보상면적 + 기수확면적)} ▷ 단위면적당 평년수확량 = 평년수확량 ÷ 실제경작면적 ▷ 조사대상면적 = 실경작면적 － 수확불능면적 － 타작물 및 미보상면적 － 기수확면적 ▷ 표본구간 단위면적당 수확량 = 표본구간 수확량 ÷ 표본구간 면적 　－ 표본구간 수확량 = 표본구간 (정상 감자 중량 + (50%형 피해 감자 중량 × 0.5) + 병충해 입은 감자 중량) 　※ 위 산식은 각각의 표본구간별로 적용되며, 각 표본구간 면적을 감안하여 전체 병충해 감수량을 산정 　손해정도비율, 인정비율 119p 참조
양배추	수확량조사	수확직전	○ 피해율 = (기준수입 － 실제수입) ÷ 기준수입 ▷ 기준수입 = 평년수확량 × 농지별 기준가격 ▷ 실제수입 = (수확량 + 미보상감수량) × 최솟값(농지별 기준가격, 농지별 수확기가격) 　－ 미보상감수량 = (평년수확량 － 수확량) × 미보상비율 (또는 보상하는 재해가 없이 감소된 수량) ○ 수확량 = (표본구간 단위면적당 수확량 × 조사대상면적) + {단위면적당 평년수확량 × (타작물 및 미보상면적 + 기수확면적)}

양배추	수확량조사	수확직전	▷ 단위면적당 평년수확량 = 평년수확량 ÷ 실제경작면적 ▷ 조사대상면적 = 실경작면적 − 수확불능면적 − 타작물 및 미보상면적 − 기수확면적 ▷ 표본구간 단위면적당 수확량 = 표본구간 수확량 ÷ 표본구간 면적 − 표본구간 수확량 = (표본구간 정상 양배추 중량 + 80% 피해 양배추 중량 × 0.2) ※ 위 산식은 표본구간별로 적용됨

■ 농업재해보험 손해평가요령[별표 1] 농작물의 보험금 산정

구분	보장 범위	산정내용	비고
특정위험 방식	인삼	보험가입금액 × (피해율 − 자기부담비율) ※ 피해율 = $(1 - \dfrac{수확량}{연근별 기준수확량}) \times \dfrac{피해면적}{재배면적}$	인삼
적과전 종합위험 방식	착과 감소	(착과감소량 − 미보상감수량 − 자기부담감수량) × 가입가격 × 80%	
	과실 손해	(적과종료 이후 누적감수량 − 미보상감수량 − 자기부담감수량) × 가입가격	
	나무 손해 보장	보험가입금액 × (피해율 − 자기부담비율) ※ 피해율 = 피해주수(고사된 나무) ÷ 실제결과주수	
종합위험 방식	해가림 시설	− 보험가입금액이 보험가액과 같거나 클 때 : 보험가입금액을 한도로 손해액에서 자기부담금을 차감한 금액 − 보험가입금액이 보험가액보다 작을 때 : (손해액 − 자기부담금) × (보험가입금액 ÷ 보험가액)	인삼
	비가림 시설	MIN(손해액 − 자기부담금, 보험가입금액)	
	수확 감소	보험가입금액 × (피해율 − 자기부담비율) ※ 피해율(벼·감자·복숭아 제외) = (평년수확량 − 수확량 − 미보상감수량) ÷ 평년수확량 ※ 피해율(벼) = (보장수확량 − 수확량 − 미보상감수량) ÷ 보장수확량 ※ 피해율(감자·복숭아) = {(평년수확량 − 수확량 − 미보상감수량) + 병충해감수량} ÷ 평년수확량	옥수수 외

수확 감소	MIN(보험가입금액, 손해액) − 자기부담금 ※ 손해액 = 피해수확량 × 가입가격 ※ 자기부담금 = 보험가입금액 × 자기부담비율	옥수수
수확량 감소 추가 보장	보험가입금액 × (피해율 × 10%) 단, 피해율이 자기부담비율을 초과하는 경우에 한함 ※ 피해율 = (평년수확량 − 수확량 − 미보상감수량) ÷ 평년수확량	
나무 손해	보험가입금액 × (피해율 − 자기부담비율) ※ 피해율 = 피해주수(고사된 나무) ÷ 실제결과주수	
이앙 · 직파 불능	보험가입금액 × 10%	벼
재이앙 · 재직파	보험가입금액 × 25% × 면적피해율 단, 면적피해율이 10%를 초과하고 재이앙(재직파)한 경우 ※ 면적피해율 = 피해면적 ÷ 보험가입면적	
재파종	보험가입금액 × 35% × 표준출현피해율 단, 10a당 출현주수가 30,000주보다 작고, 10a당 30,000주 이상 으로 재파종한 경우에 한함 ※ 표준출현피해율(10a 기준) = (30,000 − 출현주수) ÷ 30,000	마늘
재정식	보험가입금액 × 20% × 면적피해율 단, 면적피해율이 자기부담비율을 초과하는 경우에 한함 ※ 면적피해율 = 피해면적 ÷ 보험가입면적	양배추
경작 불능	보험가입금액 × 일정비율(자기부담비율에 따라 비율상이)	
수확 불능	보험가입금액 × 일정비율(자기부담비율에 따라 비율상이)	벼
생산비 보장	(잔존보험가입금액 × 경과비율 × 피해율) − 자기부담금 ※ 잔존보험가입금액 = 보험가입금액 − 보상액(기 발생 생산비보장보험금 합계액) ※ 자기부담금 = 잔존보험가입금액 × 계약 시 선택한 비율	브로콜리

	• 병충해가 없는 경우
	  (잔존보험가입금액 × 경과비율 × 피해율) − 자기부담금
	• 병충해가 있는 경우
	  (잔존보험가입금액 × 경과비율 × 피해율 × 병충해 등급별 인
	  정비율) − 자기부담금
	※ 피해율 = 피해비율 × 손해정도비율 × (1 − 미보상비율)
	※ 자기부담금 = 잔존보험가입금액 × 계약 시 선택한 비율
		고추
		(시설 고추
		제외)

생산비 보장	보험가입금액 × (피해율 − 자기부담비율) ※ 피해율 = 피해비율 × 손해정도비율	배추, 파, 무, 당근 단호박, (시설 무 제외)
	보험가입금액 × (피해율 − 자기부담비율) ※ 피해율 = 피해면적(㎡) ÷ 재배면적(㎡) − 피해면적 : (도복으로 인한 피해면적 × 70%) + (도복 이외 피해면적 × 손해정도비율)	메밀
	보험가입면적 × 피해작물 단위면적당 보장생산비 × 경과비율 × 피해율 ※ 피해율 = 재배비율 × 피해비율 × 손해정도비율 ※ 단, 장미, 부추, 버섯은 별도로 구분하여 산출	시설작물
농업 시설물 · 버섯 재배사 · 부대 시설	1사고마다 재조달가액 기준으로 계산한 손해액에서 자기부담금을 차감한 금액에 보험증권에 기재된 보상비율(50% ~ 100%, 10% 단위)만큼을 보험가입금액 내에서 보상 ※ Min(손해액 − 자기부담금, 보험가입금액) × 보상비율 − 다만, 보험의 목적이 손해를 입은 장소에서 실제로 수리 또는 복구를 하지 않은 때에는 재조달가액에 의한 보상을 하지 않고 시가(감가상각된 금액)로 보상	
과실 손해 보장	보험가입금액 × (피해율 − 자기부담비율) ※ 피해율(7월 31일 이전에 사고가 발생한 경우) 　　= (평년수확량 − 수확량 − 미보상감수량) ÷ 평년수확량 ※ 피해율(8월 1일 이후에 사고가 발생한 경우) 　　= (1 − 수확전사고 피해율) × 경과비율 × 결과지 피해율	무화과
과실 손해 보장	보험가입금액 × (피해율 − 자기부담비율) ※ 피해율 = 고사결과모지수 ÷ 평년결과모지수	복분자
	보험가입금액 × (피해율 − 자기부담비율) ※ 피해율 = (평년결실수 − 조사결실수 − 미보상감수결실수) 　　　　　÷ 평년결실수	오디
	과실손해보험금 = 손해액 − 자기부담금 ※ 손해액 = 보험가입금액 × 피해율 ※ 자기부담금 = 보험가입금액 × 자기부담비율 ※ 피해율 　　= (등급 내 피해과실수 + 등급 외 피해과실수 × 70%) ÷ 기준과실수	감귤

과실 손해 보장	동상해손해보험금 = 손해액 − 자기부담금 ※ 손해액 = {보험가입금액 − (보험가입금액 × 기사고 피해율)} 　　　　　　 × 수확기 잔존비율 × 동상해피해율 ※ 자기부담금 = |보험가입금액 × min(주계약피해율 − 자기부담 　　　　　　　비율, 0)| ※ 동상해피해율 = 수확기 동상해 피해과실수 ÷ 기준과실수	감귤
과실 손해 추가 보장	보험가입금액 × (피해율 × 10%) 단, 손해액이 자기부담금을 초과하는 경우에 한함 ※ 피해율 = (등급 내 피해과실수 + 등급 외 피해과실수 × 70%) ÷ 　　　　　기준과실수	
농업 수입 감소	보험가입금액 × (피해율 − 자기부담비율) ※ 피해율 = (기준수입 − 실제수입) ÷ 기준수입	

* 다만, 보험가액이 보험가입금액보다 적을 경우에는 보험가액에 의하며, 기타 세부적인 내용은 재해보험사업자가 작성한 손해평가 업무방법서에 따름
* (일러두기) 아래 농업재해보험 손해평가요령의 [별표1]은, 2019년 12월 18일 개정 고시되어 있으나, 이후 지속적인 보험상품 개선으로 일부 품목의 경우 보험금 산정 방식이 본문의 산정 방과 일부 상이할 수 있음. 현행(2022년) 상품의 정확한 보험금 산정 방식은 〈별표 7〉과 같음

■ 농업재해보험 손해평가요령[별표 2] 농작물의 품목별·재해별·시기별 손해수량 조사 방법

1. 특정위험방식 상품(인삼)

생육 시기	재해	조사내용	조사시기	조사 방법	비고
보험 기간	태풍(강풍)·폭설· 집중호우·침수·화재· 우박·냉해·폭염	수확량 조사	피해 확인이 가능한 시기	보상하는 재해로 인하여 감 소된 수확량조사 • 조사 방법 : 전수조사 또 는 표본조사	

2. 적과전종합위험방식 상품(사과, 배, 단감, 떫은감)

생육 시기	재해	조사내용	조사시기	조사 방법	비고
보험계약 체결일 ~ 적과 전	보상하는 재해 전부	피해사실 확인조사	사고접수 후 지체 없이	보상하는 재해로 인한 피해발생 여부 조사	피해사실이 명백한 경우 생략 가능
	우박		사고접수 후 지체 없이	우박으로 인한 유과(어린과실) 및 꽃(눈) 등의 타박비율 조사 • 조사 방법 : 표본조사	적과종료 이전 특정위험 5종 한정 보장 특약 가입건에 한함
6월 1일 ~ 적과 전	태풍(강풍), 우박, 집중호우, 화재, 지진		사고접수 후 지체 없이	보상하는 재해로 발생한 낙엽피 해 정도 조사 - 단감·떫은감에 대해서만 실시 • 조사 방법 : 표본조사	
적과후	–	적과후 착과수 조사	적과종료 후	보험가입금액의 결정 등을 위하 여 해당 농지의 적과종료 후 총 착과 수를 조사 • 조사 방법 : 표본조사	피해와 관계없이 전 과수원 조사
적과후 ~ 수확기 종료	보상하는 재해	낙과피해 조사	사고접수 후 지체 없이	재해로 인하여 떨어진 피해과실 수 조사 - 낙과피해조사는 보험약관에서 정한 과실피해분류기준에 따 라 구분하여 조사 • 조사 방법 : 전수조사 또는 표 본조사	

				낙엽률 조사(우박 및 일소 제외) - 낙엽피해정도 조사 • 조사 방법 : 표본조사	단감 · 떫은감
	우박, 일소, 가을동상해	착과피해 조사	착과피해 확인이 가능한 시기	재해로 인하여 달려있는 과실의 피해과실 수 조사 - 착과피해조사는 보험약관에서 정한 과실피해분류기준에 따 라 구분하여 조사 • 조사 방법 : 표본조사	
수확완료 후 ~ 보험종기	보상하는 재해 전부	고사나무 조사	수확완료 후 보험종기 전	보상하는 재해로 고사되거나 또 는 회생이 불가능한 나무수를 조사 - 특약 가입 농지만 해당 • 조사 방법 : 전수조사	수확완료 후 추가 고사나무가 없는 경우 생략 가능

* 전수조사는 조사대상 목적물을 전부 조사하는 것을 말하며, 표본조사는 손해평가의 효율성 제고를 위해
 재해보험사업자가 통계이론을 기초로 산정한 조사표본에 대해 조사를 실시하는 것을 말함

3. 종합위험방식 상품(농업수입보장 포함)

1) 해가림시설·비가림시설 및 원예시설

생육시기	재해	조사내용	조사시기	조사 방법	비고
보험 기간 내	보상하는 재해 전부	해가림시설 조사	사고접수 후 지체 없이	보상하는 재해로 인하여 손해를 입은 시설 조사 • 조사 방법 : 전수조사	인삼
		비가림시설 조사			
		시설 조사			원예시설, 버섯재배사

2) 수확감소보장·과실손해보장 및 농업수입보장

생육시기	재해	조사내용	조사시기	조사 방법	비고
수확 전	보상하는 재해 전부	피해사실 확인조사	사고접수 후 지체 없이	보상하는 재해로 인한 피해발생 여부 조사 (피해사실이 명백한 경우 생략 가능)	

		이앙(직파)불능피해조사	이앙 한계일 (7.31) 이후	이앙(직파)불능 상태 및 통상적인 영농활동 실시여부 조사	벼만 해당
수확 전	보상하는 재해 전부	재이앙 (재직파) 조사	사고접수 후 지체 없이	해당 농지에 보상하는 손해로 인하여 재이앙(재직파)이 필요한 면적 또는 면적비율 조사	벼만 해당
		재파종 조사	사고접수 후 지체 없이	해당 농지에 보상하는 손해로 인하여 재파종이 필요한 면적 또는 면적비율 조사	마늘만 해당
		재정식 조사	사고접수 후 지체 없이	해당 농지에 보상하는 손해로 인하여 재정식이 필요한 면적 또는 면적비율 조사	양배추만 해당
		경작불능 조사	사고접수 후 지체 없이	해당 농지의 피해면적비율 또는 보험목적인 식물체피해율 조사	벼·밀, 밭작물[차(茶) 제외], 복분자만 해당
		과실손해 조사	수정완료 후	살아있는 결과모지수 조사 및 수정불량(송이)피해율 조사 • 조사 방법 : 표본조사	복분자만 해당
			결실완료 후	결실수 조사 • 조사 방법 : 표본조사	오디만 해당
		수확 전 사고조사	사고접수 후 지체 없이	표본주의 과실 구분 • 조사 방법 : 표본조사	감귤만 해당
수확 직전	–	착과수조사	수확직전	해당 농지의 최초 품종 수확 직전 총 착과수를 조사 – 피해와 관계없이 전 과수원 조사 • 조사 방법 : 표본조사	포도, 복숭아, 자두만 해당

수확 직전	보상하는 재해 전부	수확량조사	수확직전	사고발생 농지의 수확량조사 • 조사 방법 : 전수조사 또는 표본조사	
		과실손해 조사	수확직전	사고발생 농지의 과실피해조사 • 조사 방법 : 표본조사	무화과, 감귤만 해당
수확 시작 후 ~ 수확 종료	보상하는 재해 전부	수확량조사	조사 가능일	사고발생 농지의 수확량조사 • 조사 방법 : 표본조사	차(茶)만 해당
			사고접수 후 지체 없이	사고발생 농지의 수확 중의 수확량 및 감수량의 확인을 통한 수확량조사 • 조사 방법 : 전수조사 또는 표본조사	전품목
		동상해 과실손해 조사	사고접수 후 지체 없이	표본주의 착과피해 조사 12월 1일~익년 2월 말일 사고 건에 한함 • 조사 방법 : 표본조사	감귤만 해당
		수확불능 확인조사	조사 가능일	사고발생 농지의 제현율 및 정상 출하 불가 확인조사 • 조사 방법 : 전수조사 또는 표본조사	벼만 해당
	태풍(강풍), 우박	과실손해 조사	사고접수 후 지체 없이	전체 열매수(전체 개화수) 및 수확 가능 열매수 조사 6월 1일~6월 20일 사고 건에 한함 • 조사 방법 : 표본조사	복분자만 해당
				표본주의 고사 및 정상 결과지수 조사 • 조사 방법 : 표본조사	무화과만 해당
수확 완료 후 ~ 보험 종기	보상하는 재해 전부	고사나무 조사	수확완료 후 보험종기 전	보상하는 재해로 고사되거나 또는 회생이 불가능한 나무수를 조사 - 특약 가입 농지만 해당 • 조사 방법 : 전수조사	수확완료 후 추가 고사나무가 없는 경우 생략 가능

3) 생산비보장

생육시기	재해	조사내용	조사시기	조사 방법	비고
정식(파종)~수확종료	보상하는 재해 전부	생산비 피해조사	사고발생 시마다	① 재배일정 확인 ② 경과비율 산출 ③ 피해율 산정 ④ 병충해 등급별 인정비율 확인 　(노지 고추만 해당)	메밀, 단호박, 노지 배추, 노지 당근, 노지 파, 노지 무만 해당
수확전	보상하는 재해 전부	피해사실 확인조사	사고접수 후 지체 없이	보상하는 재해로 인한 피해발생 여부 조사 (피해사실이 명백한 경우 생략 가능)	
		경작불능조사	사고접수 후 지체 없이	해당 농지의 피해면적비율 또는 보험목적인 식물체피해율 조사 • 조사 방법 : 전수조사 또는 표본조사	
수확직전		생산비 피해조사	수확직전	사고발생 농지의 피해비율 및 손해정도비율 확인을 통한 피해율 조사 • 조사 방법 : 표본조사	

02 농작물재해보험 손해평가 평가문제

01 다음은 농작물재해보험 업무방법에서 정하는 손해평가 업무 절차상 손해평가반 구성 및 손해평가 일정계획 수립에 관한 내용이다. ( ) 안에 알맞은 내용을 답란에 쓰시오. 5점

> 농협 담당자 등은 사고 접수가 된 계약에 대하여 ( ), ( ), ( ) 등에 따라 조사종류를 결정하고 이에 따른 손해평가반 구성 및 손해평가 일정을 수립한다.

답 품목, 생육시기, 재해종류

해설 농협 담당자 등은 사고 접수가 된 계약에 대하여 (품목), (생육시기), (재해종류) 등에 따라 조사종류를 결정하고, 이에 따라 손해평가반 구성 및 손해평가 일정을 수립한다.
1. 손해평가반은 손해평가인 또는 손해사정사 또는 손해평가사 1인 이상을 포함하여 5인 이내로 구성한다.
2. 손해평가 일정은 손해평가반별로 수립한다.
3. 손해평가반의 조사자는 본인 또는 이해관계자(조사자와 생계를 같이 하는 친족)의 계약에 대한 손해평가를 할 수 없다.

02 다음의 조건에 따른 적과전종합위험방식 Ⅱ 사과 품목의 실제결과주수와 태풍(강풍)·집중호우 나무손해보장 특별약관에 의한 보험금을 구하시오(단, 피해율은 % 단위로 소수점 이하 반올림한다). 5점

태풍(강풍)·집중호우 나무손해보장 특별약관 보험가입금액	8,000만원
가입일자 기준 과수원에 식재된 모든 나무주수	1,000주
인수조건에 따라 보험에 가입할 수 없는 나무주수	50주
보상하는 손해(태풍)로 고사된 나무주수	85주
보상하는 손해 이외의 원인으로 고사한 나무주수	100주

(1) 실제결과주수 : _____주

(2) 나무손해보장 특별약관 보험금 : _____원

답 (1) 실제결과주수 : 850주
(2) 나무손해보장 특별약관 보험금 : 400만원

> **해설** (1) "실제결과주수"라 함은 조사일자를 기준으로 농지(과수원)에 식재된 모든 나무수를 의미한다. 다만, 인수조건에 따라 보험에 가입할 수 없는 나무수(유목 및 제한 품종 등) 및 보상하는 재해 이외의 원인으로 고사한 나무수는 제외한다.
>
> 실제결과주수 = 1,000주 − 50주 − 100주 = 850주
>
> (2) 나무손해보장 특별약관 보험금
> ① 피해율 = 피해주수(고사된 나무) ÷ 실제결과주수 = 85주 ÷ 850주 = 10%
> ② 지급보험금 = 보험가입금액 × (피해율 − 자기부담비율)에서 자기부담비율은 5%로 하므로
> 지급보험금 = 8,000만원 × (0.1 − 0.05) = 400만원

03 다음은 업무방법에서 사용하는 용어의 정의이다. 설명하는 각 내용에 알맞은 용어를 답란에 쓰시오. 5점

> ㉠ 실제경작면적 중 보상하는 손해로 수확이 불가능한 면적을 의미한다.
> ㉡ 하나의 보험가입금액에 해당하는 농지 또는 과수원에서 경작한 목적물(수확물)을 모두 조사하는 것을 말한다.
> ㉢ 실제결과나무수에서 고사나무수, 미보상나무수 및 기수확나무수, 수확불능나무수를 뺀 나무수로 표본조사의 대상이 되는 나무수를 의미한다.
> ㉣ 실제경작면적 중 조사일자를 기준으로 수확이 완료된 면적을 의미한다.
> ㉤ 실제결과나무수 중 보상하는 손해 이외의 원인으로 수확량(착과량)이 현저하게 감소한 나무수를 의미한다.

정답 및 해설

㉠ 수확불능(고사)면적, ㉡ 전수조사, ㉢ 조사대상주수 또는 조사대상나무수, ㉣ 기수확면적,
㉤ 미보상주수 또는 미보상나무수

04 적과전종합위험방식 사과 품목의 적과종료 이후에 발생한 「태풍(강풍), 지진, 집중호우, 화재피해」의 「낙과피해조사」 관련 설명이다. 다음 ( )의 용어를 쓰시오(단, 수확을 개시하지 않음). 5점

> • 나무수조사는 농지(과수원) 내 품종·재배방식·수령별 실제결과나무수에서 (①), (②), (③)를 파악한다.
> • 낙과수조사는 (④)을(를) 원칙으로 하며, (④)가 어려운 경우 (⑤)를 실시한다.

답 ① 미보상나무수, ② 고사나무수, ③ 수확불능나무수, ④ 전수조사, ⑤ 표본조사

해설 낙과피해조사
(1) 나무수조사
   농지(과수원) 내 품종·재배방식·수령별 실제결과나무수에서 <u>미보상나무수, 고사나무수, 수확불능나무수</u>를 파악한다. 품종·재배방식·수령별 실제결과나무수에서 미보상나무수, 고사나무수, 수확불능나무수를 빼고 조사대상나무수를 계산한다.
(2) 낙과수조사
   낙과수조사는 <u>전수조사</u>를 원칙으로 하며, <u>전수조사</u>가 어려운 경우 <u>표본조사</u>를 실시한다.

05 적과전종합위험 Ⅱ 적과종료 이전 특정 5종위험 한정특약 사과 품목에서 적과전 우박피해사고로 피해사실 확인을 위해 표본조사를 실시하고자 한다. 과수원의 품종과 주수가 다음과 같이 확인되었을 때 아래의 표본조사값(①~⑥)에 들어갈 표본주수, 나뭇가지 총수 및 유과 총수의 최솟값을 각각 구하시오. 단, 표본주수는 소수점 첫째자리에서 반올림하여 다음 예시와 같이 구하시오(예시 : 12.6 → 13로 기재). 5점

• 과수원의 품종과 주수

품목	품종		주수	피해내용	피해조사내용
사과	조생종	쓰가루	440	우박	유과타박률
	중생종	감홍	250		

• 표본조사값

품종	표본주수	나뭇가지 총수	유과 총수
쓰가루	①	②	③
감홍	④	⑤	⑥

답

① 표본주수 : 13주 $\times \dfrac{440}{(440 + 250)} = 8.23$주 = (8)주

② 나뭇가지 총수 : 8주 $\times$ 4가지/주 = (32)가지

③ 유과 총수 : 32가지 $\times$ 5개/가지 = (160)개

④ 표본주수 : 13주 $\times \dfrac{250}{(440 + 250)} = 4.71$주 = (5)주

⑤ 나뭇가지 총수 : 5주 $\times$ 4가지/주 = (20)가지

⑥ 유과 총수 : 20가지 $\times$ 5개/가지 = (100)개

해설 유과타박률 확인(우박피해 시, 적과종료 이전 특정 5종 한정특약 가입건)

① 적과종료 전의 착과된 유과 및 꽃눈 등에서 우박으로 **피해를 입은 유과(꽃눈)의 비율을** 표본조사한다.

② 표본나무수는 조사대상나무수를 기준으로 품목별 표본주수표의 표본주수에 따라 표본주수에 해당하는 수만큼 표본나무를 선정한 후 리본을 부착한다.

[표본주(구간)수표(사과)]

조사대상주수	표본주수
50주 미만	5
50주 이상 100주 미만	6
100주 이상 150주 미만	7
150주 이상 200주 미만	8
200주 이상 300주 미만	9
300주 이상 400주 미만	10
400주 이상 500주 미만	11
500주 이상 600주 미만	12
600주 이상 700주 미만	**13**
700주 이상 800주 미만	14
800주 이상 900주 미만	15
900주 이상 1,000주 미만	16
1,000주 이상	17

③ 선정된 표본주마다 동서남북 4곳의 가지에 각 가지별로 5개 이상의 유과(꽃눈 등)를 표본으로 추출하여 피해 유과(꽃눈 등)와 정상 유과(꽃눈 등)의 개수를 조사한다. 단, 사과, 배는 선택된 과(화)총당 동일한 위치(번호)의 유과(꽃)에 대하여 우박피해 여부를 조사한다.

06 A과수원의 종합위험방식 복숭아 품목의 과중조사를 실시하고자 한다. 다음 조건을 이용하여 과중조사 횟수, 최소 표본주수 및 최소 추출과실개수를 답란에 쓰시오. 5점

> 〈조건〉
> • A과수원의 품종은 4종이다.
> • 각 품종별 수확시기는 다르다.
> • 최소 표본주수는 회차별 표본주수의 합계로 본다.
> • 최소 추출과실개수는 회차별 추출과실개수의 합계로 본다.
> • 위 조건 외 단서조항은 고려하지 않는다.

답 ① 과중조사 횟수 : <u>4회</u>
② 최소 표본주수 : <u>12주수</u>
③ 최소 추출과실개수 : <u>80개</u>

해설 농지에서 품종별로 착과가 평균적인 3개 이상의 표본주에서 크기가 평균적인 과실을 품종별 20개 이상(포도는 농지당 30개 이상, 복숭아·자두는 농지당 60개 이상) 추출하여 품종별 과실 개수와 무게를 조사한다.
① A과수원의 품종은 4종이므로, 과중조사 횟수는 **4회** 실시한다.
② 최소 표본주수는 회차별 표본주수의 합계로 하므로, 4 × 3 = **12주수**이다.
③ 최소 추출과실개수는 회차별 추출과실개수의 합계로 하므로, 4 × 20 = **80개**이다.

07 **다음은 특정위험방식 인삼 품목 해가림시설의 손해조사에 관한 내용이다. 밑줄 친 틀린 내용을 알맞은 내용으로 수정하시오.** 5점

> • 피해 칸에 대하여 전파 및 ㉠ 분파(30%형, 60%형, 90%형)로 나누어 각 칸수를 조사한다.
> • 산출된 피해액에 대하여 감가상각을 적용하여 손해액을 산정한다. 다만, 피해액이 보험가액의 20%를 초과하면서 감가 후 피해액이 보험가액의 20% 미만인 경우에는 ㉡ 감가상각을 적용하지 않는다.
> • 잔존물 제거비용과 잔존물 가액을 조사하며, 이때 잔존물 제거비용은 ㉢ 보험가입금액의 20%를 한도로 한다.

답 ㉠ 분파(20%형, 40%형, 60%형, 80%형)
㉡ 보험가액의 20%를 손해액으로 산출한다.
㉢ 손해액의 10%

해설 • 피해 칸에 대하여 전파 및 ㉠ 분파(20%형, 40%형, 60%형, 80%형)로 나누어 각 칸수를 조사한다.
• 산출된 피해액에 대하여 감가상각을 적용하여 손해액을 산정한다. 다만, 피해액이 보험가액의 20% 이하인 경우에는 감가를 적용하지 않고, 피해액이 보험가액의 20%를 초과하면서 감가 후 피해액이 보험가액의 20% 미만인 경우에는 ㉡ 보험가액의 20%를 손해액으로 산출한다.
• 잔존물 제거비용과 잔존물 가액을 조사하며, 이때 잔존물 제거비용은 ㉢ 손해액의 10%를 한도로 한다.

08 종합위험 수확감소보장방식 과수 품목의 과중조사를 실시하고자 한다. 아래 농지별 최소표본 과실수를 답란에 쓰시오(단, 해당기준의 절반 조사는 고려하지 않는다). 5점

계약사항			최소표본과실수(개)
농지	품목	품종 수	
A	포도	1	㉠
B	포도	2	㉡
C	자두	1	㉢
D	복숭아	3	㉣
E	자두	4	㉤

답 ㉠ 30, ㉡ 40, ㉢ 60, ㉣ 60, ㉤ 80

해설 과중조사

① 과중조사는 사고 접수가 된 농지에 한하여 품종별로 수확시기에 각각 실시한다.

② 농지에서 과실을 추출할 때, 품종별로 착과가 평균적인 3개 이상의 표본주에서 크기가 평균적인 과실을 품종별 20개 이상(포도는 농지당 30개 이상, 복숭아·자두는 농지당 60개 이상) 추출하여 품종별 과실 개수와 무게를 조사한다.

계약사항			최소표본과실수(개)
농지	품목	품종 수	
A	포도	1	30개 × 1 = (30)개
B	포도	2	20개 × 2 = (40)개
C	자두	1	60개 × 1 = (60)개
D	복숭아	3	20개 × 3 = (60)개
E	자두	4	20개 × 4 = (80)개

09 「종합위험 수확감소보장방식 밭작물 품목」에 관한 내용이다. 다음 (   )의 알맞은 용어를 순서대로 쓰시오. 5점

> • 적용품목은 (①), 마늘, 고구마, 옥수수, 감자(봄재배, 가을재배, 고랭지재배), 차, 콩, 양배추 품목으로 한다.
> • (②)는 마늘 품목에만 해당한다. (③) 시 (②)가 필요하다고 판단된 농지에 대하여 실시하는 조사로, 조사 시기는 (③) 직후로 한다.
> • (④)는 양배추 품목에만 해당한다. (③) 시 (④)가 필요하다고 판단된 농지에 대하여 실시하는 조사로, 손해평가반은 피해농지를 방문하여 보상하는 재해여부 및 (⑤)을 조사한다.

답 ① 양파, ② 재파종조사, ③ 피해사실 확인조사, ④ 재정식조사, ⑤ 피해면적

해설 종합위험 수확감소보장방식 밭작물 품목
1. 적용품목 : 적용품목은 (양파), 마늘, 고구마, 옥수수, 감자(봄재배, 가을재배, 고랭지재배), 차, 콩, 양배추 품목으로 한다.
2. 재파종조사 : (재파종조사)는 마늘 품목에만 해당한다. (피해사실 확인조사) 시 (재파종조사)가 필요하다고 판단된 농지에 대하여 실시하는 조사로, 조사 시기는 (피해사실 확인조사) 직후로 한다.
3. 재정식조사 : (재정식조사)는 양배추 품목에만 해당한다. (피해사실 확인조사) 시 (재정식조사)가 필요하다고 판단된 농지에 대하여 실시하는 조사로, 손해평가반은 피해농지를 방문하여 보상하는 재해여부 및 (피해면적)을 조사한다.

10 다음은 수확량 산출식에 관한 내용이다. ①~④에 들어갈 작물을 [보기]에서 선택하여 쓰고, '마늘' 수확량 산출식의 ⑤ 환산계수를 쓰시오. 5점

> [보기]
> 마늘(난지형), 감자, 고구마, 양파

> • 표본구간 수확량 산출식에서 50% 피해형이 포함되는 품목 ······················ (①), (②)
> • 표본구간 수확량 산출식에서 80% 피해형이 포함되는 품목 ········ 고구마, (③), (④)
> • 마늘(난지형)의 표본구간 단위면적당 수확량 :
>   표본구간 수확량 × [환산계수 : (⑤)] ÷ 표본구간면적

답 ① 감자
② 고구마
③ 양파
④ 마늘(난지형)
⑤ 0.72

해설 ① 감자

표본구간 수확량 = 표본구간 정상 감자 중량 + (표본구간 50%형 감자 중량 × 0.5) + 표본구간 병충해 입은 감자 중량

② 고구마

표본구간 수확량 = 표본구간 정상 고구마 중량 + (표본구간 50%형 고구마 중량 × 0.5) + (표본구간 80%형 고구마 중량 × 0.2)

③ 양파

표본구간 수확량 = (표본구간 정상 양파 중량 + 80% 피해 양파 중량의 20%) × (1 + 누적 비대추정지수)

④ 마늘(난지형)

표본구간 수확량 = (표본구간 정상 마늘 중량 + 80% 피해 마늘 중량의 20%) × (1 + 누적 비대추정지수) × 환산계수

⑤ 마늘(난지형)의 표본구간 단위면적당 수확량

(표본구간 수확량 × 환산계수) ÷ 표본구간 면적

※ 환산계수 : 0.7(한지형), 0.72(난지형)

---

11 **종합위험방식 과수 품목별 피해정도 구분을 다음 예시와 같이 빈칸에 쓰시오.** 5점

예					
복숭아	정상과(0)	50%(0.5)	80%(0.8)	피해과(1)	병충해(0.5)

참다래				
포도				
밤				

답

참다래	정상과(0)	50%(0.5)	80%(0.8)	피해과(1)
포도	정상과(0)	50%(0.5)	80%(0.8)	피해과(1)
밤	정상과(0)	50%(0.5)	80%(0.8)	피해과(1)

해설 피해구성조사

- 참다래의 피해정도 구분 : 정상과, 50%형 피해과, 80%형 피해과, 100%형 피해과
- 포도의 피해정도 구분 : 정상과, 50%형 피해과, 80%형 피해과, 100%형 피해과
- 밤의 피해정도 구분 : 정상과, 50%형 피해과, 80%형 피해과, 100%형 피해과

12 다음은 업무방법에서 정하는 종합위험방식 복분자 품목의 고사결과모지수 산정방법에 관한 내용이다. 괄호에 알맞은 내용을 답란에 쓰시오. [5점]

> 고사결과모지수는 기준 살아있는 결과모지수에서 (㉠) 고사결과모지수를 뺀 후 (㉡) 고사결과모지수를 더한 값을 (㉢) 결과모지수에서 빼어 산출한다.

답 ㉠ 수정불량환산
　　 ㉡ 미보상
　　 ㉢ 평년

해설 고사결과모지수는 기준 살아있는 결과모지수에서 (수정불량환산) 고사결과모지수를 뺀 후 (미보상) 고사결과모지수를 더한 값을 (평년) 결과모지수에서 빼어 산출한다.

13 다음은 업무방법에서 정하는 종합위험 수확감소보장방식 밭작물 품목별 수확량조사 적기에 관한 내용이다. 밑줄 친 부분에 알맞은 내용을 답란에 쓰시오. [5점]

품목	수확량조사 적기
양파	양파의 비대가 종료된 시점(식물체의 ㉠_____이 완료된 때)
고구마	고구마의 비대가 종료된 시점(삽식일로부터 ㉡_____ 이후에 농지별로 적용)
감자	감자의 비대가 종료된 시점 파종일로부터 (95일 이후) – 봄재배 (㉢_____ 이후) – 고랭지재배 (110일 이후 제주도 지역, 그 외 지역 95일 이후) – 가을재배
콩	콩의 수확 적기[콩잎이 누렇게 변하여 떨어지고 ㉣_____ 이상이 고유한 성숙(황색)색깔로 변하는 시기인 생리적 성숙기로부터 7~14일이 지난 시기]
양배추	양배추의 수확 적기(㉤_____ 형성이 완료된 때)
마늘	마늘의 비대가 종료된 시점(잎과 줄기가 ㉥_____ 황변하고 말랐을 때와 해당 지역의 통상 수확기가 도래하였을 때)
옥수수	옥수수의 수확적기(수염이 나온 후 ㉦_____ 이후)
차(茶)	조사 가능일 직전(조사 가능일은 대상 농지에 식재된 차나무의 대다수 신초가 ㉧___심2엽의 형태를 형성하며 수확이 가능할 정도의 크기(신초장 4.8cm 이상, 엽장 2.8cm 이상, 엽폭 0.9cm 이상)로 자란 시기를 의미하며, 해당시기가 수확년도 5월 10일을 초과하는 경우에는 5월 10일을 기준함)

정답 및 해설

㉠ 도복, ㉡ 120일, ㉢ 110일, ㉣ 꼬투리의 80%~90%, ㉤ 결구, ㉥ $\frac{1}{2}\sim\frac{2}{3}$, ㉦ 25일, ㉧ 1

14 복분자 농사를 짓고 있는 △△마을의 A와 B농가는 4월에 저온으로 인해 큰 피해를 입어 경작이 어려운 상황에서 농작물재해보험 가입사실을 기억하고 경작불능보험금을 청구하였다. 두 농가의 피해를 조사한 결과에 따른 경작불능보험금을 구하시오(단, 피해는 면적 기준으로 조사하였으며 미보상 사유는 없다). 5점

구분	가입금액	가입면적	피해면적	자기부담비율
A농가	3,000,000원	1,200㎡	900㎡	20%
B농가	4,000,000원	1,500㎡	850㎡	10%

답 ① A농가의 경작불능보험금 : 1,200,000원
② B농가의 경작불능보험금 : 경작불능보험금을 지급하지 않음

해설 경작불능보험금
경작불능보험금은 경작불능조사 결과 식물체 피해율이 65% 이상이고, 계약자가 경작불능보험금을 신청한 경우에 지급하며, 보험금은 가입금액에 자기부담비율별 지급비율을 곱하여 산출한다.

[자기부담비율별 경작불능보험금 지급비율표]

자기부담비율	10%형	15%형	20%형	30%형	40%형
지급비율	45%	42%	40%	35%	30%

① A농가

㉠ 면적피해율 $= \dfrac{900㎡}{1,200㎡} = 0.75(75\%)$이므로 경작불능보험금을 지급한다.

㉡ A농가의 경작불능보험금 = 3,000,000원 × 40% = (1,200,000)원

② B농가

∴ 면적피해율 $= \dfrac{850㎡}{1,500㎡} ≒ 0.5667(= 56.67\%)$로 피해율이 65% 미만이므로 경작불능보험금을 지급하지 아니한다.

15 다음의 계약사항 및 조사내용에 따라 참다래 수확량(kg)을 구하시오. 단, 수확량은 소수점 첫째 자리에서 반올림하여 다음 예시와 같이 구하시오(예시 : 수확량 1.6kg → 2kg로 기재). 5점

- 계약사항

실제결과주수(주)	고사주수(주)	재식면적	
		주간거리(m)	열간거리(m)
300	50	4	5

- 조사내용(수확전 사고)

표본주수	표본구간 면적조사			표본구간 착과수 합계	착과피해 구성률(%)	과중조사	
	윗변(m)	아랫변(m)	높이(m)			50g 이하	50g 초과
8주	1.2	1.8	1.5	850	30	1,440g /36개	2,160g /24개

답 참다래 수확량(kg) = 8,686kg

해설 ① 재식면적 = 주간거리 × 열간거리
= 4m × 5m = (20)㎡
② 품종별 · 수령별 표본조사 대상주수
= 품종별 · 수령별 실제결과주수 − 품종별 · 수령별 미보상주수 − 품종별 · 수령별 고사나무주수
= 300주 − 0주 − 50주 = (250)주
③ 품종별 · 수령별 표본조사 대상 면적 = 품종별 · 수령별 표본조사 대상주수 × 재식면적
= 250주 × 20㎡ = (5,000)㎡
④ 표본구간 넓이 = (표본구간 윗변 길이 + 표본구간 아랫변 길이) × 표본구간 높이 ÷ 2
= (1.2m + 1.8m) × 1.5m ÷ 2 = (2.25)㎡
⑤ 품종별 · 수령별 ㎡당 착과수 = 품종별 · 수령별 표본구간 착과수 ÷ 품종별 · 수령별 표본 구간 넓이
= 850개 ÷ (8 × 2.25㎡) = 47.22 = (47)개/㎡
⑥ 품종별 개당 과중 = 품종별 표본 과중 무게 합계 ÷ 표본 과실수
= {(1,440g × 0.7) + 2,160} ÷ (36개 + 24개) = (52.8)g
※ 중량이 50g 이하인 과실은 조사수확량의 70%로 적용한다.
⑦ 착과피해구성률(%) = 30% = (0.3)
⑧ 품종별 · 수령별 ㎡당 평년수확량 = 구하지 않음
⑨ 미보상주수 = (0)kg
∴ 수확량
= {품종별 · 수령별 ㎡당 착과수 × 품종별 개당 과중 × 품종별 · 수령별 표본조사 대상 면적
× (1 − 피해구성률)} + (품종별 · 수령별 ㎡당 평년수확량 × 미보상주수 × 재식면적)
= {47개/㎡ × 52.8g/개 × 5,000㎡ × (1 − 0.3)} + (0kg × 20㎡)
= 8,685,600g = 8,685.6kg = (8,686)kg

16 다음은 농작물재해보험 업무방법에서 정하는 농작물의 손해평가와 관련한 내용이다. 괄호에 알맞은 내용을 답란에 순서대로 쓰시오. 5점

> (1) 인삼 품목의 수확량을 산출할 경우 기초자료인 칸 넓이 산정은 두둑 폭과 고랑 폭을 더한 합계에 (　　)을/를 곱하여 산출한다.
> (2) 매실 품목의 경우 적정 수확시기 이전에 수확하는 경우에는 품종별로 과실 (　　)을/를 조사한다.
> (3) 복분자의 피해율은 (　　)을/를 (　　)로/으로 나누어 산출한다.

답 지주목 간격, 비대추정지수, 고사결과모지수, 평년결과모지수

해설 (1) 인삼 품목의 수확량을 산출할 경우 기초자료인 칸 넓이 산정은 두둑 폭과 고랑 폭을 더한 합계에 (지주목 간격)을 곱하여 산출한다.
　　• 칸 넓이 = 지주목 간격 × (두둑 폭 + 고랑 폭)
(2) 매실 품목의 경우 적정 수확시기 이전에 수확하는 경우에는 품종별로 과실 (비대추정지수)를 조사한다.
　　• 표본주 착과무게 = 조사착과량 × 품종별 비대추정지수(매실) × 2(절반조사 시)
(3) 복분자의 피해율은 (고사결과모지수)를 (평년결과모지수)로 나누어 산출하며, 고사결과모지수는 종합위험 과실손해조사와 특정위험 과실손해조사를 통해 계산된 고사결과모지수를 합하여 산출한다.

17 종합위험 수확감소보장방식 감자 품목의 병충해에 의한 피해사실 확인 후 보험금 산정을 위한 표본조사를 실시하였다. 한 표본구간에서 가루더뎅이병으로 입은 괴경의 무게가 10kg이고 손해정도가 50%인 경우 이 표본구간의 병충해감수량은? 단, 병충해감수량은 kg단위로 소수점 둘째자리에서 반올림하여 첫째자리까지 다음 예시와 같이 구하시오(예시 : 1.234kg → 1.2kg).

5점

답 5.4kg

해설 (1) 병충해감수량은 병충해를 입은 괴경의 무게에 손해정도비율과 인정비율을 곱하여 산정한다.

병충해감수량 = 병충해를 입은 괴경의 무게 × 손해정도비율 × 인정비율
5.4kg   =   (10kg)   ×   (0.6)   ×   (0.9)

① 손해정도비율 : 손해정도가 50%인 경우 손해정도비율은 60%이다.

[손해정도에 따른 손해정도비율]

품목	손해정도	손해정도비율	손해정도	손해정도비율
감자	1~20%	20%	61~80%	80%
	21~40%	40%	81~100%	100%
	41~60%	60%		

② 인정비율 : 병해충별 등급에 따라 병충해 감수량으로 인정하는 감자 - 가루더뎅이병의 경우 인정비율은 90%이다.

[병·해충 등급별 인정비율]

구분 품목	구분 급수	병·해충	인정비율
감자	1급	역병, 갈쭉병, 모자이크병, 무름병, 둘레썩음병, 가루더뎅이병, 잎말림병, 감자뿔나방	90%
	2급	홍색부패병, 시들음병, 마른썩음병, 풋마름병, 줄기검은병, 더뎅이병, 균핵병, 검은무늬썩음병, 줄기기부썩음병, 진딧물류, 아메리카잎굴파리, 방아벌레류	70%
	3급	반쪽시들음병, 흰비단병, 잿빛곰팡이병, 탄저병, 겹둥근무늬병, 오이총채벌레, 뿌리혹선충, 파밤나방, 큰28점박이무당벌레, 기타	50%

18 아래 조건의 적과전종합위험방식 배 품목의 과실손해보장 담보 계약의 적과전 동상해(4월 3일), 우박사고(5월 15일)를 입은 경우 적과종료 이후 착과손해 감수과실수와 기준착과수를 구하시오. 5점

- 평년착과수 : 20,000개
- 적과후착과수 : 10,000개
- 적과종료 이전 특정위험 5종 한정보장 특별약관 : 미가입
- 미보상감수과실수 : 없음

답 감수과실수 : 500개, 기준착과수 : 20,000개

해설 (1) 감수과실수
① 재해가 중복해서 발생한 경우에 아래 산식을 한번만 적용한다.
② 착과감소과실수 = 평년착과수 − 적과후착과수
= 20,000개 − 10,000개 = (10,000)개
③ 적과후착과수가 평년착과수의 60% 미만인 경우,
감수과실수 = 적과후착과수 × 5%
= 10,000개 × 0.05 = (500)개
(2) 기준착과수
기준착과수 = 적과후착과수 + 착과감소과실수
= 10,000개 + 10,000개 = (20,000)개

19 다음은 농작물재해보험 업무방법에서 정하는 종합위험방식 밭작물 품목별 수확량조사 적기에 관한 내용이다. 괄호에 알맞은 내용을 답란에 순서대로 쓰시오. 5점

- 고구마 : (　　　)로/으로부터 120일 이후에 농지별로 조사
- 감자(고랭지재배) : (　　　)로/으로부터 110일 이후 농지별로 조사
- 마늘 : (　　　)와/과 (　　　)이/가 $\frac{1}{2} \sim \frac{2}{3}$ 황변하여 말랐을 때와 해당 지역에 통상 수확기가
도래하였을 때 농지별로 조사
- 옥수수 : (　　　)이/가 나온 후 25일 이후 농지별로 조사

답 삽식일, 파종일, 잎, 줄기, 수염

해설 [품목별 수확량조사 적기]]

품목	수확량조사 적기
양파	양파의 비대가 종료된 시점(식물체의 도복이 완료된 때)
마늘	마늘의 비대가 종료된 시점(잎과 줄기가 $\frac{1}{2} \sim \frac{2}{3}$ 황변하여 말랐을 때와 해당 지역의 통상 마늘 수확기가 도래하였을 때)
고구마	고구마의 비대가 종료된 시점(삽식일로부터 120일 이후에 농지별로 적용)
감자 (고랭지재배)	감자의 비대가 종료된 시점(파종일로부터 110일 이후)
감자 (봄재배)	감자의 비대가 종료된 시점(파종일로부터 95일 이후)
감자 (가을재배)	감자의 비대가 종료된 시점(파종일로부터 제주 지역은 110일 이후, 이외 지역은 95일 이후)
옥수수	옥수수의 수확적기(수염이 나온 후 25일 이후)
차(茶)	조사 가능일 직전[조사 가능일은 대상 농지에 식재된 차나무의 대다수 신초가 1심2엽의 형태를 형성하며 수확이 가능할 정도의 크기(신초장 4.8cm 이상, 엽장 2.8cm 이상, 엽폭 0.9cm 이상)로 자란 시기를 의미하며, 해당 시기가 5월 10일을 초과하는 경우에는 5월 10일을 기준으로 함]
콩	콩의 수확 적기[콩잎이 누렇게 변하여 떨어지고 꼬투리의 80~90% 이상이 고유한 성숙(황색) 색깔로 변하는 시기]인 생리적 성숙기로부터 7~14일이 지난 시기
양배추	양배추의 수확 적기(결구 형성이 완료된 때)

20 업무방법에서 정하는 종합위험 수확감소보장방식 밭작물 품목의 표본구간별 수확량조사 방법에 관한 내용이다. 밑줄 친 부분에 알맞은 내용을 답란에 순서대로 쓰시오. [5점]

품목	표본구간별 수확량조사 방법
양파, 마늘	표본구간 내 작물을 수확한 후, 줄기를 절단하고(양파는 종구 ㉠____cm 윗부분 절단, 마늘은 종구 ㉡____cm 윗부분 절단) 해당 무게를 조사
고구마	표본구간 내 작물을 수확한 후 정상 고구마와 50%형 고구마(일반시장에 출하할 때, 정상 고구마에 비해 50% 정도의 가격하락이 예상되는 품질. 단, 가공공장 공급 및 판매 여부와 무관), 80% 피해 고구마(일반시장에 출하가 불가능하나, ㉢____으로 공급될 수 있는 품질. 단, 가공공장 공급 및 판매 여부와 무관), 100% 피해 고구마(일반시장 출하가 불가능하고 가공용으로 공급될 수 없는 품질)로 구분하여 무게를 조사
양배추	표본구간 내 작물의 뿌리를 절단하여 수확(외엽 ㉣____개 내외 부분을 제거)한 후, 정상 양배추와 80%피해 양배추(일반시장에 출하할 때 정상과실에 비해 50% 정도의 가격이 예상되는 품질이거나 일반시장 출하는 불가능하나 가공용으로 공급될 수 있는 품질), 100%피해 양배추(일반시장 및 가공용 출하불가)로 구분하여 무게를 조사

답 ㉠ 5, ㉡ 3, ㉢ 가공용, ㉣ 2

해설 [품목별 표본구간별 수확량조사 방법]

품목	표본구간별 수확량조사 방법
양파	표본구간 내 작물을 수확한 후, 종구 5cm 윗부분 줄기를 절단하여 해당 무게를 조사한다(단, 양파의 최대지름이 6cm 미만인 경우에는 80%, 100% 피해로 인정하고 해당 무게의 20%, 0%를 수확량으로 인정).
마늘	표본구간 내 작물을 수확한 후, 종구 3cm 윗부분을 절단하여 무게를 조사한다(단, 마늘통의 최대지름이 2cm(한지형), 3.5cm(난지형) 미만인 경우에는 80%, 100% 피해로 인정하고 해당 무게의 20%, 0%를 수확량으로 인정).
고구마	표본구간 내 작물을 수확한 후 정상 고구마와 50%형 고구마(일반시장에 출하할 때, 정상 고구마에 비해 50% 정도의 가격하락이 예상되는 품질. 단, 가공공장 공급 및 판매 여부와 무관), 80% 피해 고구마(일반시장에 출하가 불가능하나, 가공용으로 공급될 수 있는 품질. 단, 가공공장 공급 및 판매 여부와 무관), 100% 피해 고구마(일반시장 출하가 불가능하고 가공용으로 공급될 수 없는 품질)로 구분하여 무게를 조사
감자	표본구간 내 작물을 수확한 후 정상 감자, 병충해별 20% 이하, 21% 이상~40% 이하, 41% 이상~60% 이하, 61% 이상~80% 이하, 81% 이상~100% 이하 발병 감자로 구분하여 해당 병충해명과 무게를 조사한다[단, 감자(고랭지재배)의 경우 표준규격(80g~250g)을 벗어나는 감자는 실제 무게의 80%를 조사 무게로 한다].
옥수수	표본구간 내 작물을 수확한 후 착립장 길이에 따라 상(17cm 이상)·중(15cm 이상 17cm 미만)·하(15cm 미만)로 구분한 후 해당 개수를 조사한다.
차(茶)	표본구간 중 두 곳에 20cm × 20cm 테를 두고 테 내의 수확이 완료된 새싹의 수를 세고, 남아있는 모든 새싹(1심2엽)을 따서 개수를 세고 무게를 조사한다.
콩	표본구간 내 콩을 수확하여 꼬투리를 제거한 후 콩 종실의 무게 및 함수비(3회 평균)를 조사한다.
양배추	표본구간 내 작물의 뿌리를 절단하여 수확(외엽 2개 내외 부분을 제거)한 후, 정상 양배추와 80%피해 양배추(일반시장에 출하할 때 정상과실에 비해 50% 정도의 가격이 예상되는 품질이거나 일반시장 출하는 불가능하나 가공용으로 공급될 수 있는 품질), 100%피해 양배추(일반시장 및 가공용 출하불가)로 구분하여 무게를 조사한다.

21 업무방법에서 정하는 종합위험 수확감소보장방식 논작물 및 밭작물 품목에 대한 내용이다. ( )에 알맞은 내용을 답란에 쓰시오. 5점

구분	품목
수확량 전수조사 대상 품목	(㉠), (㉡)
경작불능 비해당 품목	(㉢)
병충해를 보장하는 품목(특약 포함)	(㉣), (㉤)

답 ㉠ 벼(밀, 보리), ㉡ 콩, ㉢ 차(茶), ㉣ 벼, ㉤ 감자

해설	구분	품목
	수확량 전수조사 대상 품목	수확량 전수조사 대상 품목은 논작물의 벼와 밀, 보리이고, 밭작물 중 콩이다.
	경작불능 비해당 품목	경작불능조사 대상 품목은 논작물의 경우 벼와 밀이고, 밭작물의 경우 차(茶)를 제외한 양파, 마늘, 고구마, 옥수수, 감자(봄재배, 가을재배, 고랭지재배), 콩, 양배추 품목만 해당한다.
	병충해를 포함하는 품목 (특약 포함)	병충해를 보장하는 품목(특약 포함)은 논작물 중 벼만 해당하고, 밭작물 중 감자만 해당한다.

22 다음의 계약사항 및 조사내용을 참조하여 피해율을 구하시오. 단, 피해율은 소수점 셋째자리에서 반올림하여 둘째자리까지 다음 예시와 같이 구하시오(예시 : 피해율 12.345% → 12.35%로 기재). 5점

- 계약사항

상품명	보험가입금액(만원)	평년수확량(kg)	수확량(kg)	미보상수확량(kg)
무화과	1,000	200	150	15

- 조사내용

보상고사 결과지수(개)	미보상고사 결과지수(개)	정상 결과지수(개)	사고일	수확전 사고피해율(%)
12	8	20	2019. 9. 7.	20

- 잔여수확량(경과)비율 = {(100 − 33) − (1.13 × 사고발생일)}

답 총 피해율 = 34.18%

해설 피해율은 7월 31일 이전 사고피해율과 8월 1일 이후 <u>사고피해율</u>을 합산한다.
① 7월 31일 이전 사고피해율(<u>수확전 사고피해율</u>) = <u>(20)</u>%
② 8월 1일 이후 사고피해율
  = (1 − 수확전 사고피해율) × 잔여수확량비율 × 결과지 피해율
  ㉠ 잔여수확량(경과)비율 = {(100 − 33) − (1.13 × 7)} = (59.09)
  ㉡ 결과지 피해율 = (**고사결과지수** + **미고사결과지수*** × **착과피해율*** − **미보상고사결과지수**)
                    ÷ **기준결과지수**
    = (20개 − 8개) ÷ 40개 = (0.3)
    ※ 업무방법서 개정으로 결과지 피해율 공식에 미고사결과지수와 착과피해율이 추가되었다.
  ㉢ 기준결과지수 = 고사결과지수 + 정상결과지수 = 20개 + 20개 = (40)개
  ㉣ 고사결과지수 = 보상고사결과지수 + 미보상고사결과지수 = 12개 + 8개 + (20)개
  ∴ <u>사고피해율</u> = (1 − 0.2) × 59.09 × 0.3 = 14.1816% = <u>(14.18)</u>%

③ 피해율

① + ② = 20% + 14.18% = (34.18)%

[무화과 품목 사고발생일에 따른 잔여수확량 산정식]

사고발생 월	잔여수확량 산정식(%)
8월	100 − (1.06 × 사고발생일자)
9월	{(100 − 33) − (1.13 × 사고발생일자)}
10월	{(100 − 67) − (0.84 × 사고발생일자)}

※ 사고발생일자는 해당 월의 사고발생일자를 의미함

23 농작물재해보험 업무방법에서 정하는 적과전종합위험방식 과수 품목에 관한 다음 조사 방법에 관하여 서술하시오. 15점

피해사실 확인조사	
적과후 착과수조사	
태풍(강풍) 낙엽률조사	
우박 착과피해조사	

정답 및 해설

피해사실 확인조사	① 보상하는 재해로 인한 피해 여부 확인 : 기상청 자료 확인 및 현지 방문 등을 통하여 보상하는 재해로 인한 피해가 맞는지 확인한다. 단, 태풍 등과 같이 재해 내용이 명확하거나 사고 접수 후 바로 추가조사가 필요한 경우 등에는 피해사실 확인조사를 생략할 수 있다. ② 추가조사 필요 여부 판단 및 해당 조사 실시 : 재해종류 및 특별약관 가입여부에 따라 추가 확인 사항을 조사한다.
적과후 착과수조사	① 농지(과수원) 내 품종·재배방식·수령별 실제결과나무수에서 미보상나무수, 고사나무수, 수확불능나무수를 파악한다. ② 품종·재배방식·수령별 실제결과나무수에서 미보상나무수, 고사나무수, 수확불능나무수를 빼고 조사대상나무수를 계산한다. ③ 조사대상나무수 기준으로 품목별 표본주수표에 따라 과수원별 전체 표본나무수를 정한다. ④ 전체 표본나무수는 품종·재배방식·수령별 실제결과나무수에 비례하여 배정하며, 품종·재배방식·수령별 표본나무수의 합은 전체 표본나무수보다 크거나 같아야 한다. ⑤ 품종·재배방식·수령별 표본나무수의 합은 전체 표본지수보다 크거나 같아야 한다. ⑥ 선정된 표본주의 품종, 수령, 재배방식 및 착과수(착과과실수)를 조사하고 리본 및 현지조사서에 조사내용을 기재한다.

태풍(강풍) 낙엽률조사	① 조사대상주수 기준으로 품목별 표본주수표의 표본주수에 따라 주수를 산정한다. ② 표본주 간격에 따라 표본주를 정하고, 선정된 표본주에 리본을 묶고 동서남북 4곳의 결과지(신초, 1년생 가지)를 무작위로 정하여 각 결과지별로 낙엽수와 착엽수를 조사하여 리본에 기재한 후 낙엽률을 산정한다. ③ ②에서 선정된 표본주의 낙엽수가 보상하지 않는 손해(병해충 등)에 해당하는 경우 착엽수로 구분한다. ④ 미보상비율은 보상하지 않는 손해에 해당하는 착과수의 비율을 조사하여 적용한다. ⑤ 사고 당시 착과수에서 미보상비율에 해당하는 착과수를 제외하고 낙엽률에 따른 인정피해율을 곱하여 해당 감수과실수로 산정한다.
우박 착과피해조사	① 착과피해조사는 착과된 과실에 대한 피해정도를 조사하는 것으로 해당 피해에 대한 확인이 가능한 시기에 실시하며, 대표품종(적과후착과수 기준 60% 이상 품종) 또는 품종별로 각각 실시할 수 있다. ② 착과피해조사에서는 가장 먼저 착과수를 확인하여야 하며, 이때 확인할 착과수는 적과후 착과수조사와는 별개의 조사를 의미한다. 다만, 이전 실시한 착과수조사(이전 착과피해조사 시 실시한 착과수조사 포함)의 착과수와 착과피해조사 시점의 착과수가 큰 차이가 없는 경우에는 별도의 착과수 확인 없이 이전에 실시한 착과수조사 값으로 대체할 수 있다. ③ 착과수 확인은 실제결과주수에서 수확완료주수, 미보상주수 및 고사나무주수를 뺀 조사대상주수를 기준으로 적정 표본주수를 산정하며, 이후 조사 방법은 위「적과후 착과수조사」방법과 같다. ④ 착과수 확인이 끝나면 수확이 완료되지 않은 품종별로 표본과실을 추출한다. 이때 추출하는 표본과실수는 품종별 1주 이상(과수원당 3주 이상)으로 하며, 추출한 표본과실을 품목별 피해구성에 따라 품종별로 구분하여 해당 과실 개수를 조사한다(다만, 필요시에는 해당 기준 표본수의 1/2만 조사도 가능). ⑤ 조사 당시 수확이 완료된 품종이 있거나 피해가 경미하여 피해구성조사가 의미가 없을 때에는 품종별로 피해구성조사를 생략할 수 있다.

24 업무방법에서 정하는 종합위험 수확감소보장방식 과수품목 중 자두 품목 수확량조사의 착과수 조사 방법에 관하여 서술하시오. 15점

정답 및 해설

착과수조사 방법

① 착과수조사는 사고 여부와 상관없이 계약된 농지 전 건에 대하여 실시한다.

② 조사 시기는 최초 수확 품종 수확기 직전으로 한다.

③ 품종별·수령별로 실제결과주수, 미보상주수 및 고사나무주수를 파악하고, 실제결과주수에서 미보상주수 및 고사나무주수를 빼서 조사대상주수를 계산한다.

④ 농지별 전체 조사대상주수를 기준으로 품목별 표본주수표에 따라 농지별 전체 표본주수를 산정하되, 품종별·수령별 표본주수를 바탕으로 품종별·수령별 조사대상주수에 비례하여 산정한다.

⑤ 산정한 품종별·수령별 표본주수를 바탕으로 품종별·수령별 조사대상주수의 특성이 골고루 반영될 수 있도록 표본주를 선정한다.

⑥ 선정된 표본주별로 착과된 전체 과실수를 조사하되, 품종별 수확 시기 차이에 따른 자연낙과를 감안한다.

⑦ 품목별 미보상비율 적용표에 따라 미보상비율을 조사한다.

25 농업수입보장보험 마늘 품목에 한해와 조해피해가 발생하여 아래와 같이 수확량 조사를 하였다. 계약사항과 조사내용을 토대로 하여 ① 표본구간 단위면적당 수확량, ② 수확량, ③ 실제수입, ④ 피해율, ⑤ 보험가입금액 및 농업수입감소보험금의 계산과정과 값을 각각 구하시오. 단, 품종에 따른 환산계수는 미적용하고, 소수점 셋째자리에서 반올림하여 둘째자리까지 다음 예시와 같이 구하시오(예시 : 수확량 3.456kg → 3.46kg, 피해율 0.12345% → 12.35%로 기재). 15점

〈계약사항〉

• 품종 : 남도
• 가입면적 : 3,300m²
• 자기부담비율 : 20%
• 평년수확량 : 10,000kg
• 가입수확량 : 10,000kg
• 기준가격 : 3,000원

〈조사내용〉

• 실경작면적 : 3,300m²
• 타작물면적 : 500m²
• 표본구간 면적 : 10.50m²
• 미보상비율 : 20%
• 수확불능면적 : 300m²
• 표본구간 : 7구간
• 표본구간 수확량 : 30kg
• 수확기가격 : 2,500원

제2과목 농작물재해보험 및 가축재해보험 손해평가의 이론과 실무

답
① 표본구간 단위면적당 수확량 : 2.86kg/㎡
② 수확량 : 8,665kg
③ 실제수입 : 22,330,000원
④ 피해율 : 25.57%
⑤ 보험가입금액 및 농업수입감소보험금
 • 보험가입금액 : 30,000,000원
 • 농업수입감소보험금 : 1,671,000원

해설
① 표본구간 단위면적당 수확량

$$표본구간\ 수확량 \div 표본구간\ 면적 = \frac{30kg}{10.50㎡} ≒ 2.857kg/㎡ = \underline{(2.86)kg/㎡}$$

② 수확량
 ㉠ 표본조사대상면적 = 실경작면적 − 수확불능면적 − 타작물면적 − 기수확면적
  = 3,300㎡ − 300㎡ − 500㎡ − 0㎡ = (2,500)㎡

 ㉡ 단위면적당 평년수확량 = 평년수확량 ÷ 가입면적 = $\frac{10,000kg}{3,300㎡}$ = (3.03)kg/㎡

 ∴ 수확량 = (표본구간 단위면적당 수확량 × 표본조사대상면적) + {단위면적당 평년수확량 × (타작물면적 + 기수확면적)}
  = (2.86kg/㎡ × 2,500㎡) + {3.03kg/㎡ × (500㎡ + 0㎡)}
  = 7,150kg + 1,515kg = (8,665)kg

③ 실제수입
 미보상감수량 = (평년수확량 − 수확량) × 미보상비율
  = (10,000kg − 8,665kg) × 0.2 = (267)kg
 ∴ 실제수입 = (수확량 + 미보상감수량) × Min(농지별 기준가격, 농지별 수확기가격)
  = (8,665kg + 267kg) × Min(3,000원, 2,500원)
  = 8,932kg × 2,500원/kg = (22,330,000)원

④ 피해율
 기준수입 = 평년수확량 × 농지별 기준가격
  = 10,000kg × 3,000원/kg = (30,000,000)원
 ∴ 피해율 = (기준수입 − 실제수입) ÷ 기준수입
  = (30,000,000원 − 22,330,000원) ÷ 30,000,000원
  ≒ 0.25566 = (25.57)%

⑤ 보험가입금액 및 농업수입감소보험금
 ㉠ 보험가입금액 = 가입수확량 × 기준가격 = 10,000kg × 3,000원/kg = (30,000,000)원
 ㉡ 농업수입감소보험금 = 보험가입금액 × (피해율 − 자기부담비율)
  = 30,000,000원 × (0.2557 − 0.2) = (1,671,000)원

26 특정위험담보 인삼 품목 해가림시설에 관한 내용이다. 태풍으로 인삼 해가림시설에 일부 파손 사고가 발생하여 아래와 같은 피해를 입었다. 가입조건이 아래와 같을 때 ① 감가율, ② 손해액, ③ 자기부담금, ④ 보험금, ⑤ 잔존보험가입금액의 계산 과정과 답을 각각 쓰시오. [15점]

• 보험가입내용

재배 칸수	칸당 면적(㎡)	시설 재료	설치비용(원/㎡)	설치 연월	가입금액(원)
2,200	3.3	목재	5,500	2017. 6.	39,930,000

• 보험사고내용

파손 칸수	사고 원인	사고 연월
800칸(전부 파손)	태풍	2019. 7.

※ 2019년 설치비용은 설치연도와 동일한 것으로 함
※ 손해액과 보험금은 원단위 이하 버림

답
① 감가율 : 26.66%
② 손해액 : 14,520,000원
③ 자기부담금 : 100만원
④ 보험금 : 13,520,000원
⑤ 잔존보험가입금액 : 26,410,000원

해설
① 감가율
  ㉠ 연단위 감가상각을 적용하며, 경과기간이 1년 미만은 적용하지 않는다.
  ㉡ 감가율 = 경과기간 × 경년감가율 = 2년 × 13.33%/년 = (26.66)%
    ⓐ 경과기간 = 2019년 7월 – 2017년 6월 = 2년 1월 = (2)년
    ⓑ 경년감가율

유형	내용연수	경년감가율
목재	6년	13.33%
철재	18년	4.44%

② 손해액
  ㉠ 재조달가액으로 산출한 피해액을 산정한다. 재조달가액은 단위면적(1㎡)당 설치비용에 재배 면적(㎡)을 곱하여 산출한다.
  ㉡ 800칸 × 3.3㎡/칸 × 5,500원/㎡ = (14,520,000)원
③ 자기부담금
  10만원 ≤ 손해액 × 10% ≤ 100만원
  ㉠ 즉, 1사고당 손해액의 10%를 자기부담금으로 하되 손해액의 10%가 10만원 이하인 경우 최저 자기부담금으로 10만원을 적용하며, 손해액의 10%가 100만원 이상인 경우 최고 자기부담금 으로 100만원을 적용한다.
  ㉡ 자기부담금 = 14,520,000원 × 10% = (1,452,000)원
  ∴ 자기부담금은 100만원 이상이므로 (100만원)으로 한다.

④ 보험금 : 보험가입금액을 한도로 손해액에서 자기부담금을 차감한 금액이다.

보험금 = 14,520,000원 − 1,000,000원 = (13,520,000)원

⑤ 잔존보험가입금액 : 보험가입금액에서 보상액을 뺀 잔액이다.

잔존보험가입금액 = 39,930,000원 − 13,520,000원 = (26,410,000)원

27 종합위험 수확감소보장 과수 비가림시설 피해조사에 관한 것으로 ① 해당되는 3가지 품목, ② 조사기준, ③ 조사방법에 대하여 각각 서술하시오. 15점

정답 및 해설

(1) 해당되는 3가지 품목

① 포도

② 대추

③ 참다래

(2) 조사기준

해당 목적물인 비가림시설의 구조체와 피복재의 재조달가액을 기준금액으로 수리비를 산출한다.

(3) 조사방법

① 피복재 : 피복재의 피해면적을 조사한다.

② 구조체

㉠ 손상된 골조를 재사용할 수 없는 경우 : 교체수량 확인

㉡ 손상된 골조를 재사용할 수 있는 경우 : 보수면적 확인

28 다음의 계약사항과 조사내용으로 누적감수과실수를 구하시오(단, 감수과실수와 기준착과수는 소수점 첫째자리에서 반올림하여 정수 단위로 하여 구하시오). 15점

- 계약사항

상품명	가입특약	평년착과수	가입과실수	실제결과주수
적과전 종합위험방식 Ⅱ 단감	가을동상해 특약	10,000개	8,000개	100주
	적과종료 이전 특정위험 5종 한정보장 특별약관	미가입		

- 조사내용

구분	재해종류	사고일자	조사일자	조사내용
적과종료 이전	자연재해	5월 10일	5월 11일	• 착과감소과실수 : 5,000개 • 미보상감수과실수 : 없음
적과후 착과수	–		7월 10일	적과후착과수 5,000개
적과종료 이후	태풍	9월 8일	9월 9일	• 낙과피해조사(전수조사) 총낙과수 : 1,000개 / 나무피해 없음 / 미보상감수과실수 없음 • 낙엽피해조사 낙엽률 30%(경과일수 100일) / 미보상비율 0%
	우박	5월 10일	10월 30일	• 착과피해조사 단, 태풍 사고 이후 착과수는 변동없음
	가을동상해	11월 4일	11월 5일	• 가을동상해 착과피해조사 사고 당시 착과과실수 : 3,000개

태풍 낙과피해조사표

피해과실 구분	100%	80%	50%	정상
과실수	1,000개	0개	0개	0개

우박 착과피해조사표

피해과실 구분	100%	80%	50%	정상
과실수	4개	20개	20개	56개

가을동상해 착과피해조사표

피해과실 구분	100%	80%	50%	정상
과실수	6개	30개	20개	44개

정답 및 해설

1. 누적감수과실수
   (1) 계산과정
   ① 적과종료 이전
   　착과감소과실수 = 평년착과수 − 적과후착과수 = 10,000개 − 5,000개 = 5,000개
   　적과후착과수가 평년착과수의 60% 미만인 경우
   　A : 감수과실수 = 적과후 착과수 × 5%
   　　　　　　　　 = 10,000개 × 0.05 = (500)개
   ② 적과후착과수 = 5,000개
   ③ 적과종료 이후 태풍피해조사
   　㉠ 낙과피해조사
   　　총낙과수 = 1,000개
   　㉡ 낙엽피해조사
   　　사고 당시 착과과실수 × (인정피해율 − max A) × (1 − 미보상비율)
   　　※ 사고 당시 착과과실수
   　　　= 적과후착과수 − 총낙과과실수 − 적과종료 후 총 나무피해과실수 − 총기수확과실수
   　　　= 5,000개 − 1,000개 − 0개 − 0개 = 4,000개
   　　※ 인정피해율
   　　　= (1.0115 × 낙엽률) − (0.0014 × 경과일수)
   　　　= (1.0115 × 0.3) − (0.0014 × 100) = 0.30345 − 0.14 = 0.16345
   　　※ max A : 금차 사고전 기조사된 착과피해구성률 또는 인정피해율 중 최댓값(= 0)
   　　낙엽피해조사 감수과실수 = (5,000개 − 1,000개) × (0.16345 − 0) × (1 − 0) = 654개
   　B : 태풍피해 감수과실수 = 1,000개 + 654개 = (1,654)개
   ④ 우박 착과피해조사
   　사고 당시 착과과실수 × (착과피해구성률 − max A)
   　※ 착과피해구성률
   　= $\dfrac{(100\%형\ 피해과실수 \times 1) + (80\%형\ 피해과실수 \times 0.8) + (50\%형\ 피해과실수 \times 0.5)}{100\%형\ 피해과실수 + 80\%형\ 피해과실수 + 50\%형\ 피해과실수 + 정상과실수}$

   　= $\dfrac{(4 \times 1) + (20 \times 0.8) + (20 \times 0.5)}{100}$

   　= 0.3
   　※ max A : 금차 사고전 기조사된 착과피해구성률 또는 인정피해율 중 최댓값(= 0.16345)
   　C : 우박 착과피해 감수과실수 = (5,000개 − 1,000개) × (0.3 − 0.16345) = (546)개
   ⑤ 가을동상해 착과피해조사
   　사고 당시 착과과실수 × (착과피해구성률 − max A)
   　※ 착과피해구성률 = $\dfrac{(6 \times 1) + (30 \times 0.8) + (20 \times 0.5)}{100}$ = 0.4

   　※ max A : 금차 사고전 기조사된 착과피해구성률 또는 인정피해율 중 최댓값(= 0.3)
   　D : 가을동상해피해 감수과실수 = 3,000개 × (0.4 − 0.3) = (300)개

∴ <u>누적감수과실수</u> = 적과종료 이전 감수과실수 + 태풍피해 감수과실수 + 우박 착과피해 감
수과실수 + 가을동상해피해 감수과실수
= (A)개 + (B)개 + (C)개 + (D)개
= 500개 + 1,654개 + 546개 + 300개 = <u>3,000개</u>

(2) <u>답 : 3,000개</u>

29 다음의 계약사항과 보상하는 손해에 따른 조사내용에 관하여 피해착과량, 미보상감수량, 수확
감소보험금을 구하시오. 단, 재식시기지수와 재식밀도지수는 각각 1로 가정하고, 피해착과량
과 미보상감수량은 kg단위로 소수점 셋째자리에서 반올림하여 둘째자리까지 다음 예시와 같
이 구하시오(예시 : 3.456kg → 3.46kg로 기재). 15점

① 계약사항

상품명	보험가입금액	가입면적	표준수확량	표준가격	자기부담비율
수확감소보장 옥수수(미백2호)	15,000,000원	10,000㎡	5,000kg	3,000원/kg	20%

② 조사내용

조사종류	표준중량	실제경작면적	고사면적	기수확면적
수확량조사	180g	10,000㎡	1,000㎡	2,000㎡

표본구간 '상' 옥수수 개수	표본구간 '중' 옥수수 개수	표본구간 '하' 옥수수 개수	표본구간 면적합계	미보상비율
10개	10개	20개	10㎡	10%

(1) 피해착과량

(2) 미보상감수량

(3) 수확감소보험금

정답 및 해설

(1) 피해착과량
① 계산과정 :
㉠ 표본구간 피해착과량 = (표본구간 '하' 옥수수 개수 + 표본구간 '중' 옥수수 개수 × 0.5)
× 표준중량 × 재식시기지수 × 재식밀도지수
= (20 + 10 × 0.5) × 180g × 1 × 1 = 4,500g = 4.5kg
㉡ 표본구간 단위면적당 피해착과량 = 표본구간 피해착과량 ÷ 표본구간 면적
= 4.5kg ÷ 10㎡ = (0.45)kg/㎡
㉢ 표본조사대상면적 = 실제경작면적 − 고사면적 − 타작물면적 − 기수확면적
= 10,000㎡ − 1,000㎡ − 0 − 2,000㎡ = (7,000)㎡

ⓔ 단위면적당 표준수확량 = 표준수확량 ÷ 실제경작면적 = 5,000kg ÷ 10,000㎡ = (0.5)kg/㎡

∴ 피해착과량

= (표본구간 단위면적당 피해착과량 × 표본조사대상면적) + (단위면적당 표준수확량 × 고사면적)

= (0.45kg/㎡ × 7,000㎡) + (0.5kg/㎡ × 1,000㎡)

= (3,650)kg

② 답 : <u>3,650kg</u>

(2) 미보상감수량

① 계산과정 :

<u>미보상감수량</u> = 피해착과량 × 미보상비율

= 3,650kg × 0.1 = (365)kg

② 답 : <u>365kg</u>

(3) 수확감소보험금

① 계산과정 :

<u>수확감소보험금</u> = Min[보험가입금액, 손해액] − 자기부담금

㉠ 손해액 = (피해착과량 − 미보상감수량) × 표준가격

= (3,650kg − 365kg) × 3,000원/kg = (9,855,000)원

㉡ 자기부담금 = 보험가입금액 × 자기부담비율 = 15,000,000원 × 0.2 = (3,000,000)원

∴ <u>수확감소보험금</u> = Min[15,000,000원, 9,855,000원] − 3,000,000원

= 9,855,000원 − 3,000,000원 = (6,855,000)원

② 답 : <u>6,855,000원</u>

---

30 종합위험방식 밭작물 고추에 관하여 수확기 이전에 보험사고가 발생한 경우 다음의 조건에 따른 생산비보장보험금을 산정하시오. [10점]

> 〈조건〉
> - 보험가입금액 : 10,000,000원
> - 준비기생산비계수 : 55.7%
> - 생장일수 : 50일
> - 피해비율 : 50%
> - 자기부담금 : 500,000원
> - 병충해 등급별 인정비율 : 70%
> - 표준생장일수 : 100일
> - 손해정도비율 : 80%

① 계산과정 :

② 생산비보장보험금 : _____ 원

정답 및 해설

① 계산과정 :

보험금 = 보험가입금액 × 경과비율 × 피해율 × 병충해 등급별 인정비율 − 자기부담금

㉠ 경과비율 = 준비기생산비계수 + (1 − 준비기생산비계수) × $\dfrac{생장일수}{표준생장일수}$

$$= 0.556 + (1 − 0.556) × \dfrac{50}{100} = (0.778)$$

㉡ 피해율 = 피해비율 × 손해정도비율(심도) = 0.5 × 0.8 = (0.4)

∴ 보험금 = 10,000,000원 × 0.7785 × 0.4 × 0.7 − 500,000원

= (1,679,800)원

② 생산비보장보험금 : (1,679,800)원

---

31 종합위험 수확감소보장방식 벼 품목에서 사고가 접수된 농지의 수량요소조사 방법에 의한
수확량조사 결과가 다음과 같을 경우 수확량과 피해율을 구하시오. 15점

평년수확량	2,000kg
표준수확량	2,200kg
조사수확비율	70%
미보상비율	20%
피해면적 보정계수	0.95

(1) 수확량을 kg단위로 소수점 첫째자리에서 반올림하여 다음 예시와 같이 구하시오(예시 :
994.55kg → 995kg).

(2) 피해율을 %단위로 소수점 둘째자리에서 반올림하여 첫째자리까지 다음 예시와 같이 구하
시오(예시 : 12.345% → 12.3%).

답 (1) 수확량 : 1,463kg (2) 피해율 : 21.5%

해설 (1) 수확량

조사수확량(kg) = 표준수확량(kg) × 조사수확비율(%) × 피해면적 보정계수

= 2,200kg × 0.7 × 0.95 = 1,463kg

(2) 피해율

피해율(%) = (평년수확량 − 수확량 − 미보상감수량) ÷ 평년수확량

= (2,000kg − 1,463kg − 107kg) ÷ 2,000kg = 0.215(= 21.5%)

미보상감수량 = (평년수확량 − 수확량) × 미보상비율

= (2,000kg − 1,463kg) × 0.2 = 107.4kg = 107kg

32 아래 조건에 의해 농업수입감소보장 포도 품목의 피해율 및 농업수입감소보험금을 산출하시오.

15점

- 평년수확량 : 1,000kg
- 미보상감수량 : 100kg
- 수확기가격 : 3,000원/kg
- 자기부담비율 : 20%
- 조사수확량 : 500kg
- 농지별 기준가격 : 4,000원/kg
- 보험가입금액 : 4,000,000원

(1) 피해율을 %단위로 소수점 셋째자리에서 반올림하여 둘째자리까지 다음 예시와 같이 구하시오(예시 : 0.12345 → 12.35%로 기재).

(2) 농업수입감소보험금

정답 및 해설

(1) 피해율
  ① 계산과정 :
   ㉠ 기준수입 = 평년수확량 × 농지별 기준가격 = 1,000kg × 4,000원/kg = (4,000,000)원
   ㉡ 실제수입 = (수확량 + 미보상감수량) × Min(농지별 기준가격, 농지별 수확기가격)
      = (500kg + 100kg) × 3,000원/kg = (1,800,000)원
   ∴ 피해율 = (기준수입 − 실제수입) ÷ 기준수입
      = (4,000,000원 − 1,800,000원) ÷ 4,000,000원 = 0.55 = (55)%
  ② 답 : 55%
(2) 농업수입감소보험금
  ① 계산과정 :
   농업수입감소보험금 = 보험가입금액 × (피해율 − 자기부담비율)
      = 4,000,000원 × (0.55 − 0.2) = (1,400,000)원
  ② 답 : 1,400,000원

33 종합위험 수확감소보장방식 논작물 벼 품목의 통상적인 영농활동 중 보상하는 손해가 발생하였다. 아래 조사종류별 조사시기, 보험금 지급사유 및 지급보험금 계산식을 각각 쓰시오. [15점]

조사종류	조사시기	지급사유	지급보험금 계산식
① 이앙·직파불능조사			
② 재이앙·재직파조사			
③ 경작불능조사 (자기부담비율 20%형)			
④ 수확불능조사 (자기부담비율 20%형)			

정답 및 해설

조사종류	조사시기	지급사유	지급보험금 계산식
① 이앙·직파불능조사	이앙한계일(7월 31일) 이후	보상하는 손해로 이앙한계일(7월 31일)까지 이앙·직파를 하지 못한 경우에 지급한다.	보험가입금액 × 10%
② 재이앙·재직파조사	사고접수 후 지체 없이	보상하는 손해로 면적피해율이 10%를 초과하고, 재이앙·재직파를 한 경우에 1회 지급한다.	보험가입금액 × 25% × 면적피해율 * 면적피해율 = 피해면적 ÷ 보험가입면적
③ 경작불능조사 (자기부담비율 20%형)	사고접수 후 지체 없이	보상하는 손해로 인해 식물체 피해율이 65% 이상이고, 계약자가 경작불능보험금을 신청한 경우에 지급한다.	보험가입금액 × 40%
④ 수확불능조사 (자기부담비율 20%형)	수확포기가 확인되는 시점	벼의 제현율이 65% 미만으로 떨어져 정상출하가 불가능하고, 해당 농지의 작물에 대한 수확포기가 확인된 경우에 지급한다.	보험가입금액 × 55%

34 종합위험 수확감소보장 논작물 벼보험에 관한 내용이다. 아래와 같이 보험가입을 하고 보험사고가 발생한 것을 가정한 경우 다음의 물음에 답하시오. 15점

(1) 병충해담보 특약에서 담보하는 7가지 병충해를 쓰시오.

(2) 수확감소에 따른 ① A농지의 피해율, ② A농지의 보험금과 ③ B농지의 피해율, ④ B농지의 보험금을 각각 구하시오.

(3) 각 농지의 식물체가 65% 이상 고사하여 경작불능보험금을 받을 경우, ⑤ A농지의 보험금과 ⑥ B농지의 보험금을 구하시오.

- 보험 가입내용

구분	농지면적 (m²)	가입면적 (m²)	평년수확량 (kg/m²)	가입가격 (원/kg)	자기부담 비율(%)	가입비율
A농지	18,000	16,000	0.85	1,300	20	평년수확량의 100%
B농지	12,500	12,500	0.84	1,400	15	평년수확량의 100%

※ 실제경작면적은 가입면적과 동일한 것으로 조사됨

- 보험 사고내용

구분	사고내용	조사방법	수확량(kg)	미보상비율(%)	미보상사유
A농지	도열병	전수조사	4,080	10	방재 미흡
B농지	벼멸구	전수조사	4,000	10	방재 미흡

※ 위 보험사고는 각각 병충해 단독사고이며, 모두 병충해 특약에 가입함

※ 함수율은 배제하고 계산함

※ 피해율 계산은 소수점 셋째자리에서 반올림하여 둘째자리까지 구함(예시 : 123.456% → 123.46%)

※ 보험금은 원단위 이하 버림

정답 및 해설

(1) 병충해담보 특약에서 담보하는 7가지 병충해
① 흰잎마름병, ② 줄무늬잎마름병, ③ 도열병, ④ 벼멸구, ⑤ 먹노린재, ⑥ 깨씨무늬병, ⑦ 세균성 벼알마름병

(2) 수확감소에 따른 ① A농지의 피해율, ② A농지의 보험금과 ③ B농지의 피해율, ④ B농지의 보험금
① A농지 피해율 = (평년수확량 − 수확량 − 미보상감수량) ÷ 평년수확량
= (13,600kg − 4,080kg − 952kg) ÷ 13,600kg = 0.63 = (63)%
② A농지 보험금 = 보험가입금액 × 피해율 − 자기부담비율)
  • 보험가입금액 = 가입수확량 × 가입가격 = 13,600kg × 1,300원/kg = (17,680,000)원
  ∴ 보험금 = 17,680,000원 × (0.63 − 0.2) = (7,602,400)원
③ B농지 피해율 = (평년수확량 − 수확량 − 미보상감수량) ÷ 평년수확량
= (10,500kg − 4,000kg − 650kg) ÷ 10,500kg = 0.55714 = (55.71)%
④ B농지 보험금 = 보험가입금액 × (피해율 − 자기부담비율)
  • 보험가입금액 = 가입수확량 × 가입가격 = 10,500kg × 1,400원/kg = (14,700,000)원
  ∴ 보험금 = 14,700,000원 × (0.5571 − 0.15) = (5,984,370)원

(3) 각 농지의 식물체가 65% 이상 고사하여 경작불능보험금을 받을 경우, ⑤ A농지의 보험금과
⑥ B농지의 보험금(지급액 = 보험가입금액 × 자기부담비율에 따른 일정비율)
⑤ A농지 보험금
자기부담비율이 20%이므로
지급액 = 보험가입금액 × 40% = 17,680,000원 × 0.4 = (7,072,200)원
⑥ B농지 보험금
자기부담비율이 15%이므로
지급액 = 보험가입금액 × 42% = 14,700,000원 × 0.42 = (6,174,000)원

[자기부담비율별 경작불능보험금표]

자기부담비율	경작불능보험금
10%형	보험가입금액 × 45%
15%형	보험가입금액 × 42%
20%형	보험가입금액 × 40%
30%형	보험가입금액 × 35%
40%형	보험가입금액 × 30%

35 업무방법에서 정하는 종합위험방식 벼 상품에 관한 다음 2가지 물음에 답하시오. 15점

⑴ 재이앙·재직파보험금, 경작불능보험금, 수확감소보험금의 지급사유를 각각 서술하시오.

〈지급사유〉

재이앙·재직파보험금	
경작불능보험금	
수확감소보험금	

⑵ 아래 조건(1, 2, 3)에 따른 보험금을 산정하시오(단, 아래의 조건들은 지급사유에 해당된다고 가정한다).

〈조건 1 : 재이앙·재직파보험금〉
- 보험가입금액 : 2,000,000원
- 자기부담비율 : 20%
- (면적)피해율 : 50%
- 미보상감수면적 : 없음

① 계산과정 :

② 보험금 : _____원

〈조건 2 : 경작불능보험금〉
- 보험가입금액 : 2,000,000원
- 자기부담비율 : 15%
- 식물체 80% 고사

① 계산과정 :

② 보험금 : _____원

〈조건 3 : 수확감소보험금〉
- 보험가입금액 : 2,000,000원
- 자기부담비율 : 20%
- 평년수확량 : 1,400kg
- 수확량 : 500kg
- 미보상감수량 : 200kg

① 계산과정 :

② 보험금 : _____원

정답 및 해설

(1) 재이앙·재직파보험금, 경작불능보험금, 수확감소보험금의 지급사유

〈지급사유〉

재이앙·재직파 보험금	보상하는 손해로 면적피해율이 10%를 초과하고, 재이앙·재직파를 한 경우에 1회 지급한다.
경작불능보험금	보상하는 손해로 인해 식물체 피해율이 65% 이상이고, 계약자가 경작불능보험금을 신청한 경우에 지급한다.
수확감소보험금	보상하는 재해로 인해 피해율이 자기부담비율을 초과하는 경우 수확감소보험금을 지급한다.

(2) 조건에 따른 보험금 산정

〈조건 1 : 재이앙·재직파보험금〉
• 보험가입금액 : 2,000,000원
• 자기부담비율 : 20%
• (면적)피해율 : 50%
• 미보상감수면적 : 없음

① 계산과정 :
　　지급금액 = 보험가입금액 × 25% × 면적피해율
　　　　　　= 2,000,000원 × 0.25 × 0.5 = (250,000)원
② 보험금 : (250,000)원

〈조건 2 : 경작불능보험금〉
• 보험가입금액 : 2,000,000원
• 자기부담비율 : 15%
• 식물체 80% 고사

① 계산과정 :
　　㉠ 지급금액 = 자기부담비율별 경작불능보험금
　　㉡ 자기부담비율이 15%일 때
　　　　지급금액 = 보험가입금액 × 42% = 2,000,000원 × 0.42 = (840,000)원
② 보험금 : (840,000)원

[자기부담비율별 경작불능보험금표]

자기부담비율	경작불능보험금
10%형	보험가입금액 × 45%
15%형	보험가입금액 × 42%
20%형	보험가입금액 × 40%
30%형	보험가입금액 × 35%
40%형	보험가입금액 × 30%

> 〈조건 3 : 수확감소보험금〉
> • 보험가입금액 : 2,000,000원
> • 자기부담비율 : 20%
> • 평년수확량 : 1,400kg
> • 수확량 : 500kg
> • 미보상감수량 : 200kg

① 계산과정 :
  ㉠ 지급금액 = 보험가입금액 × (피해율 − 자기부담비율)
  ㉡ 피해율 = (평년수확량 − 수확량 − 미보상감수량) ÷ 평년수확량
    = (1,400kg − 500kg − 200kg) ÷ 1,400kg = (0.5)
  ∴ 지급금액 = 2,000,000원 × (0.5 − 0.2) = (600,000)원
② 보험금 : (600,000)원

36 업무방법에서 정하는 종합위험방식 마늘 품목에 관한 다음 2가지 물음에 답하시오. 10점

(1) 재파종보험금 산정방법을 서술하시오.

(2) 다음의 계약사항과 보상하는 손해에 따른 조사내용에 관하여 재파종보험금을 구하시오 (단, 1a는 100㎡이다).

• 계약사항

상품명	보험가입금액	가입면적	자기부담비율
종합위험방식 마늘	1,000만원	4,000㎡	20%

• 조사내용

조사종류	조사방식	1㎡당 출현주수 (1차조사)	1㎡당 재파종주수 (2차조사)
재파종조사	표본조사	18주	32주

정답 및 해설

(1) 재파종보험금 산정방법
  ① 재파종보험금은 재파종조사 결과 10a당 출현주수가 30,000주 미만이었으나, 10a당 30,000주 이상으로 재파종을 한 경우에 지급하며, 보험금은 보험가입금액에 35%를 곱한 후 다시 표준출현 피해율을 곱하여 산정한다.
  ② 표준출현 피해율은 10a 기준 출현주수를 30,000에서 뺀 후 이 값을 30,000으로 나누어 산출한다.

(2) 재파종보험금
　① 계산과정 :
　　㉠ 재파종보험금 = 보험가입금액 × 0.35 × 표준출현 피해율
　　㉡ 출현주수(1차조사)
　　　10a(1,000㎡)당 출현주수 = 1,000 × 18주 = (18,000)주
　　㉢ 표준출현 피해율(10a 기준) = (30,000주 − 출현주수) ÷ 30,000주
　　　　　　　　　　　　　　　　= (30,000주 − 18,000주) ÷ 30,000주 = (0.4)
　　∴ 재파종보험금 = 1,000만원 × 0.35 × 0.4 = (140)만원
　② 답 : 140만원

37 다음의 계약사항과 조사내용에 관한 적과후착과수를 산정한 후 누적감수과실수와 기준착과수를 구하시오(단, 감수과실수와 기준착과수는 소수점 첫째자리에서 반올림하여 정수 단위로 구하시오). 15점

① 계약사항

상품명	가입특약	평년착과수	가입과실수	실제결과주수
적과전종합위험 단감	가을동상해특약	15,000개	9,000개	100주

② 적과후착과수 조사내용(조사일자 : 7월 25일)

품종	수령	실제결과주수	표본주수	표본주 착과수 합계
부유	10년	20주	3주	240개
부유	15년	60주	8주	960개
서촌조생	20년	20주	3주	330개

구분	재해 종류	사고 일자	조사 일자	조사내용
적과 종료 이전	자연 재해	5월 10일	5월 16일	• 착과감소과실수 : 4,000개 • 미보상감수과실수 : 0개 • 적과종료 이전 특정위험 5종 한정보장 특별약관에 미가입
적과 종료 이후	강풍	7월 30일	7월 31일	• 낙과피해조사(전수조사) 　총낙과수 : 1,000개, 나무피해 없음, 미보상감수과실수 0개

	피해과실 구분	100%	80%	50%	정상
	과실수	1,000개	0개	0개	0개

			• 낙엽피해조사 낙엽률 50%(경과일수 60일) / 미보상비율 0%

태풍 / 10월 8일 / 10월 9일

• 낙과피해조사(전수조사)
  총낙과수 : 500개, 나무피해 없음, 미보상감수과실수 0개

피해과실 구분	100%	80%	50%	정상
과실수	200개	100개	100개	100개

• 낙엽피해조사
  낙엽률 60%(경과일수 130일) / 미보상비율 0%

우박 / 5월 15일 / 10월 29일

• 착과피해조사
  단, 태풍 사고 이후 착과수는 변동없음

피해과실 구분	100%	80%	50%	정상
과실수	20개	20개	20개	40개

가을동상해 / 11월 5일 / 11월 6일

• 가을동상해 착과피해조사
  사고 당시 착과과실수 : 3,000개
  가을동상해로 인한 잎 피해율 : 70%
  잔여일수 : 10일

피해과실 구분	100%	80%	50%	정상
과실수	10개	20개	20개	50개

(적과종료 이후)

정답 및 해설

(1) 적과후착과수
　① 계산과정 :
　　품종·재배방식·수령별 착과수

$$= \frac{\text{품종·재배방식·수령별 표본주의 착과수 합계}}{\text{품종·재배방식·수령별 표본주 합계}} \times \text{품종·재배방식·수령별 조사대상주수}$$

$$\therefore \text{적과후착과수} = (\frac{240}{3} \times 20) + (\frac{960}{8} \times 60) + (\frac{330}{3} \times 20) = (11,000)\text{개}$$

　② 답 : 11,000개

(2) 누적감수과실수
　① 계산과정 :
　　㉠ 적과종료 이전 자연재해로 인한 적과종료 이후 착과손해 감수과실수
　　　적과후착과수가 평년착과수의 60% 이상 100% 미만인 경우,

$$\text{감수과실수} = \text{적과후착과수} \times 5\% \times \frac{100\% - \text{착과율}}{40\%}$$

　　　※ 착과율 = 적과후착과수 ÷ 평년착과수 = 11,000개 ÷ 15,000개 = 0.73

　　　A : 감수과실수 = 11,000개 × 0.05 × $\frac{1 - 0.73}{0.4}$ = (371)개

ⓛ 적과후착과수 = 11,000개

ⓒ 강풍피해조사

　ⓐ 낙과피해조사(전수조사)

　　총낙과수 : (1,000)개

　ⓑ 낙엽피해조사

　　사고 당시 착과과실수 × (인정피해율 − max A) × (1 − 미보상비율)

　　※ 사고 당시 착과과실수

　　　= 적과후착과수 − 총낙과과실수 − 총적과종료 후 나무피해과실수 − 총기수확과실수

　　※ 인정피해율 = (1.0115 × 낙엽률) − (0.0014 × 경과일수)

　　※ max A : 금차 사고전 기조사된 착과피해구성률 또는 인정피해율 중 최댓값(= 0)

　　사고 당시 착과과실수 × {(1.0115 × 낙엽률) − (0.0014 × 경과일수) − 0} × (1 − 미보상비율)

　　= (11,000개 − 1,000개 − 0개 − 0개) × {(1.0115 × 0.5) − (0.0014 × 60)} × (1 − 0)

　　= (4,217.5)개

　　= 4,218개

　B : 강풍피해 감수과실수 = 1,000개 + 4,218개 = (5,218)개

ⓓ 태풍피해조사

　ⓐ 낙과피해조사(전수조사)

　　총낙과과실수 × (낙과피해구성률 − max A)

　　$= 500개 \times \{ \dfrac{(200 \times 1) + (100 \times 0.8) + (100 \times 0.5)}{200 + 100 + 100 + 100} - 0.42175 \}$

　　= (119.125)개

　　= 119개

　　※ max A = {(1.0115 × 0.5) − (0.0014 × 60)} = 0.42175

　　※ 낙과피해구성률

　　　$= \dfrac{(100\%형\ 피해과실수 \times 1) + (80\%형\ 피해과실수 \times 0.8) + (50\%형\ 피해과실수 \times 0.5)}{100\%형\ 피해과실수 + 80\%형\ 피해과실수 + 50\%형\ 피해과실수 + 정상과실수}$

　ⓑ 낙엽피해조사

　　사고 당시 착과과실수 × (인정피해율 − max A) × (1 − 미보상비율)

　　※ 사고 당시 착과과실수 = 11,000개 − 1,000개 − 500개 = 9,500개

　　※ 인정피해율 = {(1.0115 × 낙엽률) − (0.0014 × 경과일수)}

　　　　　　　　= {(1.0115 × 0.6) − (0.0014 × 130)} = 0.4249

　　※ max A = 0.42175

　　낙엽피해 감수과실수 = 9,500개 × (0.4249 − 0.42175) × (1 − 0) = (30)개

　C : 태풍피해 감수과실수 = 119개 + 30개 = (149)개

ⓜ 우박 착과피해조사

사고 당시 착과과실수 × (착과피해구성률 − max A)

※ 착과피해구성률

$$= \frac{(100\%형\ 피해과실수 \times 1) + (80\%형\ 피해과실수 \times 0.8) + (50\%형\ 피해과실수 \times 0.5)}{100\%형\ 피해과실수 + 80\%형\ 피해과실수 + 50\%형\ 피해과실수 + 정상과실수}$$

$$= \frac{(20 \times 1) + (20 \times 0.8) + (20 \times 0.5)}{100}$$

$$= 0.46$$

※ max A = {(1.0115 × 0.5) − (0.0014 × 60)} = 0.42175

D : 우박 착과피해 감수과실수 = 9,500개 × (0.46 − 0.42175) = 363.375개 = (363)개

ⓗ 가을동상해 착과피해조사

사고 당시 착과과실수 × (착과피해구성률 − max A)

※ 착과피해구성률

= {(100%형 피해과실수 × 1) + (80%형 피해과실수 × 0.8) + (50%형 피해과실수 × 0.5) + (정상과실수 × 0.0031 × 잔여일수)} ÷ (100%형 피해과실수 + 80%형 피해과실수 + 50%형 피해과실수 + 정상과실수)

$$= \frac{(10 \times 1) + (20 \times 0.8) + (20 \times 0.5) + (50 \times 0.0031 \times 10)}{100} = 0.3755$$

※ max A : 금차 사고전 기조사된 착과피해구성률 또는 인정피해율 중 최댓값(= 0.46)

(착과피해구성률 − max A) = (0.3755 − 0.46) = − 0.0845

E : 그런데, (착과피해구성률 − max A)의 값이 영(0)보다 작은 경우 감수과실수는 "영(0)" 으로 한다.

∴ 누적감수과실수 = 371개 + 5,218개 + 149개 + 363개 + 0개 = (6,101)개

② 답 : 6,101개

(3) 기준착과수

① 계산과정 :

기준착과수 = 적과후착과수 + 착과감소과실수

= 11,000개 + 4,000개 = (15,000)개

② 답 : 15,000개

합격기준 박문각

38 종합위험 수확감소보장방식 벼 품목의 가입농가가 보상하는 재해로 피해를 입어 수확량조사 방법 중 수량요소조사를 실시하였다. 아래 계약사항 및 조사내용을 기준으로 주어진 조사표의 ①~⑫의 해당 항목값을 구하시오. 단, 조사수확비율 결정은 해당 구간의 가장 큰 비율을 적용하고 미보상 사유는 없으며, 피해면적 보정계수는 1.1로 한다. 항목별 요소점수는 조사표본포기 순서대로 기재하고, 소수점 셋째자리에서 반올림하여 둘째자리까지 다음 예시와 같이 구하시오(예시 : 수확량 3.456kg → 3.46kg, 피해율 0.12345% → 12.35%로 기재). 15점

- 이삭상태 점수표

포기당 이삭수	16개 미만	16개 이상
점수	1	2

- 완전낟알상태 점수표

이삭당 완전낟알수	51개 미만	51개 이상 61개 미만	61개 이상 71개 미만	71개 이상 81개 미만	81개 이상
점수	1	2	3	4	5

- 조사수확비율 환산표

점수 합계(점)	10점 미만	10~11	12~13	14~15	16~18	19~21	22~23	24점 이상
조사수확 비율(%)	0~20	21~40	41~50	51~60	61~70	71~80	81~90	91~100

- 조사내용

표본포기	1포기	2포기	3포기	4포기
포기당 이삭수	19	22	18	13
완전낟알수	75	85	45	62

- 수량요소조사 조사표

실제 경작면적 (㎡)	평년 수확량 (kg)	항목별요소점수 조사								합계	조사 수확 비율 (%)	표준 수확량 (kg)	조사 수확량 (kg)	보장 수확량 (kg)	피해율(%)
		이삭상태				완전 낟알상태									
3,500	1,500	①	②	③	④	⑤	⑥	⑦	⑧	⑨	⑩	1,600	⑪	1,650	⑫

답 ① 2점, ② 2점, ③ 2점, ④ 1점, ⑤ 4점, ⑥ 5점, ⑦ 1점, ⑧ 3점, ⑨ 20점, ⑩ 80%, ⑪ 1,408kg,
⑫ 6.13%

해설 ① 1포기의 포기당 이삭수가 19이므로 이삭상태 점수표에서 (2)점에 해당한다.
② 2포기의 포기당 이삭수가 22이므로 이삭상태 점수표에서 (2)점에 해당한다.
③ 3포기의 포기당 이삭수가 18이므로 이삭상태 점수표에서 (2)점에 해당한다.
④ 4포기의 포기당 이삭수가 13이므로 이삭상태 점수표에서 (1)점에 해당한다.
⑤ 1포기의 완전낟알수가 75이므로 완전낟알상태 점수표에서 (4)점에 해당한다.
⑥ 2포기의 완전낟알수가 85이므로 완전낟알상태 점수표에서 (5)점에 해당한다.
⑦ 3포기의 완전낟알수가 45이므로 완전낟알상태 점수표에서 (1)점에 해당한다.
⑧ 4포기의 완전낟알수가 62이므로 완전낟알상태 점수표에서 (3)점에 해당한다.
⑨ 2점 + 2점 + 2점 + 1점 + 4점 + 5점 + 1점 + 3점 = (20)점
⑩ 항목별 요소점수 조사 합계가 20점이므로 조사수확비율 환산표에서 71~80%에 해당한다. 그런데
조사수확비율은 해당 구간의 가장 큰 비율을 적용하므로 (80%)가 된다.
⑪ 수확량(kg) = 표준수확량(kg) × 조사수확비율(%) × 피해면적 보정계수
= 1,600kg × 0.8 × 1.1
= (1,408)kg
⑫ 피해율(%) = (평년수확량 − 수확량 − 미보상감수량) ÷ 평년수확량
= (1,500kg − 1,408kg − 0) ÷ 1,500kg = 0.0613 = (6.13)%

39 종합위험방식 원예시설작물 딸기에 관한 내용이다. 아래의 내용을 참조하여 물음에 답하시오.

• 계약사항

품목	보험가입금액(원)	가입면적(㎡)	전작기지급보험금(원)
종합위험방식 원예시설(딸기)	12,300,000	1,000	2,300,000

• 조사내용

재배면적(㎡)	손해정도(%)	피해비율(%)	정식일로부터 수확개시일까지의 기간	수확개시일로부터 수확종료일까지의 기간
800	30	30	90일	50일

(1) 수확일로부터 수확종료일까지의 기간 중 $\frac{1}{5}$ 경과시점에서 사고가 발생한 경우 경과비율을 구하시오(단, 풀이과정 기재).

(2) 정식일로부터 수확개시일까지의 기간 중 $\frac{1}{5}$ 경과시점에서 사고가 발생한 경우 경과비율을 구하시오(단, 풀이과정 기재).

정답 및 해설

(1) 수확일로부터 수확종료일까지의 기간 중 $\frac{1}{5}$ 경과시점에서 사고가 발생한 경우 경과비율

① 수확일수 : 수확개시일로부터 사고발생일까지의 일수 = 50일 × $\frac{1}{5}$ = (10)일

② 표준수확일수 : 수확개시일로부터 수확종료일까지의 일수 = (50)일

∴ 경과비율 = 1 − (수확일수 ÷ 표준수확일수)

= 1 − (10일 ÷ 50일) = (0.8)

(2) 정식일로부터 수확개시일까지의 기간 중 $\frac{1}{5}$ 경과시점에서 사고가 발생한 경우 보험금

생산비보장보험금 = 보험가입면적 × 단위면적당 보장생산비 × 경과비율 × 피해율

① 보험가입면적 = (1,000)㎡

② 단위면적당 보장생산비 = 보험가입금액 ÷ 가입면적

= 12,300,000원 ÷ 1,000㎡

= (12,300)원/㎡

③ 경과비율 = α + (1 − α) × (생장일수 ÷ 표준생장일수)

= 0.4 + (1 − 0.4) × (18일 ÷ 90일)

= (0.52)

ⓐ α = 준비기생산비계수(40%)[국화, 카네이션 재절화 재배는 20%]

ⓑ 생장일수 : 정식(파종)일로부터 사고발생일까지 경과일수 = 90일 $\times$ $\frac{1}{5}$ = (18)일

ⓒ 표준생장일수 : 정식일로부터 수확개시일까지 표준적인 생장일수 = (90)일

④ 피해율 = 재배비율 $\times$ 피해비율 $\times$ 손해정도비율

= 0.8 $\times$ 0.3 $\times$ 0.4 = (0.96)

ⓐ 피해비율 = (30)%

ⓑ 손해정도비율 = (40)%

ⓒ 재배비율 = 재배면적 $\div$ 가입면적 = 800㎡ $\div$ 1,000㎡ = 0.8 = (80)%

손해정도	1~20%	21~40%	41~60%	61~80%	81~100%
손해정도비율	20%	40%	60%	80%	100%

∴ 생산비보장보험금 = 1,000㎡ $\times$ 12,300원/㎡ $\times$ 0.52 $\times$ 0.096 = (614,016)원

40 벼 상품의 수확량조사 3가지 유형을 구분하고, 각 유형별 수확량조사 시기와 조사방법에 관하여 서술하시오. 15점

유형	조사시기	조사방법

정답 및 해설

[조사의 종류 및 시기]

유형	조사시기	조사방법
(1) 수량요소조사	수확전 14일 전후	① 표본포기수 : 4포기(가입면적과 무관함) ② 표본포기선정 : 재배방법 및 품종 등을 감안하여 조사대상면적에 동일한 간격으로 골고루 배치될 수 있도록 표본포기를 선정한다. 다만, 선정한 포기가 표본으로서 부적합한 경우(해당 포기의 수확량이 현저히 많거나 적어서 표본으로서의 대표성을 가지기 어려운 경우 등)에는 가까운 위치의 다른 포기를 표본으로 선정한다. ③ 표본포기 조사 : 선정한 표본포기별로 이삭상태 점수 및 완전낟알상태 점수를 조사한다. ④ 수확비율 산정 　ⓐ 표본포기별 이삭상태 점수(4개) 및 완전낟알상태 점수(4개)를 합산한다. 　ⓑ 합산한 점수에 따라 조사수확비율 환산표에서 해당하는 수확비율구간을 확인한다. 　ⓒ 해당하는 수확비율구간 내에서 조사 농지의 상황을 감안하여 적절한 수확비율을 산정한다. ⑤ 피해면적 보정계수 산정 : 피해정도에 따른 보정계수를 산정한다.

(2) 표본조사	알곡이 여물어 수확이 가능한 시기	① 표본구간수 선정 : 가입면적에 따라 적정 표본구간수 이상의 표본구간수를 산정한다. 다만, 가입면적과 실제경작면적이 10% 이상 차이가 날 경우(계약변경 대상)에는 실제경작면적을 기준으로 표본구간수를 선정한다.
		② 표본구간 선정 : 선정한 표본구간수를 바탕으로 재배방법 및 품종 등을 감안하여 조사대상면적에 동일한 간격으로 골고루 배치될 수 있도록 표본구간을 선정한다. 다만, 선정한 구간이 표본으로서 부적합한 경우(해당 작물의 수확량이 현저히 많거나 적어서 표본으로서의 대표성을 가지기 어려운 경우 등)에는 가까운 위치의 다른 구간을 표본구간으로 선정한다.
		③ 표본구간 면적 및 수량 조사
		  ㉠ 표본구간 면적 : 표본구간마다 4포기의 길이와 포기당 간격을 조사한다.
		  ㉡ 표본중량 조사 : 표본구간의 작물을 수확하여 해당 중량을 측정한다.
		  ㉢ 함수율 조사 : 수확한 작물에 대하여 함수율을 3회 이상 실시하여 평균값을 산출한다.

(3) 전수조사	수확 시	① 전수조사 대상 농지 여부 확인 : 전수조사는 기계수확(탈곡 포함)을 하는 농지에 한한다. ② 조곡의 중량 조사 : 대상 농지에서 수확한 전체 조곡의 중량을 조사하며, 전체 중량 측정이 어려운 경우에는 콤바인, 톤백, 콤바인용 포대, 곡물적재함 등을 이용하여 중량을 산출한다. ③ 조곡의 함수율 조사 : 수확한 작물에 대하여 함수율을 3회 이상 실시하여 평균값을 산출한다.

41 다음의 계약사항과 보상하는 손해에 따른 조사내용에 관하여 수확량, 기준수입, 실제수입, 피해율, 농업수입감소보험금을 구하시오. 단, 피해율을 % 단위로 소수점 셋째자리에서 반올림하여 둘째자리까지 다음 예시와 같이 구하시오(예시 : 0.12345 → 12.35%). `15점`

• 계약사항

상품명	보험가입금액	가입면적	평년수확량	자기부담비율	기준가격
농업수입감소보장보험 콩	900만원	10,000㎡	2,470kg	20%	3,900원/kg

• 조사내용

조사종류	조사방식	실경작면적	수확불능면적	타작물면적
수확량조사	표본조사	10,000㎡	1,000㎡	0㎡

기수확면적	표본구간 유효중량 합계	표본구간 면적 합계	미보상감수량	수확기가격
2,000㎡	1.2kg	12㎡	200kg	4,200/kg

정답 및 해설

(1) 수확량
　① 계산과정 :
　　㉠ 수확량(표본조사) = (표본구간 단위면적당 수확량 × 조사대상면적) + {단위면적당 평년수확량 × (타작물면적 + 기수확면적)}
　　㉡ 표본구간 단위면적당 수확량 = 표본구간 수확량 합계 ÷ 표본구간 면적 합계
　　　　　　　　　　　　　　　 = 1.2kg ÷ 12㎡
　　　　　　　　　　　　　　　 = (0.1)kg/㎡
　　㉢ 조사대상면적 = 실경작면적 − 수확불능면적 − 타작물면적 − 기수확면적
　　　　　　　　　 = 10,000㎡ − 1,000㎡ − 0㎡ − 2,000㎡ = (7,000)㎡
　　㉣ 단위면적당 평년수확량 = 평년수확량 ÷ 실제경작면적 = 2,740kg ÷ 10,000㎡ = (0.247)kg/㎡
　　∴ 수확량(표본조사) = (0.1kg/㎡ × 7,000㎡) + {0.247kg/㎡ × (0㎡ + 2,000㎡)} = (1,194)kg
　② 답 : 1,194kg
(2) 기준수입
　① 계산과정 :
　　기준수입 = 평년수확량 × 농지별 기준가격
　　　　　　 = 2,470kg × 3,900/kg = (9,633,000)원
　② 답 : 9,633,000원

(3) 실제수입
　① 계산과정 :
　　실제수입 = (수확량 + 미보상감수량) × Min(농지별 기준가격, 농지별 수확기가격)
　　　　　　 = (1,194kg + 200kg) × 3,900원/kg = (5,436,600)원
　② 답 : 5,436,600원
(4) 피해율
　① 계산과정 :
　　피해율 = (기준수입 − 실제수입) ÷ 기준수입
　　　　　 = (9,633,000원 − 5,436,600원) ÷ 9,633,000원 ≒ 0.43563 = (43.56)%
　② 답 : 43.56%
(5) 농업수입감소보험금
　① 계산과정 :
　　농업수입감소보험금 = 보험가입금액 × (피해율 − 자기부담비율)
　　　　　　　　　　 = 9,000,000원 × (0.4356 − 0.2) = (2,120,400)원
　② 답 : 2,120,400원

42 아래의 계약사항과 조사내용에 따른 표본구간 유효중량, 피해율 및 보험금을 구하시오. 15점

① 계약사항

품목명	가입특약	가입금액	가입면적	평년수확량	가입수확량	보장수확량	자기부담비율	품종구분
벼	병해충보장특약	5,500,000원	5,000㎡	3,500kg	3,850kg	3,850kg	15%	새누리(메벼)

② 조사내용

조사종류	재해내용	실제경작면적	고사면적	타작물 및 미보상면적	기수확면적	표본구간면적	표본구간작물중량합계	함수율
수확량(표본)조사	병해충(도열병)/호우	5,000㎡	1,000㎡	0㎡	0㎡	0.5㎡	300g	23.5%

(1) 표본구간 유효중량을 g 단위로 소수점 첫째자리에서 반올림하여 다음 예시와 같이 구하시오(예시 : 123.4g → 123g로 기재).

(2) 피해율을 % 단위로 소수점 셋째자리에서 반올림하여 둘째자리까지 다음 예시와 같이 구하시오(예시 : 0.12345% → 12.35%로 기재).

(3) 보험금을 구하시오.

정답 및 해설

(1) 표본구간 유효중량

① 계산과정 :

표본구간 유효중량 = 표본구간 작물중량 합계 × (1 − Loss율) × {(1 − 함수율) ÷ (1 − 기준함수율)}

* Loss율 : 7%

* 기준함수율 : 메벼(15%), 찰벼(13%), 밀(13%)

표본구간 유효중량 = 300g × (1 − 0.07) × {(1 − 0.235) ÷ (1 − 0.15)} = (251.1)g

② 답 : 251g

(2) 피해율

① 계산과정 :

㉠ 표본구간 단위면적당 유효중량 = 251g ÷ 0.5㎡ = 502g/㎡ = (0.502)kg/㎡

㉡ 표본조사대상면적 = 실제경작면적 − 고사면적 − 타작물 및 미보상면적 − 기수확면적

= 5,000㎡ − 1,000㎡ − 0 − 0 = (4,000)㎡

㉢ 단위면적당 보장수확량 = 보장수확량 ÷ 가입면적

= 3,850kg ÷ 5,000㎡ = (0.77)kg/㎡

㉣ 수확량 = (표본구간 단위면적당 유효중량 × 표본조사대상면적) + {단위면적당 보장수확량 × (타작물 및 미보상면적 + 기수확면적)}

= (0.502kg/㎡ × 4,000㎡) + {0.77kg/㎡ × (0 + 0)㎡}

= (2,008)kg

㉤ 미보상감수량 = (보장수확량 − 수확량) × 미보상비율

= (3,850kg × 2,008kg) × 20%

= (0)kg [병해충 피해 : 산정 시 제외]

∴ 피해율 = (보장수확량 − 수확량 − 미보상감수량) ÷ 보장수확량

= (3,850kg − 2,008kg − 0kg) ÷ 3,500kg = (0.47844) = 47.84%

② 답 : 47.84%

(3) 보험금

① 계산과정 :

보험금 = 보험가입금액 × (피해율 − 자기부담비율)

= 5,500,000원 × (0.4784 − 0.15) = (1,806,200)원

② 답 : 1,806,200원

43 다음의 계약사항과 조사내용으로 ① 적과후착과수, ② 누적감수과실수, ③ 기준착과수의 계산 과정과 값을 각각 구하시오(단, 적과후착과수, 누적감수과실수, 기준착과수는 소수점 첫째자 리에서 반올림하여 정수 단위로 구하시오). 15점

- 계약사항

상품명	가입특약	평년착과수	가입과실수	실제결과주수
적과전종합 위험방식 사과	일소피해 / 가을동상해 특약	50,000개	40,000개	500주

- 조사내용

구분	재해 종류	사고 일자	조사 일자	조사내용
적과후 착과수	–	–	7월 3일	(표 및 비고 아래 참조)

품종	재배 방식	수령	실제결과주수	표본 주수	표본주착과수 합계
A품종	밀식	9	200	7	840
B품종	밀식	9	300	13	1,690

※ 고사주수 : A품종 50주(A품종 1주당 평년착과수 100개), B품종 0주(B품종 1주당 평년착과수 100개)
※ 미고사주수, 미보상주수, 기수확주수 : 없음

구분	재해 종류	사고 일자	조사 일자	조사내용
적과 종료 이후	일소	8월 15일	8월 16일	– 낙과피해조사(전수조사) 총낙과과실수 : 1,000개

피해과실 구분	병해충과실	100%	80%	50%	정상
과실수	20개	80개	0개	0개	0개

구분	재해 종류	사고 일자	조사 일자	조사내용
	일소	8월 15일	8월 25일	– 착과피해조사 단, 일소사고 이후 착과수 : 변동없음

피해과실 구분	병해충과실	100%	80%	50%	정상
과실수	30개	0개	50개	20개	100개

				– 착과피해조사 사고 당시 착과과실수 : 5,000개						

					피해과실 구분	병해충과실	100%	80%	50%	정상
적과 종료 이후	우박	11월 10일	11월 11일		과실수	10개	0개	100개	40개	50개

– 낙과피해조사(전수조사) 총낙과과실수 : 500개

피해과실 구분	병해충과실	100%	80%	50%	정상
과실수	10개	90개	0개	0개	0개

답 ① 적과후착과수 : 57,000개, ② 누적감수과실수 : 16,250개, ③ 기준착과수 : 57,000개

해설 ① 적과후착과수

㉠ 품종・재배방식・수령별 착과수

$$= \frac{품종・재배방식・수령별 \ 표본주의 \ 착과수 \ 합계}{품종・재배방식・수령별 \ 표본주 \ 합계} \times 품종・재배방식・수령별 \ 조사대상주수$$

ⓐ : A품종 $= \frac{840}{7} \times (200 - 50) = (18,000)$개

ⓑ : B품종 $= \frac{1,690}{13} \times (300 - 0) = (39,000)$개

㉡ 품종・재배방식・수령별 착과수의 합계를 과수원별 적과후착과수로 하므로,

적과후착과수 = A품종 + B품종

= 18,000개 + 39,000개 = (57,000)개

② 누적감수과실수

㉠ 일소 낙과피해조사(전수조사)

총낙과과실수 × (낙과피해구성률 − max A)

$$= 1,000개 \times \{\frac{(80 \times 1) + (0 \times 0.8) + (0 \times 0.5)}{20 + 8} - 0\} = (800)개$$

※ 낙과피해구성률

$$= \frac{(100\%형 \ 피해과실수 \times 1) + (80\%형 \ 피해과실수 \times 0.8) + (50\%형 \ 피해과실수 \times 0.5)}{100\%형 \ 피해과실수 + 80\%형 \ 피해과실수 + 50\%형 \ 피해과실수 + 정상과실수}$$

※ max A : 금차 사고전 기조사된 착과피해구성률 중 최댓값을 말함

㉡ 일소 착과피해조사

사고 당시 착과과실수 × (착과피해구성률 − max A)

$$= (57,000개 - 1,000개) \times \{\frac{(0 \times 1) + (50 \times 0.8) + (20 \times 0.5)}{30 + 50 + 20 + 100} - 0\}$$

= (14,000)개

※ 착과피해구성률

$$= \frac{(100\%형\ 피해과실수\ \times\ 1)\ +\ (80\%형\ 피해과실수\ \times\ 0.8)\ +\ (50\%형\ 피해과실수\ \times\ 0.5)}{100\%형\ 피해과실수\ +\ 80\%형\ 피해과실수\ +\ 50\%형\ 피해과실수\ +\ 정상과실수}$$

※ max A : 금차 사고전 기조사된 착과피해구성률 중 최댓값을 말함

ⓒ 우박 착과피해조사

사고 당시 착과과실수 × (착과피해구성률 − max A)

$$= 5,000개 \times \{\frac{(0\ \times\ 1)\ +\ (100\ \times\ 0.8)\ +\ (40\ \times\ 0.5)}{10\ +\ 100\ +\ 40\ +\ 50}\ -\ 0.25\}$$

= (1,250)개

※ max A : 금차 사고전 기조사된 착과피해구성률 중 최댓값(= 0.25)

ⓔ 우박 낙과피해조사(전수조사)

총낙과과실수 × (낙과피해구성률 − max A)

$$= 500개 \times \{\frac{(90\ \times\ 1)\ +\ (0\ \times\ 0.8)\ +\ (0\ \times\ 0.5)}{10\ +\ 90}\ -\ 0.5\}$$

= (200)개

※ max A : 금차 사고전 기조사된 착과피해구성률 중 최댓값(= 0.5)

∴ 누적감수과실수

= 낙과피해조사(일소) + 착과피해조사(일소) + 착과피해조사(우박) + 낙과피해조사(우박)

= 800개 + 14,000개 + 1,250개 + 200개

= (16,250)개

③ 기준착과수

적과종료 이전에 착과감소과실수가 없으므로, 기준착과수 = 적과후착과수이다.

즉, 기준착과수 = (57,000)개

44 다음의 계약사항과 조사내용에 따른 ① 착과감소보험금, ② 과실손해보험금, ③ 나무손해보험금을 구하시오(단, 착과감소보험금의 보장수준은 50%로 선택하고, 문제 내용 중 "품목"은 품종으로 수정한다). [15점]

• 계약사항

상품명	특약	평년착과수	가입과중	가입가격	실제결과주수	자기부담률	
적과전 종합Ⅱ 단감	5종한정보장 나무손해보장	75,000개	0.4kg	1,000원/kg	750주	과실	10%
						나무	5%

• 조사내용

구분	재해종류	사고일자	조사일자	조사내용
계약일 24시 ~ 적과전	우박	5월 3일	5월 4일	〈피해사실 확인조사〉 • 표본의 피해유과, 정상유과는 각각 66개, 234개 • 미보상비율 10%
	집중호우	6월 25일	6월 26일	〈피해사실 확인조사〉 	피해형태	유실	침수	고사	미보상
주수	100	40	90	20 | • 침수꽃(눈)·유과수의 합계 : 210개 • 미침수꽃(눈)·유과수의 합계 : 90개 • 미보상비율 20%
적과후 착과수 조사	–		6월 26일	〈적과후착과수조사〉 	피해형태	실제결과주수	조사대상주수	표본주 1주당 착과수
A품목	390	300	140
B품목	260	200	100	
적과종료이후	태풍	9월 8일	9월 10일	〈낙과피해조사〉 • 총 낙과수 : 5,000개(전수조사) 	피해과실 구성	100%	80%	50%	정상
과실수(개)	1,000	2,000	0	2,000 | • 조사대상주수 중 50주는 강풍으로 절단(A품종 30주, B품종 20주) • 낙엽피해표본조사 : 낙엽수 180개, 착엽수 120개 • 경과일수 : 100일
	우박	5월 3일	11월 4일	〈착과피해조사〉 | 피해과실 구성	100%	80%	50%	정상	병충해
과실수(개)	20	10	10	50	10	

※ 적과 이후 자연낙과 등은 감안하지 않으며, 무피해나무의 평균착과수는 적과후착과수의 1주당 평균착과수와 동일한 것으로 본다.

※ 나무특약의 보험가입금액은 1주당 10만원을 적용한 것으로 본다.

정답 및 해설

(1) 착과감소보험금

보험금 = (착과감소량 − 미보상감수량 − 자기부담감수량) × 가입가격 × 보장수준(50%*, 70%*)

① 착과감소량 = 5,200kg

⊙ 착과감소과실수 = 평년착과수 − 적과후착과수 = 75,000개 − 62,000개 = (13,000)개

ⓒ 적과후착과수 = (62,000)개

ⓐ A품종 적과후착과수 = 조사대상주수 × 표본주1주당 착과수 = 300 × 140 = (42,000)개

ⓑ B품종 적과후착과수 = 조사대상주수 × 표본주1주당 착과수 = 200 × 100 = (20,000)개

∴ 착과감소량 : 착과감소량은 산출된 착과감소과실수에 가입과중을 곱하여 산출한다.

착과감소과실수 × 과입과중 = 13,000개 × 0.4kg/개 = (5,200)kg

※ 착과감소보험금의 보장수준(50%, 70%)은 계약자가 선택한 수준으로 보장한다.

② 미보상감수량

보상하는 재해 이외의 원인으로 감소되었다고 평가되는 부분을 말하며, 계약 당시 이미 발생한 피해, 병해충으로 인한 피해 및 제초상태불량 등으로 인한 수확량감소량으로서 감수량에서 제외된다.

⊙ 미보상주수 감수과실수 = 미보상주수 × 1주당 평년착과수

= 20주 × (75,000개 ÷ 750주)

= (2,000)개

ⓒ 미보상감수과실수 = {(평년착과수 − 적과후착과수) × 미보상비율 + 미보상주수 감수과실수}

= {(75,000개 − 62,000개) × 0.2 + 2,000개}

= (4,600)개

∴ 미보상감수량 = 4,600개 × 0.4kg/개 = (1,840)kg

③ 자기부담감수량 = 기준수확량 × 자기부담비율

⊙ 기준수확량 = 기준착과수 × 가입과중

= 75,000개 × 0.4kg/개 = (30,000)kg

ⓒ 기준착과수 = 적과후착과수 + 착과감소과실수

= 62,000개 + 13,000개 = (75,000)개

∴ 자기부담감수량 = 30,000kg × 0.1 = (3,000)kg

④ 가입가격 = (1,000)원/kg

∴ 착과감소보험금 = (착과감소량 − 미보상감수량 − 자기부담감수량) × 가입가격 × 50%

= (5,200kg − 1,840kg − 3,000kg) × 1,000원/kg × 0.5

= (180,000)원

(2) 과실손해보험금

보험금 = (적과종료 이후 누적감수량 − 미보상감수량 − 자기부담감수량) × 가입가격

① 적과종료 이후 누적감수량

㉠ 태풍낙과피해 감수과실수(전수조사)

총낙과과실수 × (낙과피해구성률 − max A)

= 5,000개 × (0.52 − 0)

= (2,600)개

※ 낙과피해구성률

$$= \frac{(100\%형\ 피해과실수 × 1) + (80\%형\ 피해과실수 × 0.8) + (50\%형\ 피해과실수 × 0.5)}{100\%형\ 피해과실수 + 80\%형\ 피해과실수 + 50\%형\ 피해과실수 + 정상과실수}$$

$$= \frac{(1,000 × 1) + (2,000 × 0.8) + (0 × 0.5)}{1,000 + 2,000 + 0 + 2,000} = 0.52$$

※ max A : 금차 사고전 기조사된 착과피해구성률 또는 인정피해율 중 최댓값(= 0)

㉡ 태풍나무피해 감수과실수

나무의 유실, 매몰, 도복, 절단, 화재, 신초절단 손해(고사주수 + 수확불능주수) × 무피해나무 1주당 평균착과수 × (1 − max A)

※ 무피해나무의 평균착과수는 적과후착과수의 1주당 평균착과수와 동일한 것으로 본다.

ⓐ A품종 나무피해 감수과실수 = 30주 × 140개/주 × (1 − 0) = (4,200)개

ⓑ B품종 나무피해 감수과실수 = 20주 × 100개/주 × (1 − 0) = (2,000)개

∴ 태풍나무피해 감수과실수 = 4,200개 + 2,000개 = (6,200)개

㉢ 태풍낙엽피해 감수과실수

사고 당시 착과과실수 × (인정피해율 − max A) × (1 − 미보상비율)

ⓐ 사고 당시 착과과실수

= 적과후착과수 − 총 낙과과실수 − 총 적과종료 후 나무피해과실수 − 총 기수확과실수

= 62,000개 − 5,000개 − {(30 × 140) + (20 × 100)} − 0개

= (50,800)개

ⓑ 인정피해율 = (1.0115 × 낙엽률) − (0.0014 × 경과일수)

= (1.0115 × 0.6) − (0.0014 × 100)

= (0.4669)

※ max A : 금차 사고전 기조사된 착과피해구성률 또는 인정피해율 중 최댓값(= 0)

ⓒ 미보상비율은 금차 사고조사의 미보상비율을 적용함(= 0)

∴ 태풍낙엽피해 감수과실수 = 50,800개 × (0.4669 − 0) × (1 − 0)

= 23,718.52개

= (23,719)개

㉣ 우박착과피해 감수과실수

사고 당시 착과과실수 × (착과피해구성률 − max A) = 50,800개 × (0.33 − 0.4669)

= (0)개

ⓐ 착과피해구성률 $= \frac{(20 × 1) + (10 × 0.8) + (10 × 0.5)}{20 + 10 + 10 + 60} = (0.33)$

ⓑ 보상하지 않는 손해(병충해)에 해당하는 과실은 정상과실로 구분한다.

ⓒ max A : 금차 사고전 기조사된 착과피해구성률 또는 인정피해율 중 최댓값(= 0.4669)

ⓓ (착과피해구성률 − max A)의 값이 영(0)보다 작은 경우 감수과실수는 (0)으로 한다.

∴ 적과종료 이후 누적감수량은 적과종료 이후 감수과실수의 합계에 가입과중을 곱하여
산출한다.

= (2,600개 + 6,200개 + 23,719개 + 0개) × 0.4kg/개

= (32,519 × 0.4)

= (13,007.6)kg

② 미보상감수량 : (계산하지 않음)

③ 자기부담감수량 : 기준수확량에 자기부담비율을 곱한 양으로 한다. 다만, 산출된 착과감소량
이 존재하는 경우에는 착과감소량에서 적과종료 이전에 산정된 미보상감수량을 뺀 값을 자기
부담감수량에서 제외한다. 이때 자기부담감수량은 영(0)보다 작을 수 없다.

자기부담감수량

= (기준수확량 × 자기부담비율) − (착과감소량 − 적과종료 이전에 산정된 미보상감수량)

= {(30,000kg × 0.1) − (5,200kg − 1,840kg)} < 0이므로, (0)kg이다.

∴ 과실손해보험금

= (적과종료 이후 누적감수량 − 자기부담감수량) × 가입가격

= (13,007.6kg − 0kg) × 1,000원/kg

= (13,007,600)원

(3) 나무손해보험금

지급보험금은 보험가입금액에 피해율에서 자기부담비율을 차감한 값을 곱하여 산정하며, 피해율
은 피해주수(고사된 나무)를 실제결과주수로 나눈 값으로 한다.

※ 피해율 = 피해주수(고사된 나무) ÷ 실제결과주수

= 240주 ÷ 750주

= (0.32)

① 피해주수(고사된 나무) = 유실나무 + 고사나무 + 절단나무

= 100주 + 90주 + 50주

= (240)주

② 실제결과주수 = (750)주

지급보험금 = 보험가입금액 × (피해율 − 자기부담비율)

㉠ 보험가입금액 = 750주 × 10만원/주 = (7,500)만원

㉡ 피해율 = (0.32)

㉢ 자기부담비율 = (5)%(약관조항)

∴ 지급보험금 = 7,500만원 × (0.32 − 0.05) = (2,025)만원

손해평가사 _ 2차 제2과목
농작물재해보험 및 가축재해보험
손해평가의 이론과 실무

PART

03

가축재해보험 손해평가

CHAPTER 01

손해의 평가

1. 의의

가축재해보험에서 보험사고로 인한 보험금의 산정은 손해발생 사실을 확인하는 과정 이후 손해액과 보험가액의 평가가 이루어지고 확정된 손해액 및 보험가액을 기준으로 피보험자에게 지급되어야 하는 보험금을 산정하게 된다. 보험계약자 등의 사고 접수로 시작되는 손해평가에서 손해발생 사실의 확인 후 손해의 조사를 통하여 손해액을 확정하게 되는 과정은 손해평가에서 가장 중요한 과정이다. 축종별로 손해액을 확정하는 다양한 방식이 있을 수 있으나 가축재해보험 약관에서는 축종별로 손해액을 확정하는 방식을 별도로 규정하고 있으며 손해액 평가와 관련하여 보험계약자, 피보험자에게 다양한 의무를 부여하고 있다.

2. 보험계약자 등의 의무

(1) 계약 전 알릴 의무

계약자, 피보험자 또는 이들의 대리인은 보험계약을 청약할 때 청약서에서 질문한 사항에 대하여 알고 있는 사실을 반드시 사실대로 알려야 할 의무가 있다.

보험계약자 또는 피보험자가 고의 또는 중대한 과실로 계약 전 알릴 의무를 이행하지 않은 경우에 보험자는 그 사실을 안 날로부터 1월 내에, 계약을 체결한 날로부터 3년 내에 한하여 계약을 해지할 수 있다. 그러나 보험자가 계약 당시에 그 사실을 알았거나 중대한 과실로 인하여 알지 못한 때에는 그러하지 아니하다.

(2) 계약 후 알릴 의무

가축재해보험에서는 계약을 맺은 후 보험의 목적에 다음과 같은 사실이 생긴 경우에 계약자나 피보험자는 지체 없이 서면으로 보험자에게 알려야 할 의무가 있다. 재해보험사업자는 계약 후 알릴 의무의 통지를 받은 때에 위험이 감소된 경우에는 그 차액보험료를 돌려주고, 위험이 증가된 경우에는 통지를 받은 날부터 1개월 이내에 보험료의 증액을 청구하거나 계약을 해지할 수 있다. 보험계약자 또는 피보험자가 보험기간 중에 계약 후 알릴 의무를 위반한 경우에 보험자는 그 사실을 안 날로부터 1월 내에 계약을 해지할 수 있다.

가축재해보험에서는 모든 부문 축종에 적용되는 계약 후 알릴 의무와 특정 부분의 가축에게만 추가로 적용되는 계약 후 알릴 의무가 있다.

1) 계약 후 알릴 의무

① 이 계약에서 보장하는 위험과 동일한 위험을 보장하는 계약을 다른 보험자와 체결하고자 할 때 또는 이와 같은 계약이 있음을 알았을 때

② 양도할 때

③ 보험목적 또는 보험목적 수용장소로부터 반경 10km 이내 지역에서 가축전염병 발생 (전염병으로 의심되는 질환 포함) 또는 원인 모를 질병으로 집단폐사가 이루어진 경우

④ 보험의 목적 또는 보험의 목적을 수용하는 건물의 구조를 변경, 개축, 증축하거나 계속하여 15일 이상 수선할 때

⑤ 보험의 목적 또는 보험의 목적을 수용하는 건물의 용도를 변경함으로써 위험이 변경되는 경우

⑥ 보험의 목적 또는 보험의 목적이 들어있는 건물을 계속하여 30일 이상 비워두거나 휴업하는 경우

⑦ 다른 곳으로 옮길 때

⑧ 도난 또는 행방불명되었을 때

⑨ 의외의 재난이나 위험에 의해 구할 수 없는 상태에 빠졌을 때

⑩ 개체 수가 증가되거나 감소되었을 때

⑪ 위험이 뚜렷이 변경되거나 변경되었음을 알았을 때

2) 부문별 계약 후 알릴 의무

① 소 부문

㉠ 개체 표시가 떨어지거나 오손, 훼손, 멸실되어 새로운 개체 표시를 부착하는 경우

㉡ 거세, 제각, 단미 등 외과적 수술을 할 경우

㉢ 품평회, 경진회, 박람회, 소싸움대회, 소등 타기 대회 등에 출전할 경우

② 말 부문

㉠ 외과적 수술을 하여야 할 경우

㉡ 5일 이내에 폐사가 예상되는 큰 부상을 입을 경우

㉢ 거세, 단미(斷尾) 등 외과적 수술을 할 경우

㉣ 품평회, 경진회, 박람회 등에 출전할 경우

③ 종모우 부문

㉠ 개체 표시가 떨어지거나 오손, 훼손, 멸실된 경우

㉡ 거세, 제각, 단미 등 외과적 수술을 할 경우

㉢ 품평회, 경진회, 박람회, 소싸움대회, 소등 타기 대회 등에 출전할 경우

(3) 보험사고 발생 통지의무

보험계약자 등의 보험사고 발생의 통지의무는 법정 의무로 상법에서는 "보험계약자 또는 피보험자나 보험수익자는 보험사고의 발생을 안 때에는 지체 없이 보험자에게 그 통지를 발송해야 한다(상법 제657조 제1항)"라는 내용으로 법률로서 규정하고 있으며 이러한 보험사고

발생 통지의무는 보험자의 신속한 사고조사를 통하여 손해의 확대를 방지하고 사고원인 등을 명확히 규명하기 위하여 법으로 인정하고 있는 의무인 동시에 약관상 의무이며, 보험계약자 등이 정당한 이유 없이 의무를 이행하지 않은 경우에는 그로 인하여 확대된 손해 또는 회복 가능한 손해는 재해보험사업자가 보상할 책임이 없다.

(4) 손해방지의무

손해방지의무는 보험사고가 발생하였을 때 보험계약자와 피보험자가 손해발생을 방지 또는 경감하는 데 적극적으로 노력해야 하는 의무로 "보험계약자와 피보험자는 손해의 방지와 경감을 위하여 노력하여야 한다. 그러나 이를 위하여 필요 또는 유익하였던 비용과 보상액이 보험금액을 초과한 경우라도 보험자가 이를 부담한다(상법 제680조)"라는 내용의 법정 의무인 동시에 약관상 의무이기도 하다.

계약자 또는 피보험자가 고의 또는 중대한 과실로 손해방지의무를 게을리한 때에는 방지 또는 경감할 수 있었을 것으로 밝혀진 손해를 손해액에서 공제한다.

(5) 보험목적관리의무

가축재해보험에서는 보험의 목적이 사람의 지속적인 관리가 필요한 생명체라는 특수성 때문에 계약자 또는 피보험자에게 보험의 목적에 대한 관리의무를 아래와 같이 부여하고 있으며 만약 계약자 또는 피보험자가 보험목적 관리의무를 고의 또는 중대한 과실로 게을리한 때에는 방지 또는 경감할 수 있었을 것으로 밝혀진 손해를 손해액에서 공제하며, 재해보험사업자는 계약자 또는 피보험자에 대하여 아래의 조치를 요구하거나 또는 계약자를 대신하여 그 조치를 취할 수 있다.

1) 계약자 또는 피보험자는 보험목적을 사육, 관리, 보호함에 있어서 그 보험목적이 본래의 습성을 유지하면서 정상적으로 살 수 있도록 할 것
2) 계약자 또는 피보험자는 보험목적에 대하여 적합한 사료의 급여와 급수, 운동, 휴식, 수면 등이 보장되도록 적정한 사육관리를 할 것
3) 계약자 또는 피보험자는 보험목적에 대하여 예방접종, 정기검진, 기생충구제 등을 실시할 것
4) 계약자 또는 피보험자는 보험목적이 질병에 걸리거나 부상을 당한 경우 신속하게 치료하고 필요한 조치를 취할 것

(6) 보험목적 수용장소 관리의무

가축재해보험 약관에서는 보험목적의 수용장소와 사용과 관련해서도 다음과 같이 보험계약자 또는 피보험자의 보험목적의 관리의무를 규정하고 있으며, 의무를 이행하지 않는 경우 재해보험사업자는 그 사실을 안 날부터 1개월 이내에 계약을 해지할 수 있는 해지권을 보험자에게 부여하고 있다.

1) 보험목적은 보험기간 동안 언제나 보험증권에 기재된 지역 내에 있어야 한다.

다만, 계약자가 재해 발생 등으로 불가피하게 보험목적의 수용장소를 변경한 경우와 재해보험사업자의 승낙을 얻은 경우에는 그러하지 않는다.

2) 보험목적을 양도 또는 매각하기 위해 보험목적의 수용장소가 변경된 이후 다시 본래의 사육장소로 되돌아온 경우에는 가축이 수용장소에 도착한 때 원상 복귀되는 것으로 한다.

3) 보험목적은 보험기간 동안 언제나 보험증권에 기재된 목적으로만 사용되어야 한다. 다만, 재해보험사업자의 승낙을 얻은 경우에는 그러하지 않다.

3. 보험목적의 조사

가축재해보험의 손해평가에서 피해 사실을 확인하고 손해액 및 보험가액을 평가하기 위해서는 재해보험사업자 또는 재해보험사업자에게 위탁을 받은 손해평가사의 보험목적에 발생한 손해에 대한 실질적이고 구체적인 조사는 손해평가 과정에서 필수적인 부분이므로 약관에서는 이러한 보험목적에 대한 조사를 원만히 수행할 수 있도록 다음과 같은 재해보험사업자의 권한을 규정하고 있다.

(1) 보험의 목적에 대한 위험상태를 조사하기 위하여 보험기간 중 언제든지 보험의 목적 또는 이들이 들어 있는 건물이나 구내를 조사할 수 있다.

(2) 손해의 사실을 확인하기 어려운 경우에는 계약자 또는 피보험자에게 필요한 증거자료의 제출을 요청할 수 있다. 이 경우 재해보험사업자는 손해를 확인할 수 있는 경우에 한하여 보상한다.

(3) 보험사고의 통지를 받은 때에는 사고가 생긴 건물 또는 그 구내와 거기에 들어있는 피보험자의 소유물을 조사할 수 있다.

4. 손해액의 조사

보험사고로 인하여 보험의 목적에 손해가 발생한 경우에 그 손해액의 산정은 손해보험의 기본원칙인 이득금지 원칙에 상응하는 공정성이 필요하기 때문에 법률과 약관에서는 통상의 경우 손해액은 그 손해가 생긴 때와 곳의 가액에 의하여 산정하도록 규정하고 있다. 가축재해보험에서 손해액의 산정도 그 손해가 생긴 때와 곳에서 약관의 각 부문별 제 규정에 별도로 정한 방법으로 산정한다고 규정하고 있으므로 각 부문별로 손해액 산정 방식을 살펴보면 다음과 같다.

> 상법 제676조(손해액의 산정기준)
> ① 보험자가 보상할 손해액은 그 손해가 발생한 때와 곳의 가액에 의하여 산정한다. 그러나 당사자 간에 다른 약정이 있는 때에는 그 신품가액에 의하여 손해액을 산정할 수 있다.
> ② 제1항의 손해액의 산정에 관한 비용은 보험자의 부담으로 한다.

(1) 소 부문

1) 손해액 산정

① 가축재해보험 소 부문에서 손해액은 손해가 생긴 때를 기준으로 아래의 축종별 보험
가액 산정 방법에 따라서 산정한 보험가액으로 한다. 다만 고기, 가죽 등 이용물 처분
액 및 보상금 등이 있는 경우에는 보험가액에서 이를 차감한 금액을 손해액으로 하고
이용물 처분액의 계산은 도축장발행 정산서 자료가 있는 경우와 없는 경우로 분리하
여 다음과 같이 계산한다.

이용물 처분액 산정	
도축장발행 정산자료인 경우	도축장발행 정산자료의 지육금액 × 75%
도축장발행 정산자료가 아닌 경우	중량 × 지육가격 × 75%

※ 중량 : 도축장발행 사고소의 도체(지육)중량
※ 지육가격 : 축산물품질평가원에서 고시하는 사고일 기준 사고소의 등급에 해당하는 전국평균가격
(원/kg)

② 실무적으로 도축장발행 정산서가 없는 경우는 통상 축산물이력제에서 해당 소의 이력
번호로 조회하여 도체중, 육질등급에서 확인되는 도체중량과 등급을 적용한다.

③ 폐사의 경우는 보험목적의 전부손해에 해당하고 사고 시점에서 보험목적에 발생할 수
있는 최대 손해액이 보험가액이므로 보험가액이 손해액이 되며, 긴급도축의 경우는
보험목적인 소의 도축의 결과로 얻어지는 고기, 가죽 등에 대한 수익을 이용물 처분액
이라고 하며 이러한 이용물 처분액을 보험가액에서 공제한 금액이 손해액이 되고 이
용물 처리에 소요되는 제반 비용은 피보험자의 부담을 원칙으로 한다.

④ 소(한우, 젖소, 육우)의 보험가액 산정은 월령을 기준으로 산정하게 되며 폐사는 폐사
시점, 긴급도축은 긴급도축 시점의 월령을 만(滿)으로 계산하고 월 미만의 일수는 무
시한다. 다만, 사고 발생일까지가 1개월 이하인 경우는 1개월로 한다.

2) 한우(암컷, 수컷 – 거세우 포함) 보험가액 산정

한우의 보험가액 산정은 월령을 기준으로 6개월령 이하와 7개월령 이상으로 구분하여 다
음과 같이 산정한다.

월령	보험가액
6개월 이하	「농협축산정보센터」에 등재된 전전월 전국산지평균 송아지 가격
7개월 이상	체중 × kg당 금액

▼ 발육표준표

한우 수컷 (거세우 포함)		한우 암컷				육우	
월령	체중(kg)	월령	체중(kg)	월령	체중(kg)	월령	체중(kg)
2	–	2	–	26	385	2	–
3	–	3	–	27	390	3	210
4	–	4	–	28	400	4	220
5	–	5	–	29	410	5	230
6	–	6	–	30	420	6	240
7	230	7	230	31	425	7	250
8	240	8	240	32	430	8	270
9	250	9	250	33	435	9	290
10	260	10	260	34	440	10	310
11	295	11	270	35	445	11	330
12	325	12	280	36	450	12	350
13	360	13	290	37	455	13	370
14	390	14	300	38	460	14	390
15	420	15	305	39	465	15	410
16	450	16	310	40	470	16	430
17	480	17	315			17	450
18	505	18	320			18	470
19	530	19	325			19	490
20	555	20	330			20	500
21	580	21	340			21	520
22	600	22	350			22	540
23	620	23	360			23	560
24	640	24	370			24	580
25	655	25	380			25	600

① 월령이 질병사고는 2개월 이하, 질병 이외 사고는 1개월 이하인 경우는 보험사고 「농협 축산정보센터」에 등재된 전전월 전국산지평균 송아지 가격의 50%를 보험가액으로 한다.
② 사고 시점에서 산정한 월령 7개월 이상의 보험가액이 송아지 가격보다 낮은 경우는 송아지 가격을 적용한다.

③ 체중은 약관에서 정하고 있는 월령별 "발육표준표"에서 정한 사고소(牛)의 월령에 해당되는 체중을 적용한다. 다만, 한우 수컷 월령이 25개월을 초과한 경우에는 655kg으로, 한우 암컷 월령이 40개월을 초과한 경우에는 470kg으로 인정한다.

④ kg당 금액은 사고 「농협축산정보센터」에 등재된 전전월 전국산지평균가격(350kg 및 600kg 성별 전국산지평균가격 중 kg당 가격이 높은 금액)을 그 체중으로 나누어 구한다.

전국산지평균가격은 가축시장가격조사 기관인 농협중앙회에서 매월 조사 발표하고 있으며 한우는 송아지(4~5월령), 송아지(6~7월령), 350kg, 600kg으로 분류하여 월별산지가격동향을 발표하고 있으며, 송아지 산지가격은 4~5월령 조사가격이 적용된다.

3) 젖소(암컷) 보험가액 산정

젖소의 보험가액 산정은 월령을 기준으로 보험사고 「농협축산정보센터」에 등재된 전전월 전국산지평균가격을 기준으로 9단계로 구분하여 다음과 같이 산정한다.

월령이 질병사고는 2개월 이하, 질병 이외 사고는 1개월 이하인 경우는 보험사고 「농협축산정보센터」에 등재된 전전월 전국산지평균 분유떼기 암컷 가격의 50%를 보험가액으로 한다.

월령	보험가액
1개월~7개월	분유떼기 암컷 가격
8개월~12개월	분유떼기 암컷 가격 + (수정단계가격 − 분유떼기 암컷 가격) / 6 × (사고월령 − 7개월)
13개월~18개월	수정단계가격
19개월~23개월	수정단계가격 + (초산우가격 − 수정단계가격) / 6 × (사고월령 − 18개월)
24개월~31개월	초산우가격
32개월~39개월	초산우가격 + (다산우가격 − 초산우가격) / 9 × (사고월령 − 31개월)
40개월~55개월	다산우가격
56개월~66개월	다산우가격 + (노산우가격 − 다산우가격) / 12 × (사고월령 − 55개월)
67개월 이상	노산우가격

4) 육우 보험가액 산정

육우의 보험가액 산정은 월령을 기준으로 2개월령 이하와 3개월령 이상으로 구분하여 다음과 같이 산정한다.

월령	보험가액
2개월 이하	「농협축산정보센터」에 등재된 전전월 전국산지평균 분유떼기 젖소 수컷 가격
3개월 이상	체중 × kg당 금액

① 월령이 질병사고는 2개월 이하, 질병 이외 사고는 1개월 이하인 경우는 보험사고 「농협축산정보센터」에 등재된 전전월 전국산지평균 분유떼기 젖소 수컷 가격의 50%를 보험가액으로 한다.
② 사고 시점에서 산정한 월령별 보험가액이 사고 시점의 분유떼기 젖소 수컷 가격보다 낮은 경우는 분유떼기 젖소 수컷 가격을 적용한다.
③ 체중은 약관에서 확정하여 정하고 있는 월령별 "발육표준표"에서 정한 사고소(牛)의 월령에 해당되는 체중을 적용한다. 다만, 육우 월령이 25개월을 초과한 경우에는 600kg으로 인정한다.
④ kg당 금액은 보험사고 「농협축산정보센터」에 등재된 전전월 젖소 수컷 500kg 해당 전국 산지평균가격을 그 체중으로 나누어 구한다. 단, 전국산지평균가격이 없는 경우에는 「농협축산정보센터」에 등재된 전전월 전국도매시장 지육평균 가격에 지육율 58%를 곱한 가액을 kg당 금액으로 한다.
  [지육율] 지육율은 도체율이라고도 하며 도체중의 생체중에 대한 비율이며, 생체중은 살아있는 생물의 무게이고 도체중은 생체에서 두부, 내장, 족 및 가죽 등 부분을 제외한 무게를 의미한다.

(2) 돼지 부문

1) 손해액 산정

가축재해보험 돼지 부문에서 손해액은 손해가 생긴 때를 기준으로 아래의 보험가액 산정 방법에 따라서 산정한 보험가액으로 한다. 다만 고기, 가죽 등 이용물 처분액 및 보상금 등이 있는 경우에는 보험가액에서 이를 차감한 금액을 손해액으로 하는데 피보험자가 이용물을 처리할 때에는 반드시 재해보험사업자의 입회하에 처리하여야 한다. 재해보험사업자의 입회 없이 이용물을 임의 처분한 경우에는 재해보험사업자가 인정 평가하여 손해액을 차감하고, 이용물 처리에 소요되는 제반 비용은 피보험자의 부담을 원칙으로 하며 보험가액 산정 시 보험목적물이 임신 상태인 경우는 임신하지 않은 것으로 간주하여 평가한다.

2) 종모돈의 보험가액 산정

종모돈은 종빈돈의 평가 방법에 따라 계산한 금액의 20%를 가산한 금액을 보험가액으로 한다.

3) 종빈돈의 보험가액 산정

종빈돈의 보험가액은 재해보험사업자가 정하는 전국 도매시장 비육돈 평균지육단가(탕박)에 의하여 아래 표의 비육돈 지육단가 범위에 해당하는 종빈돈 가격으로 한다. 다만, 임신, 분만 및 포유 등 종빈돈으로서 기능을 하지 않는 경우에는 비육돈의 산출방식과 같이 계산한다.

▼ 종빈돈 보험가액(비육돈 지육단가의 범위에 해당하는 종빈돈 가격)

비육돈 지육단가 (원/kg)	종빈돈 가격 (원/두당)	비육돈 지육단가 (원/kg)	종빈돈 가격 (원/두당)
1,949 이하	350,000	3,650~3,749	530,000
1,950~2,049	360,000	3,750~3,849	540,000
2,050~2,149	370,000	3,850~3,949	550,000
2,150~2,249	380,000	3,950~4,049	560,000
2,250~2,349	390,000	4,050~4,149	570,000
2,350~2,449	400,000	4,150~4,249	580,000
2,450~2,549	410,000	4,250~4,349	590,000
2,550~2,649	420,000	4,350~4,449	600,000
2,650~2,749	430,000	4,450~4,549	610,000
2,750~2,849	440,000	4,550~4,649	620,000
2,850~2,949	450,000	4,650~4,749	630,000
2,950~3,049	460,000	4,750~4,849	640,000
3,050~3,149	470,000	4,850~4,949	650,000
3,150~3,249	480,000	4,950~5,049	660,000
3,250~3,349	490,000	5,050~5,149	670,000
3,350~3,449	500,000	5,150~5,249	680,000
3,450~3,549	510,000	5,250~5,349	690,000
3,550~3,649	520,000	5,350 이상	700,000

4) 비육돈, 육성돈 및 후보돈의 보험가액

보험가액 산출은 다음과 같이 계산한다.

① **대상범위(적용체중)** : 육성돈[31kg 초과~110kg 미만(출하 대기 규격돈 포함)까지 10kg 단위구간의 중간 생체중량]

단위구간 (kg)	31~40	41~50	51~60	61~70	71~80	81~90	91~100	101~110 미만
적용체중 (kg)	35	45	55	65	75	85	95	105

※ 단위구간은 사고돼지의 실측중량(kg/1두)이다.
※ 110kg 이상은 110kg으로 한다.

② 110kg 비육돈 수취가격 = 사고 당일 포함 직전 5영업일 평균돈육대표가격(전체, 탕박) × 110kg × 지급(육)율(76.8%)

③ 보험가액 = 자돈가격(30kg 기준) + (적용체중 − 30kg) × [110kg 비육돈 수취가격 − 자돈가격(30kg 기준)] / 80

④ 위 ②의 돈육대표가격은 축산물품질평가원에서 고시하는 가격(원/kg) 적용

5) 자돈의 보험가액

자돈은 포유돈(젖먹이 돼지)과 이유돈(젖을 뗀 돼지)으로 구분하여 재해보험사업자와 계약 당시 협정한 가액으로 한다.

6) 기타 돼지의 보험가액

재해보험사업자와 계약 당시 협정한 가액으로 한다.

(3) 가금 부문(닭, 오리, 꿩, 메추리, 타조, 거위, 칠면조, 관상조, 기타 재해보험사업자가 정하는 가금)

1) 손해액 산정

가축재해보험 가금 부문에서 손해액은 손해가 생긴 때를 기준으로 아래의 보험가액 산정방법에 따라서 산정한 보험가액으로 한다. 다만 고기, 가죽 등 이용물 처분액 및 보상금 등이 있는 경우에는 보험가액에서 이를 차감한 금액을 손해액으로 하며 피보험자가 이용물을 처리할 때에는 반드시 재해보험사업자의 입회하에 처리하여야 한다. 재해보험사업자의 입회 없이 이용물을 임의 처분한 경우에는 재해보험사업자가 인정 평가하여 손해액을 차감하고, 이용물 처리에 소요되는 제반 비용은 피보험자의 부담을 원칙으로 한다.

▼ 발육표준표(가금)

육계				토종닭						오리			
일령	중량(g)	일령	중량(g)	일령	중량(g)	일령	중량(g)	일령	중량(g)	일령	중량(g)	일령	중량(g)
1	42	29	1,439	1	41	29	644	57	1,723	1	51	29	2,123
2	56	30	1,522	2	52	30	677	58	1,764	2	75	30	2,219
3	71	31	1,606	3	63	31	712	59	1,805	3	100	31	2,315
4	89	32	1,692	4	74	32	748	60	1,846	4	127	32	2,411
5	108	33	1,776	5	86	33	785	61	1,887	5	156	33	2,506
6	131	34	1,862	6	99	34	823	62	1,928	6	187	34	2,601
7	155	35	1,951	7	112	35	861	63	1,969	7	220	35	2,696
8	185	36	2,006	8	127	36	899	64	2,010	8	267	36	2,787
9	221	37	2,050	9	144	37	936	65	2,050	9	330	37	2,873
10	256	38	2,131	10	161	38	973	66	2,090	10	395	38	2,960
11	293	39	2,219	11	179	39	1,011	67	2,130	11	461	39	3,046
12	333	40	2,300	12	198	40	1,049	68	2,170	12	529	40	3,130
13	376			13	218	41	1,087	69	2,210	13	598	41	3,214
14	424			14	239	42	1,125	70	2,250	14	668	42	3,293
15	472			15	260	43	1,163	71	2,290	15	748	43	3,369
16	524			16	282	44	1,202	72	2,329	16	838	44	3,434
17	580			17	305	45	1,241	73	2,367	17	930	45	3,500
18	638			18	328	46	1,280	74	2,405	18	1,025		
19	699			19	353	47	1,319	75	2,442	19	1,120		
20	763			20	379	48	1,358	76	2,479	20	1,217		
21	829			21	406	49	1,397	77	2,515	21	1,315		
22	898			22	433	50	1,436	78	2,551	22	1,417		
23	969			23	461	51	1,477	79	2,585	23	1,519		
24	1,043			24	490	52	1,518	80	2,619	24	1,621		
25	1,119			25	519	53	1,559	81	2,649	25	1,723		
26	1,196			26	504	54	1,600	82	2,679	26	1,825		
27	1,276			27	580	55	1,641	83	2,709	27	1,926		
28	1,357			28	612	56	1,682	84	2,800	28	2,027		

※ 보험가액(중량 × kg당 시세)이 병아리 시세보다 낮은 경우는 병아리 시세로 보상한다.

※ 육계 일령이 40일령을 초과한 경우에는 2.3kg으로 인정한다.

※ 토종닭 일령이 84일령을 초과한 경우에는 2.8kg으로 인정한다.

※ 오리 일령이 45일령을 초과한 경우에는 3.5kg으로 인정한다.

※ 삼계(蔘鷄)의 경우는 육계 중량의 70%를 적용한다.

2) 닭·오리의 보험가액

닭·오리의 보험가액은 종계, 산란계, 육계, 토종닭, 오리 모두 5가지로 분류하여 산정하며, 보험가액 산정에서 적용하는 평균가격은 축산물품질평가원에서 고시하는 가격을 적용하여 산출하되 가격정보가 없는 경우에는 (사)대한양계협회의 가격을 적용한다.

① 종계의 보험가액

종계	주령	보험가액
병아리	생후 2주 이하	사고 당일 포함 직전 5영업일의 육용 종계 병아리 평균가격
성계	생후 3~64주	계약 당시 협정한 가격
노계	생후 65주 이상	사고 당일 포함 직전 5영업일의 종계 성계육 평균가격

② 산란계의 보험가액

산란계	주령	보험가액
병아리	생후 1주 이하	사고 당일 포함 직전 5영업일의 산란실용계 병아리 평균가격
병아리	생후 2~9주	산란실용계 병아리 가격 + (산란중추가격 − 산란실용계 병아리 가격) / 9 × (사고주령 − 1주령)
중추	생후 10~15주	사고 당일 포함 직전 5영업일의 산란중추 평균가격
중추	생후 16~19주	산란중추가격 + (20주 산란계가격 − 산란중추가격) / 5 × (사고주령 − 15주령)
산란계	생후 20~70주	(550일 − 사고일령) × 70% × (사고 당일 포함 직전 5영업일의 계란 1개 평균가격 − 계란 1개의 생산비)
산란노계	생후 71주 이상	사고 당일 포함 직전 5영업일의 산란성계육 평균가격

※ 계란 1개 평균가격은 중량규격(왕란/특란/대란 이하)별 사고 당일 포함 직전 5영업일 평균가격을 중량규격별 비중으로 가중평균한 가격을 말한다.
※ 중량규격별 비중 : 왕란(2.0%), 특란(53.5%), 대란 이하(44.5%)
※ 산란계의 계란 1개의 생산비는 77원으로 한다.
※ 사고 당일 포함 직전 5영업일의 계란 1개 평균가격에서 계란 1개의 생산비를 공제한 결과가 10원 이하인 경우 10원으로 한다.

③ 육계의 보험가액

육계	주령	보험가액
병아리	생후 1주 미만	사고 당일 포함 직전 5영업일의 육용실용계 병아리 평균가격
육계	생후 1주 이상	사고 당일 포함 직전 5영업일의 육용실용계 평균가격(원/kg)에 발육표준표 해당 일령 사고 육계의 중량을 곱한 금액

④ 토종닭의 보험가액

토종닭	주령	보험가액
병아리	생후 1주 미만	사고 당일 포함 직전 5영업일의 토종닭 병아리 평균가격
토종닭	생후 1주 이상	사고 당일 포함 직전 5영업일의 토종닭 평균가격(원/kg)에 발육표준표 해당 일령 사고 토종닭의 중량을 곱한 금액(단, 위 금액과 사육계약서상의 중량별 매입단가 중 작은 금액을 한도로 한다)

⑤ 오리의 보험가액

오리	주령	보험가액
새끼오리	생후 1주 미만	사고 당일 포함 직전 5영업일의 새끼오리 평균가격
오리	생후 1주 이상	사고 당일 포함 직전 5영업일의 생체오리 평균가격(원/kg)에 발육표준표 해당 일령 사고 오리의 중량을 곱한 금액

3) 꿩, 메추리, 칠면조, 거위, 타조 등 기타 가금의 보험가액

보험계약 당시 협정한 가액으로 한다.

(4) 말, 종모우, 기타 가축 부문

가축재해보험 가축보험 말, 종모우, 기타 가축 부문에서 손해액은 계약체결 시 계약자와 협의하여 평가한 보험가액(이하 "협정보험가액"이라 한다)으로 한다. 다만, 고기, 가죽 등 이용물 처분액 및 보상금 등이 있는 경우에는 보험가액에서 이를 차감한 금액을 손해액으로 하며, 협정보험가액이 사고 발생 시의 보험가액을 현저하게 초과할 때에는 사고 발생 시의 가액을 보험가액으로 한다.

(5) 축사 부문

일반적으로 주택화재보험에서는 부보비율 조건부 실손 보상조항이 많이 적용되는데 동 조항이 적용되면 전부 또는 초과보험의 경우는 보험가액을 한도로 손해액을 전액 지급하지만 일부보험인 경우는 보험가입금액이 보험가액의 일정 비율 이상이면 보험가입금액 이내에서 실제 발생한 손해를 실손보상하고 일정 비율에 미달하면 비례보상한다.

축사부문에서도 위와 같이 부보비율 조건부 실손 보상조항을 적용하여 보험가입금액이 보험가액의 80% 이상인 경우는 전부보험으로 보고 비례보상 조항을 적용하지 않고 있으며 구체적인 계산방식은 아래와 같다.

1) 보험가입금액이 보험가액의 80% 해당액과 같거나 클 때

보험가입금액을 한도로 손해액 전액. 그러나, 보험가입금액이 보험가액보다 클 때에는 보험가액을 한도로 한다.

2) 보험가입금액이 보험가액의 80% 해당액보다 작을 때

보험가입금액을 한도로 아래의 금액

$$손해액 \times \frac{보험가입금액}{보험가액의\ 80\%\ 해당액}$$

3) 동일한 계약의 보험목적과 동일한 사고에 관하여 보험금을 지급하는 다른 계약(공제 계약을 포함한다)이 있고 이들의 보험가입금액의 합계액이 보험가액보다 클 경우에는 아래에 따라 계산한다. 이 경우 보험자 1인에 대한 보험금 청구를 포기한 경우에도 다른 보험자의 지급보험금 결정에는 영향을 미치지 않는다.

① 다른 계약이 이 계약과 지급보험금의 계산 방법이 같은 경우

$$손해액 \times \frac{이\ 계약의\ 보험가입금액}{다른\ 계약이\ 없는\ 것으로\ 하여\ 각각\ 계산한\ 보험가입금액의\ 합계액}$$

② 다른 계약이 이 계약과 지급보험금의 계산 방법이 다른 경우

$$손해액 \times \frac{이\ 계약의\ 보험금}{다른\ 계약이\ 없는\ 것으로\ 하여\ 각각\ 계산한\ 보험금의\ 합계액}$$

③ 이 보험계약이 타인을 위한 보험계약이면서 보험계약자가 다른 계약으로 인하여 상법 제682조에 따른 대위권 행사의 대상이 된 경우에는 실제 그 다른 계약이 존재함에도 불구하고 그 다른 계약이 없다는 가정하에 계산한 보험금을 그 다른 보험계약에 우선하여 이 보험계약에서 지급한다.

④ 이 보험계약을 체결한 재해보험사업자가 타인을 위한 보험에 해당하는 다른 계약의 보험계약자에게 상법 제682조에 따른 대위권을 행사할 수 있는 경우에는 이 보험계약이 없다는 가정하에 다른 계약에서 지급받을 수 있는 보험금을 초과한 손해액을 이 보험계약에서 보상한다.

4) 자기부담금

풍재·수재·설해·지진으로 인한 손해일 경우에는 1)~3)에 따라 계산한 금액에서 보험증권에 기재된 자기부담비율을 곱한 금액 또는 50만 원 중 큰 금액을 자기부담금으로 한다. 단, 화재로 인한 손해일 경우에는 보험증권에 기재된 자기부담비율을 곱한 금액을 자기부담금으로 한다.

(6) 손해액의 산정

손해액은 그 손해가 생긴 때와 장소에서의 보험가액에 따라 계산한다. 보험목적물의 경년감가율은 손해보험협회의 "보험가액 및 손해액의 평가기준"을 준용하며, 이 보험목적물이 지속적인 개·보수가 이루어져 보험목적물의 가치증대가 인정된 경우 잔가율은 보온덮개·쇠파이프 조인 축사구조물의 경우에는 최대 50%까지, 그 외 기타 구조물의 경우에는 최대 70%까지로 수정하여 보험가액을 평가할 수 있다. 다만, 보험목적물이 손해를 입은 장소에서 6개월 이내 실제로 수리 또는 복구되지 않은 때에는 잔가율이 30% 이하인 경우에는 최대 30%로 수정하여 평가한다.

(7) 손해방지의무

보통약관의 일반조항 손해방지의무에 추가하여 손해방지 또는 경감에 소요된 필요 또는 유익한 비용(이하 "손해방지비용"이라 한다)은 보험가입금액의 보험가액에 대한 비율에 따라 상기 지급보험금의 계산을 준용하여 계산한 금액을 보상하며, 지급보험금에 손해방지비용을 합한 금액이 보험가입금액을 초과하더라도 이를 지급한다. 즉 손해방지비용도 부보비율(80%) 조건부 실손 보상조항을 적용하여 계산한다.

(8) 잔존보험가입금액

보상하는 손해에 따라 손해를 보상한 경우에는 보험가입금액에서 보상액을 뺀 잔액을 손해가 생긴 후의 나머지 보험기간에 대한 잔존보험가입금액으로 한다. 보험의 목적이 둘 이상일 경우에도 각각 적용한다.

1. 소(牛)도체결함보장 특약

도체의 결함에서 결함이란 축산물품질평가사가 판정한 "근출혈(ㅎ), 수종(ㅈ), 근염(ㅇ), 외상(ㅅ), 근육제거(ㄱ), 기타(ㅌ)"를 말한다.

(1) 손해액의 산정

특약에서 손해액은 사고소의 도체등급과 같은 등급의 전국평균 경락가격[등외등급 및 결함을 제외한 도체(정상도체)의 가격]과 사고소 도체의 경락가격으로 계산한 1두가격의 차액으로 한다.

> 보험가액 = 정상도체의 해당등급(사고소 등급)의 1두가격
> 손해액 = 정상도체의 해당등급(사고소 등급) − 사고소의 1두 경락가격

※ 1두가격 = 사고 전월 전국지육경매평균가격(원/지육kg) × 사고소(牛)의 도체중(kg)
   단, kg당 전월 전국지육경매평균가격은 축산물품질평가원이 제시하는 가격을 따른다.
※ 도축 후 경매를 통하지 않고 폐기처분된 소의 손해액은 보통약관 소 부문의 손해액 산정방식을 따른다.

(2) 지급보험금의 계산

상기 ⑴ 손해액의 산정에서 정한 보험가액 및 손해액을 기준으로 하여 아래에 따라 계산한 금액에서 자기부담금을 차감한 금액을 지급보험금으로 한다.

1) 보험가입금액이 보험가액과 같거나 클 때

보험가입금액을 한도로 손해액 전액. 그러나, 보험가입금액이 보험가액보다 클 때에는 보험가액을 한도로 한다.

2) 보험가입금액이 보험가액보다 작을 때

보험가입금액을 한도로 아래의 금액

$$\text{손해액} \times \frac{\text{보험가입금액}}{\text{보험가액}}$$

3) 동일한 계약의 보험목적과 동일한 사고에 관하여 보험금을 지급하는 다른 계약(공제 계약을 포함한다)이 있고 이들의 보험가입금액의 합계액이 보험가액보다 클 경우에는 아래에 따라 계산한다. 이 경우 보험자 1인에 대한 보험금 청구를 포기한 경우에도 다른 보험자의 지급보험금 결정에는 영향을 미치지 않는다.

① 다른 계약이 이 계약과 지급보험금의 계산 방법이 같은 경우

$$\text{손해액} \times \frac{\text{이 계약(특별약관)의 보험가입금액}}{\text{다른 계약이 없는 것으로 하여 각각 계산한 보험가입금액의 합계액}}$$

② 다른 계약이 이 계약과 지급보험금의 계산 방법이 다른 경우

$$\text{손해액} \times \frac{\text{이 계약(특별약관)의 보험금}}{\text{다른 계약이 없는 것으로 하여 각각 계산한 보험금의 합계액}}$$

4) 하나의 보험가입금액으로 둘 이상의 보험의 목적을 계약하는 경우에는 전체가액에 대한 각 가액의 비율로 보험가입금액을 비례배분하여 상기 계산방법에 따라 지급보험금을 계산한다.

5) 상기 ②의 방법에 따라 계산된 금액의 20%를 자기부담금으로 한다.

2. 돼지 질병위험보장 특약

(1) 보상하는 손해

가축재해보험 보통약관의 일반조항 보상하지 않는 손해에도 불구하고 이 특약에 따라 아래의 질병을 직접적인 원인으로 하여 보험기간 중에 폐사 또는 맥박, 호흡 그 외 일반증상으로 수의학적으로 구할 수 없는 상태(보험기간 중에 질병으로 폐사하거나 보험기간 종료일 이전에 질병의 발생을 서면 통지한 후 30일 이내에 보험목적이 폐사할 경우를 포함한다)가 확실시 되는 경우 그 손해를 보상한다.

1. 전염성위장염(Transmissible gastroenteritis ; TGE virus 감염증)
2. 돼지유행성설사병(Porcine epidemic diarrhea ; PED virus 감염증)
3. 로타바이러스감염증(Rota virus 감염증)

이 특약에 따른 질병에 대한 진단확정은 해부병리 또는 임상병리의 전문 수의사 자격증을 가진 자에 의하여 내려져야 하며, 이 진단은 조직(fixed tissue) 또는 분변, 혈액검사 등에 대한 형광항체법 또는 PCR(Polymerase chain reaction; 중합효소연쇄반응) 진단법 등을 기초로 하여야 한다. 그러나 상기의 병리학적 진단이 가능하지 않을 때는 임상적인 증거로 인정된다.

(2) 보상하지 않는 손해

가축재해보험 보통약관의 일반조항 보상하지 않는 손해에 추가하여 아래의 사유로 인한 손해도 보상하지 않는다.

1) 국가, 공공단체, 지방자치단체의 명령 또는 사법기관 등의 결정 여부에 관계없이 고의적인 도살은 보상하지 않는다. 단, 재해보험사업자가 보험목적의 도살에 동의한 경우 또는 보험목적이 보상하는 손해의 질병으로 치유가 불가능하고, 상태가 극도로 불량하여 보험자가 선정한 수의사가 인도적인 면에서 도살이 필연적이라는 증명서를 발급한 경우에는 보상하며, 이 경우 보험자는 보험자가 선정한 수의사에게 부검을 실시하게 할 수 있다.

2) 다음의 결과로 발생하는 폐사는 원인의 직·간접을 묻지 않고 보상하지 않는다.
   ① 보상하는 손해의 주된 원인이 이 계약의 보장개시일(책임개시일) 이전에 발생한 경우
   ② 외과적 치료행위 및 약물 투약의 결과 발생한 폐사. 다만, 수의사가 치료 또는 예방의 목적으로 실행한 외과적 치료, 투약의 경우에는 보상한다. 약물이라 함은 순수한 음식물이 아닌 보조식품이나 단백질, 비타민, 호르몬, 기타 약품을 의미한다.
   ③ 보험목적이 도난 또는 행방불명된 경우
   ④ 제1회 보험료 등을 납입한 날의 다음 월 응당일(다음월 응당일이 없는 경우는 다음월 마지막 날로 한다) 이내에 발생한 손해. 보험기간 중에 계약자가 보험목적을 추가하고 그에 해당하는 보험료를 납입한 경우에도 같다. 다만 이 규정은 보험자가 정하는 기간 내에 1년 이상의 계약을 다시 체결하는 경우에는 적용하지 않는다.

(3) 손해액 산정

보상할 손해액은 보통약관 돼지 부문의 손해액 산정 방법에 따라 산정하며 이 특약의 보험가액은 다음과 같이 산정한다.

$$보험가액 = 모돈두수 \times 2.5 \times 자돈가격$$

(4) 자기부담금

보통약관 지급보험금 계산방식에 따라서 계산한 금액에서 보험증권에 기재된 자기부담비율을 곱한 금액과 200만 원 중 큰 금액을 자기부담금으로 한다.

3. 돼지 축산휴지위험보장 특약

(1) 용어의 정의

이 특약에서 사용하는 용어의 정의는 아래와 같다.

1) 축산휴지 : 보험의 목적의 손해로 인하여 불가피하게 발생한 전부 또는 일부의 축산업 중단을 말한다.

2) 축산휴지손해 : 보상위험에 의해 손해를 입은 결과 축산업이 전부 또는 일부 중단되어 발생한 사업이익과 보상위험에 의한 손해가 발생하지 않았을 경우 예상되는 사업이익의 차감금액을 말한다.

3) **사업이익** : 1두당 평균가격에서 경영비를 뺀 잔액을 말한다.

4) **보험가입금액** : 이 특약에서 지급될 수 있는 최대금액

5) **1두당 평균가격** : 상기 4) 비육돈, 육성돈 및 후보돈의 보험가액(301p)에서 정한 비육돈 생체중량 100kg의 가격을 말한다.

6) **경영비** : 통계청에서 발표한 최근의 비육돈 평균경영비를 말한다.

7) **이익률** : 손해발생 시 다음의 산식에 의해 얻어진 비율을 말한다.

$$이익률 = \frac{1두당\ 비육돈(100kg\ 기준)의\ 평균가격\ -\ 경영비}{1두당\ 비육돈(100kg\ 기준)의\ 평균가격}$$

※ 단, 이 기간 중에 이익률이 16.5% 미만일 경우 이익률은 16.5%로 한다.

(2) 보상하는 손해

보험기간 동안 보험증권에 명기된 구내에서 보통약관 및 특약에서 보상하는 사고의 원인으로 피보험자가 영위하는 축산업이 중단 또는 휴지되었을 경우 생긴 손해액을 보상한다.

1) 보험금은 이 특약의 보험가입금액을 초과할 수 없다.

2) 피보험자가 피보험이익을 소유한 구내의 가축에 대하여 보통약관 또는 특약에 의한 보험금 지급이 확정된 경우에 한하여 보장한다.

(3) 보상하지 않는 손해

보통약관의 일반조항 및 돼지부문에서 보상하지 않는 손해에 추가하여 아래의 사유로 인해 발생 또는 증가된 손해는 보상하지 않는다.

1) 사용, 건축, 수리 또는 철거를 규제하는 국가 또는 지방자치단체의 법령 및 이에 준하는 명령

2) 리스, 허가, 계약, 주문 또는 발주 등의 정지, 소멸, 취소

3) 보험의 목적의 복구 또는 사업의 계속에 대한 방해

4) 보험에 가입하지 않은 재산의 손해

5) 관계당국에 의해 구내 출입금지 기간이 14일 초과하는 경우. 단, 14일까지는 보상한다.

(4) 손해액 산정

피보험자가 축산휴지손해를 입었을 경우 손해액은 보험가액으로 하며, 종빈돈에 대해서만 아래에 따라 계산한 금액을 보험가액으로 한다.

> 종빈돈 × 10 × 1두당 비육돈(100kg 기준)평균가격 × 이익률

※ 단, 후보돈과 임신, 분만 및 포유 등 종빈돈으로서 기능을 하지 않는 종빈돈은 제외한다.

(5) 이익률의 조정

영업에 있어서 특수한 사정의 영향이 있는 때 또는 영업추세가 현저히 변화한 때에는 손해 사정에 있어서 이익률에 공정한 조정을 하는 것으로 한다.

(6) 지급보험금의 계산

상기 (4) 손해액 산정에서 정한 보험가액 및 손해액을 기준으로 하여 제5절 보험금 지급 및 심사의 지급보험금 계산 방법에 따라 계산한다.

(7) 자기부담금

자기부담금은 적용하지 않는다.

(8) 손해의 경감

피보험자는 축산휴지로 인한 손해를 아래의 방법으로 경감할 수 있을 때는 이를 시행하여야 한다.

1) 보험의 목적의 전면적인 또는 부분적인 생산활동을 재개하거나 유지하는 것

2) 보험증권상에 기재된 장소 또는 기타 장소의 다른 재산을 사용하는 것

CHAPTER 03

보험금 지급 및 심사

1. 보험가액과 보험금액

(1) 가축재해보험은 상법상 손해보험에 해당하며 손해보험을 지배하는 기본적인 원칙 중의 하나는 이득금지의 원칙이다. 이득금지의 원칙은 "보험으로 이득을 보아서는 안 된다."라는 원칙으로 보험에 가입한 피보험자가 보험사고의 발생 결과 그 사고 발생 직전의 경제 상태보다 더 나은 상태에 놓인다면 고의로 보험사고가 유발되는 등 손해보험제도의 존립을 위협하기 때문에 손해보험의 본질과 보험단체의 형평을 유지하고 도덕적 위험을 강하게 억제하고자 하는 원칙이다.

(2) 손해보험에서 피보험자가 보험사고로 인하여 입게 될 경제적 이익을 피보험이익이라 하며, 피보험이익을 금전적 가치로 평가한 것이 보험가액이다. 그러므로 피보험이익의 평가액인 보험가액의 기능은 이득금지의 판정 기준이 되며 보험가액은 재해보험사업자의 법률상 보상한도액으로 보험계약상 재해보험사업자의 보상한도액인 보험가입금액과 비교된다.

(3) 보험가액과 보험가입금액은 통상 일치하는 것을 기대하지만 보험가액은 통상 사고가 발생한 곳과 때의 가액을 보험가액으로 평가되므로 수시로 변경될 수 있기에 보험가액과 보험가입금액과의 관계에서 상호 일치하는 경우를 전부보험이라 하고 양자가 일치하지 않는 경우에는 초과보험, 중복보험 및 일부보험의 문제가 발생한다.

2. 지급보험금의 계산

지급보험금의 계산방식은 전부보험, 초과보험의 경우는 보험가액을 한도로 손해액 전액을 보상하고 일부보험의 경우는 보험가입금액의 보험가액에 대한 비율에 따라서 손해액을 보상하며 중복보험의 경우는 각 보험증권별로 지급보험금 계산방식이 동일한 경우는 가입금액 비례분담방식, 다른 경우는 독립책임액분담방식으로 산정하게 된다. 구체적인 계산방식은 아래와 같다.

(1) 지급보험 계산 방식

1) 지급할 보험금은 아래에 따라 계산한 금액에서 약관 각 부문별 제 규정에서 정한 자기부담금을 차감한 금액으로 한다.

① **보험가입금액이 보험가액과 같거나 클 때** : 보험가입금액을 한도로 손해액 전액. 그러나 보험가입금액이 보험가액보다 클 때에는 보험가액을 한도로 한다.

② 보험가입금액이 보험가액보다 작을 때(일부보험) : 보험가입금액을 한도로 아래의 금액

$$손해액 \times \frac{보험가입금액}{보험가액}$$

2) 동일한 계약의 목적과 동일한 사고에 관하여 보험금을 지급하는 다른 계약이 있고 이들의 보험가입금액의 합계액이 보험가액보다 클 경우에는 아래에 따라 계산한 금액에서 이 약관 각 부문별 제 규정에서 정한 자기부담금을 차감하여 지급보험금을 계산한다. 이 경우 보험자 1인에 대한 보험금 청구를 포기한 경우에도 다른 보험자의 지급보험금 결정에는 영향을 미치지 않는다.

① 다른 계약이 이 계약과 지급보험금의 계산 방법이 같은 경우

$$손해액 \times \frac{이\ 계약(특별약관)의\ 보험가입금액}{다른\ 계약이\ 없는\ 것으로\ 하여\ 각각\ 계산한\ 보험가입금액의\ 합계액}$$

② 다른 계약이 이 계약과 지급보험금의 계산 방법이 다른 경우

$$손해액 \times \frac{이\ 계약(특별약관)의\ 보험금}{다른\ 계약이\ 없는\ 것으로\ 하여\ 각각\ 계산한\ 보험금의\ 합계액}$$

③ 이 보험계약이 타인을 위한 보험계약이면서 보험계약자가 다른 계약으로 인하여 상법 제682조에 따른 대위권 행사의 대상이 된 경우에는 실제 그 다른 계약이 존재함에도 불구하고 그 다른 계약이 없다는 가정하에 계산한 보험금을 그 다른 보험계약에 우선하여 이 보험계약에서 지급한다.

④ 이 보험계약을 체결한 재해보험사업자가 타인을 위한 보험에 해당하는 다른 계약의 보험계약자에게 상법 제682조에 따른 대위권을 행사할 수 있는 경우에는 이 보험계약이 없다는 가정하에 다른 계약에서 지급받을 수 있는 보험금을 초과한 손해액을 보험계약에서 보상한다.

> 상법 제682조(제3자에 대한 보험대위)
> ① 손해가 제3자의 행위로 인하여 발생한 경우에 보험금을 지급한 보험자는 그 지급한 금액의 한도에서 그 제3자에 대한 보험계약자 또는 피보험자의 권리를 취득한다. 다만, 보험자가 보상할 보험금의 일부를 지급한 경우에는 피보험자의 권리를 침해하지 아니하는 범위에서 그 권리를 행사할 수 있다.
> ② 보험계약자나 피보험자의 제1항에 따른 권리가 그와 생계를 같이 하는 가족에 대한 것인 경우 보험자는 그 권리를 취득하지 못한다. 다만, 손해가 그 가족의 고의로 인하여 발생한 경우에는 그러하지 아니하다.

3) 하나의 보험가입금액으로 둘 이상의 보험의 목적을 계약하는 경우에는 전체가액에 대한 각 가액의 비율로 보험가입금액을 비례배분하여 상기 규정에 따라 지급보험금을 계산한다.

3. 자기부담금

(1) 자기부담금은 보험사고 발생 시 계약자에게 일정 금액을 부담시키는 것으로 이를 통하여 재해보험사업자의 지출비용을 축소하여 보험료를 경감하고 피보험자의 자기부담을 통하여 도덕적 해이 및 사고방지에 대한 의식을 고취하는 기능을 하게 된다.

(2) 가축재해보험에서 소, 돼지, 종모우, 가금, 기타 가축 부분의 자기부담금은 상기 지급보험금의 계산방식에 따라서 계산한 금액에서 보험증권에 기재된 자기부담금비율을 곱한 금액을 자기부담금으로 한다. 다만, 폭염 · 전기적 장치 · 질병위험 특약의 경우 위의 자기부담금과 200만 원 중 큰 금액을 자기부담금으로 하며, 축사 부문의 풍수재 · 설해 · 지진으로 인한 손해의 경우 위의 자기부담금과 50만 원 중 큰 금액을 자기부담금으로 한다.

(3) 말 부문의 경우는 상기 지급보험금의 계산방식에 따라서 계산한 금액의 20%를 자기부담금으로 한다. 다만, 경주마(보험 가입 후 경주마로 용도 변경된 경우 포함)는 보험증권에 기재된 자기부담금비율을 곱한 금액을 자기부담금으로 한다.

4. 잔존보험가입금액

(1) 보험기간의 중도에 재해보험사업자가 일부손해의 보험금을 지급하였을 경우 손해발생일 이후의 보험기간에 대해서는 보험가입금액에서 그 지급보험금을 공제한 잔액을 보험가입금액으로 하여 보장하는데, 이때 보험가입금액을 잔존보험가입금액이라고 한다.

(2) 가축재해보험은 돼지, 가금, 기타 가축 부문에서 약관 규정에 따라서 손해의 일부를 보상한 경우 보험가입금액에서 보상액을 뺀 잔액을 손해가 생긴 후의 나머지 보험기간에 대한 잔존보험가입금액으로 하고 있다.

5. 비용손해의 지급한도

가축재해보험에서는 잔존물 처리비용, 손해방지비용, 대위권 보전비용, 잔존물 보전비용, 기타 협력비용 등 5가지 비용손해를 보상하는 비용손해로 규정하고 있는데 이러한 비용손해의 지급한도는 다음과 같다.

(1) 가축재해보험 약관상 보험의 목적이 입은 손해에 의한 보험금과 약관에서 규정하는 잔존물 처리비용은 각각 지급보험금의 계산을 준용하여 계산하며, 그 합계액은 보험증권에 기재된 보험가입금액을 한도로 한다. 다만, 잔존물 처리비용은 손해액의 10%를 초과할 수 없다.

(2) 비용손해 중 손해방지비용, 대위권 보전비용 및 잔존물 보전비용은 약관상 지급보험금의 계산을 준용하여 계산한 금액이 보험가입금액을 초과하는 경우에도 이를 지급한다. 단, 이 경우에 자기부담금은 차감하지 않는다.

(3) 비용손해 중 기타 협력비용은 보험가입금액을 초과한 경우에도 이를 전액 지급한다.

일부보험이나 중복보험인 경우에는 손해방지비용, 대위권 보전비용 및 잔존물 보전비용은 상기 비례분담 방식 등으로 계산하며 자기부담금은 공제하지 않고 계산한 금액이 보험가입 금액을 초과하는 경우도 지급하고 기타 협력비용은 일부보험이나 중복보험인 경우에도 비례분담 방식 등으로 계산하지 않고 전액 지급하며 보험가입금액을 초과한 경우에도 전액 지급한다.

6. 보험금 심사

보험사고 접수 이후 피해 사실의 확인, 보험가액 및 손해액의 평가 등 손해평가 과정 이후 재해 보험사업자의 보험금 지급 여부 및 지급보험금을 결정하기 위하여 보험금 심사를 하게 된다. 사고보험금 심사는 우연한 사고로 발생한 재산상의 손해를 보상할 것을 목적으로 약관형식으로 판매되는 손해보험 특성상 약관 규정 내용을 중심으로 판단하게 되며 보험계약의 단체성과 부합계약성이라는 특수성 때문에 약관의 해석은 보험계약자 등을 보호하기 위하여 일정한 해석의 원칙이 필요하다. 따라서 우리나라에서는 "약관의 규제에 관한 법률"에 약관의 해석과 관련하여 다양한 약관의 해석의 원칙을 규정하고 있으며 특별약관은 개별약정으로 보통약관에 우선 적용 되나 특별약관에서 달리 정하지 아니한 부분에 대해서는 보통약관이 구속력을 가지게 된다. 보험금 심사방법 및 유의사항은 다음과 같다.

(1) 보험금 지급의 면·부책 판단

보험금 지급의 면·부책 판단은 보험약관의 내용에 따르며, 보험금 청구서류 서면심사 및 손해조사 결과를 검토하여 보험약관의 보상하는 손해에 해당되는지 그리고 보상하지 아니하는 손해에 해당하지는 않는지 판단하게 되며 면·부책 판단의 요건은 다음과 같다.

1) 보험기간 내에 보험약관에서 담보하는 사고인지 여부

2) 원인이 되는 사고와 결과적인 손해 사이의 상당 인과 관계 여부

3) 보험사고가 상법과 보험약관에서 정하고 있는 면책조항에 해당되는지 여부

4) 약관에서 보상하는 손해 및 보상하지 아니하는 손해 조항 이외에도 알릴 의무 위반 효과에 의거하여 손해보상책임이 달라질 수 있으므로 주의

(2) 손해액 평가

손해액 산정 및 평가는 약관 규정에 따라서 평가한다.

(3) 보험금 지급심사 시 유의사항

1) 계약체결의 정당성 확인

보험계약 체결 시 보험 대상자(피보험자)의 동의 여부 등을 확인한다.

2) 고의, 역선택 여부 확인

① 고의적인 보험사고를 유발하거나 허위사고 여부를 확인한다.

② 다수의 보험을 가입하고 고의로 사고를 유발하는 경우가 있으므로 특히 주의를 요하며, 보험계약이 역선택에 의한 계약인지 확인한다.

3) 고지의무위반 등 여부 확인

약관에서 규정하고 있는 계약 전과 후 알릴 의무 및 각종 의무 위반 여부를 확인한다.

4) 면책사유 확인

고지의무 위반 여부, 보험계약의 무효 사유, 보험사고 발생의 고의성, 청구서류에 고의로 사실과 다른 표기, 청구시효 소멸 여부 등을 확인한다.

5) 기타 확인

① 개별약관을 확인하여 위에 언급한 사항 이외에 보험금 지급에 영향을 미치는 사항이 있는지 확인한다.

② 미비된 보험금 청구 서류의 보완 지시로 인한 지연지급, 불필요한 민원을 방지하기 위하여, 보험금 청구서류 중 사고의 유무, 손해액 또는 보험금의 확정에 영향을 미치지 않는 범위 내에서 일부 서류를 생략할 수 있으며, 사고내용에 따라 추가할 수 있다.

7. 보험사기 방지

(1) 보험사기의 정의

보험사기는 보험계약자 등이 보험제도의 원리상으로는 취할 수 없는 보험혜택을 부당하게 얻거나 보험 제도를 역이용하여 고액의 보험금을 수취할 목적으로 고의적이며 악의적으로 행동하는 일체의 불법행위로써 형법상 사기죄의 한 유형이다. 보험사기방지 특별법에서는 보험사기행위로 보험금을 취득하거나 제3자에게 보험금을 취득하게 한 자는 10년 이하의 징역 또는 5천만 원 이하의 벌금에 처하도록 규정하고 있다.

(2) 성립요건

1) 계약자 또는 보험 대상자에게 고의가 있을 것

계약자 또는 보험 대상자의 고의에 보험자를 기망하여 착오에 빠뜨리는 고의와 그 착오로 인해 승낙의 의사표시를 하게 하는 것 등이다.

2) 기망행위가 있을 것

기망이란 허위진술을 하거나 진실을 은폐하는 것, 통상 진실이 아닌 사실을 진실이라 표시하는 행위를 말하거나 알려야 할 경우에 침묵, 진실을 은폐하는 것도 기망행위에 해당한다.

3) 상대방인 보험자가 착오에 빠지는 것

상대방인 보험자가 착오에 빠지는 것에 대하여 보험자의 과실 유무는 문제되지 않는다.

4) 상대방인 보험자가 착오에 빠져 그 결과 승낙의 의사표시를 한 것

착오에 빠진 것과 그로 인해 승낙 의사표시한 것과 인과관계가 필요하다.

5) 사기가 위법일 것

사회생활상 신의성실의 원칙에 반하지 않는 정도의 기망행위는 보통 위법성이 없다고 해석한다.

(3) 사기행위자

사기행위에 있어 권유자가 사기를 교사하는 경우도 있으며, 권유자가 개입해도 계약자 또는 피보험자 자신에게도 사기행위가 있다면 고지의무 위반과 달리 보장개시일로부터 5년 이내에 계약을 취소할 수 있다.

(4) 사기증명

계약자 또는 피보험자의 사기를 이유로 보험계약의 무효를 주장하는 경우에 사기를 주장하는 재해보험사업자 측에서 사기 사실 및 그로 인한 착오 존재를 증명해야 한다.

(5) 보험사기에 대한 조치

1) 청구한 사고보험금 지급을 거절할 수 있다.
2) 약관에 의거하여 해당 계약을 취소할 수 있다.

01 가축재해보험에서 정의하는 다음 ( )의 용어를 순서대로 쓰시오. 5점

> - (①) : 식용불가 판정을 받아 권역별 소각장에서 소각하거나 사료용으로 판매, 매몰처리하는 것을 말한다.
> - (②) : 사체를 고온·고압 처리하여 기름과 고형분으로 분리, 사료·공업용으로 유지 및 육분·육골분을 생산하는 공정을 말한다.
> - (③) : 고객이 보험금 부지급 결정에 동의하지 않는 경우 소비자보호실로 재청구하는 제도를 말한다.
> - (④) : 허위진술을 하거나 진실을 은폐하는 것을 말한다.
> - (⑤) : 제3자의 행위로 피보험자의 손해가 생긴 경우 보험금액을 지급한 보험자는 지급한 보험금액의 한도 내에서 제3자에 대한 피보험자의 권리를 취득하는 것을 말한다.

답 ① 사망축 처리, ② 랜더링, ③ 재심의 청구, ④ 기망, ⑤ 보험자대위

해설 ① **사망축 처리**
식용불가 판정을 받은 사망축은 권역별 소각장에서 소각하거나 사료용으로 판매, 매몰처리한다. 소각 및 매몰은 영업점 입회하에 실시하고 사진 등 관계 증빙서류를 비치하고, 사료용 판매 시는 정산서를 청구한다. 사망축 처리에 소요되는 비용은 보험대상자 부담으로 한다.
② **랜더링**
사체를 고온·고압 처리하여 기름과 고형분으로 분리하여 사료·공업용으로 유지 및 육분·육골분을 생산하는 공정을 말한다. 랜더링 처리하는 경우는 보장하지 않는다.
③ **재심의 청구**
고객이 보험금 부지급 결정에 동의하지 않는 경우 소비자보호실로 재청구하는 제도를 말한다.
④ **기망**
허위진술을 하거나 진실을 은폐하는 것을 말한다. 통상 진실이 아닌 사실을 진실이라 표시하는 행위를 말하거나 알려야 할 경우에 침묵하거나 진실을 은폐하는 것도 기망행위에 해당한다.
⑤ **보험자대위**
피보험자의 손해가 제3자의 행위로 인하여 생긴 경우에는 보험금액을 지급한 보험자는 그 지급한 금액의 한도 내에서 그 제3자에 대한 보험계약자 또는 피보험자의 권리를 취득하는 것을 말한다(상법 제682조).

02 다음은 가축재해보험(축사 특약 제외)의 보험가액 및 손해액의 적용가격에 대한 설명이다. 괄호 안에 알맞은 내용을 쓰시오. 5점

> • 가축에 대한 보험가액은 보험사고가 발생한 (㉠)에서 평가한 (㉡)에 (㉢)을 곱하여 산정한다.
> • 가축에 대한 손해액은 보험사고가 발생한 (㉣)에서 폐사 등 피해를 입은 (㉤)에 (㉥)을 곱하여 산정한다.
> • 보험가액 및 손해액의 적용가격은 보험사고 발생 시간과 장소에서 시장가격(고시가격) 등을 감안하여, (㉦)에서 정한 방법에 따라 산정한다. 다만, 보험가입 당시 보험가입자와 재해보험사업자가 보험가액 및 손해액 산정 방식을 별도로 정한 경우에는 그 방법에 따른다.

답 ㉠ 때와 곳, ㉡ 보험목적물의 수량, ㉢ 적용가격, ㉣ 때와 곳, ㉤ 보험목적물의 수량, ㉥ 적용가격, ㉦ 보험약관

03 가축재해보험의 보상하는 손해 중 계약자 및 피보험자에게 지급할 수 있는 비용의 종류와 지급한도에 관하여 서술하시오(단, 비용의 종류에 대한 정의 포함). 5점

정답 및 해설

(1) 지급할 수 있는 비용의 종류
  ① **잔존물처리비용** : 보험목적물이 폐사한 경우 사고현장에서의 잔존물 견인비용 및 차에 싣는 비용
    ㉠ 사고현장 및 인근지역의 토양, 대기, 수질의 오염물질 제거비용과 차에 실은 후 폐기물 처리비용은 포함하지 않는다.
    ㉡ 적법한 시설에서의 랜더링(사체를 고온·처리하여 기름과 고형분으로 분리하여 사료·공업용 유지 및 사료·비료용 육분·육골분을 생산하는 공정) 비용은 포함한다.
  ② **손해방지비용** : 손해의 방지 또는 경감을 위하여(필요 또는 유익) 지출한 비용(단, 보험목적의 관리의무인 비용은 제외)
  ③ **대위권보전비용** : 제3자로부터 손해배상을 받을 수 있는 경우에 그 권리를 지키거나 행사하기 위하여(필요 또는 유익) 지출한 비용
  ④ **잔존물보전비용** : 잔존물을 보전하기 위하여 지출한 비용(단, 회사가 잔존물을 취득한 경우에 한함)
  ⑤ **기타 협력비용** : 회사의 요구에 따르기 위하여(필요 또는 유익) 지출한 비용
(2) 지급한도
  ① 손해에 의한 보험금 및 잔존물처리비용은 보험증권에 기재된 보험가입금액 한도 내에서 보상한다(다만, 잔존물처리비용은 손해액의 10%를 초과할 수 없다).
  ② 손해방지비용, 대위권보전비용, 잔존물보전비용은 보험가입금액을 초과하는 경우에도 지급한다.

04 위탁기관의 손해평가 및 처리 내용에 관한 사항이다. 빈칸에 알맞은 내용을 쓰시오. 15점

단계	처리 내용	소요일
손해평가 진행		
보험금액 산정		
보험금액 지급 요청 및 종결		
지급안내 및 설문조사		

답

단계	처리 내용	소요일
손해평가 진행	• 손해평가에 필요한 서류 요청 및 추정 보험금 산정 등 평가 실시 • 중간보고서 작성, 고객 피드백 등 보완	D + 15일
보험금액 산정	• 재해 및 사고 유형별·축종별 단가, 시세 등 보험약관 기준 산출 • 산출내용 고객 사전협의(업무 피드백)	
보험금액 지급 요청 및 종결	• 업무 피드백 후 지급 종결보고서 제출(위탁기관), 손해평가 반영 • 보험금 청구서 작성 및 위임장(질권사항) 확인 후 보험금 지급	D + 20일
지급안내 및 설문조사	• 보험사별 피보험자 보험금 지급 안내 • 보험금 지급 보상처리 만족도 조사	지급 후 10일 이내

05 가축재해보험 보험가액 및 손해액 평가에서 ① 보험가액 및 손해액의 적용가격, ② 보험사에서 지급할 보험금의 계산, ③ 잔존물처리비용과 보험금 등의 지급한도에 관하여 각각 서술하시오. 15점

정답 및 해설

(1) 보험가액 및 손해액의 적용가격
  ① 가축에 대한 보험가액은 보험사고가 발생한 때와 곳에서 (평가)한 보험목적물의 수량에 적용가격을 곱하여 산정한다.
  ② 가축에 대한 손해액은 보험사고가 발생한 때와 곳에서 (폐사) 등 피해를 입은 보험목적물의 수량에 적용가격을 곱하여 산정한다.
  ③ 보험가액 및 손해액의 적용가격은 보험사고 발생(시간과 장소)에서 시장가격(고시가격) 등을 감안하여 보험약관에서 정한 방법에 따라 산정한다. 다만, 보험가입 당시 보험가입자와 재해보험사업자가 보험가액 및 손해액 산정 방식을 별도로 정한 경우에 그 방법에 따른다.
(2) 보험사에서 지급할 보험금의 계산
  보험사에서 지급할 보험금은 아래 계산한 금액에서 자기부담금을 차감한 금액을 지급한다.
  ① 보험가입금액(보상한도)이 보험가액(시세)과 같을 때 : 보험가입금액을 한도로 손해액 전액
  ② 보험가입금액이 보험가액보다 클 때 : 보험가액을 한도로 손해액 전액
  ③ 보험가입금액이 보험가액보다 작을 때 : 보험가입금액을 한도로 비례 보상

$$\text{⊙ 손해액} \times \frac{\text{보험가입금액}}{\text{보험가액으로 계산한 금액}}$$

ⓛ 손해액은 보험가액에서 이용물처분액 등을 차감한 금액

(3) 잔존물처리비용과 보험금 등의 지급한도

손해에 의한 보험금 및 잔존물처리비용은 보험증권에 기재된 <u>보험가입금액</u> 한도 내에서 보상하며, 잔존물처리비용은 <u>손해액의 10%를 초과할 수 없다.</u>

06 다음은 가축재해보험의 보상하지 않는 손해의 내용 중 일부이다. 답란에 알맞은 내용을 쓰시오.

5점

• 계약자, 피보험자 및 이들의 법정대리인의 고의 또는 중대한 과실
• 계약자, 피보험자의 (㉠) 및 (㉡)에 의한 가축사망으로 인한 손해
• (㉢)에서 정하는 가축전염병으로 사망하거나, 정부의 (㉣) 또는 (㉤)로 발생한 손해

답 ㉠ 도살, ㉡ 위탁도살, ㉢ 가축전염병예방법, ㉣ 살처분, ㉤ 도태권고

해설 [보상하지 않는 손해]
① 계약자, 피보험자 및 이들의 법정대리인의 고의 또는 중대한 과실
② 계약자, 피보험자의 <u>도살</u> 및 <u>위탁도살</u>에 의한 가축사망으로 인한 손해
③ <u>가축전염병예방법</u>에서 정하는 가축전염병으로 사망하거나 정부의 <u>살처분</u> 또는 <u>도태권고</u>로 발생한 손해
④ 보험목적이 유실 또는 매몰되어 보험목적을 객관적으로 확인할 수 없는 손해
⑤ 원인의 직접·간접을 묻지 않고 지진, 분화 또는 전쟁, 혁명, 내란, 사변, 폭동, 소요, 노동쟁의, 기타 유사한 사태로 인한 손해
⑥ 지진의 경우 보험계약일 현재 이미 진행 중인 지진(본진, 여진을 포함)으로 인한 손해
⑦ 핵연료물질 또는 핵연료물질에 의하여 오염된 물질의 방사성, 폭발성 그 밖의 유해한 특성에 의한 사고로 인한 손해
⑧ 방사선을 쬐거나 방사능 오염으로 인한 손해
⑨ 계약체결 시점 현재 기상청에서 발령하고 있는 기상특보 발령 지역의 기상특보 관련 재해(풍재, 수재, 설해, 지진, 폭염)로 인한 손해

07 돼지를 사육하는 축산농가에서 화재가 발생하여 사육장이 전소되고 사육장 내 돼지가 모두 폐사하였다. 다음의 계약 및 조사내용을 참조하여 보험금을 구하시오. `5점`

• 계약 및 조사내용

보험가입 금액(만원)	사육 두수(두)	두당 단가(만원)	자기부담금	잔존물 처리비용 (만원)	잔존물 보전비용 (만원)
1,000	30	50	보험금의 10%	150	10

답 지급 보험금 = 9,966,667원

해설 ① 보험가액 = 30두 × 50만원/두 = (1,500)만원
② 손해액
　　모두 폐사하였으므로, 손해액 = 30두 × 50만원/두 = (1,500)만원
③ 보험가입금액이 보험가액보다 적을 때 지급할 보험금

　　㉠ 보험가입금액을 한도로 비례보상하므로 손해액 × $\dfrac{보험가입금액}{보험가액}$ 으로 계산한다.

　　㉡ 지급할 보험금 = 손해액 × $\dfrac{보험가입금액}{보험가액}$

　　　　　　　　 = 1,500만원 × $\dfrac{1,000만원}{1,500만원}$ = (1,000)만원

　　㉢ 계산한 보험금에서 자기부담금(보험금의 10%)을 차감한 금액을 지급하므로,
　　　 1,000만원 − (1,000만원 × 10%) = (900)만원
④ 잔존물처리비용
　　손해에 의한 보험금 및 잔존물처리비용은 보험증권에 기재된 보험가입금액 한도 내에서 보장한다. 잔존물처리비용은 지급 보험금의 계산을 준용하여 계산하며, 그 합은 손해액의 10%를 초과할 수 없다(약관조항).

　　∴ 잔존물처리비용 = 150만원 × $\dfrac{1,000만원}{1,500만원}$ × (1 − 0.1) = (90)만원

⑤ 잔존물보전비용
　　잔존물보전비용은 지급 보험금의 계산을 준용하여 계산한 금액이 보험가입금액을 초과하는 경우에도 이를 지급한다. 다만, 자기부담금은 차감하지 않는다(약관조항).

　　∴ 잔존물보전비용 = 10만원 × $\dfrac{1,000만원}{1,500만원}$ ≒ (66,667)원

⑥ 총보험금 지급액
　　③ + ④ + ⑤ = 900만원 + 90만원 + 66,667원 = (9,966,667)원

08 **가축재해보험의 보험금 지급 시 확인할 사항을 쓰시오.** 5점

> **답** ① 산정한 보험금이 맞는지 확인한다.
> ② 보험금 수령자가 맞는지 확인한다.
> ③ 보험금 수령자와 지급처의 동일 여부 확인 후 지체 없이 기일 내 지급한다.
> ④ 가축보험금은 가축·축사 등 소유권자에게 직접 지급할 수 있다.

09 **보험사고 처리 절차(농협손해보험)에서 계약자는 보험사고가 발생한 경우 즉시 사고내용을 영업점에 구두 또는 전화로 통지하고 필요한 지시를 이행한다. 통지해야 할 사고내용에 대해 쓰시오.** 5점

> **답** ① 사고의 종류
> ② 사고발생 연월일
> ③ 사고장소 및 피해상황

10 **가축재해보험에서 면책사고일 경우는 영업점에서 계약자에게 면책사유를 즉시 통보해야 한다. 다음 구분에 따른 면책사유를 설명하시오.** 5점

① 소·사슴·양 :

② 돼지 :

> **답** ① 소·사슴·양 : 신규가입일 경우 가입일로부터 1개월 이내 질병관련 사망 사고
> ② 돼지 : 질병관련 사고의 경우 1개월 이내 사망 사고

11 **가축재해보험의 사고조사 절차 8가지를 순서대로 쓰시오.** 5점

> **답** • 사고조사 절차
> 　　1. 사고가축이 보험의 목적물과 동일한지 여부 확인
> 　　2. 사고 발생일시 및 장소 확인
> 　　3. 사고 발생원인과 가축 폐사와의 인과관계 확인
> 　　4. 다른 계약의 유무 확인
> 　　5. 계약 후 알릴 의무 위반 여부 및 사고와의 관계 확인
> 　　6. 손해액 추정
> 　　7. 손해배상책임 유무 확인
> 　　8. 청약서 기재내용과 상위 유무 확인

12 다음은 가축재해보험의 사망축 처리 시 사진촬영에 대한 설명이다. 괄호 안에 알맞은 내용을 쓰시오. 5점

> 위탁기관은 사고현장과 보험목적물 피해현황을 사진으로 촬영하여 (㉠)에 비치하고 본사에 (㉡) 청구 시 제출한다. (㉢) 등 개체별 가입하는 보험은 사망 당시 사진이 (㉣) 형태로 촬영한다. 사료용으로 판매되는 사망축은 사망 당시 사진, (㉤) 사진으로 촬영한다.

답 ㉠ 영업점, ㉡ 사고보험금, ㉢ 소·말, ㉣ 동일한, ㉤ 수집차량에 실려있는 상태

13 다음은 가축재해보험의 사고 시 유의사항이다. 괄호 안에 알맞은 내용을 쓰시오. 5점

> • 보험목적물에 대한 관련 장부의 제시를 요구하고 사고 당시의 (㉠) 또는 소실물 명세 등을 받아 실손해액을 조사하되, 필요한 경우 (㉡)을(를) 명할 수 있다.
> • 잔존물에 대한 (㉢)이 없도록 필요한 조치를 취한다.
> • 관련기관과 협조하여 정확한 (㉣)에 주력한다.
> • 목적물 또는 목적물 수용장소에 대한 다른 공제자 또는 보험자가 있을 경우 (㉤)으로 조사한다.

답 ㉠ 가축명세, ㉡ 목적물의 이동, ㉢ 외부유출, ㉣ 사고원인조사, ㉤ 공동

14 다음은 가축재해보험의 사고축의 처리 절차에 대한 설명이다. 괄호 안에 알맞은 내용을 쓰시오. 5점

> • 위탁기관은 개업수의사(전염병 이외의 사망), 가축위생시험소 또는 동등의 가축방역기관(전염병으로 인한 사망)에 연락하여 (㉠)을(를) 의뢰할 수 있으며, 사망축 상태에 따라 (㉡)에게 필요한 조치를 할 수 있다.
> • 고기, 가죽 등 이용가능한 잔존물(이용물) 처리는 도축장에 출하하여 (㉢)를 기준으로 산정하고, 잔존물 처리에 소요되는 비용은 (㉣) 부담으로 한다.

답 ㉠ 현장조사, ㉡ 개업수의사, ㉢ 도축장 발행정산서, ㉣ 보험대상자

15 다음은 가축재해보험의 사망축의 처리에 대한 설명이다. 괄호 안에 알맞은 내용을 쓰시오.
5점

> 식용불가 판정을 받은 사망축은 권역별 소각장에서 소각하거나 (㉠)으로 판매 또는 (㉡)한다.
> (㉢)은 영업점 입회하에 실시하고 사진 등 관계 증빙서류를 비치하고, (㉣)를 할 때는 (㉤)을
> (를) 징구한다. 사망축 처리에 소요되는 비용은 (㉥) 부담으로 한다.

답 ㉠ 사료용, ㉡ 매몰처리, ㉢ 소각 및 매몰, ㉣ 사료용 판매, ㉤ 정산서, ㉥ 보험대상자

16 다음은 가축재해보험의 보험사고 처리에 대한 고객과 손해보험회사의 업무절차 내용이다. 괄호에 알맞은 내용을 쓰시오. 5점

> • 고객 : (㉠) → 보험금 청구(보험금 청구서류 접수) → 보험금 수령
> • 손해보험회사 : 사고접수(고객지원센터) → (㉡) → 보험금 심사 → 지급보험금 확정
>   → 보험금 지급

답 ㉠ 피해 발생 통지
     ㉡ 피해 사실 확인 및 손해평가

17 가축재해보험의 각종 사고(화재, 풍수해, 전기적 사고 등) 발생 시 접수대상 및 범위는 피해대상 농가, (㉠), 피해규모 파악 및 (㉡) 등이며, 접수 및 처리 기일은 (㉢)이다. 괄호 안에 알맞은 내용을 쓰시오. 5점

답 ㉠ 사고경위서 접수(유선 또는 문서), ㉡ 위탁기관 배정, ㉢ 1일

18 가축재해 소 보험의 보험금 청구접수 시 공통서류를 쓰시오. 5점

답 ① 보험금 청구서[개인(신용)정보 이용·수집·조회 동의, 송금계좌번호 포함]
     ② 청구인 신분증 사본(쇠고기 개체 식별번호 정보조회에서 피보험자 확인 시 생략 가능)
     ③ 현지사고조사표 : 손해평가인 및 보험계약자 자필서명 날인
     ④ 사고사진 : 이표확인 가능한 사고시점의 두부 및 전신사진 각 1매 포함
     ⑤ 쇠고기 개체식별번호 정보조회 : 쇠고기 이력시스템에서 폐사 또는 도축출하 등록 확인 후 출력

19 가축재해 소 보험에서 다음 사고유형별 보험금 신청서류를 각각 쓰시오. 5점

긴급도축	
폐사	

답

긴급도축	① 진단서 : 수의사 직인 또는 자필서명 확인 ② 매매계약서 또는 도축장 정산서 : 매매업자와 또는 도축장의 자필서명 확인 ③ 도축검사증명서, 도축대상 기립불능소 확인서 : 매매계약서 제출건 중 심사자 추가 요청 시
폐사	① 검안서 : 수의사 직인 또는 자필서명 확인 ② 소각(랜더링) 또는 매장증명서 ③ 도체결함 : 도축장 정산서(사고사진 생략)

20 가축재해보험(소 제외)에서 보험금 청구접수 시 공통서류를 쓰시오. 5점

답　① 보험금 청구서[개인(신용)정보 이용 · 수집 · 조회 동의, 송금계좌번호 포함]
　　② 청구인 신분증 사본
　　③ 기타 회사가 요구하는 증거자료

21 가축재해보험의 사고보험금 접수 시 확인할 사항을 쓰시오. 5점

답　① 수익자 일치 여부
　　② 피보험자 일치 여부
　　③ 질권설정계약 여부
　　④ 청구서류 위 · 변조 여부
　　⑤ 청구서류 기재사항
　　⑥ 개인정보 활용 동의

22 보험금 지급의 면·부책 판단 요건에 대한 설명이다. 괄호 안에 알맞은 내용을 쓰시오. 5점

> • (㉠) 내에 보험약관에서 담보하는 사고인지 여부
> • 원인이 되는 사고와 결과적인 손해 사이의 (㉡) 여부
> • 보험사고가 상법과 보험약관에서 정한 (㉢)에 해당하는지 여부
> • 약관에서 보상하는 손해 및 보상하지 아니하는 손해조항 이외에도 (㉣) 위반효과에 의거 손해보상책임이 달라질 수 있으므로 주의한다.

답   ㉠ 보험기간, ㉡ 상당인과관계, ㉢ 면책조항, ㉣ 알릴 의무

23 보험금 지급심사에서 손해액이란 보험자가 보상해야 할 보험사고로 인한 손해 금액을 의미하며, 반드시 (㉠)과 일치하지는 않는다. 재물보험인 가축재해보험은 보험목적물의 금전상 (㉡)을(를) 말한다. 괄호 안에 알맞은 내용을 쓰시오. 5점

답   ㉠ 지급보험금, ㉡ 손실액

24 보험금 지급·심사방법에서 유의해야 할 사항으로 면책사유에 해당하는 사항을 쓰시오. 5점

답   ① 고지의무 위반 여부
② 보험계약의 무효사유
③ 보험사고 발생의 고의성
④ 청구서류에 고의로 사실과 다른 표기
⑤ 청구시효 소멸 여부

25 다음은 보험금 손해보상방식에 대한 설명이다. 괄호 안에 알맞은 내용을 쓰시오. 5점

> • 비례보상 : 손해보험에서 분손사고(보험가액 이하의 사고)의 경우, 보험자가 (㉠)의 비율을 가지고 손해를 보상한다.
> • 실손보상 : 비례보상과 대비되는 손해보상방식으로, 보험자가 (㉡)을(를) 한도로 하여 실제의 손해액을 보상하는 것이다.

답   ㉠ 보험가액에 대한 보험금액, ㉡ 보험금액

26 보험금 지급·심사방법에서 유의해야 할 사항을 쓰시오. 5점

> **답** ① 계약체결의 정당성
> ② 고의성, 역선택 여부 확인
> ③ 고지의무 위반 여부
> ④ 면책사유
> ⑤ 보험금 지급 단계별 고객안내 사항

27 보험사에서 지급할 가축재해보험금은 아래 계산한 금액에서 자기부담금을 차감한 금액을 지급한다. 괄호 안에 알맞은 내용을 쓰시오. 5점

> • 보험가입금액이 보험가액과 같을 때 : (㉠)을(를) 한도로 손해액 전액
> • 보험가입금액이 보험가액보다 많을 때 : (㉡)을(를) 한도로 손해액 전액
> • 보험가입금액이 보험가액보다 적을 때 : (㉢)을(를) 한도로 비례보상, (㉣)으로 계산한 금액

> **답** ㉠ 보험가입금액, ㉡ 보험가액, ㉢ 보험가입금액, ㉣ $손해액 \times \dfrac{보험가입금액}{보험가액}$

28 보험사기에 대한 보험회사의 조치사항 2가지를 쓰시오. 5점

> **답** ① 청구한 사고보험금 지급을 거절할 수 있다.
> ② 약관에 의거하여 해당 계약을 취소할 수 있다.

29 최근 제정된 「보험사기방지 특별법」에는 보험사기행위와 보험사기죄에 대한 벌칙이 규정되어 있다. 다음 괄호 안에 알맞은 내용을 쓰시오. 5점

> • 보험사기행위란 보험사고의 (㉠)에 관하여 보험자를 기망하여 보험금을 청구하는 행위를 말한다.
> • 보험사기행위로 보험금을 취득하거나 제3자에게 보험금을 취득하게 한 자는 (㉡) 이하의 징역 또는 (㉢) 이하의 벌금에 처한다.

> **답** ㉠ 발생, 원인 또는 내용, ㉡ 10년, ㉢ 5천만원

30 다음은 「보험사기방지 특별법」상 보험사기죄의 가중처벌에 대한 설명이다. 괄호 안에 알맞은 내용을 쓰시오. 5점

> 보험사기범 및 보험사기 상습범은 그 범죄행위로 인하여 취득하거나 제3자로 하여금 취득하게 한 보험금의 가액("보험사기이득액"이라 한다)이 (㉠) 이상일 때에는 다음 각 호의 구분에 따라 가중처벌한다.
> 1. 보험사기이득액이 50억원 이상일 때 : (㉡) 이상의 징역
> 2. 보험사기이득액이 5억원 이상 50억원 미만일 때 : (㉢) 이상의 유기징역

답 ㉠ 5억원, ㉡ 무기 또는 5년, ㉢ 3년

31 보험사기는 보험계약자 등이 보험제도의 원리상으로는 취할 수 없는 보험혜택을 부당하게 얻거나 보험제도를 (㉠)하여 고액의 보험금을 수취할 목적으로 (㉡)이며 (㉢)으로 행동하는 일체의 불법행위로서 형법상 (㉣)의 한 유형이다. 괄호 안에 알맞은 내용을 쓰시오. 5점

답 ㉠ 역이용, ㉡ 고의적, ㉢ 악의적, ㉣ 사기죄

32 보험사기의 성립요건을 3가지 이상 쓰시오. 5점

답 ① 계약자 또는 보험대상자에게 고의가 있을 것
② 기망행위가 있을 것
③ 상대방인 회사가 착오에 빠지는 것
④ 상대방인 회사가 착오에 빠져 그 결과승낙의 의사표시를 할 것
⑤ 사기가 위법일 것

33 「형법」 제347조 제1항의 규정에 의하면 사람을 기망하여 재물의 교부를 받거나 재산상의 이익을 취득한 자는 (㉠) 이하의 징역 또는 (㉡) 이하의 벌금을 처한다. 괄호 안에 알맞은 내용을 쓰시오. 5점

답 ㉠ 10년, ㉡ 2천만원

34 다음은 보험사기 행위자와 사기증명에 대한 설명이다. 괄호 안에 알맞은 내용을 쓰시오. 5점

사기 행위자	사기행위에 있어 권유자가 사기를 (㉠)하는 경우도 있으며, 권유자가 개입해도 계약자 또는 피보험자 자신에게도 사기행위가 있다면 고지의무 위반과 달리 보장 개시일로부터 (㉡) 이내에 계약을 취소할 수 있다.
사기증명	계약자 또는 피보험자의 사기를 이유로 보험계약의 (㉢)를 주장하는 경우에 사기를 주장하는 (㉣)에서 사기 사실 및 그로 인한 착오 존재를 증명해야 한다.

답 ㉠ 교사, ㉡ 5년, ㉢ 무효, ㉣ 회사 측

35 보험사기방지를 위한 의무사항을 단계별(7단계)로 쓰시오. 5점

답
① 제1단계 : 인지
② 제2단계 : 조회
③ 제3단계 : 자료 취합
④ 제4단계 : 분석
⑤ 제5단계 : 범죄일람표 작성
⑥ 제6단계 : 수사의뢰 및 지원
⑦ 제7단계 : 사건종결 및 관리

36 다음은 구상권의 정의를 설명한 내용이다. 괄호 안에 알맞은 내용을 쓰시오. 5점

구상권이란 보험금 지급 후 피보험자가 (㉠)에게 가지는 손해배상청구권을 (㉡)하여 그 타인에 대하여 가지는 (㉢)의 권리를 말한다.

답 ㉠ 제3자(타인), ㉡ 대위취득, ㉢ 반환청구

37 다음은 구상권과 관련하여 「상법」 및 「민법」상 규정된 조항이다. 괄호 안에 알맞은 내용을 쓰시오. 5점

> • 민법 제390조(채무불이행과 손해배상) : 채무자가 채무의 내용에 이행을 하지 아니한 때에는 채권자는 (㉠)을(를) 청구할 수 있다. 그러나 채무자의 고의나 과실 없이 이행할 수 없게 된 때에는 그러하지 아니하다.
> • 민법 제750조(불법행위의 내용) : (㉡)로 인한 위법행위로 타인에게 손해를 가한 자는 그 손해를 배상할 책임이 있다.
> • 상법 제682조(제3자에 대한 보험자대위) : 손해가 제3자의 행위로 인하여 발생한 경우에 보험금을 지급한 보험자는 그 지급한 금액의 한도에서 그 제3자에 대한 (㉢) 또는 (㉣)의 권리를 취득한다.

답 ㉠ 손해배상, ㉡ 고의 또는 과실, ㉢ 보험계약자, ㉣ 피보험자

38 일반적인 구상권 행사절차를 순서대로 쓰시오. 5점

답 • 구상권 행사절차
구상권 행사절차는 다음 순서에 의한다. 다만, 채권확보를 위하여 필요한 경우에는 순서를 변경하여 진행할 수 있다.
1. 구상권의 성립 여부 확인 및 관련서류를 입수한다.
2. 구상가액을 정하고, 피구상자에게 임의변제를 요청한다.
3. 피구상자가 임의변제를 거부 시 채권추심(채권추심 회사에 의뢰하는 경우 포함)을 하되, 채권추심은 피구상자의 재산조사 및 채권확보(가압류 조치 등) 후 진행한다.
4. 피구상자가 채권추심에 불응 시에는 소송(지급명령 포함)을 통하여 강제집행하고, 구상금을 회수하여 환입처리한다.

39 「민법」 제741조에 의하면 법률상 원인 없이 타인의 (㉠) 또는 (㉡)로 인하여 이익을 얻고 이로 인하여 타인에게 (㉢)를 가한 자는 그 이익을 (㉣)하여야 한다고 규정하고 있다. 부당이득반환 청구채권의 소멸시효는 (㉤)이다. 괄호 안에 알맞은 내용을 쓰시오. 5점

답 ㉠ 재산, ㉡ 노무, ㉢ 손해, ㉣ 반환, ㉤ 10년

손해평가사 _ 2차 제2과목
농작물재해보험 및 가축재해보험
손해평가의 이론과 실무

PART

04

기출문제분석

- 2015년(제1회) ~ 2022년(제8회) 기출문제
- 최신 개정관계법령 및 농업정책보험금융원 이론서
  최종본(2023. 4. 28.)에 따른 해설 수록

11 다음은 농작물 재해보험 업무방법에서 정하는 손해평가 업무 절차상 손해평가반 구성 및 손해
평가 일정계획 수립에 관한 내용이다. 괄호에 알맞은 내용을 답란에 쓰시오. 5점

> 농협 담당자 등은 사고 접수가 된 계약에 대하여 (㉠), (㉡), (㉢) 등에 따라 조사종류를
> 결정하고 이에 따른 손해평가반 구성 및 손해평가 일정을 수립한다.

정답 및 해설

㉠ 품목, ㉡ 생육시기, ㉢ 재해종류

농협 담당자 등은 사고 접수가 된 계약에 대하여 ㉠ **(품목)**, ㉡ **(생육시기)**, ㉢ **(재해종류)** 등에 따라 조사종류
를 결정한다. 이에 따라 손해평가반 구성 및 손해평가 일정을 수립하며, 업무방법은 다음과 같다.
1. 손해평가반은 손해평가인 또는 손해사정사 또는 손해평가사 1인 이상을 포함하여 5인 이내로 구성한다.
2. 손해평가 일정은 손해평가반별로 수립한다.
3. 손해평가반의 조사자는 본인 또는 이해관계자(조사자와 생계를 같이 하는 친족)의 계약에 대한 손해평가
   를 할 수 없다.

12 A 과수원의 종합위험방식 복숭아 품목의 과중조사를 실시하고자 한다. 다음 조건을 이용하여
과중조사 횟수, 최소 표본주수 및 최소 추출과실개수를 답란에 쓰시오. 5점

> 〈조건〉
> • A과수원의 품종은 4종이다.
> • 각 품종별 수확시기는 다르다.
> • 최소 표본주수는 회차별 표본주수의 합계로 본다.
> • 최소 추출과실개수는 회차별 추출과실개수의 합계로 본다.
> • 위 조건의 단서조항은 고려하지 않는다.

정답 및 해설

① 과중조사 횟수 : 4회, ② 최소 표본주수 : 12주수, ③ 최소 추출과실개수 : 80개

농지에서 품종별로 착과가 평균적인 3개 이상의 표본주에서 크기가 평균적인 과실을 품종별 20개 이상 추출(복숭아 농지당 60개 이상)하여 품종별 과실 개수와 무게를 조사한다.
① A과수원의 품종은 4종이므로, 과중조사 횟수는 **4회** 실시한다.
② 최소 표본주수는 회차별 표본주수의 합계로 하므로, **12주수**(= 품종 4종 × 표본주 3개)이다.
③ 최소 추출과실개수는 회차별 추출과실개수의 합계로 하므로, 4 × 20 = **80개**이다.

13 종합위험방식 과수 품목별 피해정도 구분을 다음 예시와 같이 빈칸에 쓰시오. 5점

예					
복숭아	정상과(0)	50%(0.5)	80%(0.8)	피해과(1)	병충해(0.5)

참다래				
포도				
밤				

정답 및 해설

※ 농업정책보험금융원 이론서(업무방법)에 따라 기출문제 수정 서술함

참다래	정상과(0)	50%(0.5)	80%(0.8)	피해과(1)
포도	정상과(0)	50%(0.5)	80%(0.8)	피해과(1)
밤	정상과(0)	50%(0.5)	80%(0.8)	피해과(1)

〈피해구성조사〉
• 참다래의 피해정도 구분 : 정상과, 50%형 피해과, 80%형 피해과, 100%형 피해과
• 포도의 피해정도 구분 : 정상과, 50%형 피해과, 80%형 피해과, 100%형 피해과
• 밤의 피해정도 구분 : 정상과, 50%형 피해과, 80%형 피해과, 100%형 피해과
☞ 과수품목의 피해정도 구분은 통일되어 공히 정상과(0), 50%(0.5), 80%(0.8), 피해과(1)로 과수구분이 없다[단, 복숭아는 병충해 피해과(0.5) 구분, 감귤은 등급 내·외 30%형 구분이 더 있음].

14 다음은 농작물재해보험 업무방법에서 정하는 농작물의 손해평가와 관련한 내용이다. 괄호에 알맞은 내용을 답란에 순서대로 쓰시오. <u>5점</u>

> - 인삼 품목의 수확량을 산출할 경우 기초자료인 칸 넓이 산정은 두둑폭과 고랑폭을 더한 합계에 (㉠)을/를 곱하여 산출한다.
> - 매실 품목의 경우 적정 수확시기 이전에 수확하는 경우에는 품종별로 과실 (㉡)을/를 조사한다.
> - 복분자의 피해율은 (㉢)을/를 (㉣)로/으로 나누어 산출한다.

정답 및 해설

㉠ 지주목간격, ㉡ 비대추정지수, ㉢ 고사결과모지수, ㉣ 평년결과모지수

- 인삼 품목의 수확량을 산출할 경우 기초자료인 칸 넓이 산정은 두둑폭과 고랑폭을 더한 합계에 ㉠ **(지주목 간격)**을 곱하여 산출한다.
  - 칸 넓이 = 지주목간격 × (두둑폭 + 고랑폭)

- 매실 품목의 경우 적정 수확시기 이전에 수확하는 경우에는 품종별로 과실 ㉡ **(비대추정지수)**를 조사한다.
  - 표본주 착과무게 = 조사 착과량 × 품종별 비대추정지수(매실) × 2(절반조사 시)

- 복분자의 피해율은 ㉢ **(고사결과모지수)**를 ㉣ **(평년결과모지수)**로 나누어 산출하며, 조사결과모지수는 종 합위험 과실손해조사와 특정위험 과실손해조사를 통해 계산된 고사결과모지수를 합하여 산출한다.

15 다음은 농작물 재해보험 업무방법에서 정하는 종합위험방식 밭작물 품목별 수확량조사 적기에 관한 내용이다. 괄호에 알맞은 내용을 답란에 순서대로 쓰시오. 5점

> - 고구마 : (㉠)로/으로부터 120일 이후에 농지별로 조사
> - 감자(고랭지재배) : (㉡)로/으로부터 110일 이후 농지별로 조사
> - 마늘 : (㉢)와/과 (㉣)이/가 $\frac{1}{2} \sim \frac{2}{3}$ 황변하여 말랐을 때와 해당 지역에 통상 수확기가 도래하였을 때 농지별로 조사
> - 옥수수 : (㉤)이/가 나온 후 25일 이후 농지별로 조사

정답 및 해설

㉠ 삽식일, ㉡ 파종일, ㉢ 잎, ㉣ 줄기, ㉤ 수염

품목	수확량조사 적기
양파	양파의 비대가 종료된 시점(식물체의 도복이 완료된 때)
마늘	마늘의 비대가 종료된 시점(**잎**과 **줄기**가 $\frac{1}{2} \sim \frac{2}{3}$ 황변하여 말랐을 때와 해당 지역의 통상 수확기가 도래하였을 때)
고구마	고구마의 비대가 종료된 시점(**삽식일**로부터 120일 이후에 농지별로 적용)
감자 (고랭지재배)	감자의 비대가 종료된 시점(**파종일**로부터 110일 이후)
감자 (봄재배)	감자의 비대가 종료된 시점(파종일로부터 95일 이후)
감자 (가을재배)	감자의 비대가 종료된 시점(파종일로부터 제주 지역은 110일 이후, 이외 지역은 95일 이후)
옥수수	옥수수의 수확적기(**수염**이 나온 후 25일 이후)
차(茶)	조사 가능일 직전[조사 가능일은 대상 농지에 식재된 차나무의 대다수 신초가 1심2엽의 형태를 형성하여 수확이 가능할 정도의 크기(신초장 4.8cm 이상, 엽장 2.8cm 이상, 엽폭 0.9cm 이상)으로 자란 시기를 의미하며, 해당 시기가 5월 10일을 초과하는 경우에는 5월 10일을 기준으로 함]
콩	콩의 수확 적기[콩잎이 누렇게 변하여 떨어지고 꼬투리의 80~90% 이상이 고유한 성숙(황색)색깔로 변하는 시기인 생리적 성숙기로부터 7~14일이 지난 시기]
팥	팥의 수확적기(꼬투리가 70~80% 이상이 성숙한 시기)
양배추	양배추의 수확 적기(결구 형성이 완료된 때)

16 농작물재해보험 업무방법에서 정하는 적과전종합위험방식 과수 품목에 관한 다음 조사방법에 관하여 서술하시오. 15점

피해사실 확인조사	
적과후 착과수조사	
낙엽률조사 (단감 · 떫은감)	
우박 착과피해조사	

정답 및 해설

※ 농업정책보험금융원 이론서(업무방법)에 따라 기출문제 수정 서술함

피해사실 확인조사	① 보상하는 재해로 인한 피해 여부를 확인한다. ② 나무피해를 확인한다. ③ 유과타박률을 확인한다(5종 한정 특약 가입 건의 우박피해 시 및 필요시). ④ 낙엽률을 확인한다(단감 또는 떫은감, 수확연도 6월 1일 이후 낙엽피해 시, 적과종료 이전 특정 5종 한정 특약 가입건). ⑤ 추가조사 필요 여부를 판단한다. ⑥ 미보상비율을 확인한다.
적과후 착과수조사	① 나무를 조사한다. ② 조사대상주수를 계산한다. ③ 적정표본주수를 산정한다. ④ 표본주 선정 및 리본을 부착한다. ⑤ 조사 및 조사 내용 현지조사서 등을 기재한다. ⑥ 품종 · 재배방식 · 수령별 착과수를 산출한다. ⑦ 미보상비율을 확인한다.
낙엽률조사 [단감 · 떫은감 (우박 · 일소피해 제외)]	① 조사대상주수 기준으로 품목별 표본주수표의 표본주수에 따라 주수를 산정한다. ② 표본주 간격에 따라 표본주를 정하고, 선정된 표본주에 리본을 묶고 동서남북 4곳의 결과지(신초, 1년생 가지)를 무작위로 정하여 각 결과지별로 낙엽수와 착엽수를 조사하여 리본에 기재한 후 낙엽률을 산정한다. ③ 사고 당시 착과과실수에 낙엽률에 따른 인정피해율을 곱하여 해당 감수과실수로 산정한다. ④ 보상하는 손해 이외의 원인으로 감소한 과실의 비율을 조사한다.

우박 착과피해조사	① 착과피해조사는 착과된 과실에 대한 피해정도를 조사하는 것으로 해당 피해에 대한 확인이 가능한 시기에 실시하며, 대표품종(적과후착과수 기준 60% 이상 품종) 또는 품종별로 각각 실시할 수 있다.
	② 착과피해조사에서는 가장 먼저 착과수를 확인하여야 하며, 이때 확인할 착과수는 적과후착과수 조사와는 별개의 조사를 의미한다. 다만, 이전 실시한 착과수조사(이전 착과피해조사 시 실시한 착과수조사 포함)의 착과수와 착과피해조사 시점의 착과수가 큰 차이가 없는 경우에는 별도의 착과수 확인 없이 이전에 실시한 착과수조사값으로 대체할 수 있다.
	③ 착과수 확인은 실제결과주수에서 수확완료주수, 미보상주수 및 고사나무주수를 뺀 조사대상주수를 기준으로 적정 표본주수를 산정하며, 이후 조사 방법은 위「적과후착과수조사」방법과 같다.
	④ 착과수 확인이 끝나면 수확이 완료되지 않은 품종별로 표본과실을 추출한다. 이때 추출하는 표본과실수는 품종별 1주 이상(과수원당 3주 이상)으로 하며, 추출한 표본과실을 품목별 피해 구성에 따라 품종별로 구분하여 해당 과실 개수를 조사한다(다만, 필요시에는 해당 기준 표본수의 1/2만 조사도 가능).
	⑤ 조사 당시 수확이 완료된 품종이 있거나 피해가 경미하여 피해구성조사가 의미가 없을 때에는 품종별로 피해구성조사를 생략할 수 있다.

17 다음의 계약사항과 조사내용에 관한 누적감수과실수와 피해율을 구하시오. 단, 계약사항은 계약 1, 2 조건에 따르고, 조사내용은 아래 표와 같다. 피해율은 % 단위로 소수점 셋째자리에서 반올림하여 둘째자리까지 다음 예시와 같이 구하시오(예시 : 0.12345 → 12.35%로 기재). 20점

• 계약사항

구분	상품명	특약	평년착과수	가입과실수	실제결과주수
계약 1	특정위험방식 배	봄동상해특약 (인정피해율 50%)	10,000개	8,000개	100주
계약 2	적과전 종합위험방식 배	없음	20,000개	15,000개	200주

구분	재해 종류	사고 일자	조사 일자	조사내용	
				특정위험방식(계약 1)	적과전종합위험방식(계약 2)
발아기 ~ 적과전	봄동 상해	4월 20일	4월 21일	피해사실 확인조사 꽃(눈) 등의 피해율 : 30% 기사고 봄동상해 외 감수과실 수 : 없음 봄동상해 감수추정지수(인정피 해율) : 50%	피해사실 확인조사 : 피해있음 미보상감수과실수 : 없음(미보 상 비율 : 0%)
	우박	5월 15일	5월 16일	유과타박률조사 유과타박률 : 28%	피해사실 확인조사 : 피해있음 사고인정피해율 : 70%

			미보상감수과실수 : 없음(미보상비율 : 0%)	미보상감수과실수 : 없음(미보상비율 : 0%)
적과후 착과수	–	7월 10일	적과후착과수 : 6,000개	적과후착과수 : 9,000개
적과종료 후 ~ 수확 이전	태풍	8월 25일 / 8월 26일	낙과수조사(전수조사) 총낙과수 : 1,000개 / 나무피해 없음	낙과수조사(전수조사) 총낙과수 : 2,000개 / 나무피해 없음

낙과수조사 피해과실구분 표 (태풍)

계약 1

피해 과실 구분	100%	80%	50%	정상
과실 수(개)	500	300	120	80

미보상과실수 : 없음

계약 2

피해 과실 구분	100%	80%	50%	정상
과실 수(개)	700	800	320	180

미보상감수과실수 : 없음

우박 5월 15일 / 9월 10일

수확전 착과피해조사(표본조사)

계약 1

피해 과실 구분	100%	80%	50%	정상
과실 수(개)	10	10	14	66

미보상감수과실수 : 없음

계약 2

피해 과실 구분	100%	80%	50%	정상
과실 수(개)	20	50	20	10

미보상감수과실수 : 없음

[계약 1(특정위험방식 배)]

① 계산과정 :

② 누적감수과실수 : _____개, 피해율 : _____%

[계약 2(적과전종합위험방식 배)]

① 계산과정 :

② 누적감수과실수 : _____개, 피해율 : _____%

정답 및 해설

※ 농업정책보험금융원 이론서(업무방법)에 따라 기출문제 수정 서술함

[계약 1(적과전종합위험방식Ⅱ 배)]

① 계산과정 :

- 봄동상해 감수과실수

  (평년착과수 − 적과후착과수 − 기사고 봄동상해 외 감수과실수) × 봄동상해 인정피해율

  = (10,000개 − 6,000개 − 0개) × 0.5 = 2,000개

- 적과전 종료전 우박손해 감수과실수

  (평년착과수 − 적과후착과수 − 기사고 우박 외 감수과실수) × 유과타박률

  = (10,000개 − 6,000개 − 2,000개) × 0.28 = 560개

- 적과종료 후 태풍 낙과피해 감수과실수(전수조사)

  총낙과과실수 × 낙과피해구성률 × 1.07

  $$= 1,000개 \times \frac{(500 \times 1) + (300 \times 0.8) + (120 \times 0.5)}{1,000개} \times 1.07 = 856개$$

  ※ 낙과피해구성률 =

  $$\frac{(100\%형\ 피해과실수 \times 1) + (80\%형\ 피해과실수 \times 0.8) + (50\%형\ 피해과실수 \times 0.5)}{100\%형\ 피해과실수 + 80\%형\ 피해과실수 + 50\%형\ 피해과실수 + 정상과실수}$$

- 수확전 우박 착과피해 감수과실수(표본조사)

  수확직전 착과과실수 × (착과피해구성률 − max A)

  $$= 5,000개 \times \{\frac{(10 \times 1) + (10 \times 0.8) + (14 \times 0.5)}{100개} - 0\} = 1,250개$$

  ※ 수확직전 착과과실수 = 적과후착과수 − 총낙과과실수 − 총 적과종료 후 나무피해과실수

  = 6,000개 − 1,000개 − 0개 = 5,000개

  ※ 착과피해구성률 =

  $$\frac{(100\%형\ 피해과실수 \times 1) + (80\%형\ 피해과실수 \times 0.8) + (50\%형\ 피해과실수 \times 0.5)}{100\%형\ 피해과실수 + 80\%형\ 피해과실수 + 50\%형\ 피해과실수 + 정상과실수}$$

  ※ max A = 금차 사고전 기조사된 가을동상해 착과피해구성률 중 최댓값(= 0)

  ∴ 누적감수과실수 = 2,000개 + 560개 + 856개 + 1,250개 = 4,666개

- 적과전 사고가 있는 경우 기준착과수 = 적과후착과수 + 적과종료 전 인정 감수과실수

  = 6,000개 + (2,000개 + 560개) = 8,560개

  ∴ 피해율 = 누적감수과실수 ÷ 기준착과수 = 4,666개 ÷ 8,560개 = 0.54509 = 54.51%

② 누적감수과실수 : 4,666개, 피해율 54.51%

[계약 2(적과전종합위험방식 배)]

① 계산과정 :

- 적과종료 전 감수과실수 : 재해가 중복해서 발생한 경우 아래 산식을 한 번만 적용한다.

  (평년착과수 − 적과후착과수) × 적과종료 전 사고인정 피해율 × (1 − 미보상비율)

  = (평년착과수 − 적과후착과수) × 0.7 × (1 − 0)

  = (20,000개 − 9,000개) × 0.7 = 7,700개

- 적과종료 후 태풍 낙과피해 감수과실수(전수조사)

  총낙과과실수 × 낙과피해구성률 × 1.07

  $$= 2,000개 \times \frac{(700 \times 1) + (800 \times 0.8) + (320 \times 0.5)}{2,000개} \times 1.07$$

  $$= (700 + 800 \times 0.8 + 320 \times 0.5) \times 1.07 = 1,605개$$

- 수확전 우박 착과피해 감수과실수(표본조사)

  수확직전 착과과실수 × (착과피해구성률 − max A)

  $$= 7,000개 \times \{\frac{(20 \times 1) + (50 \times 0.8) + (20 \times 0.5)}{100개} - 0\} = 4,900개$$

  ※ 수확직전 착과과실수 = 적과후착과수 − 총낙과과실수 − 총 적과종료 후 나무피해과실수

  $$= 9,000개 - 2,000개 - 0개 = 7,000개$$

  ※ 착과피해구성률

  $$= \frac{(100\%형\ 피해과실수 \times 1) + (80\%형\ 피해과실수 \times 0.8) + (50\%형\ 피해과실수 \times 0.5)}{100\%형\ 피해과실수 + 80\%형\ 피해과실수 + 50\%형\ 피해과실수 + 정상과실수}$$

  ※ max A = 금차 사고전 기조사된 가을동상해 착과피해구성률 중 최댓값(= 0)

  ∴ 누적감수과실수 = 7,700개 + 1,605개 + 4,900개 = 14,205개

- 기준착과수 = 적과후착과수 + 적과종료 전 인정 감수과실수

  $$= 9,000개 + 7,700개 = 16,700개$$

  ∴ 피해율 = 누적감수과실수 ÷ 기준착과수

  $$= 14,205개 \div 16,700개 = 0.85059 = 85.06\%$$

② 누적감수과실수 : 14,205개, 피해율 85.06%

18 종합위험방식 밭작물 고추에 관하여 수확기 이전에 보험사고가 발생한 경우 [보기]의 조건에 따른 생산비보장보험금을 산정하시오. 10점

[보기]

- 보험가입금액 : 10,000,000원
- 자기부담금 : 500,000원
- 준비기생산비계수 : 55.7%
- 병충해 등급별 인정비율 : 70%
- 생장일수 : 50일
- 표준생장일수 : 100일
- 피해비율 : 50%
- 손해정도비율 : 80%

① 계산과정 :
② 생산비보장보험금 : _____원

정답 및 해설

※ 농업정책보험금융원 이론서(업무방법)에 따라 기출문제 수정 서술함

① 계산과정

보험금 = 보험가입금액 × 경과비율 × 피해율 × 병충해 등급별 인정비율 − 자기부담금

- 경과비율

$$= 준비기생산비계수 + (1 - 준비기생산비계수) \times \frac{생장일수}{표준생장일수}$$

$$= 0.557 + (1 - 0.557) \times \frac{50}{100} = 0.7785$$

- 피해율 = 피해비율 × 손해정도비율(심도) = 0.5 × 0.8 = 0.4

∴ 보험금 = 10,000,000원 × 0.7785 × 0.4 × 0.7 − 500,000원 = 1,679,800원

② 생산비보장보험금 : 1,679,800원

19 업무방법에서 정하는 종합위험방식 벼 상품에 관한 다음 2가지 물음에 답하시오. 15점

(1) 재이앙·재직파보험금, 경작불능보험금, 수확감소보험금 지급사유를 각각 서술하시오.

〈지급 사유〉

재이앙·재직파보험금	
경작불능보험금	
수확감소보험금	

(2) 아래 조건(1, 2, 3)에 따른 보험금을 산정하시오(단, 아래의 조건들은 지급사유에 해당된다고 가정한다).

〈조건 1 : 재이앙·재직파보험금〉
• 보험가입금액 : 2,000,000원
• 자기부담비율 : 20%
• (면적)피해율 : 50%
• 미보상감수면적 : 없음

① 계산과정 :
② 보험금 : _____원

〈조건 2 : 경작불능보험금〉
• 보험가입금액 : 2,000,000원
• 자기부담비율 : 15%
• 식물체 80% 고사

① 계산과정 :
② 보험금 : _____원

〈조건 3 : 수확감소보험금〉
• 보험가입금액 : 2,000,000원
• 자기부담비율 : 20%
• 평년수확량 : 1,400kg
• 수확량 : 500kg
• 미보상감수량 : 200kg

① 계산과정 :
② 보험금 : _____원

정답 및 해설

(1) 재이앙·재직파보험금, 경작불능보험금, 수확감소보험금 지급사유

〈지급 사유〉

재이앙·재직파보험금	보상하는 손해로 면적피해율이 10%를 초과하고, 재이앙·재직파를 한 경우에 1회 지급한다.
경작불능보험금	보상하는 손해로 인해 식물체 피해율이 65% 이상이고, 계약자가 경작불능보험금을 신청한 경우에 지급한다.
수확감소보험금	보상하는 재해로 인해 피해율이 자기부담비율을 초과하는 경우 수확감소보험금을 지급한다.

(2) 조건에 따른 보험금 산정

〈조건 1 : 재이앙·재직파보험금〉
- 보험가입금액 : 2,000,000원
- 자기부담비율 : 20%
- (면적)피해율 : 50%
- 미보상감수면적 : 없음

① 계산과정 :
   지급금액 = 보험가입금액 × 25% × 면적피해율 = 2,000,000원 × 0.25 × 0.5 = 250,000원
② 보험금 : **250,000원**

〈조건 2 : 경작불능보험금〉
- 보험가입금액 : 2,000,000원
- 자기부담비율 : 15%
- 식물체 80% 고사

① 계산과정 :
   ㉠ 지급금액 = 자기부담비율별 경작불능보험금
   ㉡ 자기부담비율이 15%일 때
      지급금액 = 보험가입금액 × 42% = 2,000,000원 × 0.42 = 840,000원
② 보험금 : **840,000원**
   ※ 자기부담비율별 경작불능보험금

자기부담비율	지급금액
10%형	보험가입금액 × 45%
15%형	**보험가입금액 × 42%**
20%형	보험가입금액 × 40%
30%형	보험가입금액 × 35%
40%형	보험가입금액 × 30%

〈조건 3 : 수확감소보험금〉
- 보험가입금액 : 2,000,000원
- 자기부담비율 : 20%
- 평년수확량 : 1,400kg
- 수확량 : 500kg
- 미보상감수량 : 200kg

---

① 계산과정 :
    ㉠ <u>지급금액 = 보험가입금액 × (피해율 − 자기부담비율)</u>
    ㉡ <u>피해율 = (평년수확량 − 수확량 − 미보상감수량) ÷ 평년수확량</u>
         = (1,400kg − 500kg − 200kg) ÷ 1,400kg = 0.5
    ∴ 지급금액 = 2,000,000원 × (0.5 − 0.2) = 600,000원
② 보험금 : **600,000원**

20 벼 상품의 수확량조사 3가지 유형을 구분하고, 각 유형별 수확량조사 시기와 조사방법에 관하여 서술하시오. 15점

유형	조사시기	조사방법

정답 및 해설

유형	조사시기	조사방법
수량요소 조사	수확전 14일 전후	① **표본포기 수** : 4포기(가입면적과 무관함) ② **표본포기 선정** : 재배방법 및 품종 등을 감안하여 조사대상면적에 동일한 간격으로 골고루 배치될 수 있도록 표본포기를 선정한다. 다만, 선정한 포기가 표본으로서 부적합한 경우(해당 포기의 수확량이 현저히 많거나 적어서 표본으로서의 대표성을 가지기 어려운 경우 등)에는 가까운 위치의 다른 포기를 표본으로 선정한다. ③ **표본포기 조사** : 선정한 표본포기별로 이삭상태 점수 및 완전낟알상태 점수를 조사한다. ④ **수확비율 산정** 　㉠ 표본포기별 이삭상태 점수(4개) 및 완전낟알상태 점수(4개)를 합산한다. 　㉡ 합산한 점수에 따라 조사수확비율 환산표에서 해당하는 수확비율구간을 확인한다. 　㉢ 해당하는 수확비율구간 내에서 조사 농지의 상황을 감안하여 적절한 수확비율을 산정한다. ⑤ **피해면적 보정계수 산정** : 피해정도에 따른 보정계수를 산정한다.
표본조사	알곡이 여물어 수확이 가능한 시기	① **표본구간 수 선정** : 가입면적에 따라 적정 표본구간 수 이상의 표본구간 수를 선정한다. 다만, 가입면적과 실제경작면적이 10% 이상 차이가 날 경우(계약 변경 대상)에는 실제경작면적을 기준으로 표본구간 수를 선정한다. ② **표본구간 선정** : 선정한 표본구간 수를 바탕으로 재배방법 및 품종 등을 감안하여 조사대상면적에 동일한 간격으로 골고루 배치될 수 있도록 표본구간을 선정한다. 다만, 선정한 구간이 표본으로서 부적합한 경우(해당 작물의 수확량이 현저히 많거나 적어서 표본으로서의 대표성을 가지기 어려운 경우 등)에는 가까운 위치의 다른 구간을 표본구간으로 선정한다. ③ **표본구간 면적 및 수량조사** 　㉠ 표본구간 면적 : 표본구간마다 4포기의 길이와 포기당 간격을 조사한다. 　㉡ 표본중량조사 : 표본구간의 작물을 수확하여 해당 중량을 측정한다. 　㉢ 함수율 조사 : 수확한 작물에 대하여 함수율을 3회 이상 실시하여 평균값을 산출한다. ④ **병해충 단독사고 여부 확인**

전수조사	수확 시	① **전수조사 대상 농지 여부 확인** : 전수조사는 기계수확(탈곡 포함)을 하는 농지에 한한다. ② **조곡의 중량조사** : 대상 농지에서 수확한 전체 조곡의 중량을 조사하며, 전체 중량 측정이 어려운 경우에는 콤바인, 톤백, 콤바인용 포대, 곡물적재함 등을 이용하여 중량을 산출한다. ③ **조곡의 함수율 조사** : 수확한 작물에 대하여 함수율을 3회 이상 실시하여 평균값을 산출한다. ④ **병해충 단독사고 여부 확인**

※ 조사종류 및 시기

조사종류		조사 시기
피해사실 확인조사		사고접수 직후
이앙·직파불능조사(벼만 해당)		이앙한계일(7월 31일 이후)
재이앙·재직파조사(벼만 해당)		사고후~재이앙 직후
경작불능조사		사고후~수확개시시점
수확불능확인조사(벼만 해당)		수확포기가 확인된 시점
수확량조사 (조사료용 벼 제외)	수량요소(벼만 해당)	수확전 14일 이후
	표본	알곡이 여물어 수확이 가능한 시기
	전수	수확 시

11 다음의 조건에 따른 적과전종합위험방식Ⅱ 사과 품목의 실제결과주수와 태풍(강풍) · 집중호우 나무손해보장 특별약관에 의한 보험금을 구하시오. 5점

태풍(강풍) · 집중호우 나무손해보장 특별약관 보험가입금액	8,000만원
조사일자 기준 과수원에 식재된 모든 나무주수	1,000주
인수조건에 따라 보험에 가입할 수 없는 나무주수	50주
보상하는 손해(태풍)로 고사된 나무주수	85주
보상하는 손해 이외의 원인으로 고사한 나무주수	100주

(1) 실제결과주수 : _____주
(2) 나무손해보장 특별약관 보험금 : _____원

정답 및 해설

※ 농업정책보험금융원 이론서(업무방법)에 따라 기출문제 수정 서술함
(1) 실제결과주수 : 850주
(2) 나무손해보장 특별약관 보험금 : 400만원

(1) 실제결과주수
  "실제결과주수"라 함은 조사일자를 기준으로 농지(과수원)에 식재된 모든 나무수를 의미한다. 다만, 인수조건에 따라 보험에 가입할 수 없는 나무수(유목 및 제한 품종 등) 및 보상하는 재해 이외의 원인으로 고사한 나무수는 제외한다.
  실제결과주수 = 1,000주 − 50주 − 100주 = **850주**

(2) 나무손해보장 특별약관 보험금
  ① 피해율 = 피해주수(고사된 나무) ÷ 실제결과주수 = 85주 ÷ 850주 = 10%
  ② 지급보험금 = 보험가입금액 × (피해율 − 자기부담비율)에서 자기부담비율은 5%로 하므로
    지급보험금 = 8,000만원 × (0.1 − 0.05) = **400만원**

12 다음은 특정위험방식 인삼 품목 해가림시설의 손해조사에 관한 내용이다. 밑줄 친 틀린 내용을 알맞은 내용으로 수정하시오. 5점

> • 피해 칸에 대하여 전파 및 ㉠ 분파(30%형, 60%형, 90%형)로 나누어 각 칸수를 조사한다.
> • 산출된 피해액에 대하여 감가상각을 적용하여 손해액을 산정한다. 다만, 피해액이 보험가액의 20%를 초과하면서 감가 후 피해액이 보험가액의 20% 미만인 경우에는 ㉡ 감가상각을 적용하지 않는다.
> • 잔존물 제거비용과 잔존물 가액을 조사하며, 이때 잔존물 제거비용은 ㉢ 보험가입금액의 20%를 한도로 한다.

정답 및 해설

㉠ 분파(20%형, 40%형, 60%형, 80%형)
㉡ 보험가액의 20%를 손해액으로 산출한다.
㉢ 손해액의 10%

• 피해 칸에 대하여 전파 및 ㉠ **분파(20%형, 40%형, 60%형, 80%형)**로 나누어 각 칸수를 조사한다.
• 산출된 피해액에 대하여 감가상각을 적용하여 손해액을 산정한다. 다만, 피해액이 보험가액의 20% 이하인 경우에는 감가를 적용하지 않고, 피해액이 보험가액의 20%를 초과하면서 감가 후 피해액이 보험가액의 20% 미만인 경우에는 ㉡ **보험가액의 20%를 손해액으로 산출한다.**
• 잔존물 제거비용과 잔존물 가액을 조사하며, 이때 잔존물 제거비용은 ㉢ **손해액의 10%**를 한도로 한다.

13 다음은 업무방법에서 정하는 종합위험방식 복분자 품목의 고사결과모지수 산정방법에 관한 내용이다. 괄호에 알맞은 내용을 답란에 쓰시오. 5점

> 고사결과모지수는 기준 살아있는 결과모지수에서 (㉠) 고사결과모지수를 뺀 후 (㉡) 고사결과모지수를 더한 값을 (㉢) 결과모지수에서 빼어 산출한다.

정답 및 해설

㉠ 수정불량환산, ㉡ 미보상, ㉢ 평년

고사결과모지수는 기준 살아있는 결과모지수에서 ㉠ **(수정불량환산)** 고사결과모지수를 뺀 후 ㉡ **(미보상)** 고사결과모지수를 더한 값을 ㉢ **(평년)** 결과모지수에서 빼어 산출한다.

14 종합위험 수확감소보장방식 감자 품목의 병충해에 의한 피해사실 확인 후 보험금 산정을 위한 표본조사를 실시하였다. 한 표본구간에서 가루더뎅이병으로 입은 괴경의 무게가 10kg이고 손해정도가 50%인 경우 이 표본구간의 병충해감수량은? (단, 병충해감수량은 kg 단위로 소수점 둘째자리에서 반올림하여 첫째자리까지 다음 예시와 같이 구하시오. 예시 : 1.234kg → 1.2kg)

`5점`

정답 및 해설

※ 농업정책보험금융원 이론서(업무방법)에 따라 기출문제 수정 서술함

병충해감수량 : 5.4kg

(1) 병충해감수량 산정

병충해감수량은 병충해를 입은 괴경의 무게에 손해정도비율과 인정비율을 곱하여 산출한다.

> 병충해감수량[5.4kg] = 병충해를 입은 괴경의 무게(10kg) × 손해정도비율(0.6) × 인정비율(0.9)

① 손해정도비율 : 손해정도가 50%인 경우 손해정도비율은 60%이다.

품목	손해정도	손해정도비율	손해정도	손해정도비율
감자	1~20%	20%	61~80%	80%
	21~40%	40%	81~100%	100%
	41~60%	60%		

② 인정비율 : 병·해충별 등급에 따라 병충해 감수량으로 인정하는 감자 가루더뎅이병의 경우 인정비율은 90%이다.

구분		병·해충	인정비율
품목	급수		
감자	1급	역병, 갈쭉병, 모자이크병, 무름병, 둘레썩음병, **가루더뎅이병**, 잎말림병, 감자뿔나방	90%
	2급	홍색부패병, 시들음병, 마른썩음병, 풋마름병, 줄기검은병, 더뎅이병, 균핵병, 검은무늬썩음병, 줄기기부썩음병, 진딧물류, 아메리카잎굴파리, 방아벌레류	70%
	3급	반쪽시들음병, 흰비단병, 잿빛곰팡이병, 탄저병, 겹둥근무늬병, 오이총채벌레, 뿌리혹선충, 파밤나방, 큰28점박이무당벌레, 기타	50%

15 업무방법에서 정하는 종합위험 수확감소보장방식 밭작물 품목의 표본구간별 수확량조사 방법에 관한 내용이다. 밑줄 친 부분에 알맞은 내용을 답란에 순서대로 쓰시오. 5점

품목	표본구간별 수확량조사 방법
양파, 마늘	표본구간 내 작물을 수확한 후, 줄기를 절단하고(양파는 종구 ㉠ cm 윗부분 절단, 마늘은 종구 ㉡ cm 윗부분 절단) 해당 무게를 조사
고구마	표본구간 내 작물을 수확한 후 정상 고구마와 50%형 고구마(일반시장에 출하할 때, 정상 고구마에 비해 50% 정도의 가격하락이 예상되는 품질. 단, 가공공장 공급 및 판매 여부와 무관), 80% 피해 고구마(일반시장에 출하가 불가능하나, ㉢ 으로 공급될 수 있는 품질. 단, 가공공장 공급 및 판매 여부와 무관), 100% 피해 고구마(일반시장 출하가 불가능하고 가공용으로 공급될 수 없는 품질)로 구분하여 무게를 조사
양배추	표본구간 내 작물의 뿌리를 절단하여 수확(외엽 ㉣ 개 내외 부분을 제거)한 후, 80%피해 양배추, 100%피해 양배추로 구분. 80%피해형은 해당 양배추의 피해 무게를 80% 인정하고, 100%피해형은 해당 양배추 피해 무게를 100% 인정

정답 및 해설

※ 농업정책보험금융원 이론서[업무방법]에 따라 기출문제 수정 서술함
㉠ 5, ㉡ 3, ㉢ 가공용, ㉣ 2

품목	표본구간별 수확량조사 방법
양파	표본구간 내 작물을 수확한 후, 종구 (㉠ 5cm) 윗부분 줄기를 절단하여 해당 무게를 조사한다[단, 양파의 최대지름이 6cm 미만인 경우에는 80%(보상하는 재해로 인해 피해가 발생하여 일반시장 출하가 불가능하나, 가공용으로는 공급될 수 있는 작물을 말하며, 가공공장 공급 및 판매 여부와는 무관), 100%(보상하는 재해로 인해 피해가 발생하여 일반 시장 출하가 불가능하고 가공용으로도 공급될 수 없는 작물) 피해로 인정하고 해당 무게의 20%, 0%를 수확량으로 인정].
마늘	표본구간 내 작물을 수확한 후, 종구 (㉡ 3cm) 윗부분을 절단하여 무게를 조사한다[단, 마늘통의 최대지름이 2cm(한지형), 3.5cm(난지형) 미만인 경우에는 80%(보상하는 재해로 인해 피해가 발생하여 일반시장 출하가 불가능하나, 가공용으로는 공급될 수 있는 작물을 말하며, 가공공장 공급 및 판매 여부와는 무관), 100%(보상하는 재해로 인해 피해가 발생하여 일반 시장 출하가 불가능하고 가공용으로도 공급될 수 없는 작물) 피해로 인정하고 해당 무게의 20%, 0%를 수확량으로 인정].
고구마	표본구간 내 작물을 수확한 후 정상 고구마와 50%형 고구마(일반시장에 출하할 때, 정상 고구마에 비해 50% 정도의 가격하락이 예상되는 품질. 단, 가공공장 공급 및 판매 여부와 무관), 80% 피해 고구마(일반시장에 출하가 불가능하나, (㉢ 가공용)으로 공급될 수 있는 품질. 단, 가공공장 공급 및 판매 여부와 무관), 100% 피해 고구마(일반시장 출하가 불가능하고 가공용으로 공급될 수 없는 품질)로 구분하여 무게를 조사한다.
감자	표본구간 내 작물을 수확한 후 정상 감자, 병충해별 20% 이하, 21% 이상~40% 이하, 41% 이상~60% 이하, 61% 이상~80% 이하, 81% 이상~100% 이하 발병 감자로 구분하여 해당 병충해명과 무게를 조사한다.
옥수수	표본구간 내 작물을 수확한 후 착립장 길이에 따라 상(17cm 이상)·중(15cm 이상 17cm 미만)·하(15cm 미만)로 구분한 후 해당 개수를 조사한다.
차(茶)	표본구간 중 두 곳에 20cm × 20cm 테를 두고 테 내의 수확이 완료된 새싹 차(茶)의 수를 세고, 남아있는 모든 새싹(1심2엽)을 따서 개수를 세고 무게를 조사한다.

콩, 팥	표본구간 내 콩을 수확하여 꼬투리를 제거한 후 콩 종실의 무게 및 함수비(3회 평균)를 조사한다.
양배추	표본구간 내 작물의 뿌리를 절단하여 수확(외엽 ㄹ 2개 내외 부분을 제거)한 후, 80%피해 양배추, 100% 피해 양배추로 구분. 80%피해형은 해당 양배추의 피해 무게를 80% 인정하고, 100%피해형은 해당 양배추 피해 무게를 100% 인정

16 업무방법에서 정하는 종합위험 수확감소보장방식 과수품목 중 자두 품목 수확량조사의 착과수 조사 방법에 관하여 서술하시오. 15점

정답 및 해설

[착과수조사 방법]

① 착과수조사는 사고 여부와 상관없이 계약된 농지 전 건에 대하여 실시한다.

② 조사 시기는 최초 수확 품종 수확기 직전으로 한다.

③ 품종별·수령별로 실제결과주수, 미보상주수 및 고사나무주수를 파악하고, 실제결과주수에서 미보상주수 및 고사나무주수를 빼서 조사대상주수를 계산한다.

④ 농지별 전체 조사대상주수를 기준으로 품목별 표본주수표에 따라 농지별 전체 표본주수를 산정하되, 품종별·수령별 표본주수는 품종별·수령별 조사대상주수에 비례하여 산정한다.

⑤ 산정한 품종별·수령별 표본주수를 바탕으로 품종별·수령별 조사대상주수의 특성이 골고루 반영될 수 있도록 표본주를 선정한다.

⑥ 선정된 표본주별로 착과된 전체 과실수를 조사하되, 품종별 수확시기 차이에 따른 자연낙과를 감안한다.

⑦ 품목별 미보상비율 적용표에 따라 미보상비율을 조사한다.

17 다음의 계약사항과 조사내용으로 누적감수과실수를 구하시오(단, 감수과실수와 기준착과수는 소수점 첫째자리에서 반올림하여 정수 단위로 하여 구하시오). [15점]

• 계약사항

상품명	가입특약	평년착과수	가입과실수	실제결과주수
적과전 종합위험방식 II 단감	가을동상해 특약	10,000개	8,000개	100주
	적과종료 이전 특정위험 5종 한정보장 특별약관	미가입		

• 조사내용

구분	재해 종류	사고 일자	조사 일자	조사내용
적과종료 이전	자연 재해	5월 10일	5월 11일	• 착과감소과실수 : 5,000개 • 미보상감수과실수 : 없음
적과후 착과수	–		7월 10일	적과후착과수 5,000개
적과종료 이후	태풍	9월 8일	9월 9일	• 낙과피해조사(전수조사) 총낙과수 : 1,000개 / 나무피해 없음 / 미보상감수과실수 없음 • 낙엽피해조사 낙엽률 30%(경과일수 100일) / 미보상비율 0%
	우박	5월 10일	10월 30일	• 착과피해조사 단, 태풍 사고 이후 착과수는 변동없음
	가을 동상 해	11월 4일	11월 5일	• 가을동상해 착과피해조사 사고 당시 착과과실수 : 3,000개

태풍 낙과피해조사 표:

피해과실 구분	100%	80%	50%	정상
과실수	1,000개	0	0	0

우박 착과피해조사 표:

피해과실 구분	100%	80%	50%	정상
과실수	4개	20개	20개	56개

가을동상해 착과피해조사 표:

피해과실 구분	100%	80%	50%	정상
과실수	6개	30개	20개	44개

정답 및 해설

※ 농업정책보험금융원 이론서(업무방법)에 따라 기출문제 수정 서술함

1. 누적감수과실수

(1) 계산과정

① 적과종료 이전

착과감소과실수 = 평년착과수 − 적과후착과수 = 10,000개 − 5,000개 = 5,000개

적과후착과수가 평년착과수의 60% 미만인 경우

A : 감수과실수 = 적과후 착과수 × 5%

= 10,000개 × 0.05 = (500)개

② 적과후착과수 = 5,000개

③ 적과종료 이후 태풍피해조사

㉠ 낙과피해조사

총낙과수 = 1,000개

㉡ 낙엽피해조사

사고 당시 착과과실수 × (인정피해율 − max A) × (1 − 미보상비율)

※ 사고 당시 착과과실수

= 적과후착과수 − 총낙과과실수 − 총 적과종료 후 나무피해과실수 − 총기수확과실수

= 5,000개 − 1,000개 − 0개 − 0개 = 4,000개

※ 인정피해율

= (1.0115 × 낙엽률) − (0.0014 × 경과일수)

= (1.0115 × 0.3) − (0.0014 × 100) = 0.30345 − 0.14 = 0.16345

※ max A : 금차 사고전 기조사된 착과피해구성률 또는 인정피해율 중 최댓값(= 0)

낙엽피해조사 감수과실수 = (5,000개 − 1,000개) × (0.16345 − 0) × (1 − 0) = 654개

B : 태풍피해 감수과실수 = 1,000개 + 654개 = (1,654)개

④ 우박 착과피해조사

사고 당시 착과과실수 × (착과피해구성률 − max A)

※ 착과피해구성률

$$= \frac{(100\%형\ 피해과실수 \times 1) + (80\%형\ 피해과실수 \times 0.8) + (50\%형\ 피해과실수 \times 0.5)}{100\%형\ 피해과실수 + 80\%형\ 피해과실수 + 50\%형\ 피해과실수 + 정상과실수}$$

= {(4 × 1) + (20 × 0.8) + (20 × 0.5)} ÷ 100 = 0.3

※ max A : 금차 사고전 기조사된 착과피해구성률 또는 인정피해율 중 최댓값(= 0.16345)

C : **우박 착과피해 감수과실수** = (5,000개 − 1,000개) × (0.3 − 0.16345) = (546)개

⑤ 가을동상해 착과피해조사

사고 당시 착과과실수 × (착과피해구성률 − max A)

※ 착과피해구성률 = {(6 × 1) + (30 × 0.8) + (20 × 0.5)} ÷ 100 = 0.4

※ max A : 금차 사고전 기조사된 착과피해구성률 또는 인정피해율 중 최댓값(= 0.3)

D : 가을동상해피해 감수과실수 = 3,000개 × (0.4 − 0.3) = (300)개

∴ 누적감수과실수 = 적과종료 이전 감수과실수 + 태풍피해 감수과실수 + 우박 착과피해 감수과실수

+ 가을동상해피해 감수과실수

= (A)개 + (B)개 + (C)개 + (D)개

= 500개 + 1,654개 + 546개 + 300개 = 3,000개

(2) 답 : 3,000개

18 종합위험 수확감소보장방식 벼 품목에서 사고가 접수된 농지의 수량요소조사 방법에 의한 수확량조사 결과가 다음과 같을 경우 수확량과 피해율을 구하시오. 15점

평년수확량	2,000kg
표준수확량	2,200kg
보장수확량	2,100kg
조사수확비율	70%
미보상비율	20%
피해면적 보정계수	0.95

(1) 수확량을 kg 단위로 소수점 첫째자리에서 반올림하여 다음 예시와 같이 구하시오(예시 : 994.55kg → 995kg).

(2) 피해율을 % 단위로 소수점 둘째자리에서 반올림하여 첫째자리까지 다음 예시와 같이 구하시오(예시 : 12.345% → 12.3%).

정답 및 해설

※ 농업정책보험금융원 이론서[업무방법]에 따라 기출문제 수정 서술함
(1) 수확량 : 1,463kg
(2) 피해율 : 21.5%

(1) 수확량
  수확량(kg) = 표준수확량(kg) × 조사수확비율(%) × 피해면적 보정계수
  = 2,200kg × 0.7 × 0.95
  = 1,463kg
(2) 피해율
  미보상감수량 = (평년수확량 − 수확량) × 미보상비율
  = (2,000kg − 1,463kg) × 0.2 = 107.4kg = 107kg
  피해율(%) = (평년수확량 − 수확량 − 미보상감수량) ÷ 평년수확량
  = (2,000kg − 1,463kg − 107kg) ÷ 2,000kg
  = 0.215(= 21.5%)

19 업무방법에서 정하는 종합위험방식 마늘 품목에 관한 다음 2가지 물음에 답하시오. [10점]

(1) 재파종보험금 산정방법을 서술하시오.

(2) 다음의 계약사항과 보상하는 손해에 따른 조사내용에 관하여 재파종보험금을 구하시오
   (단, 1a는 100㎡이다).

• 계약사항

상품명	보험가입금액	가입면적	평년수확량	자기부담비율
종합위험방식 마늘	1,000만원	4,000㎡	5,000kg	20%

• 조사내용

조사종류	조사방식	1㎡당 출현주수(1차조사)	1㎡당 재파종주수(2차조사)
재파종조사	표본조사	18주	32주

정답 및 해설

(1) 재파종보험금 산정방법
① 재파종보험금은 재파종조사 결과 10a당 출현주수가 30,000주 미만이었으나, 10a당 30,000주 이상으로 재파종을 한 경우에 지급하며, 보험금은 보험가입금액에 35%를 곱한 후 다시 표준출현 피해율을 곱하여 산정한다.
② 표준출현 피해율은 10a 기준 출현주수를 30,000에서 뺀 후, 이 값을 30,000으로 나누어 산출한다.

(2) 재파종보험금
① 계산과정 :
   ㉠ 재파종보험금 = 보험가입금액 × 0.35 × 표준출현 피해율
   ㉡ 출현주수(1차조사)
      10a(1,000㎡)당 출현주수 = 1,000 × 18주 = 18,000주
   ㉢ 표준출현 피해율(10a 기준) = (30,000주 - 출현주수) ÷ 30,000주
                           = (30,000주 - 18,000주) ÷ 30,000주 = 0.4
   ∴ 재파종보험금 = 1,000만원 × 0.35 × 0.4 = 140만원
② 답 : 140만원

20 다음의 계약사항과 보상하는 손해에 따른 조사내용에 관하여 수확량, 기준수입, 실제수입, 피해율, 농업수입감소보험금을 구하시오. 단, 피해율은 % 단위로 소수점 셋째자리에서 반올림하여 둘째자리까지 다음 예시와 같이 구하시오(예시 : 0.12345 → 12.35%). [15점]

• 계약사항

상품명	보험가입금액	실제경작면적	평년수확량	자기부담비율	기준가격
농업수입감소보장보험 콩	900만원	10,000㎡	2,470kg	20%	3,900원/kg

• 조사내용

조사종류	조사방식	실경작면적	수확불능면적	타작물 및 미보상면적
수확량조사	표본조사	10,000㎡	1,000㎡	0㎡

기수확면적	표본구간 수확량 합계	표본구간 면적 합계	미보상감수량	수확기가격
2,000㎡	1.2kg	12㎡	200kg	4,200원/kg

정답 및 해설

(1) 수확량

① 계산과정 :

㉠ 수확량(표본조사) = (표본구간 단위면적당 유효중량 × 조사대상면적) + {단위면적당 평년수확량 × (타작물 및 미보상면적 + 기수확면적)}

㉡ 표본구간 단위면적당 유효중량 = 표본구간 유효중량 합계 ÷ 표본구간 면적 합계
= 1.2kg ÷ 12㎡ = 0.1kg/㎡

㉢ 조사대상면적 = 실경작면적 − 수확불능면적 − 타작물 및 미보상면적 − 기수확면적
= 10,000㎡ − 1,000㎡ − 0㎡ − 2,000㎡
= 7,000㎡

㉣ 단위면적당 평년수확량 = 평년수확량 ÷ 실제경작면적
= 2,470kg ÷ 10,000㎡
= 0.247kg/㎡

∴ 수확량(표본조사) = (0.1kg/㎡ × 7,000㎡) + {0.247kg/㎡ × (0㎡ + 2,000㎡)}
= 1,194kg

② 답 : 1,194kg

(2) 기준수입
  ① 계산과정 :
     기준수입 = 평년수확량 × 농지별 기준가격
           = 2,470kg × 3,900원/kg = 9,633,000원
  ② 답 : 9,633,000원

(3) 실제수입
  ① 계산과정 :
     실제수입 = (수확량 + 미보상감수량) × Min(농지별 기준가격, 농지별 수확기가격)
           = (1,194kg + 200kg) × 3,900원/kg
           = 5,436,600원
  ② 답 : 5,436,600원

(4) 피해율
  ① 계산과정 :
     피해율 = (기준수입 − 실제수입) ÷ 기준수입
          = (9,633,000원 − 5,436,600원) ÷ 9,633,000원
          ≒ 0.43563 = 43.56%
  ② 답 : 43.56%

(5) 농업수입감소보험금
  ① 계산과정 :
     농업수입감소보험금 = 보험가입금액 × (피해율 − 자기부담비율)
                  = 9,000,000원 × (0.4356 − 0.2)
                  = 2,120,400원
  ② 답 : 2,120,400원

11 다음은 업무방법에서 사용하는 용어의 정의이다. 설명하는 내용에 알맞은 용어를 답란에 쓰시오.
5점

> ㉠ 실제경작면적 중 보상하는 손해로 수확이 불가능한 면적을 의미한다.
> ㉡ 하나의 보험가입금액에 해당하는 농지 또는 과수원에서 경작한 목적물(수확물)을 모두 조사하는 것을 말한다.
> ㉢ 실제결과나무수에서 고사나무수, 미보상나무수 및 기수확나무수, 수확불능나무수를 뺀 나무수로 과실에 대한 표본조사의 대상이 되는 나무수를 의미한다.
> ㉣ 실제경작면적 중 조사일자를 기준으로 수확이 완료된 면적을 의미한다.
> ㉤ 실제결과나무수 중 보상하는 손해 이외의 원인으로 수확량(착과량)이 현저하게 감소한 나무수를 의미한다.

정답 및 해설

※ 농업정책보험금융원 이론서(업무방법)에 따라 기출문제 수정 서술함
㉠ 수확불능(고사)면적, ㉡ 전수조사, ㉢ 조사대상주수 또는 조사대상나무수, ㉣ 기수확면적,
㉤ 미보상주수 또는 미보상나무수

12 종합위험 수확감소보장방식 과수 품목의 과중조사를 실시하고자 한다. 아래 농지별 최소표본과실수를 답란에 쓰시오(단, 해당 기준의 절반 조사는 고려하지 않는다). 5점

계약사항			최소표본과실수(개)
농지	품목	품종 수	
A	포도	1	㉠
B	포도	2	㉡
C	자두	1	㉢
D	복숭아	3	㉣
E	자두	4	㉤

정답 및 해설

㉠ 30, ㉡ 40, ㉢ 60, ㉣ 60, ㉤ 80

※ [과중조사]

① 과중조사는 사고 접수가 된 농지에 한하여 품종별로 수확시기에 각각 실시한다.

② 농지에서 과실을 추출할 때, 품종별로 착과가 평균적인 3주 이상의 표본주에서 크기가 평균적인 과실을 품종별 20개 이상(포도는 농지당 30개 이상, 복숭아·자두는 농지당 60개 이상) 추출하여 품종별 과실 개수와 무게를 조사한다.

계약사항			최소표본과실수(개)
농지	품목	품종 수	
A	포도	1	㉠ 30개 × 1 = (30)개
B	포도	2	㉡ 20개 × 2 = (40)개
C	자두	1	㉢ 60개 × 1 = (60)개
D	복숭아	3	㉣ 20개 × 3 = (60)개
E	자두	4	㉤ 20개 × 4 = (80)개

13 다음은 업무방법에서 정하는 종합위험 수확감소보장방식 밭작물 품목별 수확량조사 적기에 관한 내용이다. 밑줄 친 부분에 알맞은 내용을 답란에 쓰시오. 5점

품목	수확량조사 적기
양파	양파의 비대가 종료된 시점(식물체의 ㉠ 이 완료된 때)
고구마	고구마의 비대가 종료된 시점(삽식일로부터 ㉡ 일 이후에 농지별로 적용)
감자 (고랭지재배)	감자의 비대가 종료된 시점(파종일로부터 ㉢ 일 이후)
콩	콩의 수확 적기[콩잎이 누렇게 변하여 떨어지고 ㉣ 의 80~90% 이상이 고유한 성숙(황색)색깔로 변하는 시기인 생리적 성숙기로부터 7~14일이 지난 시기]
양배추	양배추의 수확적기(㉤ 형성이 완료된 때)

정답 및 해설

㉠ 도복, ㉡ 120, ㉢ 110, ㉣ 꼬투리, ㉤ 결구

[품목별 수확량조사 적기]

품목	수확량조사 적기
양파	양파의 비대가 종료된 시점(식물체의 ㉠ **도복**이 완료된 때)
고구마	고구마의 비대가 종료된 시점(삽식일로부터 ㉡ **120**일 이후에 농지별로 적용)
감자 (고랭지재배)	감자의 비대가 종료된 시점(파종일로부터 ㉢ **110**일 이후)
콩	콩의 수확 적기[콩잎이 누렇게 변하여 떨어지고 ㉣ **꼬투리**의 80~90% 이상이 고유한 성숙(황색)색깔로 변하는 시기인 생리적 성숙기로부터 7~14일이 지난 시기]
양배추	양배추의 수확적기(㉤ **결구** 형성이 완료된 때)

14 다음은 가축재해보험의 보상하지 않는 손해의 내용 중 일부이다. 답란에 알맞은 내용을 쓰시오.
5점

- 계약자, 피보험자 및 이들의 법정대리인의 고의 또는 중대한 과실
- 계약자, 피보험자의 (㉠) 및 (㉡)에 의한 가축폐사로 인한 손해
- (㉢)에서 정하는 가축전염병으로 폐사하거나, 정부의 (㉣) 또는 (㉤)로 발생한 손해

정답 및 해설

㉠ 도살, ㉡ 위탁도살, ㉢ 가축전염병예방법, ㉣ 살처분, ㉤ 도태권고

[보상하지 않는 손해]
① 계약자, 피보험자 및 이들의 법정대리인의 고의 또는 중대한 과실
② 계약자, 피보험자의 ㉠ (**도살**) 및 ㉡ (**위탁도살**)에 의한 가축폐사로 인한 손해
③ ㉢ (**가축전염병예방법**) 제2조(정의)에서 정하는 가축전염병에 의한 폐사로 인한 손해 및 정부 및 공공기관의 ㉣ (**살처분**) 또는 ㉤ (**도태권고**)로 발생한 손해
④ 보험목적이 유실 또는 매몰되어 보험목적을 객관적으로 확인할 수 없는 손해(다만, 풍수해 사고로 인한 직접손해 등이 인정되는 경우에는 보상함)
⑤ 원인의 직접·간접을 묻지 않고 전쟁, 혁명, 내란, 사변, 폭동, 소요, 노동쟁의, 기타 유사한 사태로 인한 손해
⑥ 지진의 경우 보험계약일 현재 이미 진행 중인 지진(본진, 여진을 포함)으로 인한 손해
⑦ 핵연료 물질 또는 핵연료 물질에 의하여 오염된 물질의 방사성, 폭발성의 특성 또는 그 밖의 유해한 특성에 의한 사고로 인한 손해
⑧ 방사선을 쬐거나 방사능 오염으로 인한 손해
⑨ 계약체결 시점 현재 기상청에서 발령하고 있는 기상특보 발령 지역의 기상특보 관련 재해(풍재, 수재, 설해, 지진, 폭염)로 인한 손해

15 업무방법에서 정하는 종합위험 수확감소보장방식 논작물 및 밭작물 품목에 대한 내용이다. ( )에 알맞은 내용을 답란에 쓰시오. 5점

구분	품목
수확량 전수조사 대상 품목	(㉠), (㉡)
경작불능 비해당 품목	(㉢)
병충해를 보장하는 품목(특약 포함)	(㉣), (㉤)

정답 및 해설

㉠ 벼(밀), ㉡ 콩, ㉢ 차(茶), ㉣ 벼, ㉤ 감자

구분	품목
수확량 전수조사 대상 품목	수확량 전수조사 대상 품목은 논작물의 ㉠ (벼와 밀)이고, 밭작물 중 ㉡ (콩)이다.
경작불능 비해당 품목	경작불능조사 대상 품목은 논작물의 경우 벼와 밀이고, 밭작물의 경우 ㉢ [차(茶)]를 제외한 양파, 마늘, 고구마, 옥수수, 감자(봄재배, 가을재배, 고랭지재배), 콩, 양배추 품목만 해당한다.
병충해를 보장하는 품목(특약 포함)	병충해를 보장하는 품목(특약 포함)은 논작물 중 ㉣ (벼)만 해당하고, 밭작물 중 ㉤ (감자)만 해당한다.

16 가축재해보험의 보상하는 손해 중 계약자 및 피보험자에게 (1) 지급할 수 있는 비용의 종류와 (2) 지급한도에 관하여 서술하시오(단, 비용의 종류에 대한 정의 포함). 15점

정답 및 해설

(1) 지급할 수 있는 비용의 종류
① **잔존물처리비용** : 보험목적물이 폐사한 경우 사고현장에서의 잔존물 견인비용 및 차에 싣는 비용
  ㉠ 사고현장 및 인근지역의 토양, 대기, 수질의 오염물질 제거비용과 차에 실은 후 폐기물 처리비용은 포함하지 않는다.
  ㉡ 적법한 시설에서의 랜더링(사체를 고온·고압 처리하여 기름과 고형분으로 분리하여 사료·공업용 유지 및 사료·비료용 육분·육골분을 생산하는 공정) 비용은 포함한다.
② **손해방지비용** : 손해의 방지 또는 경감을 위하여(필요 또는 유익) 지출한 비용(단, 보험목적의 관리의무인 비용은 제외된다.)
③ **대위권보전비용** : 제3자로부터 손해배상을 받을 수 있는 경우에 그 권리를 지키거나 행사하기 위하여 (필요 또는 유익) 지출한 비용
④ **잔존물보전비용** : 잔존물을 보전하기 위하여 지출한 비용(단, 회사가 잔존물을 취득한 경우에 한한다)
⑤ **기타 협력비용** : 회사의 요구에 따르기 위하여(필요 또는 유익) 지출한 비용

(2) 지급한도
① 잔존물처리비용은 손해액의 10%를 초과할 수 없다.
② 손해방지비용, 대위권보전비용 및 잔존물보전비용은 제9조(지급보험금의 계산)를 준용하여 계산한 금액이 보험가입 금액을 초과하는 경우에도 이를 지급한다. 단, 이 경우에 자기부담금은 차감하지 않는다.
③ 기타 협력비용은 보험가입금액을 초과한 경우에도 이를 전액 지급한다.

17 다음의 계약사항과 보상하는 손해에 따른 조사내용에 관하여 피해착과량, 미보상감수량, 수확 감소보험금을 구하시오(단, 재식시기지수와 재식밀도지수는 각각 1로 가정한다). [15점]

① 계약사항

상품명	보험가입금액	가입면적	표준수확량	표준가격	자기부담비율
수확감소보장 옥수수(미백2호)	15,000,000원	10,000㎡	5,000kg	3,000원/kg	20%

② 조사내용

조사종류	표준중량	실제경작면적	고사면적	기수확면적
수확량조사	180g	10,000㎡	1,000㎡	2,000㎡

표본구간 '상' 옥수수 개수	표본구간 '중' 옥수수 개수	표본구간 '하' 옥수수 개수	표본구간 면적 합계	미보상비율
10개	10개	20개	10㎡	10%

(1) 피해착과량을 kg 단위로 소수점 셋째자리에서 반올림하여 둘째자리까지 다음 예시와 같이 구하시오(예시 : 3.456kg → 3.46kg로 기재).

(2) 미보상감수량

(3) 수확감소보험금

정답 및 해설

※ 농업정책보험금융원 이론서(업무방법)에 따라 기출문제 수정 서술함

(1) 피해착과량

　① 계산과정 :

　　㉠ 표본구간 피해착과량 합계 = (표본구간 '하'품 이하 옥수수 개수 + 표본구간 '중'품 옥수수 개수 × 0.5) × 표준중량 × 재식시기지수 × 재식밀도지수

　　　　= (20 + 10 × 0.5) × 180g × 1 × 1 = 4,500g = 4.5kg

　　㉡ 표본구간 단위면적당 피해착과량 = 표본구간 피해착과량 합계 ÷ 표본구간 면적

　　　　= 4.5kg ÷ 10㎡ = 0.45kg/㎡

ⓒ 조사대상면적 = 실제경작면적 − 고사면적 − 타작물 및 미보상면적 − 기수확면적

　　　　　　　= 10,000㎡ − 1,000㎡ − 0 − 2,000㎡ = 7,000㎡

　　ⓔ 단위면적당 표준수확량 = 표준수확량 ÷ 실제경작면적

　　　　　　　　　　　　　= 5,000kg ÷ 10,000㎡ = 0.5kg/㎡

　∴ 피해착과량 = (표본구간 단위면적당 피해수확량 × 표본조사대상면적) + (단위면적당 표준수확량 × 고사면적)

　　　　　　　= (0.45kg/㎡ × 7,000㎡) + (0.5kg/㎡ × 1,000㎡)

　　　　　　　= 3,650kg

② 답 : 3,650kg

(2) 미보상감수량

① 계산과정 :

　미보상감수량 = 피해수확량 × 미보상비율

　　　　　　　= 3,650kg × 0.1

　　　　　　　= 365kg

② 답 : 365kg

(3) 수확감소보험금

① 계산과정 :

　수확감소보험금 = Min[보험가입금액, 손해액] − 자기부담금

　　ⓒ 손해액 = (피해수확량 − 미보상감수량) × 표준가격

　　　　　　= (3,650kg − 365kg) × 3,000원/kg

　　　　　　= 9,855,000원

　　ⓒ 자기부담금 = 보험가입금액 × 자기부담비율

　　　　　　　　= 15,000,000원 × 0.2

　　　　　　　　= 3,000,000원

　∴ 수확감소보험금 = Min[15,000,000원, 9,855,000원] − 3,000,000원

　　　　　　　　　= 9,855,000원 − 3,000,000원

　　　　　　　　　= 6,855,000원

② 답 : 6,855,000원

18 아래 조건에 의해 농업수입감소보장 포도 품목의 피해율 및 농업수입감소보험금을 산출하시오.
15점

> • 평년수확량 : 1,000kg　　　　　• 조사수확량 : 500kg
> • 미보상감수량 : 100kg　　　　　• 농지별 기준가격 : 4,000원/kg
> • 수확기가격 : 3,000원/kg　　　　• 보험가입금액 : 4,000,000원
> • 자기부담비율 : 20%

(1) 피해율을 % 단위로 소수점 셋째자리에서 반올림하여 둘째자리까지 다음 예시와 같이 구하시오(예시 : 0.12345 → 12.35%로 기재).

(2) 농업수입감소보험금

정답 및 해설

(1) 피해율
　① 계산과정 :
　　　㉠ 기준수입 = 평년수확량 × 농지별 기준가격
　　　　　　　　 = 1,000kg × 4,000원/kg
　　　　　　　　 = 4,000,000원
　　　㉡ 실제수입 = (수확량 + 미보상감수량) × Min(농지별 기준가격, 농지별 수확기가격)
　　　　　　　　 = (500kg + 100kg) × 3,000원/kg
　　　　　　　　 = 1,800,000원
　　　㉢ 피해율 = (기준수입 − 실제수입) ÷ 기준수입
　　　　　　　 = {(4,000,000원 − 1,800,000원) ÷ 4,000,000원} × 100
　　　　　　　 = 55%
　② 답 : 55%

(2) 농업수입감소보험금
　① 계산과정 :
　　　농업수입감소보험금 = 보험가입금액 × (피해율 − 자기부담비율)
　　　　　　　　　　　　 = 4,000,000원 × (0.55 − 0.2)
　　　　　　　　　　　　 = 1,400,000원
　② 답 : 1,400,000원

19 다음의 계약사항과 조사내용에 관한 적과후착과수를 산정한 후 누적감수과실수와 기준착과수를 구하시오(단, 감수과실수와 기준착과수는 소수점 첫째자리에서 반올림하여 정수 단위로 구하시오). 15점

① 계약사항

상품명	가입특약	평년착과수	가입과실수	실제결과주수
적과전종합위험 Ⅱ 단감	가을동상해특약	15,000개	9,000개	100주

② 적과후착과수 조사내용(조사일자 : 7월 25일)

품종	수령	실제결과주수	표본주수	표본주 착과수 합계
부유	10년	20주	3주	240개
부유	15년	60주	8주	960개
서촌조생	20년	20주	3주	330개

구분	재해 종류	사고 일자	조사 일자	조사내용
적과 종료 이전	자연 재해	5월 10일	5월 16일	• 착과감소과실수 : 4,000개 • 미보상감수과실수 : 0개 • 적과종료 이전 특정위험 5종 한정보장 특별약관에 미가입
적과 종료 이후	강풍	7월 30일	7월 31일	• 낙과피해조사(전수조사) 총낙과수 : 1,000개, 나무피해 없음, 미보상감수과실수 0개 | 피해과실 구분	100%	80%	50%	정상 | | 과실수 | 1,000개 | 0 | 0 | 0 | • 낙엽피해조사 낙엽률 50%(경과일수 60일) / 미보상비율 0%
	태풍	10월 8일	10월 9일	• 낙과피해조사(전수조사) 총낙과수 : 500개, 나무피해 없음, 미보상감수과실수 0개 | 피해과실 구분	100%	80%	50%	정상 | | 과실수 | 200개 | 100개 | 100개 | 100개 | • 낙엽피해조사 낙엽률 60%(경과일수 130일) / 미보상비율 0%
	우박	5월 15일	10월 29일	• 착과피해조사 단, 태풍 사고 이후 착과수는 변동없음 | 피해과실 구분	100%	80%	50%	정상 | | 과실수 | 20개 | 20개 | 20개 | 40개 |

적과종료 이후	가을동상해	11월 5일	11월 6일	• 가을동상해 착과피해조사 사고 당시 착과과실수 : 3,000개 가을동상해로 인한 잎 피해율 : 70% 잔여일수 : 10일

피해과실 구분	100%	80%	50%	정상
과실수	10개	20개	20개	50개

정답 및 해설

※ 농업정책보험금융원 이론서(업무방법)에 따라 기출문제 수정 서술함

(1) 적과후착과수

① 계산과정 :

품종·재배방식·수령별 착과수

$= \dfrac{\text{품종·재배방식·수령별 표본주의 착과수 합계} \times \text{품종·재배방식·수령별 조사대상주수}}{\text{품종·재배방식·수령별 표본주 합계}}$

∴ 적과후착과수 $= (\dfrac{240 \times 20}{3}) + (\dfrac{960 \times 60}{8}) + (\dfrac{330 \times 20}{3}) = (11,000)$개

② 답 : 11,000개

(2) 누적감수과실수

① 계산과정 :

㉠ 적과종료 이전 자연재해로 인한 적과종료 이후 착과손해 감수과실수

적과후착과수가 평년착과수의 60% 이상 100% 미만인 경우,

감수과실수 $= \dfrac{\text{적과후착과수} \times 5\% \times (100\% - \text{착과율})}{40\%}$

※ 착과율 = 적과후착과수 ÷ 평년착과수 = 11,000개 ÷ 15,000개 = 0.73

A : **감수과실수** = 11,000개 $\times \dfrac{0.05}{0.4} \times (1 - 0.73) = $ **(371)개**

㉡ 적과후착과수 = 11,000개

㉢ 강풍피해조사

ⓐ 낙과피해조사(전수조사)

총낙과수 : (1,000)개

ⓑ 낙엽피해조사

사고 당시 착과과실수 × (인정피해율 - max A) × (1 - 미보상비율)

※ 사고 당시 착과과실수 = 적과후착과수 - 총낙과수 - 총 적과종료 후 나무피해과실수 - 총기수확과실수

※ 인정피해율 = (1.0115 × 낙엽률) - (0.0014 × 경과일수)

※ max A : 금차 사고전 기조사된 착과피해구성률 또는 인정피해율 중 최댓값(= 0)
사고 당시 착과과실수 × {(1.0115 × 낙엽률) − (0.0014 × 경과일수) − 0} × (1 − 미보상비율)
= (11,000개 − 1,000개 − 0개 − 0개) × {(1.0115 × 0.5) − (0.0014 × 60)} × (1 − 0)
= (4,217.5)개
= 4,218개

  B : **강풍피해 감수과실수** = 1,000개 + 4,218개 = **(5,218)개**

㉣ 태풍피해조사

  ⓐ <u>낙과피해조사(전수조사)</u>
  총낙과과실수 × (낙과피해구성률 − max A)

$$= 500개 × \{\frac{(200 × 1) + (100 × 0.8) + (100 × 0.5)}{200 + 100 + 100 + 100} − 0.42175\}$$

  = (119.125)개
  = <u>119개</u>
  ※ max A = {(1.0115 × 0.5) − (0.0014 × 60)} = 0.42175
  ※ 낙과피해구성률

$$= \frac{(100\%형 \ 피해과실수 × 1) + (80\%형 \ 피해과실수 × 0.8) + (50\%형 \ 피해과실수 × 0.5)}{100\%형 \ 피해과실수 + 80\%형 \ 피해과실수 + 50\%형 \ 피해과실수 + 정상과실수}$$

  ⓑ 낙엽피해조사
  사고 당시 착과과실수 × (인정피해율 − max A) × (1 − 미보상비율)
  ※ 사고 당시 착과과실수 = 11,000개 − 1,000개 − 500개 = 9,500개
  ※ 인정피해율 = {(1.0115 × 낙엽률) − (0.0014 × 경과일수)}
          = {(1.0115 × 0.6) − (0.0014 × 130)} = 0.4249
  ※ max A = 0.42175
  낙엽피해 감수과실수 = 9,500개 × (0.4249 − 0.42175) × (1 − 0) = **(30)개**

  C : **태풍피해 감수과실수** = 119개 + 30개 = **(149)개**

㉤ 우박 착과피해조사
  사고 당시 착과과실수 × (착과피해구성률 − max A)
  ※ 착과피해구성률

$$= \frac{(100\%형 \ 피해과실수 × 1) + (80\%형 \ 피해과실수 × 0.8) + (50\%형 \ 피해과실수 × 0.5)}{100\%형 \ 피해과실수 + 80\%형 \ 피해과실수 + 50\%형 \ 피해과실수 + 정상과실수}$$

  = {(20 × 1) + (20 × 0.8) + (20 × 0.5)} ÷ 100
  = 0.46
  ※ max A = {(1.0115 × 0.5) − (0.0014 × 60)} = 0.42175

  D : **우박 착과피해 감수과실수** = 9,500개 × (0.46 − 0.42175) = 363.375개 = **(363)개**

㉥ <u>가을동상해 착과피해조사</u>
  사고 당시 착과과실수 × (착과피해구성률 − max A)
  ※ 착과피해구성률
  = {(100%형 피해과실수 × 1) + (80%형 피해과실수 × 0.8) + (50%형 피해과실수 × 0.5) +
  (정상과실수 × 0.0031 × 잔여일수)} ÷ (100%형 피해과실수 + 80%형 피해과실수 + 50%형
  피해과실수 + 정상과실수)
  = {(10 × 1) + (20 × 0.8) + (20 × 0.5) + (50 × 0.0031 × 10)} ÷ 100 = 0.3755

※ max A : 금차 사고전 기조사된 착과피해구성률 또는 인정피해율 중 최댓값(= 0.46)

(착과피해구성률 − max A) = (0.3755 − 0.46) = − 0.0845

E : 그런데, (착과피해구성률 − max A)의 값이 영(0)보다 작은 경우 감수과실수는 "영(0)"으로 한다.

∴ 누적감수과실수 = 371개(A) + 5,218개(B) + 149개(C) + 363개(D) + 0개(E) = (6,101)개

② 답 : 6,101개

(3) 기준착과수

① 계산과정 :

기준착과수 = 적과후착과수 + 착과감소과실수

= 11,000개 + 4,000개 = (15,000)개

② 답 : 15,000개

20 아래의 계약사항과 조사내용에 따른 표본구간 유효중량, 피해율 및 보험금을 구하시오. 15점

① 계약사항

품목명	가입특약	가입금액	가입 면적	평년 수확량	가입 수확량	보장 수확량	자기 부담비율	품종 구분
벼	병해충 보장특약	5,500,000원	5,000㎡	3,500kg	3,850kg	3,850kg	15%	새누리 (메벼)

② 조사내용

조사종류	재해내용	실제 경작면적	고사면적	타작물 및 미보상 면적	기수확 면적	표본구간 면적	표본구간 작물중량 합계	함수율
수확량 (표본) 조사	병해충 (도열병) /호우	5,000㎡	1,000㎡	0㎡	0㎡	0.5㎡	300g	23.5%

(1) 표본구간 유효중량을 g 단위로 소수점 첫째자리에서 반올림하여 다음 예시와 같이 구하시오(예시 : 123.4g → 123g로 기재).

(2) 피해율을 % 단위로 소수점 셋째자리에서 반올림하여 둘째자리까지 다음 예시와 같이 구하시오(예시 : 0.12345 → 12.35%로 기재).

(3) 보험금을 구하시오.

정답 및 해설

(1) 표본구간 유효중량
① 계산과정 :
표본구간 유효중량 = 표본구간 작물중량 합계 × (1 - Loss율) × {(1 - 함수율) ÷ (1 - 기준함수율)}
* Loss율 : 7%
* 기준함수율 : 메벼(15%), 찰벼(13%), 밀(13%)
표본구간 유효중량 = 300g × (1 - 0.07) × {(1 - 0.235) ÷ (1 - 0.15)} = (251.1)g
② 답 : 251g

(2) 피해율
① 계산과정 :
㉠ 표본구간 단위면적당 유효중량 = 251g ÷ 0.5㎡ = 502g/㎡ = (0.502)kg/㎡
㉡ 표본조사대상면적 = 실제경작면적 - 고사면적 - 타작물 및 미보상면적 - 기수확면적
= 5,000㎡ - 1,000㎡ - 0 - 0 = (4,000)㎡
㉢ 단위면적당 보장수확량 = 보장수확량 ÷ 가입면적 = 3,850kg ÷ 5,000㎡ = (0.77)kg/㎡
㉣ 수확량 = (표본구간 단위면적당 유효중량 × 표본조사대상면적) + {단위면적당 보장수확량 × (타작물 및 미보상면적 + 기수확면적)}
= (0.502kg/㎡ × 4,000㎡) + {0.77kg/㎡ × (0 + 0)㎡}
= (2,008)kg
㉤ 미보상감수량 = (보장수확량 - 수확량) × 미보상비율
= (3,850kg - 2,008kg) × 20% = (0)kg
∴ 피해율 = (보장수확량 - 수확량 - 미보상감수량) ÷ 보장수확량
= (3,850kg - 2,008kg - 0kg) ÷ 3,850kg = (0.47844) = **47.84%**
② 답 : 47.84%

(3) 보험금
① 계산과정 :
보험금 = 보험가입금액 × (피해율 - 자기부담비율)
= 5,500,000원 × (0.4784 - 0.15) = **(1,806,200)원**
② 답 : 1,806,200원

11 적과전종합위험방식 사과 품목과 적과종료 이후에 발생한 「태풍(강풍), 지진, 집중호우, 화재피해」의 「낙과피해조사」 관련 설명이다. 다음 (   ) 안의 용어를 쓰시오. 5점

> • 나무조사는 농지(과수원) 내 품종·재배방식·수령별 실제결과나무수에서 (①), (②), (③)를 파악한다.
> • 낙과조사는 (④)을(를) 원칙으로 하며, (④)가 어려운 경우 (⑤)를 실시한다.

정답 및 해설

※ 농업정책보험금융원 이론서(업무방법)에 따라 기출문제 수정 서술함
① 미보상나무수, ② 고사나무수, ③ 수확불능나무수, ④ 전수조사, ⑤ 표본조사

낙과피해조사
(1) 나무수조사
   농지(과수원) 내 품종·재배방식·수령별 실제결과나무수에서 (① **미보상나무수**), (② **고사나무수**), (③ **수확불능나무수**)를 파악한다. 품종·재배방식·수령별 실제결과나무수에서 ① **미보상나무수**, ② **고사나무수**, ③ **수확불능나무수**를 빼고 조사대상나무수를 계산한다.
(2) 낙과수조사
   낙과수조사는 (④ **전수조사**)을(를) 원칙으로 하며, (④ **전수조사**)가 어려운 경우 (⑤ **표본조사**)를 실시한다.

12 「종합위험 수확감소보장방식 밭작물 품목」에 관한 내용이다. 다음 ( )의 알맞은 용어를 순서 대로 쓰시오. 5점

- 적용품목은 (①), 마늘, 고구마, 옥수수, 감자(봄재배, 가을재배, 고랭지재배), 차, 콩, 팥, 양배추 품목으로 한다.
- (②)는 마늘 품목에만 해당한다. (③) 시 (②)가 필요하다고 판단된 농지에 대하여 실시하는 조사로, 조사 시기는 (③) 직후로 한다.
- (④)는 양배추 품목에만 해당한다. (③) 시 (④)가 필요하다고 판단된 농지에 대하여 실시하는 조사로, 손해평가반은 피해농지를 방문하여 보상하는 재해여부 및 (⑤)을 조사한다.

정답 및 해설

※ 농업정책보험금융원 이론서[업무방법]에 따라 기출문제 수정 서술함
① 양파, ② 재파종조사, ③ 피해사실 확인조사, ④ 재정식조사, ⑤ 피해면적

[종합위험 수확감소보장방식 밭작물 품목]
(1) 적용품목 : 적용품목은 (① **양파**), 마늘, 고구마, 옥수수, 감자(봄재배, 가을재배, 고랭지재배), 차, 콩, 팥, 양배추 품목으로 한다.
(2) 재파종조사 : (② **재파종조사**)는 마늘 품목에만 해당한다. (③ **피해사실 확인조사**) 시 (② **재파종조사**)가 필요하다고 판단된 농지에 대하여 실시하는 조사로, 조사 시기는 (③ **피해사실 확인조사**) 직후로 한다.
(3) 재정식조사 : (④ **재정식조사**)는 양배추 품목에만 해당한다. (③ **피해사실 확인조사**) 시 (④ **재정식조사**)가 필요하다고 판단된 농지에 대하여 실시하는 조사로, 손해평가반은 피해농지를 방문하여 보상하는 재해여부 및 (⑤ **피해면적**)을 조사한다.

13 복분자 농사를 짓고 있는 △△마을의 A와 B농가는 4월에 저온으로 인해 큰 피해를 입어 경작이 어려운 상황에서 농작물재해보험 가입사실을 기억하고 경작불능보험금을 청구하였다. 두 농가의 피해를 조사한 결과에 따른 경작불능보험금을 구하시오(단, 피해는 면적 기준으로 조사하였으며 미보상 사유는 없다). 5점

구분	가입금액	가입면적	피해면적	자기부담비율
A농가	3,000,000원	1,200㎡	900㎡	20%
B농가	4,000,000원	1,500㎡	850㎡	10%

정답 및 해설

① A농가의 경작불능보험금 : 1,200,000원
② B농가의 경작불능보험금 : 경작불능보험금을 지급하지 않음

[경작불능보험금]
경작불능보험금은 경작불능조사 결과 식물체 피해율이 65% 이상이고, 계약자가 경작불능보험금을 신청한 경우에 지급하며, 보험금은 **가입금액에 자기부담비율별 지급비율을 곱하여** 산출한다.
※ 자기부담비율별 경작불능보험금 지급비율

자기부담비율	10%형	15%형	20%형	30%형	40%형
지급비율	45%	42%	40%	35%	30%

① A농가

　㉠ 면적피해율 = $\dfrac{900㎡}{1,200㎡}$ = 0.75(= 75%)이므로 경작불능보험금을 지급한다.

　㉡ A농가의 경작불능보험금 = 3,000,000원 × 40% = (1,200,000)원

② B농가

면적피해율 = $\dfrac{850㎡}{1,500㎡}$ ≒ 0.5667(= 56.67%)로 피해율이 65% 미만이므로 경작불능보험금을 지급하지 아니한다.

14 아래 조건의 적과전종합위험방식 II 배 품목의 과실손해보장 담보 계약의 적과전 동상해(4월 3일), 우박사고(5월 15일)를 입은 경우 적과종료 이후 착과손해 감수과실수와 기준착과수를 구하시오. 5점

> - 평년착과수 : 20,000개
> - 적과후착과수 : 10,000개
> - 적과종료 이전 특정위험 5종 한정보장 특별약관 : 미가입
> - 미보상감수과실수 : 없음

정답 및 해설

※ 농업정책보험금융원 이론서[업무방법]에 따라 기출문제 수정 서술함

감수과실수 : 500개, 기준착과수 : 20,000개

(1) 감수과실수
  ① 재해가 중복해서 발생한 경우에 아래 산식을 한번만 적용한다.
  ② 착과감소과실수 = 평년착과수 − 적과후착과수
          = 20,000개 − 10,000개 = (10,000)개
  ③ 적과후착과수가 평년착과수의 60% 미만인 경우
  감수과실수 = 적과후착과수 × 5%
          = 10,000개 × 0.05
          = (500)개

(2) 기준착과수
  기준착과수 = 적과후착과수 + 착과감소과실수
          = 10,000개 + 10,000개
          = (20,000)개

15 가축재해보험에서 정의하는 다음 (   )의 용어를 순서대로 쓰시오. 5점

- (①) : 식용불가 판정을 받아 ·권역별 소각장에서 소각하거나 사료용으로 재활용, 매몰처리하는 것을 말한다.
- (②) : 사체를 고온·고압 처리하여 기름과 고형분으로 분리, 사료·공업용 유지 및 사료·비료용 육분·육골분을 생산하는 공정을 말한다.
- (③) : 고객이 보험금 부지급 결정에 동의하지 않는 경우 소비자보호실로 재청구하는 제도를 말한다.
- (④) : 허위진술을 하거나 진실을 은폐하는 것을 말한다.
- (⑤) : 제3자의 행위로 피보험자의 손해가 생긴 경우 보험금액을 지급한 보험자는 지급한 보험금액의 한도 내에서 제3자에 대한 피보험자의 권리를 취득하는 것을 말한다.

정답 및 해설

① 폐사축 처리, ② 랜더링, ③ 재심의 청구, ④ 기망, ⑤ 보험자대위

① 폐사 처리
보험목적물을 소각 또는 매몰하여야 할 경우에는 가축방역관의 지시에 따라 실시하여야 한다. 잔존물을 처리하는 데 발생되는 비용은 보상하는 손해의 "잔존물처리비용"을 따른다. 폐사한 보험목적물을 사료원료 등으로 재활용하기 위하여 지정장소에 이동시키는 경우에는 회사 또는 가축방역관의 입회하에 실시하여야 한다.

② 랜더링
사체를 고온·고압 처리하여 기름과 고형분으로 분리하여 사료·공업용으로 유지 및 사료·비료용 육분·육골분을 생산하는 공정을 말한다. 랜더링 처리하는 경우는 보장하지 않는다.

③ 재심의 청구
고객이 보험금 부지급 결정에 동의하지 않는 경우 소비자보호실로 재청구하는 제도를 말한다.

④ 기망
허위진술을 하거나 진실을 은폐하는 것을 말한다. 통상 진실이 아닌 사실을 진실이라 표시하는 행위를 말하거나 알려야 할 경우에 침묵, 진실을 은폐하는 것도 기망행위에 해당한다.

⑤ 보험자대위
피보험자의 손해가 제3자의 행위로 인하여 생긴 경우에는 보험금액을 지급한 보험자는 그 지급한 금액의 한도 내에서 그 제3자에 대한 보험계약자 또는 피보험자의 권리를 취득하는 것을 말한다(상법 제682조).

16 농업수입보장보험 마늘 품목에 한해와 조해피해가 발생하여 아래와 같이 수확량조사를 하였다. 계약사항과 조사내용을 토대로 하여 ① 표본구간 단위면적당 수확량, ② 수확량, ③ 실제수입, ④ 피해율, ⑤ 보험가입금액 및 농업수입감소보험금의 계산과정과 값을 각각 구하시오. 단, 품종에 따른 환산계수는 미적용하고, 소수점 셋째자리에서 반올림하여 둘째자리까지 다음 예시와 같이 구하시오(예시 : 수확량 3.456kg → 3.46kg, 피해율 0.12345 → 12.35%로 기재).

15점

〈계약사항〉
• 품종 : 남도
• 실제경작면적 : 3,300㎡
• 자기부담비율 : 20%
• 평년수확량 : 10,000kg
• 가입수확량 : 10,000kg
• 기준가격 : 3,000원

〈조사내용〉
• 실경작면적 : 3,300㎡
• 타작물 및 미보상면적 : 500㎡
• 표본구간 면적 : 10.50㎡
• 미보상비율 : 20%
• 수확불능면적 : 300㎡
• 표본구간 : 7구간
• 표본구간 수확량 : 30kg
• 수확기가격 : 2,500원

정답 및 해설

① 표본구간 단위면적당 수확량 : 2.86kg/㎡
② 수확량 : 8,665kg
③ 실제수입 : 22,330,000원
④ 피해율 : 25.57%
⑤ 보험가입금액 및 농업수입감소보험금
　• 보험가입금액 : 30,000,000원
　• 농업수입감소보험금 : 1,671,000원

① 표본구간 단위면적당 수확량

표본구간 수확량 ÷ 표본구간 면적 = $\dfrac{30kg}{10.50㎡}$ ≒ 2.857kg/㎡ = (2.86)kg/㎡

② 수확량
　㉠ 표본조사대상면적 = 실경작면적 − 수확불능면적 − 타작물 및 미보상면적 − 기수확면적
　　　　　　　　　　 = 3,300㎡ − 300㎡ − 500㎡ − 0㎡
　　　　　　　　　　 = (2,500)㎡

ⓛ 단위면적당 평년수확량 = 평년수확량 ÷ 실제경작면적 = $\dfrac{10,000kg}{3,300m^2}$ = (3.03)kg/m²

∴ **수확량** = (표본구간 단위면적당 수확량 × 조사대상면적) + {단위면적당 평년수확량 × (타작물 및 미보상면적 + 기수확면적)}

= (2.86kg/m² × 2,500m²) + {3.03kg/m² × (500m² + 0m²)}

= 7,150kg + 1,515kg

= (8,665)kg

③ 실제수입

· 미보상감수량 = (평년수확량 − 수확량) × 미보상비율

= (10,000kg − 8,665kg) × 0.2

= (267)kg

∴ **실제수입** = (수확량 + 미보상감수량) × Min(농지별 기준가격, 농지별 수확기가격)

= (8,665kg + 267kg) × Min(3,000원, 2,500원)

= 8,932kg × 2,500원/kg

= (22,330,000)원

④ 피해율

· 기준수입 = 평년수확량 × 농지별 기준가격

= 10,000kg × 3,000원/kg

= (30,000,000)원

∴ **피해율** = (기준수입 − 실제수입) ÷ 기준수입

= (30,000,000원 − 22,330,000원) ÷ 30,000,000원

≒ 0.25566

= (25.57)%

⑤ 보험가입금액 및 농업수입감소보험금

㉠ **보험가입금액** = 가입수확량 × 기준가격

= 10,000kg × 3,000원/kg

= (30,000,000)원

㉡ **농업수입감소보험금** = 보험가입금액 × (피해율 − 자기부담비율)

= 30,000,000원 × (0.2557 − 0.2)

= (1,671,000)원

17 가축재해보험 보험가액 및 손해액평가에서 ① 보험가액 및 손해액의 적용가격, ② 보험사에서 지급할 보험금의 계산, ③ 잔존물처리비용과 보험금 등의 지급한도에 관하여 각각 서술하시오.
15점

정답 및 해설

(1) 보험가액 및 손해액의 적용가격
① 가축에 대한 보험가액은 보험사고가 발생한 때와 곳에서 (평가)한 보험목적물의 수량에 적용가격을 곱하여 산정한다.
② 가축에 대한 손해액은 보험사고가 발생한 때와 곳에서 (폐사) 등 피해를 입은 보험목적물의 수량에 적용가격을 곱하여 산정한다.
③ 보험가액 및 손해액의 적용가격은 보험사고 발생 (시간과 장소)에서 시장가격(고시가격) 등을 감안하여 보험약관에서 정한 방법에 따라 산정한다. 다만, 보험가입 당시 보험가입자와 재해보험사업자가 보험가액 및 손해액 산정 방식을 별도로 정한 경우에 그 방법에 따른다.

(2) 보험사에서 지급할 보험금의 계산
보험사에서 지급할 보험금은 아래 계산한 금액에서 자기부담금을 차감한 금액을 지급한다.
① 보험가입금액(보상한도)이 보험가액(시세)과 같을 때 : 보험가입금액을 한도로 **손해액 전액 보상**
② 보험가입금액이 보험가액보다 클 때 : 보험가액을 한도로 손해액 **전액 보상**
③ 보험가입금액이 보험가액보다 작을 때 : 보험가입금액을 한도로 비례 보상
  ㉠ 손해액 × (보험가입금액 ÷ 보험가액)으로 계산한 금액
  ㉡ 손해액은 보험가액에서 이용물처분액 등을 차감한 금액

(3) 잔존물처리비용과 보험금 등의 지급한도
① 손해에 의한 보험금 및 잔존물처리비용은 보험증권에 기재된 **보험가입금액** 한도 내에서 보상한다.
② 잔존물처리비용은 손해액의 **10%**를 초과할 수 없다.
③ 손해방지비용, 대위권보전비용, 잔존물보전비용은 보험가입금액을 초과하는 경우에 지급한다.

18 종합위험 수확감소보장방식 논작물 벼 품목의 통상적인 영농활동 중 보상하는 손해가 발생하였다. 아래 조사종류별 (1) 조사시기, (2) 보험금 지급사유 및 (3) 지급보험금 계산식을 각각 쓰시오. 15점

조사종류	(1) 조사시기	(2) 지급사유	(3) 지급보험금 계산식
① 이앙·직파불능조사			
② 재이앙·재직파조사			
③ 경작불능조사(자기부담비율 20%형)			
④ 수확불능확인조사(자기부담비율 20%형)			

정답 및 해설

조사종류	(1) 조사시기	(2) 지급사유	(3) 지급보험금 계산식
① 이앙·직파불능조사	이앙한계일 (7월 31일) 이후	보상하는 손해로 이앙한계일(7월 31일)까지 이앙·직파를 하지 못한 경우에 지급한다.	보험가입금액 × 10%
② 재이앙·재직파조사	사고 후~ 재이앙 직후	보상하는 손해로 면적피해율이 10%를 초과하고, 재이앙·재직파를 한 경우에 1회 지급한다.	보험가입금액 × 25% × 면적피해율 * 면적피해율 = 피해 면적 ÷ 보험가입면적
③ 경작불능조사 (자기부담비율 20%형)	사고 후~ 수확개시 시점	보상하는 손해로 인해 식물체 피해율이 65% 이상이고, 계약자가 경작불능보험금을 신청한 경우에 지급한다.	보험가입금액 × 40%
④ 수확불능확인조사 (자기부담비율 20%형)	수확포기가 확인되는 시점	벼의 제현율이 65% 미만으로 떨어져 정상 출하가 불가능하고, 해당 농지의 작물에 대한 수확포기가 확인된 경우에 지급한다.	보험가입금액 × 55%

19 종합위험 수확감소보장방식 벼 품목의 가입농가가 보상하는 재해로 피해를 입어 수확량조사 방법 중 수량요소조사를 실시하였다. 아래 계약사항 및 조사내용을 기준으로 주어진 조사표의 ①~⑫의 해당 항목값을 구하시오. 단, 조사확률비율 결정은 해당 구간의 가장 큰 비율을 적용하고 미보상 사유는 없으며, 피해면적 보정계수는 1.1로 한다. 항목별 요소점수는 조사표본포기 순서대로 기재하고, 소수점 셋째자리에서 반올림하여 둘째자리까지 다음 예시와 같이 구하시오(예시 : 수확량 3.456kg → 3.46kg, 피해율 0.12345 → 12.35%로 기재). 15점

- 이삭상태 점수표

포기당 이삭수	16개 미만	16개 이상
점수	1	2

- 완전낟알상태 점수표

이삭당 완전낟알수	51개 미만	51개 이상 61개 미만	61개 이상 71개 미만	71개 이상 81개 미만	81개 이상
점수	1	2	3	4	5

- 조사수확비율 환산표

점수 합계(점)	10점 미만	10~11	12~13	14~15	16~18	19~21	22~23	24점 이상
조사수확 비율(%)	0~20	21~40	41~50	51~60	61~70	71~80	81~90	91~100

- 조사내용

표본포기	1포기	2포기	3포기	4포기
포기당 이삭수	19	22	18	13
완전낟알수	75	85	45	62

- 수량요소조사 조사표

| 실제경작 면적(㎡) | 평년 수확량(kg) | 항목별 요소점수 조사 | | | | | | | | 합계 | 조사 수확 비율 (%) | 표준 수확량 (kg) | 조사 수확량 (kg) | 보장 수확량 (kg) | 피해율 (%) |
		이삭상태				완전낟알상태									
3,500	1,500	①	②	③	④	⑤	⑥	⑦	⑧	⑨	⑩	1,600	⑪	1,650	⑫

정답 및 해설

※ 농업정책보험금융원 이론서[업무방법]에 따라 기출문제 수정 서술함

① 2점, ② 2점, ③ 2점, ④ 1점, ⑤ 4점, ⑥ 5점, ⑦ 1점, ⑧ 3점, ⑨ 20점, ⑩ 80%, ⑪ 1,408kg, ⑫ 6.13%

① 1포기의 포기당 이삭수가 19이므로 이삭상태 점수표에서 (2)점에 해당한다.
② 2포기의 포기당 이삭수가 22이므로 이삭상태 점수표에서 (2)점에 해당한다.
③ 3포기의 포기당 이삭수가 18이므로 이삭상태 점수표에서 (2)점에 해당한다.
④ 4포기의 포기당 이삭수가 13이므로 이삭상태 점수표에서 (1)점에 해당한다.
⑤ 1포기의 완전낟알수가 75이므로 완전낟알상태 점수표에서 (4)점에 해당한다.
⑥ 2포기의 완전낟알수가 85이므로 완전낟알상태 점수표에서 (5)점에 해당한다.
⑦ 3포기의 완전낟알수가 45이므로 완전낟알상태 점수표에서 (1)점에 해당한다.
⑧ 4포기의 완전낟알수가 62이므로 완전낟알상태 점수표에서 (3)점에 해당한다.
⑨ 2점 + 2점 + 2점 + 1점 + 4점 + 5점 + 1점 + 3점 = (20)점
⑩ 항목별 요소점수 조사 합계가 20점이므로 조사수확비율 환산표에서 71~80%에 해당한다. 그런데 조사수확비율은 해당 구간의 가장 큰 비율을 적용하므로 (80%)가 된다.
⑪ 수확량(kg) = 표준수확량(kg) × 조사수확비율(%) × 피해면적 보정계수
　　　　 = 1,600kg × 0.8 × 1.1 = (1,408)kg
⑫ 피해율(%) = (평년수확량 − 수확량 − 미보상감수량) ÷ 평년수확량
　　　　 = (1,500kg − 1,408kg − 0) ÷ 1,500kg
　　　　 = 0.0613
　　　　 = (6.13)%

20 다음의 계약사항과 조사내용으로 ① 적과후착과수, ② 누적감수과실수, ③ 기준착과수의 계산 과정과 값을 각각 구하시오(단, 적과후착과수, 누적감수과실수, 기준착과수는 소수점 첫째자 리에서 반올림하여 정수 단위로 구하시오). 15점

• 계약사항

상품명	가입특약	평년착과수	가입과실수	실제결과주수
적과전종합 위험방식 사과	일소피해 / 가을 동상해 특약	50,000개	40,000개	500주

• 조사내용

구분	재해 종류	사고 일자	조사 일자	조사내용
적과후 착과수	–	–	7월 3일	<표>
적과 종료 이후	일소	8월 15일	8월 16일	<낙과피해조사 전수조사>
		8월 15일	8월 25일	<착과피해조사>
	우박	11월 10일	11월 11일	<착과피해조사 / 낙과피해조사>

적과후착과수 조사내용 (7월 3일)

품종	재배 방식	수령	실제결과 주수	표본 주수	표본주착과수 합계
A품종	밀식	9	200	7	840
B품종	밀식	9	300	13	1,690

※ 고사주수 : A품종 50주(A품종 1주당 평년착과수 100개), B품종 0주(B품종 1주당 평년착과수 100개)
※ 미고사주수, 미보상주수, 기수확주수 : 없음

적과 종료 이후 (일소, 8월 15일 사고, 8월 16일 조사)
– 낙과피해조사(전수조사)
총낙과과실수 : 1,000개

피해과실구분	병해충과실	100%	80%	50%	정상
과실수	20개	80개	0개	0개	0개

적과 종료 이후 (일소, 8월 15일 사고, 8월 25일 조사)
– 착과피해조사
단, 일소사고 이후 착과수 : 변동없음

피해과실구분	병해충과실	100%	80%	50%	정상
과실수	30개	0개	50개	20개	100개

적과 종료 이후 (우박, 11월 10일 사고, 11월 11일 조사)
– 착과피해조사
사고 당시 착과과실수 : 5,000개

피해과실구분	병해충과실	100%	80%	50%	정상
과실수	10개	0개	100개	40개	50개

– 낙과피해조사(전수조사)
총낙과과실수 : 500개

피해과실구분	병해충과실	100%	80%	50%	정상
과실수	10개	90개	0개	0개	0개

정답 및 해설

※ 농업정책보험금융원 이론서(업무방법)에 따라 기출문제 수정 서술함
① 적과후착과수 : 57,000개, ② 누적감수과실수 : 16,250개, ③ 기준착과수 : 57,000개

① **적과후착과수**

ㄱ 품종·재배방식·수령별 착과수

$$= \frac{\text{품종·재배방식·수령별 표본주의 착과수 합계}}{\text{품종·재배방식·수령별 표본주 합계}} \times \text{품종·재배방식·수령별 조사대상주수}$$

ⓐ : A품종 $= \dfrac{840}{7} \times (200 - 50) = (18,000)$개

ⓑ : B품종 $= \dfrac{1,690}{13} \times (300 - 0) = (39,000)$개

ㄴ 품종·재배방식·수령별 **착과수의 합계를 과수원별 적과후착과수**로 하므로

∴ **적과후착과수** = A품종 + B품종
  = 18,000개 + 39,000개
  = **(57,000)개**

② **누적감수과실수**

ㄱ 일소 낙과피해조사(전수조사)

총낙과과실수 × (낙과피해구성률 − max A)

$$= 1,000\text{개} \times \{(80 \times 1) + \frac{(0 \times 0.8)}{20 + 80} + (0 \times 0.5) - 0\} = \textbf{(800)개}$$

※ 낙과피해구성률

$$= \frac{(100\%\text{형 피해과실수} \times 1) + (80\%\text{형 피해과실수} \times 0.8) + (50\%\text{형 피해과실수} \times 0.5)}{100\%\text{형 피해과실수} + 80\%\text{형 피해과실수} + 50\%\text{형 피해과실수} + \text{정상과실수}}$$

※ max A : 금차 사고전 기조사된 착과피해구성률 중 최댓값을 말함

ㄴ 일소 착과피해조사

사고 당시 착과과실수 × (착과피해구성률 − max A)

$$= (57,000\text{개} - 1,000\text{개}) \times \frac{(0 \times 1) + (50 \times 0.8) + (20 \times 0.5) - 0}{30 + 50 + 20 + 100}$$

$$= \textbf{(14,000)개}$$

※ 착과피해구성률

$$= \frac{(100\%\text{형 피해과실수} \times 1) + (80\%\text{형 피해과실수} \times 0.8) + (50\%\text{형 피해과실수} \times 0.5)}{100\%\text{형 피해과실수} + 80\%\text{형 피해과실수} + 50\%\text{형 피해과실수} + \text{정상과실수}}$$

※ max A : 금차 사고전 기조사된 착과피해구성률 중 최댓값을 말함

ㄷ 우박 착과피해조사

사고 당시 착과과실수 × (착과피해구성률 − max A)

$$= 5,000\text{개} \times \{\frac{(0 \times 1) + (100 \times 0.8) + (40 \times 0.5)}{10 + 100 + 40 + 50} - 0.25\}$$

$$= \textbf{(1,250)개}$$

※ max A : 금차 사고전 기조사된 착과피해구성률 중 최댓값(= 0.25)

Ⓥ 우박 낙과피해조사(전수조사)

총낙과과실수 × (낙과피해구성률 − max A)

$$= 500개 \times \{ \frac{(90 \times 1) + (0 \times 0.8) + (0 \times 0.5)}{10 + 90} - 0.5 \}$$

= (200)개

※ max A : 금차 사고전 기조사된 착과피해구성률 중 최댓값(= 0.5)

∴ **누적감수과실수**

= 낙과피해조사(일소) + 착과피해조사(일소) + 착과피해조사(우박) + 낙과피해조사(우박)

= 800개 + 14,000개 + 1,250개 + 200개

= (16,250)개

③ 기준착과수

적과종료 이전에 착과감소과실수가 없으므로, 기준착과수 = 적과후착과수이다.

∴ 기준착과수 = (57,000)개

11 적과전종합위험 II 적과종료 이전 특정 5종위험 한정특약 사과 품목에서 적과전 우박피해사고로 피해사실 확인을 위해 표본조사를 실시하고자 한다. 과수원의 품종과 주수가 다음과 같이 확인되었을 때 아래의 표본조사값 (①~⑥)에 들어갈 표본주수, 나뭇가지 총수 및 유과 총수의 최솟값을 각각 구하시오. 단, 표본주수는 소수점 첫째자리에서 반올림하여 다음 예시와 같이 구하시오(예시 : 12.6 → 13으로 기재). 5점

• 과수원의 품종과 주수

품목	품종		주수	피해내용	피해조사내용
사과	조생종	쓰가루	440	우박	유과타박률
	중생종	감홍	250		

• 표본조사값

품종	표본주수	나뭇가지 총수	유과 총수
쓰가루	①	②	③
감홍	④	⑤	⑥

정답 및 해설

[쓰가루]

① 표본주수 : $13주 \times \dfrac{440}{(440 + 250)} = 8.28주 = (8)주$

② 나뭇가지 총수 : 8주 × 4가지/주 = (32)가지

③ 유과 총수 : 32가지 × 5개/가지 = (160)개

[감홍]

④ 표본주수 : $13주 \times \dfrac{250}{(440 + 250)} = 4.71주 = (5)주$

⑤ 나뭇가지 총수 : 5주 × 4가지/주 = (20)가지

⑥ 유과 총수 : 20가지 × 5개/가지 = (100)개

[유과타박률 확인(5종 한정 특약 가입 건의 우박피해 시 및 필요시)]
① 적과종료 전의 착과된 유과 및 꽃눈 등에서 우박으로 피해를 입은 유과(꽃눈)의 비율을 표본조사한다.
② 표본주수는 조사대상주수를 기준으로 품목별 표본주수표의 표본주수에 따라 표본주수에 해당하는 수만큼 표본나무를 선정한 후 조사용리본을 부착한다.

③ 선정된 표본주마다 동서남북 4곳의 가지에 각 가지별로 5개 이상의 유과(꽃눈 등)를 표본으로 추출하여 피해 유과(꽃눈 등)와 정상 유과(꽃눈 등)의 개수를 조사한다. 단, 사과, 배는 선택된 과(화)총당 동일한 위치(번호)의 유과(꽃)에 대하여 우박 피해여부를 조사한다.

※ 표본주(구간)수표(사과)

조사대상주수	표본주수
50주 미만	5
50주 이상 100주 미만	6
100주 이상 150주 미만	7
150주 이상 200주 미만	8
200주 이상 300주 미만	9
300주 이상 400주 미만	10
400주 이상 500주 미만	11
500주 이상 600주 미만	12
600주 이상 700주 미만	13
700주 이상 800주 미만	14
800주 이상 900주 미만	15
900주 이상 1,000주 미만	16
1,000주 이상	17

12 다음은 수확량 산출식에 관한 내용이다. ①~④에 들어갈 작물을 [보기]에서 선택하여 쓰고, '마늘' 수확량 산출식의 ⑤ 환산계수를 쓰시오. 5점

[보기]
• 마늘(난지형)   • 감자   • 고구마   • 양파

• 표본구간 수확량 산출식에서 50% 피해형이 포함되는 품목 ······················ (①), (②)
• 표본구간 수확량 산출식에서 80% 피해형이 포함되는 품목 ······················ (③), (④)
• 마늘(난지형)의 표본구간 단위면적당 수확량 :
  표본구간 수확량 × [환산계수 : (⑤)] ÷ 표본구간면적

정답 및 해설

※ 본 문제는 2019년 업무방법서에 따라 서술함[업무방법서 개정으로 고구마는 80% 피해도 추가됨]
① 감자, ② 고구마, ③ 양파, ④ 마늘(난지형), ⑤ 0.72

① 감자
  표본구간 수확량 = 표본구간 정상 감자 중량 + (표본구간 50%형 피해 감자 중량 × 0.5) + 표본구간 병충해 입은 감자 중량
② 고구마
  표본구간 수확량 = 표본구간 정상 고구마 중량 + (표본구간 50% 피해 고구마 중량 × 0.5) + (표본구간 80% 피해 고구마 중량 × 0.2)
③ 양파
  표본구간 수확량 = (표본구간 정상 양파 중량 + 80% 피해 양파 중량의 20%) × (1 + 누적 비대추정지수)
④ 마늘(난지형)
  표본구간 수확량 = (표본구간 정상 마늘 중량 + 80% 피해 마늘 중량의 20%) × (1 + 누적 비대추정지수)
⑤ 마늘(난지형)의 표본구간 단위면적당 수확량 = (표본구간 수확량 × 환산계수) ÷ 표본구간면적
  ※ 환산계수 : 0.7(한지형), **0.72(난지형)**

13 다음의 계약사항 및 조사내용에 따라 참다래 수확량(kg)을 구하시오. 단, 수확량은 소수점 첫째 자리에서 반올림하여 다음 예시와 같이 구하시오(예시 : 수확량 1.6kg → 2kg로 기재). 5점

- 계약사항

실제결과주수(주)	고사주수(주)	재식면적	
		주간거리(m)	열간거리(m)
300	50	4	5

- 조사내용(수확전 사고)

표본주수	표본구간 면적조사			표본구간 착과수합계	착과피해 구성률(%)	과중조사	
	윗변(m)	아랫변(m)	높이(m)			50g 이하	50g 초과
8주	1.2	1.8	1.5	850	30	1,440g/36개	2,160g/24개

정답 및 해설

참다래 수확량(kg) = **8,686**kg

① 재식면적 = 주간거리 × 열간거리
   = 4m × 5m = (20)㎡
② 품종별·수령별 표본조사 대상주수
   = 품종별·수령별 실제결과주수 − 품종별·수령별 미보상주수 − 품종별·수령별 고사나무주수
   = 300주 − 0주 − 50주 = (250)주
③ 품종별·수령별 표본조사 대상 면적 = 품종별·수령별 표본조사 대상주수 × 재식면적
   = 250주 × 20㎡ = (5,000)㎡
④ 표본구간 넓이 = (표본구간 윗변 길이 + 표본구간 아랫변 길이) × 표본구간 높이 ÷ 2
   = (1.2m + 1.8m) × 1.5m ÷ 2 = (2.25)㎡
⑤ 품종별·수령별 ㎡당 착과수 = 품종별·수령별 표본구간 착과수 ÷ 품종별·수령별 표본구간 넓이
   = 850개 ÷ (8 × 2.25㎡) = 47.22 = (47)개/㎡
⑥ 품종별 개당 과중 = 품종별 표본과실 무게 합계 ÷ 표본과실수
   = {(1,440g × 0.7) + 2,160g} ÷ (36개 + 24개) = (52.8)g
   ※ 중량이 50g 이하인 과실은 조사수확량의 70%로 적용한다.
⑦ 착과피해구성률(%) = 30% = (0.3)
⑧ 품종별·수령별 ㎡당 평년수확량 = (0)kg
⑨ 미보상주수 = (0)kg

∴ 수확량

= {품종별・수령별 m²당 착과수 × 품종별 개당 과중 × 품종별・수령별 표본조사 대상 면적 × (1 − 피해구성률)} + (품종별・수령별 m²당 평년수확량 × 미보상주수 × 재식면적)

= {47개/m² × 52.8g/개 × 5,000m² × (1 − 0.3)} + (0kg × 0kg × 20m²)

= 8,685,600g = 8,685.6kg = **(8,686)**kg

14 돼지를 사육하는 축산농가에서 화재가 발생하여 사육장이 전소되고 사육장 내 돼지가 모두 폐사하였다. 다음의 계약 및 조사내용을 참조하여 보험금을 구하시오. `5점`

- 계약 및 조사내용

보험가입 금액(만원)	사육 두수(두)	두당 단가(만원)	자기 부담금	잔존물처리비용 (만원)	잔존물보전비용 (만원)
1,000	30	50	보험금의 10%	150	10

정답 및 해설

지급 보험금 = 996만원

① 보험가액 = 30두 × 50만원/두 = (1,500)만원
② 손해액

모두 폐사하였으므로, 손해액 = 30두 × 50만원/두 = (1,500)만원
③ 보험가입금액이 보험가액보다 적을 때 지급할 보험금

㉠ 보험가입금액을 한도로 비례보상하므로 손해액 × $\dfrac{보험가입금액}{보험가액}$ 으로 계산한다.

㉡ 즉, 지급할 보험금 = 손해액 × $\dfrac{보험가입금액}{보험가액}$ = 1,500만원 × $\dfrac{1,000만원}{1,500만원}$ = (1,000)만원

㉢ 계산한 보험금에서 자기부담금(보험금의 10%)을 차감한 금액을 지급하므로,
1,000만원 − (1,000만원 × 10%) = **(900)**만원
④ 잔존물처리비용

손해에 의한 보험금 및 잔존물처리비용은 보험증권에 기재된 보험가입금액 한도 내에서 보장한다. **잔존물처리비용은 지급 보험금의 계산을 준용하여 계산**하며, 그 합은 손해액의 10%를 초과할 수 없다(약관조항).

∴ 잔존물처리비용 = 150만원 × $\dfrac{1,000만원}{1,500만원}$ × (1 − 0.1) = **(90)**만원

⑤ 잔존물보전비용

잔존물보전비용은 지급 보험금의 계산을 준용하여 계산한 금액이 보험가입금액을 초과하는 경우에도 이를 지급한다(약관조항).

$$\therefore \text{잔존물보전비용} = 10\text{만원} \times \frac{1{,}000\text{만원}}{1{,}500\text{만원}} \times (1 - 0.1) ≒ (6)\text{만원}$$

⑥ 총보험금 지급액

③ + ④ + ⑤ = 900만원 + 90만원 + 6만원 = (996)만원

15 다음 계약사항 및 조사내용을 참조하여 피해율을 구하시오. 단, 피해율은 소수점 셋째자리에서 반올림하여 둘째자리까지 다음 예시와 같이 구하시오(예시 : 피해율 12.345% → 12.35%로 기재). 5점

- 계약사항

상품명	보험가입금액(만원)	평년수확량(kg)	수확량(kg)	미보상수확량(kg)
무화과	1,000	200	150	15

- 조사내용

보상고사 결과지수(개)	미보상고사 결과지수(개)	정상 결과지수(개)	사고일	수확전 사고피해율(%)
12	8	20	2019. 9. 7.	20

- 잔여수확량(경과)비율 = [(100 − 33) − (1.13 × 사고발생일)]

정답 및 해설

피해율 = 34.18%

피해율은 7월 31일 이전 사고피해율과 8월 1일 이후 사고피해율을 합산한다.

① 7월 31일 이전 사고피해율(수확전 사고피해율) = (20)%

② 8월 1일 이후 사고피해율

(1 − 수확전 사고피해율) × 잔여수확량비율 × 결과지 피해율

㉠ 잔여수확량(경과)비율 = {(100 − 33) − (1.13 × 7)} = (59.09)

㉡ 결과지 피해율 = **(고사결과지수 + 미고사결과지수* × 착과피해율* − 미보상고사결과지수) ÷ 기준결과지수**

= (20개 − 8개) ÷ 40개 = (0.3)

※ 업무방법서 개정으로 결과지 피해율 공식에 미고사결과지수와 착과피해율이 추가되었다.

㉢ 기준결과지수 = 고사결과지수 + 정상결과지수 = 20개 + 20개 = (40)개

㉣ 고사결과지수 = 보상고사결과지수 + 미보상결과지수 = 12개 + 8개 = (20)개

$\therefore$ 사고피해율 = (1 − 0.2) × 59.09 × 0.3 = 14.1816 = (14.18)%

③ 피해율

①　+　② = 20% + 14.18% = (34.18)%

[무화과 품목 사고발생일에 따른 잔여수확량 산정식]

사고발생 월	잔여수확량 산정식(%)
8월	{100 − (1.06 × 사고발생일자)}
9월	{(100 − 33) − (1.13 × 사고발생일자)}
10월	{(100 − 67) − (0.84 × 사고발생일자)}

※ 사고발생일자는 해당 월의 사고발생일자를 의미함

16 특정위험담보 인삼품목 해가림시설에 관한 내용이다. 태풍으로 인삼 해가림시설에 일부 파손 사고가 발생하여 아래와 같은 피해를 입었다. 가입조건이 아래와 같을 때 ① 감가율, ② 손해액, ③ 자기부담금, ④ 보험금, ⑤ 잔존보험가입금액을 계산 과정과 답을 각각 쓰시오. 15점

• 보험가입내용

재배칸수	칸당 면적(m²)	시설 재료	설치비용(원/m²)	설치 연월	가입금액(원)
2,200	3.3	목재	5,500	2017. 6.	39,930,000

• 보험사고내용

파손칸수	사고원인	사고 연월
800칸(전부 파손)	태풍	2019. 7.

※ 2019년 설치비용은 설치연도와 동일한 것으로 함
※ 손해액과 보험금은 원단위 이하 버림

정답 및 해설

① 감가율 : 26.66%
② 손해액 : 14,520,000원
③ 자기부담금 : 100만원
④ 보험금 : 13,520,000원
⑤ 잔존보험가입금액 : 26,410,000원

① 감가율
    ㉠ 연단위 감가상각을 적용하며, 경과기간이 1년 미만은 적용하지 않는다.
    ㉡ 감가율 = 경과기간 × 경년감가율 = 2년 × 13.33%/년 = **(26.66)%**
        ⓐ 경과기간 = 2019년 7월 − 2017년 6월 = 2년 1월 = (2)년
        ⓑ 경년감가율

유형	내용연수	경년감가율
목재	6년	13.33%
철재	18년	4.44%

② 손해액
    ㉠ 재조달가액으로 산출한 피해액을 산정한다. 재조달가액은 단위면적(1m²)당 설치비용에 재배면적(m²)을 곱하여 산출한다.
    ㉡ 800칸 × 3.3m²/칸 × 5,500원/m² = **(14,520,000)원**
③ 자기부담금
    10만원 ≦ 손해액 × 10% ≦ 100만원
    ㉠ 1사고당 손해액의 10%를 자기부담금으로 하되 손해액의 10%가 10만원 이하인 경우 최저 자기부담금으로 10만원을 적용하며, 손해액의 10%가 100만원 이상인 경우 최고 자기부담금으로 100만원을 적용한다.
    ㉡ 자기부담금 = 14,520,000원 × 10% = **(1,452,000)원**
    ∴ 자기부담금은 100만원 이상이므로 **(100만원)**으로 한다.
④ 보험금 : 보험가입금액을 한도로 손해액에서 자기부담금을 차감한 금액이다.
    보험금 = 14,520,000원 − 1,000,000원 = **(13,520,000)원**
⑤ 잔존보험가입금액 : 보험가입금액에서 보상액을 뺀 잔액이다.
    잔존보험가입금액 = 39,930,000원 − 13,520,000원 = **(26,410,000)원**

17 종합위험 수확감소보장 과수 비가림시설 피해조사에 관한 것으로 ① 해당되는 3가지 품목, ② 조사기준, ③ 조사방법에 대하여 각각 서술하시오. 15점

정답 및 해설

(1) 해당되는 3가지 품목
    ① 포도, ② 대추, ③ 참다래

(2) 조사기준
    해당 목적물인 비가림시설의 구조체와 피복재의 재조달가액을 기준금액으로 수리비를 산출한다.

(3) 조사방법
    ① 피복재 : 피복재의 피해면적을 조사한다.
    ② 구조체
        ㉠ 손상된 골조를 재사용할 수 없는 경우 : 교체수량을 확인한다.
        ㉡ 손상된 골조를 재사용할 수 있는 경우 : 보수면적을 확인한다.

18 종합위험 수확감소보장 논작물 벼보험에 관한 내용이다. 아래와 같이 보험가입을 하고 보험사고가 발생한 것을 가정한 경우 다음의 물음에 답하시오. [15점]

(1) 병충해담보 특약에서 담보하는 7가지 병충해를 쓰시오.

(2) 수확감소에 따른 A농지 ① 피해율, ② 보험금과 B농지 ③ 피해율, ④ 보험금을 각각 구하시오.

(3) 각 농지의 식물체가 65% 이상 고사하여 경작불능보험금을 받을 경우, A농지 ⑤ 보험금과 B농지 ⑥ 보험금을 구하시오.

• 보험가입내용

구분	농지면적 (㎡)	가입면적 (㎡)	평년수확량 (kg/㎡)	가입가격 (원/kg)	자기부담비율 (%)	가입비율
A농지	18,000	16,000	0.85	1,300	20	평년수확량의 100%
B농지	12,500	12,500	0.84	1,400	15	평년수확량의 100%

※ 실제경작면적은 가입면적과 동일한 것으로 조사됨

• 보험사고내용

구분	사고내용	조사방법	수확량(kg)	미보상비율(%)	미보상사유
A농지	도열병	전수조사	4,080	10	방재 미흡
B농지	벼멸구	전수조사	4,000	10	방재 미흡

※ 위 보험사고는 각각 병충해 단독사고이며, 모두 병충해 특약에 가입함
※ 함수율은 배제하고 계산함
※ 피해율 계산은 소수점 셋째자리에서 반올림하여 둘째자리까지 구함(예시 : 123.456% → 123.46%)
※ 보험금은 원단위 이하 버림

정답 및 해설

※ 농업정책보험금융원 이론서(업무방법)에 따라 기출문제 수정 서술함

(1) 병충해담보 특약에서 담보하는 7가지 병충해
① 흰(빛)잎마름병, ② 줄무늬잎마름병, ③ 도열병, ④ 벼멸구, ⑤ 먹노린재, ⑥ 깨씨무늬병, ⑦ 세균성벼알마름병

(2) ① A농지 피해율 : 63%
- 수확량 : 4,080kg
- 평년수확량 : 가입면적 × 단위면적당 평년수확량 × 가입비율
  = 16,000 × 0.85 × 1 = 13,600kg
- 미보상감수량 : (평년수확량 − 수확량) × 미보상비율
  = (13,600 − 4,080) × 0.1 = 952kg

∴ 피해율 : (평년수확량 − 수확량 − 미보상감수량) ÷ 평년수확량

$$= \frac{13,600 - 4,080 - 952}{13,600} = 0.63 = 63\%$$

② A농지 보험금 : 7,602,400원
- 가입금액 = 가입면적 × 단위면적당 평년수확량 × 가입가격 × 가입비율
  = 16,000 × 0.85 × 1,300 × 1 = 17,680,000원

∴ 보험금 = 가입금액 × (피해율 − 자기부담비율)
= 17,680,000 × (0.63 − 0.2) = 7,602,400원

③ B농지 피해율 : 55.71%
- 수확량 : 4,000kg
- 평년수확량 : 12,500 × 0.84 × 1 = 10,500kg
- 미보상감수량 : (10,500 − 4,000) × 0.1 = 650kg

∴ 피해율 : $\frac{10,500 - 4,000 - 650}{10,500}$ = 0.55714 = 55.71%

④ B농지 보험금 : 5,984,370원
- 가입금액 = 가입면적 × 단위면적당 평년수확량 × 가입가격 × 가입비율
  = 12,500 × 0.84 × 1,400 × 1 = 14,700,000원

∴ 보험금 = 가입금액 × (피해율 − 자기부담비율)
= 14,700,000 × (0.5571 − 0.15) = 5,984,370원

(3) ⑤ A농지 경불 보험금 : 가입금액 × 0.4 = 17,680,000 × 0.4 = 7,072,000원
⑥ B농지 경불 보험금 : 가입금액 × 0.42 = 14,700,000 × 0.42 = 6,174,000원

※ 자기부담비율별 경작불능보험금표

자기부담비율	경작불능보험금
10%	보험가입금액 × 45%
15%	**보험가입금액 × 42%**
20%	**보험가입금액 × 40%**
30%	보험가입금액 × 35%
40%	보험가입금액 × 30%

19 종합위험방식 원예시설작물 딸기에 관한 내용이다. 아래의 내용을 참조하여 물음에 답하시오. `15점`

• 계약사항

품목	보험가입금액(원)	가입면적(㎡)	전작기지급보험금(원)
종합위험방식 원예시설(딸기)	12,300,000	1,000	2,300,000

• 조사내용

재배면적(㎡)	손해정도(%)	피해비율(%)	정식일로부터 수확개시일까지의 기간	수확개시일로부터 수확종료일까지의 기간
800	30	30	90일	50일

(1) 수확일로부터 수확종료일까지의 기간 중 $\frac{1}{5}$ 경과시점에서 사고가 발생한 경우 경과비율을 구하시오(단, 풀이과정 기재).

(2) 정식일로부터 수확개시일까지의 기간 중 $\frac{1}{5}$ 경과시점에서 사고가 발생한 경우 보험금을 구하시오(단, 풀이과정 기재).

정답 및 해설

(1) 수확일로부터 수확종료일까지의 기간 중 $\frac{1}{5}$ 경과시점에서 사고가 발생한 경우 경과비율

① 수확일수 : 수확개시일로부터 사고발생일까지의 경과일수 = 50일 × $\frac{1}{5}$ = (10)일

② 표준수확일수 : 수확개시일로부터 수확종료일까지의 일수 = (50)일

∴ 경과비율 = 1 − (수확일수 ÷ 표준수확일수) = 1 − (10일 ÷ 50일) = (0.8)

(2) 정식일로부터 수확개시일까지의 기간 중 $\frac{1}{5}$ 경과시점에서 사고가 발생한 경우 보험금

생산비보장보험금 = 보험가입면적 × 단위면적당 보장생산비 × 경과비율 × 피해율

① 보험가입면적 = (1,000)㎡

② 단위면적당 보장생산비 = 보험가입금액 ÷ 가입면적

= 12,300,000원 ÷ 1,000㎡

= (12,300)원/㎡

③ 경과비율 = α + (1 − α) × (생장일수 ÷ 표준생장일수)

= 0.4 + (1 − 0.4) × (18일 ÷ 90일)

= (0.52)

㉠ α = 준비기생산비계수(40%)[국화, 카네이션 재절화 재배는 20%]

㉡ 생장일수 : 정식(파종)일로부터 사고발생일까지 경과일수 = 90일 × $\frac{1}{5}$ = (18)일

㉢ 표준생장일수 : 정식일로부터 수확개시일까지 표준적인 생장일수 = (90)일

④ 피해율 = 재배비율 × 피해비율 × 손해정도비율

= 0.8 × 0.3 × 0.4 = (0.096)

= 9.6%

㉠ 피해비율 = (30)%

㉡ 손해정도비율 = (40)%

손해정도	1~20%	21~40%	41~60%	61~80%	81~100%
손해정도비율	20%	40%	60%	80%	100%

㉢ 재배비율 = 재배면적 ÷ 가입면적 = 800㎡ ÷ 1,000㎡ = 0.8 = (80)%

∴ 생산비보장보험금 = 1,000㎡ × 12,300원/㎡ × 0.52 × 0.096 = (614,016)원

---

20 다음의 계약사항과 조사내용에 따른 ① 착과감소보험금, ② 과실손해보험금, ③ 나무손해보험금을 구하시오(단, 착과감소보험금의 보장수준은 50%로 선택하고, 문제 내용 중 "품목"은 품종으로 수정한다). 15점

• 계약사항

상품명	특약	평년착과수	가입과중	가입가격	실제결과주수	자기부담률	
적과전 종합Ⅱ 단감	5종한정보장 나무손해보장	75,000개	0.4kg	1,000원/kg	750주	과실	10%
						나무	5%

• 조사내용

구분	재해 종류	사고 일자	조사 일자	조사내용
계약일 24시 ~ 적과전	우박	5월 3일	5월 4일	〈피해사실 확인조사〉 • 표본의 피해유과, 정상유과는 각각 66개, 234개 • 미보상비율 10%
	집중 호우	6월 25일	6월 26일	〈피해사실 확인조사〉 <table><tr><td>피해형태</td><td>유실</td><td>침수</td><td>고사</td><td>미보상</td></tr><tr><td>주수</td><td>100</td><td>40</td><td>90</td><td>20</td></tr></table>• 침수꽃(눈)·유과수의 합계 : 210개 • 미침수꽃(눈)·유과수의 합계 : 90개 • 미보상비율 20%
적과후 착과수 조사	–		6월 26일	〈적과후착과수조사〉 <table><tr><td>피해형태</td><td>실제결과주수</td><td>조사대상주수</td><td>표본주1주당착과수</td></tr><tr><td>A품목</td><td>390</td><td>300</td><td>140</td></tr><tr><td>B품목</td><td>260</td><td>200</td><td>100</td></tr></table>

			〈낙과피해조사〉				
적과 종료 이후	태풍	9월 8일	9월 10일	• 총 낙과수 : 5,000개(전수조사)			

〈낙과피해조사〉 · 총 낙과수 : 5,000개(전수조사)

피해과실구성	100%	80%	50%	정상
과실수(개)	1,000	2,000	0	2,000

• 조사대상주수 중 50주는 강풍으로 절단(A품목 30주, B품목 20주)
• 낙엽피해표본조사 : 낙엽수 180개, 착엽수 120개
• 경과일수 : 100일

〈착과피해조사〉

우박 5월 3일 11월 4일

피해과실구성	100%	80%	50%	정상	병충해
과실수(개)	20	10	10	50	10

※ 적과 이후 자연낙과 등은 감안하지 않으며, 무피해나무의 평균착과수는 적과후착과수의 1주당 평균착과수와 동일한 것으로 본다.
※ 나무특약의 보험가입금액은 1주당 10만원을 적용한 것으로 본다.

정답 및 해설

(1) 착과감소보험금

보험금 = (착과감소량 − 미보상감수량 − 자기부담감수량) × 가입가격 × 보장수준(50%*, 70%*)

① **착과감소량 = 5,200kg**

ㄱ **착과감소과실수** = 평년착과수 − 적과후착과수 = 75,000개 − 62,000개 = **(13,000)개**

ㄴ **적과후착과수** = **(62,000)개**

ⓐ A품종 적과후착과수 = 조사대상주수 × 표본주1주당 착과수 = 300 × 140 = **(42,000)개**

ⓑ B품종 적과후착과수 = 조사대상주수 × 표본주1주당 착과수 = 200 × 100 = **(20,000)개**

∴ 착과감소량 : 착과감소량은 산출된 착과감소과실수에 가입과중을 곱하여 산출한다.

착과감소과실수 × 과입과중 = 13,000개 × 0.4kg/개 = **(5,200)kg**

※ 착과감소보험금의 보장수준(50%, 70%)은 계약자가 선택한 수준으로 보장한다.

② **미보상감수량**

보상하는 재해 이외의 원인으로 감소되었다고 평가되는 부분을 말하며, 계약당시 이미 발생한 피해, 병해충으로 인한 피해 및 제초상태불량 등으로 인한 수확량감소량으로서 감수량에서 제외된다.

ㄱ 미보상주수 감수과실수 = 미보상주수 × 1주당 평년착과수
　　　　　　　　　　　　 = 20주 × (75,000개 ÷ 750주)
　　　　　　　　　　　　 = **(2,000)개**

ㄴ 미보상감수과실수 = {(평년착과수 − 적과후착과수) × 미보상비율) + 미보상주수 감수과실수}
　　　　　　　　　　 = {(75,000개 − 62,000개) × 0.2) + 2,000개}
　　　　　　　　　　 = **(4,600)개**

∴ **미보상감수량** = 4,600개 × 0.4kg/개 = **(1,840)kg**

③ 자기부담감수량 = 기준수확량 × 자기부담비율
 ㉠ 기준수확량 = 기준착과수 × 과입과중 = 75,000개 × 0.4kg/개 = (30,000)kg
 ㉡ 기준착과수 = 적과후착과수 + 착과감소과실수 = 62,000개 + 13,000개 = (75,000)개
 ∴ 자기부담감수량 = 30,000kg × 0.1 = (3,000)kg
④ 가입가격 = (1,000)원/kg
 ∴ 착과감소보험금
  = (착과감소량 − 미보상감수량 − 자기부담감수량) × 가입가격 × 보장수준(50% 선택)
  = (5,200kg − 1,840kg − 3,000kg) × 1,000원/kg × 0.5
  = (180,000)원

(2) 과실손해보험금
  보험금 = (적과종료 이후 누적감수량 − 자기부담감수량) × 가입가격
① 적과종료 이후 누적감수량
 ㉠ 태풍낙과피해 감수과실수(전수조사)
  총낙과과실수 × (낙과피해구성률 − max A)
  = 5,000개 × (0.52 − 0)
  = (2,600)개
  ※ 낙과피해구성률

  $$= \frac{(100\%형 \ 피해과실수 \times 1) + (80\%형 \ 피해과실수 \times 0.8) + (50\%형 \ 피해과실수 \times 0.5)}{100\%형 \ 피해과실수 + 80\%형 \ 피해과실수 + 50\%형 \ 피해과실수 + 정상과실수}$$

  $$= \frac{(1,000 \times 1) + (2,000 \times 0.8) + (0 \times 0.5)}{1,000 + 2,000 + 0 + 2,000} = 0.52$$

  ※ max A : 금차 사고전 기조사된 착과피해구성률 또는 인정피해율 중 최댓값(= 0)
 ㉡ 태풍나무피해 감수과실수
  나무의 유실, 매몰, 도복, 절단, 화재, 신초절단 손해 = (고사주수 + 수확불능주수) × 무피해 나무
  1주당 평균착과수 × (1 − max A)
  ※ 무피해 나무의 평균착과수는 적과후착과수의 1주당 평균착과수와 동일한 것으로 본다.
   ⓐ A품종 나무피해 감수과실수 = 30주 × 140개/주 × (1 − 0) = (4,200)개
   ⓑ B품종 나무피해 감수과실수 = 20주 × 100개/주 × (1 − 0) = (2,000)개
  ∴ 태풍나무피해 감수과실수 = 4,200개 + 2,000개 = (6,200)개
 ㉢ 태풍낙엽피해 감수과실수
  사고 당시 착과과실수 × (인정피해율 − max A) × (1 − 미보상비율)
   ⓐ 사고 당시 착과과실수
    = 적과후착과수 − 총 낙과과실수 − 총 적과종료 후 나무피해과실수 − 총 기수확과실수
    = 62,000개 − 5,000개 − {(30 × 140) + (20 × 100)} − 0개
    = (50,800)개
   ⓑ 인정피해율 = (1.0115 × 낙엽률) − (0.0014 × 경과일수)
            = (1.0115 × 0.6) − (0.0014 × 100)
            = (0.4669)
  ※ max A : 금차 사고전 기조사된 착과피해구성률 또는 인정피해율 중 최댓값(= 0)
   ⓒ 미보상비율은 금차 사고조사의 미보상비율을 적용함(= 0)
  ∴ 태풍낙엽피해 감수과실수 = 50,800개 × (0.4669 − 0) × (1 − 0)
             = 23,718.52개
             = (23,719)개

ⓒ 우박착과피해 감수과실수

사고 당시 착과과실수 × (착과피해구성률 − max A) = 50,800개 × (0.33 − 0.4669) = (0)개

ⓐ 착과피해구성률 = $\dfrac{(20 \times 1) + (10 \times 0.8) + (10 \times 0.5)}{20 + 10 + 10 + 60}$ = (0.33)

ⓑ 보상하지 않는 손해(병충해)에 해당하는 과실은 정상과실로 구분한다.

ⓒ max A : 금차 사고전 기조사된 착과피해구성률 또는 인정피해율 중 최댓값(= 0.4669)

ⓓ (착과피해구성률 − max A)의 값이 **영(0)보다 작은 경우 감수과실수는 (0)으로** 한다.

∴ **적과종료 이후 누적감수량** : 적과종료 이후 감수과실수의 합계에 가입과중을 곱하여 산출한다.

= (2,600개 + 6,200개 + 23,719개 + 0개) × 0.4kg/개

= (32,519 × 0.4)

= (13,007.6)kg

② 미보상감수량 : (계산하지 않음)

③ **자기부담감수량** : 기준수확량에 자기부담비율을 곱한 양으로 한다. 다만, 산출된 착과감소량이 존재하는 경우에는 착과감소량에서 적과종료 이전에 산정된 미보상감수량을 뺀 값을 자기부담감수량에서 제외한다. 이때 **자기부담감수량은 영(0)보다 작을 수 없다.**

자기부담감수량 = (기준수확량 × 자기부담비율) − (착과감소량 − 적과종료 이전에 산정된 미보상감수량)

= (30,000kg × 0.1) − (5,200kg − 1,840kg) < 0이므로, (0)kg이다.

∴ **과실손해보험금**

= (적과종료 이후 누적감수량 − 자기부담감수량) × 가입가격

= (13,007.6kg − 0kg) × 1,000원/kg

= (13,007,600)원

(3) **나무손해보험금**

지급보험금은 보험가입금액에 피해율에서 자기부담비율을 차감한 값을 곱하여 산정하며, 피해율은 피해주수(고사된 나무)를 실제결과주수로 나눈 값으로 한다.

※ **피해율** = 피해주수(고사된 나무) ÷ 실제결과주수

= 240주 ÷ 750주

= (0.32)

① 피해주수(고사된 나무) = 유실나무 + 고사나무 + 절단나무

= 100주 + 90주 + 50주

= (240)주

② 실제결과주수 = (750)주

지급보험금 = 보험가입금액 × (피해율 − 자기부담비율)

① 보험가입금액 = 750주 × 10만원/주 = (7,500)만원

② 피해율 = (0.32)

③ 자기부담비율 = (5)%(약관조항)

∴ **지급보험금** = 7,500만원 × (0.32 − 0.05) = **(2,025)만원**

11 가축재해보험 약관에서 설명하는 보상하지 않는 손해에 관한 내용이다. 다음 ( )에 들어갈 용어(약간의 명시된 용어)를 각각 쓰시오. 5점

- 계약자, 피보험자 또는 이들의 (①)의 고의 또는 중대한 과실
- 계약자 또는 피보험자의 (②) 및 (③)에 의한 가축폐사로 인한 손해
- 가축전염병예방법 제2조(정의)에서 정하는 가축전염병에 의한 폐사로 인한 손해 및 정부 및 공공기관의 (④) 또는 (⑤)(으)로 발생한 손해

정답 및 해설

① 법정대리인, ② 도살, ③ 위탁도살, ④ 살처분, ⑤ 도태권고

[보상하지 않는 손해]
1. 계약자, 피보험자 또는 이들의 **법정대리인**의 고의 또는 중대한 과실
2. 계약자, 피보험자의 **도살** 및 **위탁도살**에 의한 가축폐사로 인한 손해
3. 가축전염병예방법 제2조(정의)에서 정하는 가축전염병에 의한 폐사로 인한 손해, 정부 및 공공기관의 **살처분** 또는 **도태권고**로 발생하는 손해
4. 보험목적이 유실 또는 매몰되어 보험목적을 객관적으로 확인할 수 없는 손해(다만, 풍수해 사고로 인한 직접손해 등 재해보험사업자가 인정하는 경우에는 보상)
5. 원인의 직접, 간접을 묻지 않고 전쟁, 혁명, 내란, 사변, 폭동, 소요, 노동쟁의, 기타 이들과 유사한 사태로 인한 손해
6. 지진의 경우 보험계약일 현재 이미 진행 중인 지진(본진, 여진을 포함)으로 인한 손해
7. 핵연료물질 또는 핵연료물질에 의하여 오염된 물질의 방사성, 폭발성 그 밖의 유해한 특성 또는 이들의 특성에 의한 사고로 인한 손해
8. 방사선을 쬐는 것 또는 방사능 오염으로 인한 손해
9. 계약체결 시점 현재 기상청에서 발령하고 있는 기상특보 발령지역의 기상특보관련 재해(풍재, 수재, 설해, 지진, 폭염)로 인한 손해

12 다음은 종합위험 수확감소보장방식 논작물(벼)에 관한 내용이다. 아래의 내용을 참조하여 다음 물음에 답하시오. 5점

(1) A농지의 재이앙·재직파보험금을 구하시오.

구분	보험가입금액	보험가입면적	실제경작면적	피해면적
A농지	5,000,000원	2,000㎡	2,000㎡	500㎡

(2) B농지의 수확감소보험금을 구하시오(수량요소조사, 표본조사, 전수조사가 모두 실시됨).

구분	보험가입금액	조사방법에 따른 피해율	자기부담비율
B농지	8,000,000원	• 수량요소조사 : 피해율 30% • 표본조사 : 피해율 40% • 전수조사 : 피해율 35%	20%

정답 및 해설

(1) A농지의 재이앙·재직파보험금 : 312,500원
　　지급금액 = 보험가입금액 × 25% × 면적피해율 = 5,000,000원 × 25% × 25% = 312,500원
　　※ 면적피해율 = 피해면적 ÷ 보험가입면적 = 500㎡ ÷ 2,000㎡ = 25%

(2) B농지의 수확감소보험금 : 1,200,000원
　　지급금액 = 보험가입금액 × (피해율 − 자기부담비율) = 8,000,000원 × (35% − 20%) = 1,200,000원
　　※ 동일 농지에 대하여 복수의 조사방법을 실시한 경우 피해율 산정의 우선순위는 **전수조사, 표본조사, 수량요소조사** 순으로 적용한다.

13 농작물재해보험 보험금지급과 관련하여 회사는 지급기일 내에 보험금을 지급하지 아니하였을 때에는 그 다음 날로부터 지급일까지의 기간에 대하여 〈보험금을 지급할 때의 적립이율표〉에 따라 연단위 복리로 계산한 금액을 더하여 지급한다. 다음 ( )에 들어갈 내용을 각각 쓰시오.
5점

〈보험금을 지급할 때의 적립이율표〉

기간	지급이자
지급기일의 다음 날부터 30일 이내 기간	(①)이율
지급기일의 31일 이후부터 60일 이내 기간	(①)이율 + 가산이율(②)%
⋮	⋮

정답 및 해설

① 보험계약대출, ② 4.0

〈보험금을 지급할 때의 적립이율표〉

기간	지급이자
지급기일의 다음 날부터 30일 이내 기간	보험계약대출이율
지급기일의 31일 이후부터 60일 이내 기간	보험계약대출이율 + 가산이율(4.0%)
지급기일의 61일 이후부터 90일 이내 기간	보험계약대출이율 + 가산이율(6.0%)
지급기일의 91일 이후 기간	보험계약대출이율 + 가산이율(8.0%)

14 다음의 계약사항과 조사내용을 참조하여 아래 착과수조사 결과에 들어갈 값(①~③)을 각각 구하시오(단, 해당 과수원에 있는 모든 나무의 품종 및 수령은 계약사항과 동일한 것으로 함). 5점

○ 계약사항

품목	품종 / 수령	가입일자(계약일자)
자두	A / 9년생	2019년 11월 14일

○ 조사내용

- 조사종류 : 착과수조사
- 조사일자 : 2020년 8월 18일
- 조사사항
  - 상기 조사일자 기준 과수원에 살아 있는 모든 나무수(고사된 나무수 제외) : 270주
  - 2019년 7월 발생한 보상하는 재해로 2019년 7월에 고사된 나무수 : 30주
  - 2019년 12월 발생한 보상하는 재해로 2020년 3월에 고사된 나무수 : 25주
  - 2020년 6월 발생한 보상하는 손해 이외의 원인으로 2020년 7월에 고사된 나무수 : 15주
  - 2020년 6월 발생한 보상하는 손해 이외의 원인으로 착과량이 현저하게 감소된 나무수 : 10주

○ 착과수조사 결과

구분	실제결과주수(실제결과나무수)	미보상주수(미보상나무수)	고사주수(고사나무수)
주수	(①)주	(②)주	(③)주

정답 및 해설

① 실제결과주수 : 310주
  = 상기 조사일 기준 2020년 8월 18일에 살아있는 모든(고사된 나무수 제외) 나무수(270주) + 2019년 12월 발생한 보상하는 재해로 2020년 3월에 고사된 나무수(25주) + 2020년 6월 발생한 보상하는 손해 이외의 원인으로 2020년 7월에 고사된 나무수(15주)
  = 270주 + 25주 + 15주 = 310주

② 미보상주수 : 25주
  = 2020년 6월 발생한 보상하는 손해 이외의 원인(실제결과주수에 포함)으로 2020년 7월에 고사된 나무수(15주) + 2020년 6월 발생한 보상하는 손해 이외의 원인(실제결과주수에 포함)으로 착과량(수확량)이 현저히 감소한 나무수(10주)
  = 15주 + 10주 = 25주

③ 고사주수 : 25주
  = 실제결과주수 중 2019년 12월 발생한 보상하는 손해로 2020년 3월에 고사된 나무수(25주)

[계산과정 상세 풀이]

① **실제결과주수**(실제결과나무수)

실제결과주수(실제결과나무수)는 가입일자를 기준으로 농지(과수원)에 식재된 모든 나무수를 의미한다. 다만, 인수조건에 따라 보험에 가입할 수 없는 나무(유목 및 제한 품종 등)수는 제외한다.

∴ 실제결과주수 = 270주 + 25주 + 15주 = 310주

㉠ 상기 조사일자 2020년 8월 18일 기준 과수원에 살아있는 모든 나무수(고사된 나무수 제외) **270주**는 실제결과주수에 포함된다.

㉡ 2019년 7월 발생한 보상하는 재해로 2019년 7월에 고사된 나무수 **30주**는 가입일자 이전이므로 실제 결과주수에 포함되지 않는다.

㉢ 2019년 12월 발생한 보상하는 재해로 2020년 3월에 고사된 나무수 **25주**는 실제결과주수에 포함된다.

㉣ 2020년 6월 발생한 보상하는 손해 이외의 원인으로 2020년 7월에 고사된 나무수 **15주**는 실제결과주 수에 포함된다.

㉤ 2020년 6월 발생한 보상하는 손해 이외의 원인으로 착과량(수확량)이 현저하게 감소한 나무수 **10주** 는 살아있는 모든 나무수(고사된 나무수 제외) 270주에 포함되므로 실제결과주수에서 제외한다.

② **미보상주수**(미보상나무수)

미보상주수(미보상나무수)는 실제결과주수 중 보상하는 손해 이외의 원인으로 고사하거나 착과량(수확량)이 현저하게 감소한 나무를 의미한다.

∴ 2020년 6월 발생한 **보상하는 손해 이외의 원인**(실제결과주수에 포함)으로 2020년 7월에 **고사된 나무 수(15주)** + 2020년 6월 발생한 보상하는 손해 이외의 원인(실제결과주수에 포함)으로 **착과량(수확량) 이 현저히 감소한 나무수(10주)** = 15주 + 10주 = 25주

③ **고사주수**(고사나무수)

고사주수(고사나무수)는 실제결과주수 중 보상하는 손해로 고사된 나무수를 의미한다. 즉, 2019년 12월 발생한 **보상하는 재해로 2020년 3월에 고사된 나무수(25주)**를 말한다.

15 다음의 계약사항과 조사내용을 참조하여 착과감소보험금을 구하시오. 단, 착과감소보험금의 보장수준은 50%로 선택하고, 착과감소량은 소수점 첫째자리에서 반올림하여 다음 예시와 같이 구하시오(예시 : 123.4kg → 123kg). 5점

• 계약사항(해당 과수원의 모든 나무는 단일 품종, 단일 재배방식, 단일 수령으로 함)

품목	가입금액	평년착과수	자기부담비율
사과(적과전종합II)	24,200,000원	27,500개	15%

가입과중	가입가격	나무손해보장 특별약관	적과종료 이전 특정위험 5종 한정 보장 특별약관
0.4kg	2,200원/kg	미가입	미가입

• 조사내용

구분	재해종류	사고일자	조사일자	조사내용
계약일~ 적과종료 이전	조수해	5월 5일	5월 7일	• 피해규모 : 일부 • 금차 조수해로 죽은 나무수 : 44주 • 미보상비율 : 5%
	냉해	6월 7일	6월 8일	• 피해규모 : 전체 • 냉해피해 확인 • 미보상비율 : 10%
적과후 착과수조사	–		7월 23일	• 실제결과주수 : 110주 • 적과후착과수 : 15,500개 • 1주당 평년착과수 : 250개

정답 및 해설

착과감소보험금 = (① 착과감소량 - ② 미보상감수량 - ③ 자기부담감수량) × 가입가격 × 보장수준(50%*, 70%*)

= (4,800kg - 480kg - 1,650kg) × 2,200원/kg × 0.5(50%)

= 2,937,000원

* 착과감소보험금의 보장수준(50%, 70%)은 계약자가 선택한 수준으로 보장한다.

① 착과감소량 = 착과과실감소수 × 가입과중

= 12,000개 × 0.4kg

= 4,800kg

• 착과과실감소수 = 평년착과수 - 적과후착과수

= 27,500개 - 15,500개

= 12,000개

② 미보상감수량 = 미보상과실감소수 × 가입과중

= 1,200개 × 0.4kg/개

= 480kg

※ 적과전 사고 조사에서 미보상비율 적용은 미보상비율 조사값 중 가장 큰 값만 적용
    ⓐ 적과종료 이전의 미보상감소과실수
      = {(착과감소과실수 × 미보상비율) + 미보상주수 감수과실수}
      = {(12,000개 × 10%) + 0개}
      = 1,200개
    ⓑ 미보상주수 감수과실수 = 미보상주수 × 1주당 평년착과수
                         = 0 × 250개
                         = 0개
③ 자기부담감수량 = 기준수확량 × 자기부담비율
                = 11,000kg × 0.15
                = 1,650kg
  • 기준수확량 = (적과후착과수 + 착과감소과실수) × 가입과중
            = (15,500개 + 12,000개) × 0.4kg/개
            = 11,000kg

16 피보험자 A가 운영하는 △△한우농장에서 한우 1마리가 인근 농장주인 B의 과실에 의해 폐사(보상하는 손해)되어 보험회사에 사고보험금을 청구하였다. 다음의 내용을 참조하여 피보험자 청구항목 중 비용 (①~④)에 대한 보험회사의 지급여부를 각각 지급 또는 지급불가로 기재하고, ⑤ 보험회사의 최종 지급금액(보험금 + 비용)을 구하시오. 15점

피보험자(A) 청구항목			보험회사 조사내용
보험금		소(牛)	폐사 시점의 손해액 300만원(전손)은 보험가입금액 및 보험가액과 같은 것으로 확인(자기부담금비율 : 20%)
비용	(①)	잔존물처리비용	A가 폐사로 인한 인근 지역의 수질 오염물질 제거를 위해 지출한 비용(30만원)으로 확인
	(②)	손해방지비용	A가 손해의 경감을 위해 지출한 유익한 비용(40만원)으로서 보험목적의 관리 의무를 위하여 지출한 비용에 해당하지 않는 것으로 확인
	(③)	대위권 보전비용	A가 B에게 손해배상을 받을 수 있는 권리를 행사하기 위해 지출한 유익한 비용(30만원)으로 확인
	(④)	기타 협력비용	A가 회사의 요구 또는 협의 없이 지출한 비용(40만원)으로 확인

최종 지급금액(보험금 + 비용)	(⑤)

정답 및 해설

① 지급불가, ② 지급, ③ 지급, ④ 지급불가, ⑤ 310만원

① **지급불가**

　　보험목적물이 폐사한 경우 **잔존물처리비용** 중에는 사고현장에서의 잔존물의 견인비용 및 차에 싣는 비용을 포함하지만, 사고현장 및 인근 지역의 토양, 대기 및 수질 오염물질 제거비용과 차에 실은 후 폐기물 처리비용은 포함하지 않는다. 따라서 **지급불가**에 해당한다.

② **지급**

　　손해방지비용 중 손해의 방지 또는 경감을 위하여 지출할 필요 또는 유익한 비용은 보상하므로 지급하며, 보험목적의 관리 의무를 위하여 지출한 비용은 보상하지 않는다.

③ **지급**

　　A가 B에게 손해의 배상을 받을 수 있는 권리를 지키거나 **행사**하기 위하여 지출한 필요 또는 유익한 비용인 대위권 보전비용을 보상하므로 **지급**한다.

④ **지급불가**

　　기타 협력비용을 보상받기 위해서는 **회사의 요구 또는 협의가 있어야** 하므로, 지급불가에 해당한다.

⑤ **최종 지급금액** = (㉠ **보험금** + ㉡ **비용**) : 310만원

　　　　　　　　= (240만원 + 70만원)

　　　　　　　　= 310만원

　　㉠ 보험금 = (손해액 − 자기부담금) × (보험가입금액 ÷ 보험가액)

　　　　　　　= (300만원 − 60만원) × 1

　　　　　　　= **240만원**

　　　　• (보험가입금액 ÷ 보험가액) = 1

　　　　• 자기부담금 = 손해액 × 자기부담비율

　　　　　　　　　　= 300만원 × 20%

　　　　　　　　　　= 60만원

　　㉡ 비용 = (손해방지비용 + 대위권 보전비용)

　　　　　　= (40만원 + 30만원)

　　　　　　= **70만원**

17 다음의 계약사항과 조사내용을 참조하여 ① 수확량(kg), ② 피해율(%) 및 ③ 보험금을 구하시오. 단, 품종에 따른 환산계수 및 비대추정지수는 미적용하고, 수확량과 피해율은 소수점 셋째 자리에서 반올림하여 다음 예시와 같이 구하시오(예시 : 12.345kg → 12.35kg, 12.345% → 12.35%). 15점

• 계약사항

품목	가입금액	가입면적	평년수확량	기준가격	자기부담비율
마늘(수입보장)	2,000만원	2,500㎡	8,000kg	2,800원/kg	20%

• 조사내용

재해종류	조사종류	실제경작면적	고사면적	타작물 및 미보상면적	기수확면적
냉해	수확량조사	2,500㎡	500㎡	200㎡	0㎡

표본구간 수확량	표본구간 면적	미보상비율	수확기가격
5.5kg	5㎡	15%	2,900원/kg

정답 및 해설

① 수확량(kg) : 2,620kg/㎡, ② 피해율(%) : 57.16%, ③ 보험금 : 7,432,000원

① 수확량(kg)

• 수확량 : 2,620kg/㎡
  수확량 = (표본구간 단위면적당 수확량 × 조사대상면적) + {단위면적당 평년수확량 × (타작물면적 및 미보상면적 + 기수확면적)}
  $= (1.1kg/㎡ × 1,800㎡) + \{3.2kg/㎡ × (200㎡ + 0㎡)\}$
  $= 2,620kg/㎡$
• 표본구간 단위면적당 수확량 : 1.1kg/㎡
  표본구간 단위면적당 수확량 = (표본구간 수확량 × 환산계수) ÷ 표본구간 면적
  $= 5.5kg/㎡ × (환산계수 미적용) ÷ 5㎡$
  $= 1.1kg/㎡$
• 조사대상면적 : 1,800㎡
  조사대상면적 = 실제경작면적 − 고사면적 − 타작물면적 및 미보상면적 − 기수확면적
  $= 2,500㎡ − 500㎡ − 200㎡ − 0㎡$
  $= 2,500㎡ − (500㎡ + 200㎡ + 0㎡)$
  $= 2,500㎡ − 700㎡$
  $= 1,800㎡$
• 단위면적당 평년수확량 : 3.2kg/㎡
  단위면적당 평년수확량 = 평년수확량 ÷ 실제경작면적
  $= 8,000kg ÷ 2,500㎡$
  $= 3.2kg/㎡$

② 피해율(%)

(1) "정해" 산출방법
- 피해율 : 57.16%
  피해율 = (기준수입 − 실제수입) ÷ 기준수입
  $\qquad$ = (22,400,000원 − 9,595,600원) ÷ 22,400,000원
  $\qquad$ = 57.16%
- 기준수입 : 22,400,000원
  기준수입 = 평년수확량 × 농지별 기준수입
  $\qquad$ = 8,000kg × 2,800원/kg
  $\qquad$ = 22,400,000원
- 실제수입 : 9,595,600원
  실제수입 = (수확량 + 미보상감수량) × Min(농지별 기준가격, 농지별 수확기가격)
  $\qquad$ = (2,620kg + 807kg) × 2,800원/kg
  $\qquad$ = 9,595,600원
- 미보상감수량 : 807kg
  미보상감수량 = (평년수확량 − 수확량) × 미보상비율
  $\qquad$ = (8,000kg − 2,620kg) × 15%
  $\qquad$ = 807kg

(2) "별해" 산출방법
- 피해율 : 57.16%
  피해율 = (평년수확량 − 수확량 − 미보상감수량) ÷ 평년수확량
  $\qquad$ = (8,000kg − 2,620kg − 807kg) ÷ 8,000kg
  $\qquad$ = 0.571625
  $\qquad$ = 57.16%
- 미보상감수량 = (평년수확량 − 수확량) × 미보상비율
  $\qquad$ = (8,000kg − 2,620kg) × 15%
  $\qquad$ = 807kg

③ 보험금

- 보험금 : 7,432,000원
  보험금 = 보험가입금액 × (피해율 − 자기부담비율)
  $\qquad$ = 2,000만원 × (57.16% − 20%)
  $\qquad$ = 7,432,000원

18 다음은 종합위험 생산비보장방식 고추에 관한 내용이다. 아래의 조건을 참조하여 다음 물음에 답하시오. 15점

· 조건 1

잔존보험 가입금액	가입면적 (재배면적)	자기 부담금비율	표준 생장일수	준비기 생산비계수	정식일
8,000,000원	3,000㎡	5%	100일	55.7%	2020년 5월 10일

· 조건 2

재해종류	내용
한해 (가뭄피해)	· 보험사고 접수일 : 2020년 8월 7일(정식일로부터 경과일수 89일) · 조사일 : 2020년 8월 8일(정식일로부터 경과일수 90일) · 수확개시일 : 2020년 8월 18일(정식일로부터 경과일수 100일) · 가뭄 이후 첫 강우일 : 2020년 8월 20일(수확개시일로부터 경과일수 2일) · 수확종료(예정)일 : 2020년 10월 7일(수확개시일로부터 경과일수 50일)

· 조건 3

피해비율	손해정도비율(심도)	미보상비율
50%	30%	20%

(1) 위 조건에서 확인되는 ① 사고(발생)일자를 기재하고, 그 일자를 사고(발생)일자로 하는 ② 근거를 쓰시오.

(2) 경과비율(%)을 구하시오. 단, 경과비율은 소수점 셋째자리에서 반올림하여 다음 예시와 같이 구하시오(예시 : 12.345% → 12.35%).

(3) 보험금을 구하시오.

정답 및 해설

(1) ① 사고(발생)일자 : 2020년 8월 8일
  ② 근거 : 가뭄과 같이 지속되는 재해의 사고일자는 재해가 끝나는 날(가뭄 이후 첫 강우일의 전날)을 사고발생일로 한다. 다만, 재해가 끝나기 전에 조사가 이루어진 경우에는 조사가 이루어진 날을 사고 일자로 한다.

(2) 경과비율(%) : 95.57%
  수확기 이전에 보험사고가 발생하였으므로
  경과비율(%) = 준비기생산비계수 + (1 - 준비기생산비계수) × (생장일수 ÷ 표준생장일수)
      = 55.7% + (1 - 55.7%) × (90일 ÷ 100일)
      = 95.57%
  · 생장일수는 정식일로부터 사고발생일까지 경과일수(**90일**)로 한다.

(3) 보험금

- 보험금 : 517,472원
  보험금 = (잔존보험가입금액 × 경과비율 × 피해율) − 자기부담금
         = (8,000,000원 × 95.57% × 12%) − 400,000원
         = 517,472원
  ※ 단, 병충해가 있는 경우 병충해 등급별 인정비율을 피해율에 곱한다.
- 피해율 : 12%
  피해율 = 피해비율 × 손해정도비율(심도) × (1 − 미보상비율)
        = 50% × 30% × (1 − 20%)
        = 12%
- 자기부담금 : 400,000원
  자기부담금 = 잔존보험가입금액 × 자기부담비율(5%)
          = 8,000,000원 × 5%
          = 400,000원

19 금차 조사일정에 대하여 손해평가반을 구성하고자 한다. 아래의 "계약사항", "과거 조사사항", "조사자 정보"를 참조하여 [보기]의 손해평가반 (①~⑤)별 구성가능 여부를 각 반별로 가능 또는 불가능으로 기재하고 불가능한 반은 그 사유를 각각 쓰시오(단, 제시된 내용 외 다른 사항은 고려하지 않음). 15점

- 금차 조사일정

구분	조사종류	조사일자
㉮ 계약(사과)	낙과피해조사	2020년 9월 7일

- 계약사항

구분	계약자(가입자)	모집인	계약일
㉮ 계약(사과)	H	E	2020년 2월 18일
㉯ 계약(사과)	A	B	2020년 2월 17일

- 과거 조사사항

구분	조사종류	조사일자	조사자
㉮ 계약(사과)	적과후착과수 조사	2020년 8월 13일	D, F
㉯ 계약(사과)	적과후착과수 조사	2020년 8월 18일	C, F, H

- 조사자 정보(조사자 간 생계를 같이하는 친족관계는 없음)

성명	A	B	C	D	E	F	G	H
구분	손해 평가인	손해 평가인	손해 평가사	손해 평가인	손해 평가인	손해 평가사	손해 평가인	손해 평가사

- 손해평가반 구성

> [보기]
> • ①반 : A, B   • ②반 : C, H   • ③반 : G   • ④반 : C, D, E   • ⑤반 : D, F

정답 및 해설

- ①반 : A, B
  - ㉠ 손해평가반별 구성가능 여부 : **불가능**
  - ㉡ 사유 : A는 직전 손해평가일로부터 **30일 이내의 보험가입자 간 상호 손해평가**에 해당되어 손해평가반 구성에서 배제된다.
- ②반 : C, H
  - ㉠ 손해평가반별 구성가능 여부 : **불가능**
  - ㉡ 사유 : H는 **자기가 가입한 보험계약에 관한 손해평가**에서 해당되어 손해평가반 구성에서 배제된다.
- ③반 : G
  - 손해평가반별 구성가능 여부 : **가능**
- ④반 : C, D, E
  - ㉠ 손해평가반별 구성가능 여부 : **불가능**
  - ㉡ 사유 : E는 **자기가 모집한 보험계약에 관한 손해평가**에 해당되어 손해평가반 구성에서 배제된다.
- ⑤반 : D, F
  - 손해평가반별 구성가능 여부 : **가능**

[손해평가반 구성]
① 손해평가반은 손해평가인 또는 「보험업법」 제186조에 따른 손해사정사 또는 「농어업재해보험법」 제1조의4 제1항에 따른 손해평가사 1인 이상을 포함하여 5인 이내로 구성한다.
② 손해평가 일정은 손해평가반별로 수립한다.
③ 아래의 어느 하나에 해당하는 손해평가에 대하여는 해당자를 손해평가반 구성에서 배제하여야 한다.
  ㉠ 자기 또는 자기와 생계를 같이하는 친족(이하 "이해관계자"라 한다)이 가입한 보험계약에 관한 손해평가의 경우 손해평가반 구성에서 배제한다.
  ㉡ 자기 또는 이해관계자가 모집한 보험계약에 관한 손해평가의 경우 손해평가반 구성에서 배제한다.
  ㉢ 직전 손해평가일로부터 30일 이내의 보험가입자 간 상호 손해평가인 경우 손해평가반 구성에서 배제한다.
  ㉣ 자기가 실시한 손해평가에 대한 검증조사 및 재조사인 경우 손해평가반 구성에서 배제한다.

20 다음은 종합위험 수확감소보장 복숭아에 관한 내용이다. 아래의 계약사항과 조사내용을 참조하여 (1) A품종 수확량(kg), (2) B품종 수확량(kg), (3) 수확감소보장피해율(%)를 구하시오. 단, 피해율은 소수점 셋째자리에서 반올림하여 다음 예시와 같이 구하시오(예시 : 12.345% → 12.35%). 15점

- 계약사항

품목	가입금액	평년수확량	자기부담비율	수확량감소 추가보장특약	나무손해 보장특약
복숭아	15,000,000원	4,000kg	20%	미가입	미가입

품종/수령	가입주수	1주당 표준수확량	표준과중
A/9년생	200주	15kg	300g
B/10년생	100주	30kg	350g

- 조사내용(보상하는 재해로 인한 피해 확인됨)

조사종류	품종/수령	실제결과주수	미보상주수	품종별·수령별 착과수(합계)
착과수조사	A/9년생	200주	8주	5,000개
	B/10년생	100주	5주	3,000개

조사종류	품종	개당과중	미보상비율
과중조사	A	290g	5%
	B	310g	10%

정답 및 해설

(1) A품종 수확량 : 1,530kg
(2) B품종 수확량 : 1,030kg
(3) 수확감소보장피해율 : 32.4%

(1) A품종 수확량(kg) : 1,530kg

> A품종 수확량(kg) = 착과량 − 사고당 감수량의 합
> = 1,530(kg) − 0(kg)
> = 1,530(kg)

① 표준수확량 = A품종 표준수확량(kg) + B품종 표준수확량(kg)
  = (15kg/주 × 200주) + (30kg/주 × 100주)
  = 6,000kg
② A품종 평년수확량(kg)
  = 평년수확량(kg) × {(주당 표준수확량(kg/주) × 실제결과주수) ÷ 표준수확량(kg)}
  = 4,000(kg) × {(15kg/주 × 200주) ÷ 6,000(kg)}
  = 2,000kg

③ A품종 주당 평년수확량(kg)

= 평년수확량(kg) ÷ 실제결과주수

= 2,000(kg) ÷ 200주

= 10kg/주

④ A품종 착과량(kg)

= {착과수(개) × 품종별 과중(kg)/개} + {주당 평년수확량(kg)/주 × 미보상주수}

= (5,000(개) × 0.290(kg)/개) + (10(kg)/주 × 8주)

= 1,530kg

(2) B품종 수확량(kg) : 1,030kg

> B품종 수확량(kg) = 착과량 − 사고당 감수량의 합
>
> = 1,030(kg) − 0(kg)
>
> = 1,030(kg)

① 표준수확량 = A품종 표준수확량(kg) + B품종 표준수확량(kg)

= (15kg/주 × 200주) + (30kg/주 × 100주)

= 6,000kg

② B품종 평년수확량(kg)

= 평년수확량(kg) × {(주당 표준수확량(kg/주) × 실제결과주수) ÷ 표준수확량(kg)}

= 4,000(kg) × {(30kg/주 × 100주) ÷ 6,000(kg)}

= 2,000kg

③ B품종 주당 평년수확량(kg)

= 평년수확량(kg) ÷ 실제결과주수

= 2,000(kg) ÷ 100주

= 20kg/주

④ B품종 착과량(kg)

= {착과수(개) × 품종별 과중(kg)/개} + {주당 평년수확량(kg)/주 × 미보상주수}

= {3,000(개) × 0.310(kg)/개} + {20(kg)/주 × 5주}

= 1,030kg

(3) 수확감소보장 피해율(%) : 32.4%

> 피해율(%) = {평년수확량(kg) − 수확량(kg) − 미보상감수량(kg) + 병충해감수량(kg)} ÷ 평년수확량(kg)
>
> = (4,000kg − 2,560kg − 144kg + 0kg) ÷ 4,000kg
>
> = 0.324
>
> = 32.4%

① 수확량 : 품종별 개당과중이 모두 있으므로

수확량 = {착과량(kg) − 사고당 감수량의 합(kg)}

= (A품종 착과량 + B품종 착과량) − 사고당 감수량의 합

= (1,530kg + 1,030kg) − 0kg = 2,560kg

② 미보상감수량 = {평년수확량(kg) − 수확량(kg)} × 미보상비율

= (4,000kg − 2,560kg) × 0.1

= 144kg

③ 병충해감수량 : 0kg

11 업무방법에서 정하는 보험사기 방지에 관한 내용이다. ( )에 들어갈 내용을 각각 쓰시오. 5점

성립요건	• (①) 또는 보험대상자에게 고의가 있을 것 : (①) 또는 보험대상자의 고의에 회사를 기망하여 착오에 빠뜨리는 고의와 그 착오로 인해 승낙의 의사 표시를 하게 하는 것이 있음 • (②) 행위가 있을 것 : (②)이란 허위진술을 하거나 진실을 은폐하는 것, 통상 진실이 아닌 사실을 진실이라 표시하는 행위를 말하거나 알려야 할 경우에 침묵, 진실을 은폐하는 것도 (②) 행위에 해당 • 상대방의 회사가 착오에 빠지는 것 : 상대방의 회사가 착오에 빠지는 것에 대하여 회사의 (③) 유무는 문제가 되지 않음
보험사기조치	• 청구한 사고보험금 (④) 가능 • 약관에 의거하여 해당 (⑤)할 수 있음

정답 및 해설

① 계약자, ② 기망, ③ 과실, ④ 지급거절, ⑤ 계약을 취소

성립요건	• (① **계약자**) 또는 보험대상자에게 고의가 있을 것 : (① **계약자**) 또는 보험대상자의 고의에 회사를 기망하여 착오에 빠뜨리는 고의와 그 착오로 인해 승낙의 의사표시를 하게 하는 것이 있음 • (② **기망**) 행위가 있을 것 : (② **기망**)이란 허위진술을 하거나 진실을 은폐하는 것, 통상 진실이 아닌 사실을 진실이라 표시하는 행위를 말하거나 알려야 할 경우에 침묵, 진실을 은폐하는 것도 (② **기망**) 행위에 해당 • 상대방의 회사가 착오에 빠지는 것 : 상대방의 회사가 착오에 빠지는 것에 대하여 회사의 (③ **과실**) 유무는 문제가 되지 않음
보험사기조치	• 청구한 사고보험금 (④ **지급거절**) 가능 • 약관에 의거하여 해당 (⑤ **계약을 취소**)할 수 있음

12 업무방법서에서 정하는 종합위험 수확감소보장방식 밭작물 품목의 품목별 표본구간별 수확량 조사방법에 관한 내용이다. ( )에 들어갈 내용을 각각 쓰시오. [5점]

품목	표본구간별 수확량 조사방법
옥수수	표본구간 내 작물을 수확한 후 착립장 길이에 따라 상(①), 중(②), 하(③)로 구분한 후 해당 개수를 조사
차(茶)	표본구간 중 두 곳에 (④) 테를 두고 테 내의 수확이 완료된 새싹의 수를 세고, 남아 있는 모든 새싹(1심2엽)을 따서 개수를 세고 무게를 조사
감자	표본구간 내 작물을 수확한 후 정상감자, 병충해별 20% 이하, 21~40% 이하, 41~60% 이하, 61~80% 이하, 81~100% 이하 발병 감자로 구분하여 해당 병충해명과 무게를 조사하고 최대 지름이 (⑤) 미만이거나 피해정도 50% 이상인 감자의 무게는 실제 무게의 50%를 조사 무게로 함.

정답 및 해설

① 17cm 이상, ② 15cm 이상 17cm 미만, ③ 15cm 미만, ④ 20cm × 20cm, ⑤ 5cm

품목	표본구간별 수확량 조사방법
옥수수	표본구간 내 작물을 수확한 후 착립장 길이에 따라 상(① 17cm 이상), 중(② 15cm 이상 17cm 미만), 하(③ 15cm 미만)로 구분한 후 해당 개수를 조사
차(茶)	표본구간 중 두 곳에 (④ 20cm × 20cm) 테를 두고 테 내의 수확이 완료된 새싹의 수를 세고, 남아있는 모든 새싹(1심2엽)을 따서 개수를 세고 무게를 조사
감자	표본구간 내 작물을 수확한 후 정상감자, 병충해별 20% 이하, 21~40% 이하, 41~60% 이하, 61~80% 이하, 81~100% 이하 발병 감자로 구분하여 해당 병충해명과 무게를 조사하고 최대 지름이 (⑤ 5cm) 미만이거나 피해정도 50% 이상인 감자의 무게는 실제 무게의 50%를 조사 무게로 함.

13 적과전종합위험방식 II 사과 품목에서 적과후착과수조사를 실시하고자 한다. 과수원의 현황 (품종, 재배방식, 수령, 주수)이 다음과 같이 확인되었을 때 ①, ②, ③, ④에 대해서는 계산과 정과 값을 쓰고, ⑤에 대해서는 산정식을 쓰시오. 단, 적정표본주수 최솟값은 소수점 첫째자리 에서 올림하여 다음 예시와 같이 구하시오(예시 : 10.2 → 11로 기재). 5점

• 과수의 현황

품종	재배방식	수령	실제결과주수	고사주수
스가루	반밀식	10년	620주	10주
후지	밀식	5년	60주	30주

• 적과후착과수 적정표본주수

품종	재배방식	수령	조사대상주수	적정표본주수	적정표본주수 산정식
스가루	반밀식	10년	(①)	(③)	(⑤)
후지	밀식	5년	(②)	(④)	–

정답 및 해설

① 스가루 조사대상주수 : 610주

    조사대상주수 = 실제결과주수 − 고사주수 − 미보상주수 − 수확불능주수

              = 620주 − 10주 − 0주 − 0주

              = 620주 − 10주

              = 610주

② 후지 조사대상주수 : 30주

    조사대상주수 = 실제결과주수 − 고사주수 − 미보상주수 − 수확불능주수

              = 60주 − 30주 − 0주 − 0주

              = 60주 − 30주

              = 30주

③ 스가루 적정표본주수 : 13주

    적정표본주수 = 전체표본주수 × (품종별 조사대상주수 ÷ 전체 조사대상주수)

              = 13주 × (610주 ÷ 640주)

              = 12.39주 → 13주

              = 13주

④ 후지 적정표본주수 : 1주

    적정표본주수 = 전체표본주수 × (품종별 조사대상주수 ÷ 전체 조사대상주수)

              = 13주 × (30주 ÷ 640주)

              = 0.609주 → 1주

              = 1주

⑤ 적정표본주수 : 전체표본주수 × (품종별 조사대상주수 ÷ 전체 조사대상주수)

14 종합위험 수확감소보장방식 논작물 관련 내용이다. 계약사항과 조사내용을 참조하여 피해율의 계산과정과 값을 쓰시오. `5점`

- 계약사항

품목	가입면적	평년수확량	표준수확량
벼	2,500㎡	6,000kg	5,000kg

- 적과후착과수 적정표본주수

조사종류	조사수확비율	피해정도	피해면적비율	미보상비율
수확량조사 (수량요소조사)	70%	경미	10% 이상 30% 미만	10%

정답 및 해설

※ 조사비율 70%, 피해면적 보정계수 1.1, 병충해 언급이 없으므로 병충해 단독사고가 아닌 경우의 피해율을 구한다.

- 피해율 = 32.25%
  피해율 = {평년수확량(kg) − 수확량(kg) − 미보상감수량(kg)} ÷ 평년수확량(kg)
  = (6,000kg − 3,850kg − 215kg) ÷ 6,000kg
  = 32.25%
- 수확량 : 3,850kg
  수확량 = 표준수확량(kg) × 조사수확비율 × 피해면적 보정계수
  = 5,000kg × 0.7 × 1.1
  = 3,850kg
- 미보상감수량 : 215kg
  미보상감수량 = {평년수확량(kg) − 수확량(kg)} × 미보상비율
  = (6,000kg − 3,850kg) × 0.1
  = 215kg

15 업무방법에서 정하는 가축재해보험 구상권의 의의 및 발생유형에 관한 내용이다. ( )에 들어 갈 용어를 각각 쓰시오. 5점

의의	•구상권이라 함은 보험금 지급 후 보험자가 제3자(타인)에게 가지는 손해배상청구권을 (①) 취득하여 그 타인에 대하여 가지는 (②)의 권리를 말한다.
발생유형	•생산물(제조물)의 (③)(으)로 인한 화재 •(④) 사고 건에 대하여 선 보상처리 후 타 보험사에 분담금 청구 •무보험차량에 의한 (⑤)

정답 및 해설

① 대위, ② 반환청구, ③ 결함, ④ 중복보험, ⑤ 타차일방과실

의의	•구상권이라 함은 보험금 지급 후 보험자가 제3자(타인)에게 가지는 손해배상청구권을 (① 대위) 취득하여 그 타인에 대하여 가지는 (② 반환청구)의 권리를 말한다.
발생유형	•생산물(제조물)의 (③ 결함)(으)로 인한 화재 •(④ 중복보험) 사고 건에 대하여 선 보상처리 후 타 보험사에 분담금 청구 •무보험차량에 의한 (⑤ 타차일방과실)

16 농업수입감소보장방식 콩에 관한 내용이다. 계약사항과 수확량조사내용을 참조하여 다음 물음에 답하시오. [15점]

- 계약사항

보험가입금액	자기부담비율	가입면적	평년수확량	농지별 기준가격
10,000,000원	20%	10,000㎡	2,000kg	5,000원/kg

- 수확량조사내용
[면적조사]

실제경작면적	수확불능면적	기수확면적
10,000㎡	1,000㎡	2,000㎡

[표본조사]

표본구간 면적	종실중량	함수율
10㎡	2kg	22.6%

[미보상비율] : 10%
※ 수확기가격은 4,500원/kg

(1) 수확량 계산과정과 값을 쓰시오. [5점]
(2) 피해율의 계산과정과 값을 쓰시오. [5점]
(3) 농업수입감소보험금의 계산과정과 값을 쓰시오. [5점]

정답 및 해설

(1) 수확량 계산과정과 값
- 수확량[표본조사] : 1,660kg
  = 표본구간 단위면적당 수확량 × 조사대상면적 + 단위면적당 평년수확량 × (타작물 및 미보상면적 + 기수확면적)
  = (0.18kg × 7,000㎡) + 0.2kg/㎡ × (0㎡ + 2,000㎡)
  = 1,660kg
  ※ 조사대상면적 : 7,000㎡
    = 실제경작면적 − 수확불능면적 − 기수확면적
    = 10,000㎡ − (1,000㎡ + 2,000㎡)
    = 7,000㎡

※ 표본구간 단위면적당 수확량 : 0.18kg

= {종실중량 × (1 − 표본조사종실함수율) ÷ (1 − 종실 수분율)} ÷ 표본구간 면적

= {2kg × (1 − 0.226%) ÷ (1 − 0.14%)} ÷ 10㎡

= 0.18kg

※ 단위면적당 평년수확량 : 0.2kg/㎡

= 평년수확량 ÷ 가입면적

= 2,000kg ÷ 10,000㎡

= 0.2kg/㎡

(2) 피해율의 계산과정과 값

• 피해율 : 23.77%

= (기준수입 − 실제수입) ÷ 기준수입

= (10,000,000원 − 7,623,000원) ÷ 10,000,000원

= 23.77%

※ 기준수입 : 10,000,000원

= 평년수확량 × 농지별 기준가격

= 2,000kg × 5,000원/kg

= 10,000,000원

※ 실제수입 : 7,623,000원

= (수확량 + 미보상감수량) × 최솟값(농지별 기준가격, 농지별 수확기가격 : 4,500원/kg)

= (1,660kg + 34kg) × (4,500원/kg)

= 7,623,000원

※ 미보상감수량 : 34kg

= (평년수확량 − 수확량) × 미보상비율

= (2,000kg − 1,660kg) × 0.1

= 34kg

(3) 농업수입감소보험금의 계산과정과 값

• 보험금 : 377,000원

= 보험가입금액 × (피해율 − 자기부담비율)

= 10,000,000원 × (23.77% − 20%)

= 377,000원

17 종합위험방식 원예시설·버섯 품목에 관한 내용이다. 각 내용을 참조하여 다음 물음에 답하시오. 15점

• 표고버섯(원목재배)

표고원목의 전체면적	표고원목의 피해면적	재배원목(본)수	피해원목(본)수	원목(본)당 보장생산비
40㎡	20㎡	2,000개	400개	7,000원

• 표고버섯(톱밥배지재배)

준비기생산비계수	피해배지(봉)수	재배배지(봉)수	손해정도비율
82.2%	500개	2,000개	50%

배지(봉)당 보장생산비	생장일수	비고
2,800원	45일	수확기 이전 사고임

• 느타리버섯(균상재배)

준비기생산비계수	피해면적	재배면적	손해정도
74.5%	500㎡	2,000㎡	55%

단위면적당 보장생산비	생장일수	비고
16,4000원	14일	수확기 이전 사고임

(1) 표고버섯(원목재배) 생산비보장보험금의 계산과정과 값을 쓰시오. 5점
(2) 표고버섯(톱밥배지재배) 생산비보장보험금의 계산과정과 값을 쓰시오. 5점
(3) 느타리버섯(균상재배) 생산비보장보험금의 계산과정과 값을 쓰시오. 5점

정답 및 해설

(1) 표고버섯(원목재배) 생산비보장보험금의 계산과정과 값
　　생산비보장보험금 = 재배원목(본)수 × 원목(본)당 보장생산비 × 피해율
　　　　　　　　　　 = 2,000개 × 7,000원 × 0.1
　　　　　　　　　　 = 1,400,000원
　　※ 피해율 = 피해비율 × 손해정도비율
　　　　　　　 = (400 ÷ 2,000) × (20 ÷ 40)
　　　　　　　 = 10%

(2) 표고버섯(톱밥배지재배) 생산비보장보험금의 계산과정과 값
　　생산비보장보험금 = 재배배지(봉)수 × 배지(봉)당 보장생산비 × 경과비율 × 피해율
　　　　　　　　　　 = 2,000개 × 2,800원 × 0.911 × 0.125
　　　　　　　　　　 = 637,700원

※ 경과비율 = α + (1 − α) × (생장일수 ÷ 표준생장일수)

              = 82.2% + (1 − 82.2%) × (45 ÷ 90)

              = 91.1%

※ 피해율 = 피해비율 × 손해정도비율

           = (500 ÷ 2,000) × 0.5

           = 12.5%

품목	품종	표준생장일수
표고버섯(톱밥배지재배)	전체	90일
느타리버섯(균상재배)	전체	28일
양송이버섯(균상재배)	전체	30일

(3) 느타리버섯(균상재배) 생산비보장보험금의 계산과정과 값

생산비보장보험금 = 재배면적 × 단위면적당 보장생산비 × 경과비율 × 피해율

                 = 2,000㎡ × 16,400원 × 0.8725% × 0.15%

                 = 4,292,700원

※ 경과비율 = α + (1 − α) × (생장일수 ÷ 표준생장일수)

              = 74.5% + (1 − 74.5%) × (14 ÷ 28)

              = 87.25%

※ 피해율 = 피해비율 × 손해정도비율

           = (500 ÷ 2,000) × 0.6

           = 15%

손해정도	1~20%	21~40%	41~60%	61~80%	81~100%
손해정도비율	20%	40%	60%	80%	100%

18 과실손해조사(감귤)에 관한 내용이다. 다음 물음에 답하시오. 15점

- 계약사항

보험가입금액	가입면적	자기부담비율
25,000,000원	4,800㎡	10%

- 표본주 조사내용(단위 : 개)

구분	정상 과실수	30%형 피해과실수	50%형 피해과실수	80%형 피해과실수	100%형 피해과실수	보상하지 않는 손해(병충해)로 인한 과실수
등급 내	690	80	120	120	60	60
등급 외	360	110	130	90	140	40

※ 수확전 사고조사는 실시하지 않았음

- 표본조사 방법

> 1) 표본주 선정 : 농지별 가입면적을 기준으로 품목별 표본주수표(별표 1-4)에 따라 농지별 전체표본주수를 과수원에 고루 분포되도록 선정한다[단, 필요하다고 인정되는 경우 표본주수를 줄일 수도 있으나 최소 (①)주 이상 선정한다].
> 2) 표본주 조사
>   선정한 표본주에 리본을 묶고 주지별(원가지), 아주지(버금가지) (②)개를 수확한다.

(1) 위 계약사항 및 표본주 조사내용을 참조하여 과실손해피해율의 계산과정과 값을 쓰시오. 7점
(2) 위 계약사항 및 표본주 조사내용을 참조하여 과실손해보험금의 계산과정과 값을 쓰시오. 6점
(3) 위 표본조사 방법에서 (   )에 들어갈 내용을 각각 쓰시오. 2점

정답 및 해설

(1) 위 계약사항 및 표본주 조사내용을 참조하여 과실손해피해율의 계산과정과 값

∴ 과실손해피해율 : 19.75%
= {(등급 내 피해과실수 + 등급 외 피해과실수 × 50%) ÷ 기준과실수} × (1 − 미보상비율)
= {(240 + 310 × 50%) ÷ 2,000} × (1 − 0) = 19.75%
※ 등급 내 과실수 : 240개
= {(30%형 피해과실수 × 0.3) + (50%형 피해과실수 × 0.5) + (80%형 피해과실수 × 0.8) + (100%형 피해과실수 × 1)}
= {(80 × 0.3) + (120 × 0.5) + (120 × 0.8) + (60 × 1)}
= 240개

※ 등급 외 과실수 : 310개

= {(30%형 피해과실수 × 0.3) + (50%형 피해과실수 × 0.5) + (80%형 피해과실수 × 0.8) + (100%형 피해과실수 × 1)}

= {(110 × 0.3) + (130 × 0.5) + (90 × 0.8) + (140 × 1)}

= 310개

(2) 위 계약사항 및 표본주 조사내용을 참조하여 과실손해보험금의 계산과정과 값

∴ 과실손해보험금 : 2,437,500원

= 손해액 − 자기부담금

= 4,937,500원 − 2,500,000원

= 2,437,500원

※ 손해액 : 4,937,500원

= 보험가입금액 × 피해율

= 25,000,000원 × 19.75%

= 4,937,500원

※ 자기부담금 : 2,500,000원

= 보험가입금액 × 자기부담비율

= 25,000,000원 × 10%

= 2,500,000원

(3) 위 표본조사 방법에서 (   )에 들어갈 내용

• 표본조사 방법

1) 표본주 선정 : 농지별 가입면적을 기준으로 품목별 표본주수표(별표 1-4)에 따라 농지별 전체표본주수를 과수원에 고루 분포되도록 선정한다[단, 필요하다고 인정되는 경우 표본주수를 줄일 수도 있으나 최소 (① 2)주 이상 선정한다].

2) 표본주 조사
선정한 표본주에 리본을 묶고 주지별(원가지), 아주지(버금가지) (② 1~3)개를 수확한다.

① 2, ② 1~3

19 특정위험방식 인삼에 관한 내용이다. 계약사항과 조사내용을 참조하여 다음 물음에 답하시오.
15점

- 계약사항

인삼 가입금액	경작칸수	연근	기준수확량 (5년근 기준)	자기 부담비율	해가림시설 가입금액	해가림시설 보험가액
120,000,000원	500칸	5년	0.73kg	20%	20,000,000원	25,000,000원

- 조사내용

사고원인	피해칸	표본칸	표본수확량	지주목간격	두둑폭	고랑폭
화재	350칸	10칸	9.636kg	3m	1.5m	0.7m

해가림시설피해액	잔존물제거비용	손해방지비용	대위권 보전비용
5,000,000원	300,000원	300,000원	200,000원

(1) 인삼피해율의 계산과정과 값을 쓰시오. 5점
(2) 인삼보험금의 계산과정과 값을 쓰시오. 5점
(3) 해가림시설 보험금(비용포함)의 계산과정과 값을 쓰시오. 5점

정답 및 해설

(1) 인삼피해율의 계산과정과 값

∴ 피해율 : 56%

- 피해율 $= (1 - \dfrac{\text{수확량}}{\text{연근별 기준수확량}}) \times \dfrac{\text{피해면적}}{\text{재배면적}}$

$= (1 - \dfrac{0.146}{0.73}) \times \dfrac{350}{500}$

$= 56\%$

※ 수확량 = 단위면적당 조사수확량(kg/m²) + 단위면적당 미보상감수량(kg/m²)

= 0.146kg/m² − 0kg/m²

= **0.146**kg/m²

※ 단위면적당 조사수확량 = 표본수확량 ÷ 표본칸면적

= 9.636kg ÷ {10칸 × 3m × (1.5m + 0.7m)}

= 0.146kg/m²

(2) 인삼보험금의 계산과정과 값

∴ 보험금 : 43,200,000원

- 보험금 = 인삼보험가입금액 × (피해율 − 자기부담비율)

    = 120,000,000원 × (56% − 20%)

    = 43,200,000원

(3) 해가림시설 보험금(비용 포함)의 계산과정과 값

∴ 보험금 : 4,160,000원

- 보험금 = (손해액 − 자기부담금) × (보험가입금액 ÷ 보험가액)

    = (5,000,000 − 500,000) × (20,000,000 ÷ 25,000,000) = 3,600,000원

- 추가비용 = 잔존물제거비용 + 손해방지비용 + 대위권비용

    = 160,000 + 160,000 + 80,000 = 400,000원

- 잔존물제거비용 = (30만원 − 최소자기부담금 10만원) × $\dfrac{20,000,000}{25,000,000}$ = 160,000원

- 손해방지비용 = (30만원 − 최소자기부담금 10만원) × $\dfrac{20,000,000}{25,000,000}$ = 160,000원

- 대위권보전비용 = (20만원 − 최소자기부담금 10만원) × $\dfrac{20,000,000}{25,000,000}$ = 80,000원

- 최종지급보험금 = 3,600,000원 + (700,000원 × $\dfrac{20,000,000}{25,000,000}$) = 4,160,000원

20 계약사항과 조사내용을 참조하여 다음 물음에 답하시오. 15점

• 계약사항

상품명	특약 및 주요사항	평년착과수	가입과중
적과전종합위험방식(Ⅱ) 배 품목	• 나무손해보장특약 • 착과감소 50% 선택	100,000개	450g

가입가격	가입주수	자기부담율	
1,200원/kg	750주	과실	10%
		나무	5%

※ 나무손해보장특약의 보험가입금액은 1주당 10만원 적용

• 조사내용

구분	재해 종류	사고 일자	조사 일자	조사내용
계약일 24시~ 적과전	우박	5월 30일	5월 31일	〈피해사실 확인조사〉 • 피해발생 인정 • 미보상율 : 0%
적과후 착과수 조사	–	–	6월 10일	〈적과후착과수조사〉 	품종	실제결과주수	조사대상주수	표본주 1주당 착과수
화산	390주	390주	60개
신고	360주	360주	90개	 ※ 화산, 신고는 배의 품종임
적과 종료 이후	태풍	9월 1일	9월 2일	〈낙과피해조사〉 • 총낙과수 : 4,000개(전수조사) | 피해과실구성	정상	50%	80%	100%
과실수(개)	1,000개	0개	2,000개	1,000개	
	조수 해	9월 18일	9월 20일	〈나무피해조사〉 • 화산 30주, 신고 30주 조수해로 고사
	우박	5월 30일	10월 1일	〈착과피해조사〉 | 피해과실구성	정상	50%	80%	100%
과실수(개)	50개	10개	20개	20개	

※ 적과 이후 자연낙과 등은 감안하지 않으며, 무피해나무의 평균착과수는 적과후착과수의 1주당 평균착과수와 동일한 것으로 본다.

(1) 착과감소보험금의 계산과정과 값을 쓰시오. 5점

(2) 과실손해보험금의 계산과정과 값을 쓰시오. 5점

(3) 나무손해보험금의 계산과정과 값을 쓰시오. 5점

정답 및 해설

(1) 착과감소보험금의 계산과정과 값

∴ 착과감소보험금 : 9,234,000원

> • 착과감소보험금
> = {① 착과감소량(kg) − ② 미보상감수량(kg) − ③ 자기부담감수량(kg)} × 가입가격(원/kg) × 착과감소
>   50% 선택
> = (19,890kg − 0kg − 4,500kg) × 1,200원/kg × 0.5
> = 9,234,000원

① 착과감소량 : 19,890kg
= {평년수확량(kg) − 적과후착과량(kg)} × 가입과중(kg)
= {100,000kg − (60개 × 390주 + 90개 × 360주)} × 0.45kg = 19,890kg
※ 적과후착과량 = {화산품종 표본주1주당 착과수(60개) × 화산품종 조사대상주수(390주)} + {신고
품종 표본주1주당 착과수(90개) × 신고품종 조사대상주수(360주)} = 55,800

② 미보상감수량 : 0kg
• 미보상감수량은 보상하는 재해 이외의 원인으로 감소되었다고 평가되는 부분을 말하며, 계약 당시
이미 발생한 피해, 병해충으로 인한 피해 및 제초상태 불량 등으로 인한 수확감소량으로서 감수량에
서 제외

③ 자기부담감수량 : 4,500kg
= 평년수확량(kg) × 자기부담비율 × 가입과중(kg)
= 평년수확량(100,000kg) × 10% × 0.45kg
= 100,000kg × 0.1 × 0.45kg = 4,500kg

(2) 과실손해보험금의 계산과정과 값

∴ 과실손해보험금 : 12,088,800원

> • 과실손해보험금
> = {① 적과종료 이후 누적감수량(kg) − ② 미보상감수량(kg) − ③ 자기부담감수량(kg)} × 가입가격
> = (10,074kg − 0kg − 0kg) × 1,200원
> = 12,088,800원

① 총 누적감수량 : 10,074개
= (㉠ 자연재해감수과실수 + ㉡ 태풍감수과실수 + ㉢ 우박감수과실수) × 가입과중(kg)
= (2,790개 + 2,568개 + 17,028개) × 0.45kg
= 10,074개

② 미보상감수량 : 0kg
• 미보상감수량은 보상하는 재해 이외의 원인으로 감소되었다고 평가되는 부분을 말하며, 계약 당시
이미 발생한 피해, 병해충으로 인한 피해 및 제초상태 불량 등으로 인한 수확감소량으로서 감수량
에서 제외

③ 자기부담감수량 : 0kg
• 자기부담감수량 = 기준수확량 × 자기부담비율
다만, 착과감소량이 존재하는 경우에는 착과감소량에서 적과종료 이전에 산정된 미보상감수량을
뺀 값을 자기부담감수량에서 제외하며, 이때 자기부담감수량은 영(0)보다 작을 수 없음

※ 적과후착과수가 평년착과수의 60% 미만인 경우

총 누적감수량 : 10,074개

= (㉠ 자연재해감수과실수 + ㉡ 태풍감수과실수 + ㉢ 우박감수과실수) × 가입과중(kg)

= (2,790개 + 2,568개 + 17,028개) × 0.45kg

= 10,074개

㉠ 자연재해감수과실수 : 2,790개/주

  = 적과후착과수(개/주) × 5%

  = 55,800개/주 × 0.05

  = 2,790개

   ※ 적과후착과수(량) = {(화산품종 표본주1주당 착과수(60개) × 화산품종 조사대상주수(390주)) + (신
      고품종 표본주1주당 착과수(90개) × 신고품종 조사대상주수(360주)}

      = {(60개 × 390주) + (90개 × 360주)}

      = {(23,400개/주) + (32,400개/주)}

      = 55,800개/주

㉡ 태풍감수과실수 : 2,568개

  = 태풍 총낙과수(4,000개)

  $\times \{ \dfrac{(100\%형\ 피해과실수 × 1) + (80\%형\ 피해과실수 × 0.8) + (50\%형\ 피해과실수 × 0.5)}{100\%형\ 피해과실수 + 80\%형\ 피해과실수 + 50\%형\ 피해과실수 + 정상과실수} - 착과피해구성률\}$

  × 피해인정계수(1.07)

  = 4,000개 × {(1,000 × 1 + 2,000 × 0.8 + 0 × 0.5) ÷ (1,000 + 2,000 + 0 + 1,000) − 5%} × 1.07

  = 4,000개 × {(2,600 ÷ 4,000) − 5%} × 1.07

  = 4,000개 × {(0.65 − 0.05)} × 1.07

  = 4,000개 × 0.6 × 1.07

  = 2,568개

㉢ 우박감수과실수 : 17,028개

  = {적과후착과수(량) − 태풍 총낙과수 − 자기부담감수량} × (41 ÷ 100 − 5%)

  = (55,800 − 4,000 − 4,500) × (41 ÷ 100 − 5%)

  = 47,300개 × (0.41 − 0.05)

  = 47,300개 × 0.36

  = 17,028개

※ 자기부담감수량 : 4,500kg

  = 평년수확량(kg) × 자기부담비율 × 가입과중(kg)

  = 평년수확량(100,000kg) × 10% × 0.45kg

  = 100,000kg × 0.1 × 0.45

  = 4,500kg

※ 조수해 나무피해과실수 : 4,500개

  = [{화산품종 조수해 피해(고사)주수(30/주) × 화산품종 표본1주당 착과수(60개)} + {신고품종 조수해 피
     해(고사)주수(30/주) × 표본1주당 착과수(90개)}]

  = (30 × 60) + (30 × 90)

  = (1,800개/주) + (2,700개/주)

  = 4,500개

※ 〈나무피해조사〉 − 화산 30주, 신고 30주 조수해로 고사

(3) 나무손해보험금의 계산과정과 값

  ∴ 나무손해보험금 : 2,250,000원

나무손해보장(특약) 보험금 = 보험가입금액 × (피해율 – 자기부담비율)

※ 피해율 = 피해주수(고사된 나무) ÷ 실제결과주수

※ 나무손해보장(특약) 보험금
  = {가입(실제결과)주수(750주) × 보험가입금액(1주당 10만원)} × {나무피해조사(조수해로 고사; 화산
    30주 + 신고 30주 = 60주) ÷ 가입(실제결과)주수(750주) – 자기부담비율(5%)}
  = (750주 × 100,000원) × {(60주 ÷ 750주) – 5%}
  = 2,250,000원

---

11 적과전종합위험방식의 적과종료 이후 보상하지 않는 손해에 관한 내용의 일부이다. ( )에 들어갈 내용을 쓰시오. 5점

> • 제초작업, 시비관리 등 통상적인 (①)을 하지 않아 발생한 손해
> • 최대 순간풍속 (②)의 바람으로 인한 손해
> • 농업인의 부적절한 (③)로 인하여 발생한 손해
> • 병으로 인해 낙엽이 발생하여 (④)에 과실이 노출됨으로써 발생한 손해
> • 식물방역법 제36조(방제명령 등)에 의거 금지 병해충인 과수 (⑤) 발생에 의한 폐원으로 인한 손해 및 정부 및 공공기관의 매립으로 발생한 손해

정답 및 해설

① 영농활동, ② 14m/sec 미만, ③ 잎소지, ④ 태양광, ⑤ 화상병

12 종합위험 수확감소보장방식의 품목별 과중조사에 관한 내용의 일부이다. ( )에 들어갈 내용을 쓰시오. 5점

> • 밤(수확 개시 전 수확량조사 시 과중조사)
>   품종별 개당 과중 = {품종별(정상 표본과실 무게 합) + (소과 표본과실 무게 합)
>   × (①)} ÷ 표본과실수
> • 참다래
>   품종별 개당 과중 = 품종별{50g 초과 표본과실 무게 합 + (50g 이하 표본과실 무게 합
>   × (②))} ÷ 표본과실수
> • 오미자(수확 개시 후 수확량조사 시 과중조사)
>   선정된 표본구간별로 표본구간 내 (③)된 과실과 (④)된 과실의 무게를 조사한다.
> • 유자(수확 개시 전 수확량조사 시 과중조사)
>   농지에서 품종별로 착과가 평균적인 3개 이상의 표본주에서 크기가 평균적인 과실을 품종별 (⑤)개 이상(농지당 최소 60개 이상) 추출하여 품종별 과실개수와 무게를 조사한다.

정답 및 해설

① 80%, ② 70%, ③ 착과, ④ 낙과, ⑤ 20

13 논작물에 대한 피해사실 확인조사 시 추가조사 필요여부 판단에 관한 내용이다. ( )에 들어갈 내용을 쓰시오. 5점

> 보상하는 재해 여부 및 피해 정도 등을 감안하여 이앙·직파불능조사(농지 전체 이앙·직파불능 시), 재이앙·재직파조사(①), 경작불능조사(②), 수확량조사(③) 중 필요한 조사를 판단하여 해당 내용에 대하여 계약자에게 안내하고, 추가조사가 필요할 것으로 판단된 경우에는 (④) 구성 및 (⑤) 일정을 수립한다.

정답 및 해설

① 면적 피해율 10% 초과, ② 식물체 피해율 65% 이상, ③ 자기부담비율 초과,
④ 손해평가반, ⑤ 추가조사

14 종합위험 수확감소보장방식 감자에 관한 내용이다. 다음 계약사항과 조사내용을 참조하여 피해율(%)의 계산과정과 값을 쓰시오(피해율은 소수점 셋째자리에서 반올림). 5점

• 계약사항

품목	보험가입금액	가입면적	평년수확량	자기부담비율
감자(고랭지재배)	5,000,000원	3,000m²	6,000kg	20%

• 조사내용

재해	조사 방법	실제 경작면적	타작물 면적	미보상 면적	미보상 비율	표본구간 총 면적	표본구간 총 수확량 조사 내용
호우	수확량 조사 (표본 조사)	3,000m²	100m²	100m²	20%	10m²	• 정상감자 : 5kg • 최대지름 5cm 미만 감자 : 2kg • 병충해(무름병)감자 : 4kg • 병충해 손해정도비율 : 40%

정답 및 해설

① 정답 : 44.05%
② 계산과정
　　피해율 = (평년수확량 - ㉠ 수확량 - ㉡ 미보상감수량 + ㉢ 병충해감수량) ÷ 평년수확량
　　　　　= (6,000kg - 3,200kg - 560kg + 403.2kg) ÷ 6,000kg
　　　　　= 44.05%

ⓖ 수확량

$= ($ⓐ 표본구간 단위면적당 수확량 $\times$ ⓑ 조사대상면적$) + ($ⓒ 단위면적당 평년수확량 $\times$ (타작물면적 + 미보상면적)$)$

$= (1kg/m^2 \times 2,800kg/m^2) + (2kg/m^2 \times (100m^2 \times 100m^2))$

$= 3,200kg$

　ⓐ 표본구간 단위면적당 수확량 = 표분구간수확량 ÷ 표본구간 면적

　　　　　　　　　　　　　　$= 10kg \div 10m^2$

　　　　　　　　　　　　　　$= 1kg/m^2$

　　※ 표본구간수확량 = 정상감자무게 + 50%피해감자무게 × 0.5 + 병충해 감자무게

　　　　　　　　　　　$= 5kg + 1kg + 4kg$

　　　　　　　　　　　$= 10kg$

　ⓑ 조사대상면적 = 실제경작면적 - 타작물 면적 - 미보상면적

　　　　　　　　$= 3,000m^2 - 100m^2 - 100m^2$

　　　　　　　　$= 2,800kg/m^2$

　ⓒ 단위면적당 평년수확량 = 평년수확량 ÷ 실제경작면적

　　　　　　　　　　　　$= 6,000kg \div 3,000m^2$

　　　　　　　　　　　　$= 2kg/m^2$

ⓛ 미보상감수량 = (평년수확량 - 수확량) × 미보상비율

　　　　　　　$= (6,000kg - 3,200kg) \times 0.2$

　　　　　　　$= 560kg$

ⓒ 병충해감수량 = 표본구간 단위면적당 병충해감수량 × 조사대상면적

　　　　　　　$= (1.44kg \div 10m^2) \times 2,800kg/m^2$

　　　　　　　$= 403.2kg$

　※ 표본구간 단위면적당 병충해감수량

　　 = 병충해(무름병)감자 괴경무게 × 병충해 손해정도비율 × 병충해 인정비율

　　 $= 4kg \times 0.4 \times 0.9$

　　 $= 1.44kg$

15 종합위험 수확감소보장방식 과수 및 밭작물 품목 중 (　)에 들어갈 해당 품목을 쓰시오. `5점`

구분	내용	해당 품목
과수 품목	경작불능조사를 실시하는 품목	(①)
	병충해를 보장하는 품목(특약 포함)	(②)
밭작물 품목	전수조사를 실시해야 하는 품목	(③), 팥
	재정식 보험금을 지급하는 품목	(④)
	경작불능조사 대상이 아닌 품목	(⑤)

정답 및 해설

① 복분자, ② 복숭아, ③ 콩, ④ 양배추, ⑤ 고추, 브로콜리, 인삼

16 농업용 원예시설물(고정식 하우스)에 강풍이 불어 피해가 발생되었다. 다음 조건을 참조하여 물음에 답하시오. 15점

구분	손해내역	내용 연수	경년 감가율	경과 년월	보험가입금액	손해액	비고
1동	단동하우스 (구조체손해)	10년	8%	2년	500만원	300만원	피복재 손해 제외
2동	장수PE (피복재단독사고)	1년	40%	1년	200만원	100만원	–
3동	장기성Po (피복재단독사고)	5년	16%	1년	200만원	100만원	• 재조달가액 보장특약 • 미복구

(1) 1동의 지급보험금 계산과정과 값을 쓰시오. 5점
(2) 2동의 지급보험금 계산과정과 값을 쓰시오. 5점
(3) 3동의 지급보험금 계산과정과 값을 쓰시오. 5점

정답 및 해설

(1) 1동의 지급보험금 계산과정과 값
　① 정답 : 2,220,000원
　② 계산과정
　　∴ 보험금 = ㉠ 손해액 − ㉡ 자기부담금
　　　　　　 = 2,520,000원 − 300,000원
　　　　　　 = 2,220,000원
　　㉠ 손해액 = 3,000,000원 × (1 − 감가상각률)
　　　　　　 = 3,000,000원 × (1 − 0.16)
　　　　　　 = 2,520,000원
　　※ 감가상각률 = 경과년월 × 경년감가율
　　　　　　　　 = 2년 × 0.08
　　　　　　　　 = 0.16
　　㉡ 자기부담금 = 손해액 × 10%
　　　　　　　　 = 2,520,000원 × 10%
　　　　　　　　 = 252,000원 → 300,000원

(2) 2동의 지급보험금 계산과정과 값
　① 정답 : 500,000원
　② 계산과정
　　∴ 보험금 = ㉠ 손해액 − ㉡ 자기부담금
　　　　　　 = 600,000원 − 100,000원
　　　　　　 = 500,000원

$\bigcirc$ 손해액 = 1,000,000원 × (1 - 감가상각률)

= 1,000,000원 × (1 - 0.4)

= 600,000원

※ 감가상각률 = 경과년월 × 경년감가율

= 1년 × 0.4

= 0.4

$\bigcirc$ 자기부담금 = 손해액 × 10%

= 600,000원 × 10%

= 60,000원 → 최소자기부담금 100,000원

(3) 3동의 지급보험금 계산과정과 값

① 정답 : 740,000원

② 계산과정

∴ 보험금 = $\bigcirc$ 손해액 - $\bigcirc$ 자기부담금

= 840,000원 - 100,000원

= 740,000원

$\bigcirc$ 손해액 = 1,000,000원 × (1 - 감가상각률)

= 1,000,000원 × (1 - 0.16)

= 840,000원

※ 감가상각률 = 경과년월 × 경년감가율

= 1년 × 0.16

= 0.16

$\bigcirc$ 자기부담금 = 손해액 × 10%

= 840,000원 × 10%

= 84,000원 → 최소자기부담금 100,000원

---

17 벼농사을 짓고 있는 甲은 가뭄으로 농지 내 일부 면적의 벼가 고사되는 피해를 입어 재이앙 조사 후 모가 없어 경작면적의 일부만 재이앙을 하였다. 이후 수확 전 태풍으로 도복피해가 발생해 수확량조사방법 중 표본조사를 하였으나 甲이 결과를 불인정하여 전수조사를 실시하였다. 계약사항(종합위험 수확감소보장방식)과 조사내용을 참조하여 다음 물음에 답하시오.
15점

• 계약사항

품종	보험가입금액	가입면적	평년수확량	표준수확량	자기부담비율
동진찰벼	3,000,000원	2,500m^2	3,500kg	3,200kg	20%

- 조사내용
  - 재이앙 조사

재이앙 전 조사내용		재이앙 후 조사내용	
실제 경작면적	2,500㎡	재이앙 면적	800㎡
피해면적	1,000㎡		

  - 수확량조사

표본조사 내용		전수조사 내용	
표본구간 총중량 합계	0.48kg	전체 조곡 중량	1,200kg
표본구간 면적	0.96㎡	미보상비율	10%
함수율	16%	함수율	20%

(1) 재이앙보험금의 지급가능한 횟수를 쓰시오. 2점

(2) 재이앙보험금의 계산과정과 값을 쓰시오. 3점

(3) 수확량감소 보험금의 계산과정과 값을 쓰시오(무게(kg) 및 피해율(%)은 소수점 이하 절사.
예시 : 12.67% → 12%). 10점

정답 및 해설

(1) 재이앙보험금의 지급가능한 횟수 : 1회

(2) 재이앙보험금의 계산과정과 값
  ① 정답 : 240,000원
  ② 계산과정
    ∴ 보험금 = 보험가입금액 × 25% × 면적피해율
         = 3,000,000원 × 0.25 × 0.32
         = 240,000원
    ※ 면적피해율 = 재이앙 면적 ÷ 실제 경작면적
         = 800㎡ ÷ 2,500㎡
         = 0.32

(3) 수확량감소 보험금의 계산과정과 값
  ① 정답 : 1,230,000원
  ② 계산과정
    ∴ 보험금 = 보험가입금액 × (피해율 - 자기부담비율)
         = 3,000,000원 × (0.61 - 0.2)
         = 1,230,000원
    ※ 피해율 = (평년수확량 - ㉠ 수확량 - ㉡ 미보상감수량) ÷ 평년수확량
         = (3,500kg - 1,103kg - 239kg) ÷ 3,500kg
         = 61%

$$\bigcirc\ \text{수확량} = \text{전체 조곡 중량} \times (1 - \text{함수율}) \div (1 - \text{기준함수율})$$
$$= 1,200\text{kg} \times (1 - 0.2) \div (1 - 0.13)$$
$$= 1,103\text{kg}$$
$$\bigcirc\ \text{미보상감수량} = (\text{평년수확량} - \text{수확량}) \times 0.1$$
$$= (3,500\text{kg} - 1,103\text{kg}) \times 0.1$$
$$= 239\text{kg}$$

18 배 과수원은 적과 전 과수원 일부가 호우에 의한 유실로 나무 50주가 고사되는 피해(자연재해)가 확인되었고, 적과 이후 봉지 작업을 마치고 태풍으로 낙과피해조사를 받았다. 계약사항(적과전 종합위험방식)과 조사내용을 참조하여 다음 물음에 답하시오(감수과실수와 착과피해인정계수, 피해율(%)은 소수점 이하 절사. 예시 : 12.67% → 12%). `15점`

• 계약사항

계약사항			적과후착과수 조사내용	
품목	가입주수	평년착과수	실제결과주수	1주당 평균착과수
배(단일 품종)	250주	40,000개	250주	150개

※ 적과종료 이전 특정위험 5종 한정 보장 특약 미가입

• 낙과피해 조사내용

사고일자	조사방법	전체낙과과실수	낙과피해구성률(100개)				
			정상 10개	50%형 80개	80%형 0개	100%형 2개	병해충 과실 8개
9월 18일	전수조사	7,000개					

(1) 적과종료 이전 착과감소과실수의 계산과정과 값을 쓰시오. `5점`

(2) 적과종료 이후 착과손해 감수과실수의 계산과정과 값을 쓰시오. `5점`

(3) 적과종료 이후 낙과피해 감수과실수와 착과피해 인정개수의 계산과정과 합계 값을 쓰시오. `5점`

정답 및 해설

(1) 적과종료 이전 착과감소과실수의 계산과정과 값
  • 착과감소과실수 = Min(평년착과수 − 적과후착과수)
$$= 40,000 - 30,000 = 10,000\text{개}$$

※ 조수해, 화재 시에만 나무피해율을 적용하여 최대인정피해감수과실수를 구한다.
　　호우피해이므로 나무피해율을 적용하지 않음
- 적과후착과수 = 1주당 평균착과수 × 조사대상주수
　　　　　　　 = 150 × 200 = 30,000개

(2) 적과종료 이후 착과손해 감수과실수의 계산과정과 값
적과전 자연재해에 의한 인정 착과피해 감수과실수 60% 이상일 때
- 착과피해 감수과실수 = 적과후착과수 × 착과손해피해율 = 30,000 × 0.03 = 900개
- 착과손해피해율 = 5% × {100% − 착과율(0.75)} ÷ 40% = 3%
- 착과율 = 적과후착과수(30,000) ÷ 평년착과수(40,000) = 75%

(3) 적과종료 이후 낙과피해 감수과실수의 착과피해 인정개수의 계산과정과 합계 값
∴ 합계 값 : 3,821개
- 낙과피해 감수과실수 = 총낙과수 × {낙과피해구성률(0.42) − maxA(0.03)} × 1.07
　　　　　　　　　　 = 7,000개 × 0.39 × 1.07 = 2,921개
- 낙과피해구성률 = (0.5 × 80 + 1 × 2) ÷ 100 = 42%
- maxA = 5% × {100% − 착과율(0.75)} ÷ 40% = 3%
- 착과피해 인정개수 : 900개

19 가축재해보험 소에 관한 내용이다. 다음 물음에 답하시오. 15점

- 조건 1
  - 甲은 가축재해보험에 가입 후 A축사에서 소를 사육하던 중, 사료 자동급여기를 설정하고 5일간 A축사를 비우고 여행을 다녀왔음
  - 여행을 다녀와 A축사의 출입문이 파손되어 있어 CCTV를 확인해 보니 신원불상자에 의해 한우(암컷) 1마리를 도난당한 것을 확인하고, 바로 경찰서에 도난신고 후 재해보험사업자에게 도난신고확인서를 제출함
  - 금번 사고는 보험기간 내 사고이며, 甲과 그 가족 등의 고의 또는 중과실은 없었고, 또한 사고예방 및 안전대책에 소홀히 한 점도 없었음

- 조건 2

− 보험목적물 : 한우(암컷)	− 보험가입금액 : 2,000,000원
− 자기부담비율 : 20%	− 소재지 : A축사(보관장소)
− 출생일 : 2021년 11월 4일	− 사고일자 : 2022년 8월 14일

- 조건 3
  - 발육표준표

한우 암컷	월령	7월령	8월령	9월령	10월령	11월령
	체중	230kg	240kg	250kg	260kg	270kg

  - 2022년 월별산지가격동향

한우 암컷	구분	5월	6월	7월	8월
	350kg	330만원	350만원	340만원	340만원
	600kg	550만원	560만원	550만원	550만원
	송아지(4~5월령)	220만원	230만원	230만원	230만원
	송아지(6~7월령)	240만원	240만원	250만원	250만원

(1) 조건 2~3을 참조하여 한우(암컷) 보험가액의 계산과정과 값을 쓰시오. 5점

(2) 조건 1~3을 참조하여 지급보험금과 그 산정이유를 쓰시오. 5점

(3) 다음 (   )에 들어갈 내용을 쓰시오. 5점

> 소(牛)의 보상하는 손해 중 긴급도축이란 "사육하는 장소에서 부상, (①), (②), (③)
> 및 젖소의 유량 감소 등이 발생한 소(牛)를 즉시 도축장에서 도살하여야 할 불가피한 사유가
> 있는 경우"에 한한다.

정답 및 해설

(1) 조건 2~3을 참조하여 한우(암컷) 보험가액의 계산과정과 값
  ① 정답 : 2,500,000원
  ② 계산과정
  보험가액 = 9월령 250kg × (3,500,000원 ÷ 350kg)
  = 2,500,000원

(2) 조건 1~3을 참조하여 지급보험금과 그 산정이유
  ① 지급보험금 : 없음
  ② 산정이유 : 보관장소를 72시간 이상 비워둔 상태에서 발생한 도난사고는 보상하지 않음

(3) 다음 (   )에 들어갈 내용
  ① 난산, ② 산욕마비, ③ 급성고창증

20 수확전 종합위험보장방식 무화과에 관한 내용이다. 다음 계약사항과 조사내용을 참조하여 물음에 답하시오(피해율(%)은 소수점 셋째자리에서 반올림). 15점

• 계약사항

품목	보험가입금액	가입주수	평년수확량	표준과중(개당)	자기부담비율
무화과	10,000,000원	300주	6,000kg	80g	20%

• 수확 개시 전 조사내용

  - 사고내용
    • 재해종류 : 우박
    • 사고일자 : 2022년 5월 10일

  - 나무 수 조사
    • 보험가입일자 기준 과수원에 식재된 모든 나무수 : 300주(유목 및 인수제한 품종 없음)
    • 보상하는 손해로 고사된 나무수 : 10주
    • 보상하는 손해 이외의 원인으로 착과량이 현저하게 감소된 나무수 : 10주
    • 병해충으로 고사된 나무수 : 20주

  - 착과수 조사 및 미보상비율 조사
    • 표본주수 : 9주
    • 표본주 착과수 총 개수 : 1,800개
    • 제초상태에 따른 미보상비율 : 10%

  - 착과피해조사(표본주 임의과실 100개 추출하여 조사)
    • 가공용으로도 공급될 수 없는 품질의 과실 : 10개(일반시장 출하 불가능)
    • 일반시장 출하 시 정상과실에 비해 가격하락(50% 정도)이 예상되는 품질의 과실 : 20개
    • 피해가 경미한 과실 : 50개
    • 가공용으로 공급될 수 있는 품질의 과실 : 20개(일반시장 출하 불가능)

• 수확 개시 후 조사내용

  - 재해종류 : 우박
  - 사고일자 : 2022년 9월 5일
  - 표본주 3주의 결과지 조사
    [고사결과지수 : 5개, 정상결과지수(미고사결과지수) : 20개, 병해충고사결과지수 : 2개]
  - 착과피해율 : 30%
  - 농지의 상태 및 수확정도 등에 따라 조사자가 기준일자를 2022년 8월 20일로 수정함

－ 잔여수확량 비율

사고발생 월	잔여수확량 산정식(%)
8월	{100 － (1.06 × 사고발생일자)}
9월	{(100 － 33) － (1.13 × 사고발생일자)}

(1) 수확 전 피해율(%)의 계산과정과 값을 쓰시오. **6점**

(2) 수확 후 피해율(%)의 계산과정과 값을 쓰시오. **6점**

(3) 지급보험금의 계산과정과 값을 쓰시오. **3점**

정답 및 해설

(1) 수확 전 피해율(%)의 계산과정과 값

① 정답 : 41.06%

② 계산과정

피해율 = (평년수확량 － ㉠ 수확량 － ㉡ 미보상감수량) ÷ 평년수확량

$= (6,000kg － 3,262.4kg － 273.76kg) ÷ 6,000kg$

$= 41.06\%$

㉠ 수확량 = (ⓐ 표본구간 주당착과수 × ⓑ 조사대상주수 × ⓒ 표준과중

× (1 － ⓓ 피해구성률) + (ⓔ 주당 평년수확량 × ⓕ 미보상주수)

= (200개 × 260주 × 0.08kg) × (1 － 0.36) + (20kg × 30주)

= 2,662.4kg + 600kg

= 3,262.4kg

ⓐ 표본구간 주당착과수 = 표본주 총 착과수 ÷ 표본주수

= 1,800개 ÷ 9주

= 200개

ⓑ 조사대상주수 = 실제결과주수 － 고사주수 － 미보상고사주수

= 300주 － 10주 － 30주

= 260주

ⓒ 표준과중 = 80g(= 0.08kg)

ⓓ 피해구성률(%) = {(0.5 × 50%형 피해과실수) + (0.8 × 80%형 피해과실수) + (1 × 100%형 피해과실수)} ÷ 조사과실수

= {(0.5 × 20) + (0.8 × 20) + (1 × 10)} ÷ 100개

= 36%

> － **착과피해조사**(표본주 임의과실 100개 추출하여 조사)
> • 피해가 경미한 과실(0%형) : **50개**
> • 일반시장 출하 시 정상과실에 비해 가격하락(50%형)이 예상되는 품질의 과실 : **20개**
> • 가공용으로 공급될 수 있는 품질의 과실(80%형): **20개**(일반시장 출하 불가능)
> • 가공용으로도 공급될 수 없는 품질의 과실(100%형) : **10개**(일반시장 출하 불가능)

ⓔ 주당 평년수확량 = 평년수확량 ÷ 실제결과주수
= 6,000kg ÷ 300주
= 20kg

ⓕ 미보상주수 = 보상하는 손해 이외의 원인으로 착과량이 현저하게 감소된 나무수
+ 병해충으로 고사된 나무수
= 10주 + 20주
= 30주

ⓛ 미보상감수량 = (평년수확량 − 수확량) × 미보상비율
= (6,000kg − 3,262.4kg) × 0.1
= 273.76kg

(2) 수확 후 피해율(%)의 계산과정과 값

① 정답 : 15.48%

② 계산과정

피해율 = (1 − ※ 수확 전 사고 피해율) × ㉠ 잔여수확량비율 × ㉡ 결과지피해율
= (1 − 0.4106) × 0.788 × 0.3333
= 15.48%

※ 수확 전 사고 피해율 = (평년수확량 − 수확량 − 미보상감수량) ÷ 평년수확량
= (6,000 − 3,262.4 − 273.76) ÷ 6,000 = 41.06%

㉠ 사고 발생 8월 잔여수확량 피해율(%) = 100 − (1.06 × 사고발생일자)
= 100 − (1.06 × 20일)
= 78.8%

※ 조사자가 기준일자를 2022년 8월 20일로 수정함

㉡ 결과지피해율 = (고사결과지수 + 정상결과지수(미고사결과지수) × 착과피해율
− 병해충고사결과지수(미보상고사결과지수) ÷ 기준결과지수
= {5개 + (20개 × 0.3) − 2개} ÷ 27개
= 33.33%

(3) 지급보험금의 계산과정과 값

① 정답 : 3,654,000원

② 계산과정

지급보험금 = 보험가입금액 × (피해율 − 자기부담비율)
= 10,000,000(천만)원 × (0.5654 − 0.2)
= 3,654,000원

※ 피해율 = 수확 전 피해율 + 수확 후 피해율
= 0.4106 + 0.1548
= 56.54%

주요 용어 및 참고문헌

1. 농어업재해보험 관련 용어

○ (농어업재해) 농작물·임산물·가축 및 농업용 시설물에 발생하는 자연재해·병충해·조수해·질병 또는 화재와 양식수산물 및 어업용 시설물에 발생하는 자연재해·질병 또는 화재

○ (농어업재해보험) 농어업재해로 발생하는 재산 피해에 따른 손해를 보상하기 위한 보험

○ (보험가입금액) 보험가입자의 재산 피해에 따른 손해가 발생한 경우 보험에서 최대로 보상할 수 있는 한도액으로서 보험가입자와 재해보험사업자 간에 약정한 금액

○ (보험가액) 재산보험에 있어 피보험이익을 금전으로 평가한 금액으로 보험목적에 발생할 수 있는 최대 손해액(재해보험사업자가 실제 지급하는 보험금은 보험가액을 초과할 수 없음)

○ (보험기간) 계약에 따라 보장을 받는 기간

○ (보험료) 보험가입자와 재해보험사업자 간의 약정에 따라 보험가입자가 재해보험사업자에게 내야 하는 금액

○ (계약자부담보험료) 국가 및 지방자치단체의 지원보험료를 제외한 계약자가 부담하는 금액

○ (보험금) 보험가입자에게 재해로 인한 재산 피해에 따른 손해가 발생한 경우 보험가입자와 재해보험사업자 간의 약정에 따라 재해보험사업자가 보험가입자에게 지급하는 금액

○ (시범사업) 보험사업을 전국적으로 실시하기 전에 보험의 효용성 및 보험 실시 가능성 등을 검증하기 위하여 일정 기간 제한된 지역에서 실시하는 보험사업

2. 농작물재해보험 관련 용어

가. 농작물재해보험 계약 관련 용어

○ (가입(자)수) 보험에 가입한 농가, 과수원(농지)수 등

○ (가입률) 가입대상면적 대비 가입면적을 백분율(100%)로 표시한 것

○ (가입금액) 보험에 가입한 금액으로, 재해보험사업자와 보험가입자 간에 약정한 금액으로 보험사고가 발생할 때 재해보험사업자가 지급할 최대 보험금 산출의 기준이 되는 금액

○ (계약자) 재해보험사업자와 계약을 체결하고 보험료를 납부할 의무를 지는 사람

○ (피보험자) 보험사고로 인하여 손해를 입은 사람(법인인 경우에는 그 이사 또는 법인의 업무를 집행하는 그 밖의 기관)

○ (보험증권) 계약의 성립과 그 내용을 증명하기 위하여 재해보험사업자가 계약자에게 드리는 증서

○ (보험의 목적) 보험의 약관에 따라 보험에 가입한 목적물로 보험증권에 기재된 농작물의 과실 또는 나무, 시설작물 재배용 농업용시설물, 부대시설 등

○ (농지) 한 덩어리의 토지의 개념으로 필지(지번)에 관계없이 실제 경작하는 단위로 보험 가입의 기본 단위임. 하나의 농지가 다수의 필지로 구성될 수도 있고, 하나의 필지(지번)가 다수의 농지로 구분될 수도 있음

○ (과수원) 한 덩어리의 토지의 개념으로 필지(지번)와는 관계없이 과실을 재배하는 하나의 경작지

○ (나무) 계약에 의해 가입한 과실을 열매로 맺는 결과주

○ (농업용시설물) 시설작물 재배용으로 사용되는 구조체 및 피복재로 구성된 시설

○ (구조체) 기초, 기둥, 보, 중방, 서까래, 가로대 등 철골, 파이프와 이와 관련된 부속자재로 하우스의 구조적 역할을 담당하는 것

○ (피복재) 비닐하우스의 내부온도 관리를 위하여 시공된 투광성이 있는 자재

○ (부대시설) 시설작물 재배를 위하여 농업용시설물에 설치한 시설

○ (동산시설) 저온저장고, 선별기, 소모품(멀칭비닐, 배지, 펄라이트, 상토 등), 이동 가능(휴대용) 농기계 등 농업용 시설물 내 지면 또는 구조체에 고정되어 있지 않은 시설

○ (계약자부담 보험료) 국가 및 지방자치단체의 지원보험료를 제외한 계약자가 부담하는 보험료

○ (보험료율) 보험가입금액에 대한 보험료의 비율

○ (환급금) 무효, 효력상실, 해지 등에 의하여 환급하는 금액

○ (자기부담금) 손해액 중 보험가입 시 일정한 비율을 보험가입자가 부담하기로 약정한 금액. 즉, 일정비율 이하의 손해는 보험가입자 본인이 부담하고, 손해액이 일정비율을 초과한 금액에 대해서만 재해보험사업자가 보상
 - (자기부담제도) 소액손해의 보험처리를 배제함으로써 비합리적인 운영비 지출의 억제, 계약자 보험료 절약, 피보험자의 도덕적 위험 축소 및 방관적 위험의 배제 등의 효과를 위하여 실시하는 제도로, 가입자의 도덕적 해이를 방지하기 위한 수단으로 손해보험에서 대부분 운용

○ (자기부담비율) 보험사고로 인하여 발생한 손해에 대하여 보험가입자가 부담하는 일정 비율로 보험가입금액에 대한 비율

나. 농작물재해보험 보상 관련 용어

○ (보험사고) 보험계약에서 재해보험사업자가 어떤 사실의 발생을 조건으로 보험금의 지급을 약정한 우연한 사고(사건 또는 위험이라고도 함)

○ (사고율) 사고수(농가 또는 농지수) ÷ 가입수(농가 또는 농지수) × 100

○ (손해율) 보험료에 대한 보험금의 백분율

○ (피해율) 보험금 계산을 위한 최종 피해수량의 백분율

○ (식물체피해율) 경작불능조사에서 고사한 식물체(수 또는 면적)를 보험가입식물체(수 또는 면적)으로 나누어 산출한 값

○ (전수조사) 보험가입금액에 해당하는 농지에서 경작한 수확물을 모두 조사하는 방법

○ (표본조사) 보험가입금액에 해당하는 농지에서 경작한 수확물의 특성 또는 수확물을 잘 나타낼 수 있는 일부를 표본으로 추출하여 조사하는 방법

○ (재조사) 보험가입자가 손해평가반의 손해평가결과에 대하여 설명 또는 통지를 받은 날로부터 7일 이내에 손해평가가 잘못되었음을 증빙하는 서류 또는 사진 등을 제출하는 경우 재해보험사업자가 다른 손해평가반으로 하여금 실시하게 할 수 있는 조사

○ (검증조사) 재해보험사업자 또는 재보험사업자가 손해평가반이 실시한 손해평가결과를 확인하기 위하여 손해평가를 실시한 보험목적물 중에서 일정수를 임의 추출하여 확인하는 조사

다. 수확량 및 가격 관련 용어

○ (평년수확량) 가입년도 직전 5년 중 보험에 가입한 연도의 실제 수확량과 표준수확량을 가입 횟수에 따라 가중 평균하여 산출한 해당 농지에 기대되는 수확량

○ (표준수확량) 가입품목의 품종, 수령, 재배방식 등에 따라 정해진 수확량

○ (평년착과량) 가입수확량 산정 및 적과 종료 전 보험사고 시 감수량 산정의 기준이 되는 착과량

○ (평년착과수) 평년착과량을 가입과중으로 나누어 산출 한 것

○ (가입수확량) 보험 가입한 수확량으로 평년수확량의 일정범위(50%~100%) 내에서 보험계약자가 결정한 수확량으로 가입금액의 기준

○ (가입과중) 보험에 가입할 때 결정한 과실의 1개당 평균 과실무게

○ (기준착과수) 보험금을 산정하기 위한 과수원별 기준 과실수

○ (기준수확량) 기준착과수에 가입과중을 곱하여 산출한 양

○ (적과후착과수) 통상적인 적과 및 자연낙과 종료 시점의 착과수

○ (적과후착과량) 적과후착과수에 가입과중을 곱하여 산출한 양

○ (감수과실수) 보장하는 자연재해로 손해가 발생한 것으로 인정되는 과실 수

○ (감수량) 감수과실수에 가입과중을 곱한 무게

○ (평년결실수) 가입연도 직전 5년 중 보험에 가입한 연도의 실제결실수와 표준결실수(품종에 따라 정해진 결과모지 당 표준적인 결실수)를 가입 횟수에 따라 가중평균하여 산출한 해당 과수원에 기대되는 결실수

  ※ 결과지 : 과수에 꽃눈이 붙어 개화 결실하는 가지(열매가지라고도 함)
  ※ 결과모지 : 결과지보다 1년이 더 묵은 가지

○ (평년결과모지수) 가입연도 직전 5년 중 보험에 가입한 연도의 실제결과모지수와 표준결과모지수(하나의 주지에서 자라나는 표준적인 결과모지수)를 가입 횟수에 따라 가중평균하여 산출한 해당 과수원에 기대되는 결과모지수

○ (미보상감수량) 감수량 중 보상하는 재해 이외의 원인으로 감소한 양

○ (생산비) 작물의 생산을 위하여 소비된 재화나 용역의 가치로 종묘비, 비료비, 농약비, 영농광열비, 수리비, 기타 재료비, 소농구비, 대농구 상각비, 영농시설 상각비, 수선비, 기타 요금, 임차료, 위탁 영농비, 고용노동비, 자가노동비, 유동자본용역비, 고정자본용역비, 토지자본용역비 등을 포함

○ (보장생산비) 생산비에서 수확기에 발생되는 생산비를 차감한 값

○ (가입가격) 보험에 가입한 농작물의 kg당 가격

○ (표준가격) 농작물을 출하하여 통상 얻을 수 있는 표준적인 kg당 가격

○ (기준가격) 보험에 가입할 때 정한 농작물의 kg당 가격

○ (수확기가격) 보험에 가입한 농작물의 수확기 kg당 가격

  ※ 올림픽 평균 : 연도별 평균가격 중 최댓값과 최솟값을 제외하고 남은 값들의 산술평균
  ※ 농가수취비율 : 도매시장 가격에서 유통비용 등을 차감한 농가수취가격이 차지하는 비율로 사전에 결정된 값

라. 조사 관련 용어

○ (실제결과주수) 가입일자를 기준으로 농지(과수원)에 식재된 모든 나무수. 다만, 인수조건에 따라 보험에 가입할 수 없는 나무(유목 및 제한 품종 등)수는 제외

○ (고사주수) 실제결과나무수 중 보상하는 손해로 고사된 나무수

○ (미보상주수) 실제결과나무수 중 보상하는 손해 이외의 원인으로 고사되거나 수확량(착과량)이 현저하게 감소된 나무수

○ (기수확주수) 실제결과나무수 중 조사일자를 기준으로 수확이 완료된 나무수

○ (수확불능주수) 실제결과나무수 중 보상하는 손해로 전체주지·꽃(눈) 등이 보험약관에서 정하는 수준 이상 분리되었거나 침수되어, 보험기간 내 수확이 불가능하나 나무가 죽지는 않아 향후에는 수확이 가능한 나무수

○ (조사대상주수) 실제결과나무수에서 고사나무수, 미보상나무수 및 수확완료나무수, 수확불능나무수를 뺀 나무수로 과실에 대한 표본조사의 대상이 되는 나무수

○ (실제경작면적) 가입일자를 기준으로 실제 경작이 이루어지고 있는 모든 면적을 의미하며, 수확불능(고사)면적, 타작물 및 미보상면적, 기수확면적을 포함

○ (수확불능(고사)면적) 실제경작면적 중 보상하는 손해로 수확이 불가능한 면적

○ (타작물 및 미보상면적) 실제경작면적 중 목적물 외에 타작물이 식재되어 있거나 보상하는 손해 이외의 원인으로 수확량이 현저하게 감소된 면적

○ (기수확면적) 실제경작면적 중 조사일자를 기준으로 수확이 완료된 면적

마. 재배 및 피해형태 구분 관련 용어

○ (꽃눈분화) 영양조건, 기간, 기온, 일조시간 따위의 필요조건이 다 차서 꽃눈이 형성되는 현상

○ (꽃눈분화기) 과수원에서 꽃눈분화가 50% 정도 진행된 때

○ (낙과) 나무에서 떨어진 과실

○ (착과) 나무에 달려있는 과실

○ (적과) 해거리를 방지하고 안정적인 수확을 위해 알맞은 양의 과실만 남기고 나무로부터 과실을 따버리는 행위

○ (열과) 과실이 숙기에 과다한 수분을 흡수하고 난 후 고온이 지속될 경우 수분을 배출하면서 과실이 갈라지는 현상

○ (나무) 보험계약에 의해 가입한 과실을 열매로 맺는 결과주

○ (발아) (꽃 또는 잎) 눈의 인편이 1~2mm 정도 밀려나오는 현상

○ (발아기) 과수원에서 전체 눈이 50% 정도 발아한 시기

○ (신초발아) 신초(당년에 자라난 새가지)가 1~2mm 정도 자라기 시작하는 현상

○ (신초발아기) 과수원에서 전체 신초(당년에 자라난 새가지)가 50% 정도 발아한 시점

○ (수확기) 농지(과수원)가 위치한 지역의 기상여건을 감안하여 해당 목적물을 통상적으로 수확하는 시기

○ (유실) 나무가 과수원 내에서의 정위치를 벗어나 그 점유를 잃은 상태

○ (매몰) 나무가 토사 및 산사태 등으로 주간부의 30% 이상이 묻힌 상태

○ (도복) 나무가 45° 이상 기울어지거나 넘어진 상태

○ (절단) 나무의 주간부가 분리되거나 전체 주지·꽃(눈) 등의 2/3 이상이 분리된 상태

○ (절단(1/2)) 나무의 주간부가 분리되거나 전체 주지·꽃(눈) 등의 1/2 이상이 분리된 상태

○ (신초 절단) 단감, 떫은감의 신초의 2/3 이상이 분리된 상태

○ (침수) 나무에 달린 과실(꽃)이 물에 잠긴 상태

○ (소실) 화재로 인하여 나무의 2/3 이상이 사라지는 것

○ (소실(1/2)) 화재로 인하여 나무의 1/2 이상이 사라지는 것

○ (이앙) 못자리 등에서 기른 모를 농지로 옮겨심는 일

○ (직파(담수점파)) 물이 있는 논에 파종 하루 전 물을 빼고 종자를 일정 간격으로 점파하는 파종방법

○ (종실비대기) 두류(콩, 팥)의 꼬투리 형성기

○ (출수) 벼(조곡)의 이삭이 줄기 밖으로 자란 상태

○ (출수기) 농지에서 전체 이삭이 70% 정도 출수한 시점

○ (정식) 온상, 묘상, 모밭 등에서 기른 식물체를 농업용 시설물 내에 옮겨 심는 일

○ (정식일) 정식을 완료한 날

○ (작기) 작물의 생육기간으로 정식일(파종일)로부터 수확종료일까지의 기간

○ (출현) 농지에 파종한 씨(종자)로부터 자란 싹이 농지표면 위로 나오는 현상

○ ((버섯)종균접종) 버섯작물의 종균을 배지 혹은 원목을 접종하는 것

바. 기타 보험 용어

○ **(연단위 복리)** 재해보험사업자가 지급할 금전에 이자를 줄 때 1년마다 마지막 날에 그 이 자를 원금에 더한 금액을 다음 1년의 원금으로 하는 이자 계산방법

○ **(영업일)** 재해보험사업자가 영업점에서 정상적으로 영업하는 날을 말하며, 토요일, '관공 서의 공휴일에 관한 규정'에 따른 공휴일과 근로자의 날을 제외

○ **(잔존물제거비용)** 사고 현장에서의 잔존물의 해체비용, 청소비용 및 차에 싣는 비용. 다 만, 보장하지 않는 위험으로 보험의 목적이 손해를 입거나 관계법령에 의하여 제거됨으 로써 생긴 손해에 대해서는 미보상

○ **(손해방지비용)** 손해의 방지 또는 경감을 위하여 지출한 필요 또는 유익한 비용

○ **(대위권보전비용)** 제3자로부터 손해의 배상을 받을 수 있는 경우에는 그 권리를 지키거나 행사하기 위하여 지출한 필요 또는 유익한 비용

○ **(잔존물 보전비용)** 잔존물을 보전하기 위하여 지출한 필요 또는 유익한 비용

○ **(기타 협력비용)** 재해보험사업자의 요구에 따르기 위하여 지출한 필요 또는 유익한 비용
※ 청소비용 : 사고 현장 및 인근 지역의 토양, 대기 및 수질 오염물질 제거 비용과 차에 실은 후 폐기물 처리비용은 포함되지 않는다.

3. 가축재해보험 관련 용어

가. 가축재해보험 계약 관련

○ **(보험의 목적)** 보험에 가입한 물건으로 보험증권에 기재된 가축 등

○ **(보험계약자)** 재해보험사업자와 계약을 체결하고 보험료를 납입할 의무를 지는 사람

○ **(피보험자)** 보험사고로 인하여 손해를 입은 사람
※ 법인인 경우에는 그 이사 또는 법인의 업무를 집행하는 그 밖의 기관

○ **(보험기간)** 계약에 따라 보장을 받는 기간

○ **(보험증권)** 계약의 성립과 그 내용을 증명하기 위하여 재해보험사업자가 계약자에게 드리 는 증서

○ **(보험약관)** 보험계약에 대한 구체적인 내용을 기술한 것으로 재해보험사업자가 작성하여 보험계약자에게 제시하는 약정서

○ **(보험사고)** 보험계약에서 재해보험사업자가 어떤 사실의 발생을 조건으로 보험금의 지급 을 약정한 우연한 사고(사건 또는 위험)

○ (보험가액) 피보험이익을 금전으로 평가한 금액으로 보험목적에 발생할 수 있는 최대 손해액

  ※ 재해보험사업자가 실제 지급하는 보험금은 보험가액을 초과할 수 없음

○ (자기부담금) 보험사고로 인하여 발생한 손해에 대하여 계약자 또는 피보험자가 부담하는 일정 금액

○ (보험금 분담) 보험계약에서 보장하는 위험과 같은 위험을 보장하는 다른 계약(공제계약 포함)이 있을 경우 비율에 따라 손해를 보상

○ (대위권) 재해보험사업자가 보험금을 지급하고 취득하는 법률상의 권리

○ (재조달가액) 보험의 목적과 동형, 동질의 신품을 재조달하는 데 소요되는 금액

○ (가입률) 가입대상 두(頭)수 대비 가입두수를 백분율(100%)

○ (손해율) 보험료에 대한 보험금의 백분율(100%)

○ (사업이익) 1두당 평균 가격에서 경영비를 뺀 잔액

○ (경영비) 통계청에서 발표한 최근의 비육돈 평균 경영비

○ (이익률) 손해발생 시에 다음의 산식에 의해 얻어진 비율(단, 이 기간 중에 이익률이 16.5% 미만일 경우 이익률은 16.5%)

> 이익률 = [1두당 비육돈(100kg 기준)의 평균가격 − 경영비] ÷ 1두당 비육돈(100kg 기준)의 평균가격

나. 가축재해 관련

○ (풍재·수재·설해·지진) 태풍, 홍수, 호우, 강풍, 풍랑, 해일, 대설, 조수, 우박, 지진, 분화 등으로 인한 피해

○ (폭염) 대한민국 기상청에서 내려지는 폭염특보(주의보 및 경보)

○ (소(牛)도체결함) 도축장에서 도축되어 경매시까지 발견된 도체의 결함이 경락가격에 직접적인 영향을 주어 손해 발생한 경우

○ (축산휴지) 보험의 목적의 손해로 인하여 불가피하게 발생한 전부 또는 일부의 축산업 중단을 말함

○ (축산휴지손해) 보험의 목적의 손해로 인하여 불가피하게 발생한 전부 또는 일부의 축산업 중단되어 발생한 사업이익과 보상위험에 의한 손해가 발생하지 않았을 경우 예상되는 사업이익의 차감금액을 말한다.

○ (전기적장치위험) 여자기(정류기 포함), 변류기, 변압기, 전압조정기, 축전기, 개폐기, 차단기, 피뢰기, 배전반 및 이와 비슷한 전기장치 또는 설비 중 전기장치 또는 설비가 파괴 또는 변조되어 온도의 변화로 보험의 목적에 손해가 발생한 경우

다. 가축질병 관련

○ (돼지 전염성 위장염(TGE)) Coronavirus 속에 속하는 전염성 위장염 바이러스의 감염에 의한 돼지의 전염성 소화기병 구토, 수양성 설사, 탈수가 특징으로 일령에 관계없이 발병하며 자돈일수록 폐사율이 높게 나타남, 주로 추운 겨울철에 많이 발생하며 전파력이 높음

○ (돼지 유행성설사병(PED)) Coronavirus에 의한 자돈의 급성 유행성설사병으로 포유자돈의 경우 거의 100%의 치사율이 나타남(로타바이러스 감염증). 레오바이러스과의 로타바이러스 속의 돼지 로타바이러스가 병원체이며, 주로 2~6주령의 자돈에서 설사를 일으키며 3주령부터 폐사가 더욱 심하게 나타남

○ (구제역) 구제역 바이러스의 감염에 의한 우제류 동물(소·돼지 등 발굽이 둘로 갈라진 동물)의 악성가축전염병(1종법정가축전염병)으로 발굽 및 유두 등에 물집이 생기고, 체온상승과 식욕저하가 수반되는 것이 특징

○ (AI(조류인플루엔자, Avian Influenza)) AI 바이러스 감염에 의해 발생하는 조류의 급성 전염병으로 병원의 정도에 따라 고병원성과 저병원성으로 구분되며, 고병원성 AI의 경우 세계 동물보건기구(OIE)의 관리대상질병으로 지정되어 있어 발생 시 OIE에 의무적으로 보고해야 함

○ (돼지열병) 제1종 가축전염병으로 사람에 감염되지 않으나, 발생국은 돼지 및 돼지고기의 수출이 제한
  ※ '01년 청정화 이후, '02년 재발되어 예방접종 실시

○ (난계대 전염병) 조류의 특유 병원체가 종란에 감염하여 부화 후 초생추에서 병을 발생시키는 질병(추백리 등)

라. 기타 축산 관련

○ (가축계열화) 가축의 생산이나 사육·사료공급·가공·유통의 기능을 연계한 일체의 통합 경영활동을 의미

  - (가축계열화 사업) 농민과 계약(위탁)에 의하여 가축·사료·동물용 의약품·기자재·보수 또는 경영지도 서비스 등을 공급(제공)하고, 당해 농민이 생산한 가축을 도축·가공 또는 유통하는 사업방식

○ (돼지 MSY(Marketing per Sow per Year)) 어미돼지 1두가 1년간 생산한 돼지 중 출하체중 (110kg)이 될 때까지 생존하여 출하한 마리 수

○ (산란수) 산란계 한 계군에서 하루 동안에 생산된 알의 수를 의미하며, 산란계 한 마리가 산란을 시작하여 도태 시까지 낳는 알의 총수는 산란지수로 표현

○ (자조금관리위원회) 자조금의 효과적인 운용을 위해 축산업자 및 학계·소비자·관계 공무원 및 유통 전문가로 구성된 위원회이며 품목별로 설치되어 해당 품목의 자조금의 조성 및 지출, 사업 등 운용에 관한 사항을 심의·의결

   ※ 축산자조금(9개 품목) : 한우, 양돈, 낙농, 산란계, 육계, 오리, 양록, 양봉, 육우

○ (축산물 브랜드 경영체) 특허청에 브랜드를 등록하고 회원 농가들과 종축·사료·사양관리 등 생산에 대한 규약을 체결하여 균일한 품질의 고급육을 생산·출하하는 축협조합 및 영농조합법인

○ (쇠고기 이력제도) 소의 출생부터 도축, 포장처리, 판매까지의 정보를 기록·관리하여 위생·안전에 문제가 발생할 경우 이를 확인하여 신속하게 대처하기 위한 제도

○ (수의사 처방제) 항생제 오남용으로 인한 축산물 내 약품잔류 및 항생제 내성문제 등의 예방을 위해 동물 및 인체에 위해를 줄 수 있는 "동물용 의약품"을 수의사의 처방에 따라 사용토록 하는 제도

◆ 강봉순. 2006. 『농업경영의 새로운 패러다임』. 서울대학교 농경제사회학부.

◆ 구재서・권원달・김영수・이동호. 2004. 『개정 농업경영학』. 선진문화사.

◆ 권오. 2011. 『보험학원론』. 형지사.

◆ 김미복・김용렬・김태후・이형용・박진우. 2020. 『농업재해보험의 손해평가제도 발전 방안 연구』. 한국농촌경제연구원.

◆ 김배성・김태균・김태영・백승우・신용광・안동환・유찬주・정원호. 2019. 『스마트시대 농업경영학』. 박영사.

◆ 김용택・김석현・김태균. 2003. 『농업경영학』. 한국방송통신대학교출판부.

◆ 김진만(대표 역자). 1988. Oxford Advanced Learner's Dictionary of Current English. 범문사.

◆ 김창기. 2020. 『보험학원론』. 문우사.

◆ 문원(대표 역자). 2011. 『원예학』. 방송통신대학교 출판부.

◆ 석승훈. 2020. 『위험한 위험』. 서울대학교출판문화원.

◆ 신창구. 2019. 『농어업재해보험법』. 지식과 감성.

◆ 심영근・이상무. 2003. 『새로 쓴 농업경영학의 이해』. 삼경문화사.

◆ 이경룡. 2013. 『보험학원론』. 영지문화사.

◆ 최경환. 2003. 『작목별 농작물재해보험의 확대 가능성 분석』. 한국농촌경제연구원.

◆ 최경환・정원호・김우태. 2013. 『농작물재해보험 조사체계 및 선진사례 분석 연구』. 한국농촌경제연구원.

◆ 최정호. 2014. 『리스크와 보험』. 청람.

◆ 한낙현・김흥기. 2008. 『위험관리와 보험』. 우용출판사.

◆ 허연. 2000. 『생활과 보험』. 문영사.

◆ 황희대. 2010. 『핵심 보험이론 및 실무』. 보험연수원.

◆ Kay.R.D., W.M.Edwards, and P.A.Duffy. 2016. Farm Management(8th edition). McGraw-Hill.

◆ P.K.Ray. 1981. Agricultural Insurance : Priciples, Organization and Application to Developing Countries, Pergamon Press Ltd., London.

◆ 농림축산식품부. 2021.01. 『2021농업재해대책업무편람』.

◆ 농림축산식품부. 2021. 『농작물재해보험 사업시행지침』.

◆ 농림축산식품부. 2021. 『가축재해보험 사업시행지침』.

◆ 농림축산식품부, 농업정책보험금융원. 2021. 『농업정책보험 정책방향 및 업무편람』.

◆ 농업정책보험금융원. 2020. 『농업재해보험연감』.

◆ 농업정책보험금융원. 2020. 『농업재해보험 기본자료집』.

◆ 농촌진흥청. 2021. 『농사로 : 작물개황, 재배환경 등』.

◆ 농협, 농림수산식품부. 2011. 『농작물재해보험 10년사』. 농협중앙회 농업정책보험부.

◆ 농협. 2021. 『농작물재해보험 및 가축재해보험 각 품목(축종)별 약관』.

◆ 농협. 2021. 『농작물재해보험 및 가축재해보험 각 품목(축종)별 상품요약서』.

◆ 보험경영연구회. 2013. 『리스크와 보험』. 문영사.

◆ 보험경영연구회. 2021. 『리스크와 보험(제3판)』. 문영사.

◆ (사)한국농어업재해보험협회. 2015. 『농업재해보험손해평가사』.

박문각
손해평가사

2차 한권으로 합격하기

2과목 농작물재해보험 및 가축재해보험 손해평가의 이론과 실무

제2판인쇄 | 2023. 6. 15. **제2판발행** | 2023. 6. 20. **편저자** | 김봉호·손송운 **발행인** | 박 용
발행처 | (주)박문각출판 **등록** | 2015년 4월 29일 제2015-000104호
주소 | 06654 서울시 서초구 효령로 283 서경 B/D 4층
팩스 | (02)723-6870 **전화** | (02)723-6869

정가 65,000원   ISBN 979-11-6987-270-6
            ISBN 979-11-6987-268-3(세트)

저자와의
협의하에
인지생략